S0-BIK-244

THE SETTLEMENT OF THE ORDER OF CARMELITES IN MESOPOTAMIA

(BASSORA)

OXFORD UNIVERSITY
PRESS
LONDON EDINBURGH GLASGOW
COPENHAGEN NEW YORK TORONTO
MELBOURNE CAPETOWN BOMBAY
CALCUTTA MADRAS SHANGHAI
HUMPHREY MILFORD
PUBLISHER TO THE
UNIVERSITY

CHRONICLE OF EVENTS

BETWEEN THE YEARS 1623 AND 1733

RELATING TO

THE SETTLEMENT OF THE ORDER OF CARMELITES IN MESOPOTAMIA

(*BASSORA*)

A CONTRIBUTION TO THE HISTORY OF CHRISTIAN MISSIONS IN THE EAST, WRITTEN BY *AGATHANGELUS OF ST. THERESA* AND OTHERS. NOW EDITED FOR THE FIRST TIME WITH TRANSLATION AND NOTES FROM A UNIQUE (AUTOGRAPH) MS. IN THE POSSESSION OF THE AUTHOR

SIR HERMANN GOLLANCZ

M.A., D.Lit. (Lond.)

Emeritus Professor of Hebrew in the University of London University College

OXFORD UNIVERSITY PRESS

LONDON : HUMPHREY MILFORD

1927

"Wherever we are or wherever we travel, we have always our cell with us. Brother Body is our cell, and the soul is the hermit who dwells within to pray and meditate upon the Lord."

St. Francis of Assisi.

CONTENTS

DESCRIPTION OF MS.

I HAD intended that an Introduction should precede the text and translation of this interesting Chronicle regarding the happenings to members of some of the religious Orders, with special reference to the Settlement at Bassora on the Persian Gulf.

A serious and long illness, however (from which I have barely recovered), interrupted the preparation of this work, so as to prevent it from appearing during the year (1926) which witnessed the celebration of the 700th anniversary of the death of that remarkably magnetic personality, St. Francis of Assisi. This has been a source of great disappointment to me. To obviate any further delay, I will content myself with adding this 'Description' of the work in place of an Introduction.

This MS., as far as I have been able to ascertain after patient search, is unique, and is an autograph in several hands, having passed from one Father to another; it deals with events between the year 1623 and 1733.

It begins as follows:

> 'List of the Religious who were Superiors in this Residence from 1623 (the year of its foundation) to the present day, Feb. 1, 1685–1733. [The latter date represents the *terminus ad quem*, and is in a different hand.]
>
> Rev. Father Basilius of St. Francis arrived here, sent by our Spanish Congregation to found our Residence of

Santa Maria de Remediis at Bassora; administrator to the end of January 1636.'

On a detached slip inserted in the Volume when I purchased it were the words: 'Historical Sketches of the Religious Orders of St. Francisco (in his own time) by Brother Agathangelos.' There are about twenty references to Agathangelus of St. Theresa in the first half of this work, and on f. 1 we have the words: 'This is the statement of me, brother Agathangelos of St. Theresa', preceded by the remark, 'In this Chronicle will be recorded the things worthy of record which happened during the period from my arrival at the Residence from 11th January in the year of our Lord 1674.'

This, of course, means that he contributed the *first* portion, and others followed. Compare the clause in f. 290 where Agathangelus is spoken of 'di felice memoria'. He died in 1686, whereas our narrative continues as far as 1733. The information contained on the slip is thus a curious example of the hurried and careless manner in which works, especially in a foreign tongue, are catalogued and described, —if 'St. Francisco' refers to St. Francis of Assisi, and not to some contemporary of Agathangelus of that name.

The MS. is a small quarto consisting of 456 folios in all, the first 8 being unpaginated, and forms a sort of Introduction to the work which begins on f. 1. It is in the original binding (except the back) of dark brown leather with device in centre, and the four corner ornaments top and bottom. On f. 447 the paper is cut clean out in the middle of the page and of the line that follows, beginning 'Isto tempore &c.'; so that out of 24 lines, there are 17 to 18 lines left. On f. 448 the Chronicle ceases with the half-page cut off corresponding with the obverse f. 447. The last 58 ff. are unpaginated.

On the fly-leaf at the end are written the words: Francisco Emanue

and on its obverse Rum R

As said before, several hands (of varying quality) are clearly visible as having taken part in the writing of this Chronicle. I have given 2 specimens of the writing—one of f. 257, and another of ff. 320–321. One hand is clearly discernible till f. 132; several hands between ff. 132–349; other hands from 349–356, 356–379, 380–400, 400–405, 408–413, and 413 to the end. The script in this last portion is most trying to decipher. References to its compilation occur on ff. 132, 356, 372 &c.; in the last will be found a scathing tirade against missionaries unworthy of their office.

In the different portions of the MS. the spelling varies; at first sight it seems careless or whimsical; but these variations are fairly uniform. There are, nevertheless, several evident errors throughout the work. Only in some cases, not in all, have I added [*sic*] to indicate strange or wrong spellings. In other cases I have either left the word as it appears in the MS., or altered it into the correct form, without comment.

Even Proper Names are spelt differently by one and the same scribe, or by the various scribes throughout the work, as e.g. Abdelkerim, Abdalkerim, and even Abdelcherim; Choja appears at times as Koggia.

In some instances I have corrected the error in the text,

occasionally calling attention to it in the 'Notes'. In the main I have left the word as it appears in the MS., my object being not to 'edit' but to reproduce the work as near the original as possible. Moreover, this difference in spelling is an important factor in showing the stages in the compilation of the MS. We have also to remember that we are dealing with a text containing archaic and dialect forms. It occurred to me that the compilation of a list of certain words in alphabetical order showing the spelling adopted in this MS., might be helpful. For the convenience of comparison, I add such list in this place.

abitatio
accerssiti
acepisti
aceptam
acersivit
acurentes
acusaretur
acusationibus
agrederetur
agressus
aleviata
anatematezavit
anorum (for 'annorum')
anuntiare, anuntiaret
anuntiatio, anuntiavit
aparatu
aparebat
aparuerunt
apensum
aprehenderam
aprehendit
aprehense
aprobavit
apropinquare

aproximabatur
apuli
assediare
assedio
assedium
atuli, atulit, atulissemus
Aughustissimorum

carvenserai
centuum
colegit
comendatus
comendaverunt
comiserint
comissiare
comitere
comune
comuni
comunicare
conoscere
contingisse
corectionis
cuccurerunt
cuccurri

Cugnatus

deffectum
defferret, defferri
deffuncti
dimitentes
domenica

eccelentie
eccelentissimo
enarando
enixissis
excelentia
excomunicationis
exhortus (for 'exortus')
exibitis
exibui
exiles
extraeret (for 'extraheret')

facilimum
flaens (for 'flens')
fugentes (for 'fugientes')

Galicae

inacessibili
incomodo
incurere, incurerem
innenaribili
intelexerant
inteligentiam
interogavit, interogans

lungam (for ' longam ')

maeae
Magnatuum
malenconiam
milittes
miserimum
miserimus
miserissimam
misionariorum

nagaverunt
narasset
naraverim
naraverunt
nec ne
nundam

ocasinem
ocasione
ocasionis
ocurerunt
opido
oportuna
opressa

patriecidas
pattentes
pauperimi
percurebat
porexit
post quam
posthea
pumpa (for ' pompa ')

quid quid
quo ad
quot quot

racomandatitia
reaquisisset
reasumsi
redendam
rededimus
ressidentiam

resurectionis

sabato
sacum (for ' saccum ')
scribsit
scrupolo
se se
similimo
stetterunt
substandandamque
sugerissent
sugestionem
sumopere
supelectiles
suplicatio
suplicitesque
suplico
suppedittavit
surexit, surexerunt, surexerim
suripere
sussidiis (for subs-)

tantumodo
Teritorio
Tiranica

vociferimus

Another point to be observed in the MS. is the frequent, almost grotesque use of *capitals* in the original; while, on the other hand, Proper Names like bascia, angli, lusitanis, holandus, aga, nointel, &c., are sometimes written without capitals. I have ventured to tone down this fault to some extent. To do this in an unlimited manner would have meant altering the contour of the whole work; and I was unwilling to alter the nature of the composition more than necessary.

As regards the language of the MS., in the main it is in Latin ; ff. 91–94 are in French ; on f. 39 we have a few lines in Portuguese ; from f. 94 (middle) to 95 in Italian, as also a few lines on f. 96 ; ff. 274–294 are in Italian ; ff. 356 and 377 contain a reference in English (401 also) ; f. 411 (middle) a few lines in French. Archaic and dialect forms occur in the Latin, Italian and French passages.

Turkish and Arabic, with some little admixture of Persian terms, enter fairly largely into the work, thus : ff. 46, 47 and 48 (Turkish, last 2 lines Arabic) ; f. 51 (few lines Persian and end Arabic) ; ff. 52, 53, 54, 68, 70 (Turkish) ; 75, 76, 77, 100, 101, 123, 124 (Arabic) ; 229, 235, 256, 257 (Turkish) ; 303 (Arabic) ; 316, 317, 321, 323, 327, 330, 334, 335, 406, 407 (Turkish).

The most developed and refined Turkish tongue, that of the Osmanlis . . . has admitted too many Arabic and Persian words, grammatical forms and even whole sentences, and has been too much spoiled by the precepts of Persian rhetoric, to produce a popular literature. . . . The Arabic alphabet is in general use. The oldest Turkish alphabet, the Uigurian, is a direct transformation of the Syriac, and has fourteen characters. . . . It is commonly supposed to be the work of Nestorian missionaries, who may have preached the Gospel amongst the Turks as early as the sixth or seventh century. (*Encycl. Brit.*, *sub* ‘ Turkey ’, p. 662.)

A characteristic feature throughout the MS. is the interpretation given in juxtaposition in the text itself to the expression used. The following are examples : Vicesgerenti, vulgo *Kakie* ; Sultani miles, vulgo *Janisserus* ; Judex civitatis, vulgo *Kadi*, &c.; Pater *Hoggia*, scilicet Pater doctor; i. f. Memorialis, vulgo *Arzaha*; Regium diploma, scil. *Capitulationis*; *Defterdar*, scil. Secretarius Kalil Baschia; S. Osman Bascia in officio, vulgo dicto *Chiavusler Chiaiasi*; supra tectum, vulgo *Teraziam*; scuta, vulgo *piastre*; lapidibus, vulgo *Ballut*; Aman Sultanum, scil. *Patriocinium*; istam solemnitatem vocant sua lingua *Cacciacivran*; vulgo *Caravan Seraii*, ubi hospitantur Europei, quando sunt et Christiani Mercatores; in *Segustiani*, vulgo Forest; Procurator, vulgo *Dalal*; vestis, vulgo *Kalata*; *Divanum*, scilicet concilium; Abrahim *Kan* sive Gubernator; *Caragg* sive tributum; a Capitaneo . . . vulgo *Conte stabileum*; in modum cupulae, vulgo *volta*; Capitulationes, vulgo *Catscerif*; ex Ordine Gubernatoris sive *Muzzellem*.

It remains for me but to add that the Latin text of the MS. abounds with contracted forms; these for the most part have been expanded, and appear in full throughout the work.

The only passages in the MS. in English are the following entries, in the writers' own hand, on ff. 356 and 377:—

'On the 18th of April, 1718, William Keble, Commander of the ship Joseph & Co. in company with Mr. James Nevill.'

The reason for this insertion or interpolation is given in the work on f. 357, just as also the explanation of what appears in English on f. 377 is given there, viz.:—'Bussere, the 17th of September 1722, Mr. Thomas Belasyse, Capt. Titus Oates and Paul Lanwood (?), supercargo, Captain & Purser of the ship Marigold received the Livery of the Bashaw.'

The work contains references to *Carmelites*, *Capuchins*, and *Catholics*; to *Christ* and *Christians*, *Jesus* and *Jesus Christ*, and *Virgin Mary*; to *Sabaeans* and *Jews*; and to the Order of St. *Augustin* and that of S. *Francis*.

There are interesting references, too, to the Books of Genesis and Job, to Elias 'the prophet' (f. 194), 'The Tishbite our bishop' (f. 207), to 'Rachel weeping for her children' (f. 2), and to the Bible generally (f. 226), as also to Judea, Galilee, Egypt, Syria, and Palestine. The account of a turn-coat in religion on ff. 389–390 is illuminating.

Among countries and places mentioned are Babylon, Bagdad, Bengal and Bombay; Persia, Ispahan, Bassora (Basra), Bander Abbas, Surat, Shiraz, India and the Indies, Congo, Goa, Constantinople and the Ottoman Porte, Lombardy, Rome, &c.

Of astronomical interest is the incident recorded on f. 108, speaking as it does of 'two suns appearing in the morning'; while the names Abdelkerim and Bassora (Basra) have of late come into particular prominence, and sound specially familiar to our ears.

To elucidate the narrative in this volume, it will be useful to have before our eyes the following particulars taken from Mosheim and other sources:—

Ottoman Emperors

Mohammed III	†1603	
Ahmed I	†1617	
Mustapha	1617	(dethroned)
Osman II	†1622	
Mustapha restored	1623	
Murad IV	†1640	
Ibrahim	1648	(*Ency. Britann.* 1640)
Mohammed IV	1687	(,, 1648)
Suleiman II	†1691	
Ahmed II	1695	(*Ency. Britann.* 1691)
Mustapha II	1703	(,, 1695)

Turkish Emperors

Ahmed III deposed in	1730	(*Ency. Britann.* 1703)
Mahmoud I	1754	(,, 1730)
Osman III	1757	(,, 1754)
Mustapha III	1773	(,, 1757)
Abdul Hamed I	1789	(,, 1773)

Kings of France

Louis XIII	†1643	Louis XIV	1715
Louis XV	1774		

Popes and Bishops of Rome

Clement VIII	†1605	Clement X	1676
Leo XI	,,	Innocent XI	1689
Paul V	1621	Alexander VIII	1691
Gregory XV	1623	Innocent XII	1700
Urban VIII	1644	Clement XI	1721
Innocent X	1655	Innocent XIII	1724
Alexander VII	1667	Benedict XIII	1730
Clement IX	1669		

As a side-light affording corroborative information as to the activities and personality of Agathangelus (whatever his real name was), I will now add the following details kindly obtained for me from Rome by the Rev. Benedict Zimmerman, O.C.D., author of a work *Carmel in England* (1615–1849, London, 1899). The information is gathered from a work in MS. in the Archives générales des Carmes Déchaussés, signed ' Bagdad, fête de N. Dame des 7 Douleurs le 30 Septembre, 1891 ', by P. Polycarpe de Marie Joseph, C.D., Director of the School at Bagdad, entitled ' Annales de la Mission de Bassorah des Pères Carmes Déchaussés, depuis sa fondation 1623 jusqu'à nos jours '.

II[t] (p. 25) R.P.F. Agathangelus a Sta Teresia, C.D. M.A.

Ce Père doit être venu en décembre 1673 d'après le livre des comptes qu'il signe pour la 1ère fois en janvier 1674: Subside de Rome apporté par le P. Agathange 400 abbasis.

p. 27. 14 décembre 1674.

Le P. Agathange est Vicaire de Bassorah.

Ego P. Agathangelus a Sta Theresia hoc anno die 14 mensis X[bris] anno 1675 entravi in possessionem vicariatus hujus nostrae Residentiae S[tae] Mariae de Remediis Bassorensis et computatis pecuniis reperi . . .

p. 28. Avril 1676. Le P. Agathange achète un jardin situé près de leur petite maison au N.

p. 32. 1678. 6 mars. On remet au R. P. Agathange pour son voyage à Ispahan 40 Abbassis.

p. 33. 1678. 15 Oct. Retour de P. Agathange de Ste Thérèse de Perse. Le Père est Vicaire.

pp. 38–40. Document par lequel les Supérieurs Carmes de la Mission de Bassorah sont nommés *ipso facto*.

p. 41. Sept. 1679. Deuxième reconstruction de l'Église.

Item pro reparanda a fundamentis Ecclesia cum sacristia, tribus cellis annexis et media parte refectorii quae propter connexionem cum Ecclesia simul cum expensis quas necessario opportuit facere ut obtineamus licentiam a Gubernatoribus civitatis scilicet Bahia Kaka باها Kadi قلضي &c. Abbasses tria millia centum viginiti quinque, Sciaye duo = 3125 Abbassis عباسي, 2 Schahis شاهي (ex libro sump. septembro 1679: sig. Fr. Agathangelus a Sta Theresia &c.)

p. 42. Cet extrait prouve que P. Ange de St. Joseph, à son retour à Bassorah après la dévastation de cette ville, n'a pu faire en 1667 qu'une construction provisoire, sans doute à cause du peu de ressources dont il disposait. Son œuvre n'a guère duré que 12 ans.

p. 48. 1683. Novembre. Le R. P. Agathange s'est absenté temporairement de Bassorah, probablement qu'il est allé visiter notre mission de Bandarabas dont nous aurons l'occasion de parler plus loin.

p. 50. 1685. février. Le P. Agathange part pour la mission de Bandarabas.

La mission de Bandarabas ne semble pas avoir été jusqu'ici définitivement établie, elle n'était qu'une dépendance, paraît-il, de la mission de Bassorah. Mais le P. Agathange avait obtenu de N. V. Définitoire G[al] la permission de l'établir définitivement et de reconstruire la résidence et c'est dans ce but qu'il est parti pour Bandarabas.

p. 51. Notice biographique et mortuaire de P. Agathange.

Anno Dni 1686 die 3[a] Junii obiit in residentia nostra Bandarabbassis P. Fr. Agathangelus a Sta Teresia professus ex Provincia Aquitaniae Vic. Prov. Substitutus Persidis, qui cum Bandarabbassis ut domum reedificaret et fundationem . . .

p. 52. prius venia a definitoris G[lis] profectus fuisset, ibi propter maximos calores abreptus est febri et post 5 dies aegritudinis, animam Deo reddidit, omni consolatione humana privatus etiam assistentia Religiosorum nostrorum nec aliorum ordinum cum nec unum sacerdotem habuerit praesentem, attamen cum esset vir summae virtutis, filius obedientiae et singularis observantiae, non defuit ipsi divina consolatio, nam ante mortem sacrum fecit et post duos dies animam Deo reddidit cum maximo exemplo patientiae, cum circiter 12 annis nostris missionibus et maxime huic residentiae cum plurima virtutum laude deserviret maxime in reedificatione ecclesiae a fundamentis pro qua plurimos perfessus est labores, repugnante lege maumetica, ipso adversante judice; tandem patientia et oratione omnia vicit, ecclesiam satis pulchram aedificavit; et ministerium apostolicum implevit cum maximo zelo gloriae Dei et utilitate Christianorum eodemque die in coemeterio Christianorum Bandarabbassis sepultus est.

A succinct and interesting little volume on *L'Ordre de Notre Dame du Mont Carmel* might be perused with profit in connexion with the Chronicle of events detailed in this volume. It forms an Historic Study by le P. André de Sainte Marie, C. D. de la Provence de Flandre, Bruges, 1910.

I cite pp. 104–105.

En 1604, Clément viii envoie trois Carmes déchaussés en Perse. ‘Traversant en costume religieux, malgré les périls de mort, l’Allemagne protestante, la Moscovie schismatique et demi-sauvage, ils allaient, attentifs à chaque exercice religieux, ne relâchant rien des rigueurs de la règle, anges de Dieu plutôt qu’hommes mortels! On eut dit l’oraison et la pénitence marchant ensemble à la conquête des âmes’ (*Histoire de l’Établissement de la Mission de Perse par le P.* Berthold-Ignace, C.D. Bruxelles, 1885). L’essor est donné. Les Missions se multiplient, les fondations se succèdent sans interruption. Nos Pères s’établissent à *Ispahan*, capitale de Perse, en 1609; à *Ormuz*, en 1611, où leur couvent, détruit par les Anglais et les Perses en 1622, est reconstruit par l’aide du shah en 1632; à *Schiraz*, en 1623; ils avaient déjà pénétré dans l’Inde, s’étaient fixés à Tatta en 1605 dans l’empire du *Grand Mogol*; avant la fin de ce siècle, l’immense vicariat apostolique de *Bombay*; à *Goa*, en 1620 . . . en 1630, une seconde maison s’établit à *Goa*. Bientôt le Malabar devient la terre choisie de l’apostolat des fils de Ste Thérèse . . . Les Carmes étaient revenus en *Syrie*, leur terre d’origine, après avoir jeté les fondements de la Mission de Mésopotamie, à *Bassorah*, en 1623; ils s’établissent à *Alep* dans le Liban en 1627, et reprennent possession du Mont Carmel en 1631.

From p. 144 of this same work we learn that in the middle of the 18th century the mission had some sixteen religious priests, governed by a Vicar provincial. Before that, in 1681, one of their Fathers, *Gaspard de l'Annonciation*, assisted at the execution of 'the two nobles and saints, victims of the wicked machinations of Titus Oates': Thomas Howard, Viscount Strafford, and Oliver Plunket, Archbishop of Armagh. The name of Oliver Plunket appears in the *Book of Saints* (1921) as having been born in 1629, and ordained priest in 1654: consecrated 1669 Archbishop of Armagh: laboured successfully in restoring the discipline of the Irish Church: arrested on a charge of complicity in one of the sham plots of the time and condemned to death, being hanged at Tyburn (1681). His body was enshrined at Downside Abbey near Bath: beatified by Pope Benedict XV in 1920.

I will conclude this 'description' with the following details taken from an unpretentious work 'Confessions of Faith' by the author of the *Horae Biblicae* (Lond. 1816), as they may be helpful in the course of the perusal of this volume.

The Monastic State originated in the East. In the earliest ages of Christianity, many persons, in imitation of the Rechabites, the prophets, and St. John the Baptist, under the Judaic dispensation, embraced a life of solitude, and dedicated all their time to prayer, fasting, and other exercises of a penitential life. Cassian mentions that in the neighbourhood of Alexandria, a large number of Christians lived in separate houses, apart from the world, and wholly devoted to prayer, pious meditations, and silent labour. They were called 'Monks', from a Greek word, signifying a person living alone. For the same purpose of pious retirement, others, particularly in times of persecution, retired to inaccessible mountains or lonely deserts.

Of these, the first whose name has reached us is St. Paul, usually called the first hermit. . . . About the same time, *St. Anthony*, after spending many years in perfect solitude, permitted a numerous body of men to live in community with him, and to lead, under his direction, a life of piety and manual labour, sanctified by prayer.

St. Pachomius was the first who composed a written rule for the conduct of monks. The communities under his direction inhabited a small island in the Nile. . . . Later monks became divided into two classes, the *Caenobites*, who lived in community, and the *Anchorites*, who lived in separate cells.

St. Athanasius introduced the Monastic State into the West. About 200 years after its introduction, St. Benedict, an Italian monk, framed his religious rule for the government of a convent at Mount Cassino, between Rome and Naples, over which he presided.

The *Canons Regular of St. Augustin* derive their origin from certain 'respectable' ecclesiastics, who in the 8th century formed themselves into a kind of middle order, between the monks and the secular clergy. . . . A spirit of relaxation having found its way into the order, *St. Norbert* attempted to restore it to its primitive severity. He first introduced his reform into his convent at Prémontré in Picardy; it spread throughout Europe with great rapidity; and from the convent in which it was first established, the communities which embraced it were called the *Premonstratenses*.

For many centuries, the Benedictines, and the congregations which emanated from them, and the Canons of St. Augustin, constituted the only monastic orders of the West ; but in the 13th century the *Mendicant Orders* arose ; these were, the Franciscans, the Dominicans, the Carmelites, and the Hermits of St. Augustin.

For full information upon this vast and far-reaching subject of the Orders generally, we still go back with advantage to such valuable sources among others as ' *l'Histoire des Ordres Monastiques, Religieux et Militaires*, 8 vols., by Father Helyot, a Franciscan Friar ' ; the *Missions du Levant*; Butler's ' Lives of the Saints ' ; and as regards the Annals of the Order of St. Francis, the 17 volumes, in folio, by Wadding, an Irishman (2nd edit. Rome, 1731)—which Father Harold published in abridged form and continued, in 2 volumes—contain a mine of information.

Nor should I fail to mention the splendid contribution to the subject published under the title *The Monks of the West from St. Benedict to St. Bernard*, by the Count de Montalembert, with a remarkably fine Introduction (183 pp., dated 1860) by the Rev. F. A. Gasquet, D.D., in 6 volumes (1896), in the first volume of which (p. 65) he refers to St. Benedict as ' the greatest of monastic legislators, who received no nobler title from a grateful posterity than that of *Founder of Peace* : ' Ipse fundator placidae quietis.'

A small volume, too, by Sanson, *Present State of Persia* (Lond. 1695), a missionary of Louis XIV, might be consulted with interest. In it the author praises Shah Suleiman for his kindness to Christian missionaries.

I refer in my ' Notes ' to such modern works as Curzon's illuminating 2 volumes fully illustrated, with Map attached, *Persia and the Persian Question*, since the publication of which Browne's *Year among the Persians* and other similar works have to be added.

Some further particulars concerning these Orders, beyond those briefly touched upon in this ' Description ', will be found in the ' Notes ' contained in this work.

H. G.

JESUS MARIA

Series Religiosorum qui fuerunt Superiores In hac Residentia ab anno 1623 in quo fundata est usque ad hodiernam diem, 1^am^ Februarii 1685–1733*.

ANNO Domini 1623 die trigesima Aprilis, huc advenit missus a conventu nostro Hispahensi R. P. F. Basilius a Sancto Francisco qui principium dedit fundationi hujus nostrae Residentiae Bassorensis Sanctae Mariae de Remediis, et hanc gubernavit usque ad finem Januarii 1636.

Reverendi patres Ordinis Sancti Augustini audito quod nostri Religiosi hic missionem inceperant, de fundatione etiam hic facienda cogitaverunt, et ideo adhuc Ispahano huc miserunt Reverendum patrem fratrem Nicolaum Lorretti qui huc pervenit die 3ª Julii ejusdem anni 1623, et fuit receptu hospitio apud nostrum supradictum Religiosum qui adhuc in domo locata morabatur, donec ipse etiam domum locavisset, in qua tamen missas non celebrabat, sed quotidie apud nostrum celebraturus veniebat, usque ad diem 2^am^ Decembris ejusdem anni, qua die ad meliorem vitam transiit.

Die 4ª Februarii sequentis anni Domini 1624 in hunc portum apulere duo alii Religiosi Ordinis Sancti Augustini R. P. F. Joannes a Sanctis, et R. P. F. Joseph a praesentatione, qui Goa fuere missi ut hic conventum fundarent absque quod scirent quod anno praeterito missus fuisset Ispahano supradictus R. P. Nicolaus quem Deus ad se

* See Notes.

vocaverat die 2ª Decembris anni praeteriti. Illi duo patres etiam apud nostrum hospitio recepti sunt donec domum locaverint.

Sed quia noster Pater Basilius nimia incommoditate patiebatur in ista locationis domo, in fine Martii anno 1624 domum in qua nunc habitamus emit et in ea primam missam celebravit in die Paschalis ejusdem anni, et quia adhuc nimis erat anguste, Deus providit ut domum adjacentem emerit quae pertinebat ad unam ex uxoribus Bascia.

Religiosi Ordinis Sancti Augustini aedificaverunt etiam ecclesiam in regione civitatis vocata Seimar, et ibi habitavere, donec Lusitani perdiderint Maskatti, et tunc Religiosus Augustinianus qui aderat relicta Bassora accessit Goam.

Anno Domini 1625 in principio Januarii, huc advenit R. P. F. Eugenius a Sancto Benedicto Visitator Generalis qui utrum visitaverit residentiam non aparet [*sic*] ex libris, et post viginti dies perrexit versus Indias.

Anno Domini 1635, die 31 Octobris R. P. F. Jacobus a Sancta Theresia, Visitator Generalis, visitavit hanc residentiam.

R. P. F. Stephanus a Jesu fuit Vicarius istius domus a principio Februarii 1636 usque ad finem Julii 1640.

Anno Domini 1636 die 24ª Septembris R. P. F. Jacobus a Sancta Theresia Vicarius Provincialis Persidis et Indiarum visitavit hanc Residentiam Bassorensem.

Anno Domini 1639 die 30ª Martii R. P. F. Carolus a Jesu Maria Visitator Generalis, missus a R. P. nostro Generali Philippo a Sancto Jacobo visitavit hanc Residentiam.

R. P. F. Basilius a Sancto Francisco fuit secundâ vice Vicarius hujus Residentiae a principio Augusti 1640 usque ad finem Februarii 1641.

R. P. F. Leander a Resurrectione a principio Martii 1641 usque ad finem Julii ejusdem anni 1641.

R. P. F. Ignatius a Jesu a principio fuit Vicarius hujus residentiae usque ad finem Augusti 1649.

Anno Domini 1641 die 31ª Octobris R. P. F. Dominicus a Sancta Maria visitavit hanc Residentiam ex commissione Reverendi Patris Fratris Dominici a Xpo (Christo) Vicarius Provincialis Persidis et Indiarum.

Anno Domini 1646 Idibus Decembris R. P. F. Stephanus a Jesu Visitator Generalis pro Reverendo patre nostro Generali P. F. Eugenio a Sancto Benedicto visitavit hanc Residentiam.

Anno Domini 1649 in fine Augusti R. P. F. Dominicus a Sancto Nicolao Vicarius Generalis visitavit hanc Residentiam.

R. P. F. Foelix [*sic*] a Sancto Antonio fuit Vicarius hujus Residentiae a principio Septembris 1649 usque ad finem Januarii 1654 quo tempore fuit factus Vicarius Provincialis Persidis et Indiarum missionum nostrarum.

R. P. F. Barnabas a Sancto Carolo fuit Vicarius hujus residentiae a principio Februarii 1654 usque ad finem anni 1660.

Anno Domini 1660 die 10ª Martii R. P. F. Remundus a Sancta Margaritta Visitator Generalis, pro Reverendo Patre nostro Dominico a Sanctissima Trinitate praeposito generali, visitavit hanc residentiam.

Circa finem anni 1660 P. F. Barnabas a Sancto Carolo abiit et pro eo remansit hic P. F. Blasius a Sancta Barbara, an Vicarius, an Praesidens, nescio, solum apparet ex Libris quod in principio anni 1666 hic aderat R. P. n. Dionisius a Jesu Vicarius provincialis qui tempore bellorum multa passus et etiam bis fuste percussus in stomacho, unde male se habuit et doloribus stomachi passus est usque ad mensem Januarium anni 1673 quando obdormivit in Domino in Portu Congo, quomodo fuerit percussus ex ipsius verbis apparet sic enim scripsit manu propria ut infra sequitur.

Anno Domini 1666 7ª Februarii nostra Domus Bassorensis tam propter aliquos mercatores tam et praecipue propter quemdam Christianum Indum qui officium Liberatoris contra militiam Hassen Bascia ducis Bassorensis susceperat, a militibus ejusdem ducis qui ad coercendos rebelles ex castello Corna a duce fuerant expediti, fuit vastata, ab omni supellectili ecclesiastica et domestica spoliata, aliquibus etiam nummis sublatis, et aliquo ex nostris (ipsemet est qui scripsit haec P. F. Dionisius) fuste bis percusso et vulnera a framea infligenda vix evadente.

Dictus R. P. F. Dionisius hinc progressus est versus finem Februarii 1667 et hic reliquit solum patrem fratrem Angelum a Sancto Josepho usque ad diem 10[am] Julii 1667 qua die huc advenit Vicarius missus ab eodem Reverendo patre fratre Dionisio P. F. Severinus a Sancto Mauritio, et ibi fuit Vicarius usque ad diem 3[am] Augusti 1670 qua die ad meliorem transiit vitam.

In isto bellorum intervallo et gubernii mutationibus multa passi sunt incommoda nostri Religiosi ut patebit infra.

Anno Domini 1667 die 19[a] Novembris R. P. Frater Severinus et P. F. Angelus a Sancto Josepho constricti fuerunt fugere versus Scirasium tunc enim advenientibus Othomanis Hassen Bascia tota civitate prius evacuata et adusta fugiit in Persidem et inde in Indias, qua dominata ab Othomanis, ibi fuit constitutus Bascia Jahia cognatus supradicti Hassen Bascia, qua in pace constituta dicti patres Severinus et Angelus rediere ex Perside, et huc advenere die 17[a] Julii anni sequentis 1668.

Supradictus Jahia Bascia anno 1669 fuit accusatus de rebellione apud Sultanum et ideo iterum exercitum contra Bassoram ordinavit cujus ducem constituit Cara Mustafa Bascia, quem cum audisset apropinquare, Jahia Bascia etiam fugiit cum Arabibus, et etiam patres nostri fugerunt versus Bander Rik die 6[a] mensis Septembris anni 1669; et huc rediere, civitate in pace constituta a Cara Mustafa Bascia, die 17[a] Octobris ejusdem anni 1669.

Hic Cara Mustafa Bascia gubernavit civitatem pro Sultano Mahamede 2° (!) per tres annos et mortuus est, cui successit in gubernio Celebi Hassen Bascia qui huc advenit anno Domini 1672 et gubernavit usque ad mensem Septembrem anni 1674, ipsique successit Hossein Bascia, cui iterum successit praecedens hassen Bascia, mense augusto anni domini 1677, atque iterum isti successit et adhuc hossein Bascia anno domini 1680 qui gubernavit civitatem usque ad 1^am^ diem Januarii anni 1683, qua die intravit in civitatem otheman aga Mutselem, seu praecursor successoris habd Rahhaman Bascia, qui solemniter intravit mense februario. R. P. F. Severinus a Sancto Mauritio provinciae Longobardiae fuit igitur Vicarius hujus residentiae ut supra diximus, a die 10^a^ Julii 1667 usque ad diem 3^am^ augusti 1670 qua die voluit Deus ipsi impertiri mercedem laborum suorum quos pro ipso patienter sustulerat, bis enim fugere fuit obligatus, propter gubernii mutationes, ut supra dictum est.

Item anno domini 1670 die 23^a^ octobris obiit hic R. P. F. Franciscus a Jesu, provinciae genuensis Visitator generalis missionum pro R^do^ admodum p. nostro Philippo a sanctissima Trinitate non apparet quod visitaverit residentiam antequam visitaretur a domino.

Item eodem anno domini 1670 die 3ª decembris obiit p. f. Candidus a purificatione, et sic residentia remansit in manibus famulorum usque ad diem 3^am^ februarii 1671, qua die advenit R. p. f. Hieronimus a Jesu mãa et fuit ibi Vicarius usque ad diem 11^am^ Januarii 1674 qua die p. f. Agathangelus a Sancta Theresia attulit ipsi patenter Vicarii provincialis Persidis et Indiarum, qui hic facta visitatione die 17ª Februarii, hinc progressus versus Persidem die 23ª Februarii ejusdem anni 1674.

P. F. Tussanus a Jesu remansit praesidens a dicta die 23^a^ Februarii usque ad diem 14^am^ Decembris ejusdem anni 1674.

P. F. Agathangelus a Sancta Theresia provinciae Aquitaniae fuit hic Vic. a dicta die 14[a] Decembris 1674 usque ad diem 1[am] Martii 1678.

Anno domini 1678 die 6[a] Martii R. P. F. Joannes Baptista a Sancto Jp̃h provinciae Longobardiae Visitator generalis pro R[do] patre nostro Emanuele a Jesu Maria praeposito generali visitavit hanc residentiam.

R. P. F. Aurelius a Sancto Augustino provinciae germaniae fuit Vicarius hujus residentiae a die 2[a] Martii 1678 usque ad diem 15[am] Octobris ejusdem anni.

P. F. Agathangelus a S[ta] Theresia regressus ex perside iterum fuit Vicarius hujus residentiae a die 15[a] Octobris 1678 usque ad diem 1[am] Februarii 1685 a qua die fuit Vicarius P. F. Carolus Hiacinthus a Sancta Theresia et P. F. Agathangelus Vicarius provincialis substitutus ivit in persidem.

Anno domini 1680 R. P. F. Felicianus a Sancto Rocho provinciae Longobardiae prior conventus nostri goensis die 6[a] Augusti visitavit hanc residentiam pro Reverendo patre nostro Joanne Baptista Vicario provinciali.

Anno domini 1684 die 21[a] Junii R. P. F. Agnellus ab Immaculata Conceptione Visitator Generalis pro Reverendo admodum P. nostro Carolo a Sancto Brunone praeposito generali visitavit hanc residentiam.

JESUS MARIA

CUM multis ab annis nihil fuerit notatum de his, quae acciderunt in ista residentia Bassorensi, vel si fuerit aliquid notatum, deperditum fuerit, propter bella et fugam religiosorum, et etiam propter mortem ipsorummet religiosorum; qui in anno Domini 1670 tres obiere, et sic sola derelicta fuit residentia per aliquot menses ut inferius patebit. In isto Libro notabuntur cum favore divino, quae notatu digna acciderint a meo adventu in istam residentiam, scilicet, a die 11[a] Januarii anno Domini 1674, a meo adventu dico ego Frater Agathangelus a Santa Theresia.

Antea tamen notabo hic quaedam quae ex Libro, in quo notantur diffuncti [*sic*] patent, de coeteris enim nihil potui habere certum.

Anno Domini 1670 die 3ª Augusti circa mediam noctem R. P. F. Severinus a Sancto Mauritio Laudensis professus Provinciae Longobardiae aetatis annorum triginta et septem Vicarius hujus nostrae ecclesiae Sanctae Mariae de Remediis animam Deo reddidit : vir qui dicere poterat cum iis qui oderunt pacem eram pacificus, cum loquebar illis impugnabant me gratis ; obedientiae singularis ; ut pote qui numquam Bassorae remanere reclamaverit, licet septem annorum experientia edoctus aerem sibi infestissimum, ex quo et ex ejus singulari patientia, satis commendari valet, quae nullo modo usque ad mortem superari potuit, unde et tunc in ore habuit illud orationis Dominicae, fiat voluntas tua. Cujus corpus sepultum est eodem die, in coemeterio nostro vulgo dicto Haissah ben Mariam ; id est Jesus filius Mariae, ad radices palmae, in moedio coemeterii. Ejus ossa translata sunt in nostram ecclesiam die decima tertia Augusti anno Domini 1680 et Recondita sunt in Capella Sanctissimi Sacramenti ante altare ex parte Epistolae.

Eodem anno 1670, die 23ª octobris, transiit ad meliorem vitam, R. P. N. Visitator Generalis, P. F. Franciscus a Jesu Genuensis, finita tota sua visitatione Persidis et Indiarum, vir summae virtutis et singularis devotionis erga beatissimam virginem, mortuus est cum maximo exemplo patientiae et resignationis ad voluntatem Divinam et sepultus est in coemeterio nostro, vulgo dicto Haissah Ben Mariam ubi positum fuit signum facta aliqua fabrica. Per istam fabricam, intelligitur monumentum more patriae, et quia similis fabrica facta reperitur supra corpora coeterorum Christianorum non potui discernere ejus sepulchrum a coeteris, et ideo ejus ossa non transtuli in ecclesiam.

Aliquibus hebdomadibus transactis P. F. Joachimus

supra dicti felicis memoriae patris nostri Visitatoris Socius, et secretarius, iter suscepit versus Babiloniam ut in Europam se transferret : et sic solus ac aegrotus remansit in hac residentia P. F. Candidus a Purificatione qui die 3ª Decembris ejusdem anni 1670 ultimum suae vitae clausit : et cum ab uno mense non habuerit copiam sacerdotis, aut alterius, qui de ejus ultimis possit exacte et clare testificare, testis sufficiens est ejus ante probata virtus et cum ordinarie talis sit exitus qualis fuerit vitae decursus, pie et non sine fundamento, credendum est quod cum eadem divinae voluntati resignatione obierit, cum qua semper vixit, et in brevi explevit tempora multa, qui pro viribus suis missioni huic serviens, secundo ab adventu suo ad missiones anno, ministerium complevit. Eademque die in coemeterio nostro Haissah ben Mariam, sepultus est.

Ab illa die 3ª scilicet Decembris, residentia nostra religiosis orbata remansit, usque ad tertiam diem Februarii sequentis anni Domini 1671, qua die apulit huc R. P. F. Hieronimus a Jesu Maria Provinciae Poloniae professus, qui aliquibus post annis fuit nominatus noster Vicarius Provincialis Persidis et Indiarum, ut dicimus infra.

Per spatium temporis istorum duorum mensium supradictorum, quibus residentia fuit orbata religiosis, omnia remanserunt in manibus famuli, qui pluribus dissipatis, coetera remisit inter manus P. F. Hieronimi a Jesu Maria qui per tres annos cum maxima prudentia et vigilanti sollicitudine Vicarius istius missionis curae operam dedit, sed quia per istos tres annos, nihil scriptum fuit, unicam tantum narrationem apponam, quam audivi accidisse, mense Octobri anno 1673 et haec est.

Dicto anno et mense quidam Gallus nomine Bartolomaeus Laverdicre, qui in hunc portum in commercii causa advenerat, gladio confodit quemdam Mahametanum, cujusdam capitanei janitorem et ideo a Mahametanis in carcerem fuit detrusus, et ideo in procinctu apostatandi a fide, vel saltem moriendi in facinoris poenam ; sed quia in talibus occasionibus nostris diebus, proh dolor ! pauci reperiuntur qui eligant malle mori, quam apostatare, P. F. Hieronimus tamquam pastor vigilans, non cessavit a laboribus donec illam animam ab ore leonis liberaverit, quod fecit Deo adjuvante et mediantibus poecuniis, quas partim ex nostra paupertate et partim ex eleemosinis congregatas judicibus infidelibus obtulit, et fidelem ex eorum manibus eripuit, qui eadem die qua fuit liberatus ab eodem patre bene consultus navim conscendit et in Indias perrexit, ubi aliquibus post annis in nostrae verae fidei confessione obiit.

Die 11ª Januarii anno Domini 1674. Ego Frater Agathangelus a Sancta Theresia provinciae nostrae Aquitaniae professus, ex jussu superiorum nostrorum in hanc civitatem apuli, et atuli Reverendo patri fratri Hieronimo a Jesu Maria tunc hujus residentiae vicario, patentes vicarii provincialis Persidis et Indiarum ; qui statim propter negotia missionum nostrarum in Persidem se transferre decrevit : attamen ante discessum suum hanc residentiam visitavit, scilicet die 17ª Februarii, et 24ª ejusdem mensis, et anni, navim conscendit versus Bander Rik ; et hic reliquit patrem fratrem Tussanum a Jesu provinciae Parisiensis professum, et patrem fratrem Agathangelum a Sancta Theresia provinciae Aquitaniae ; quibus missionem commendavit, absque quod aliquem nominaverit vicarium.

Isti duo novi missionarii ex communi consensu, et ferventi animo deliberaverunt totis viribus ad animarum salutem invigilare : qui reperientes in Libro ubi annotantur nomina eorum qui baptizantur centenaria baptizatorum, ex secta Sabaeorum, et in Libro ubi annotantur qui sepeliuntur, nec unum reperientes ex dicta secta esse apud nos sepultum, videntesque quod paucissimi ecclesiam frequentabant, suspensi multum admirati sunt Nota, quod aliqui dixerunt

Sabaeos facile se convertere, et facile recedere, sed melius dixissent, quod nullo modo convertuntur, sed facillime dissimulant, et inter eos est opinio erronea, quod tres aut quatuor guttae aquae baptismi christianorum, non irritant inundationem Sabeorum, quae fit in flumine, et repetitur, toties quoties desiderant, bene vero, matrimonium, et sepultura irritat eorum legem : et ideo a tempore quo patres nostri venerunt Bassoram, licet plurimos baptizaverint, nullum matrimonio junxerunt, nisi unum qui seniculam uxorem suam Sabeam repudiavit, ut juvenem et formosam Christianam acciperet, ut bene successus monstravit, qui cum ista mulier iverit in Indias cum sua filia cuidam Anglo capitaneo nupta, iste Sabeus per aliquot annos murmuravit et tandem senio confectus, et oculis mentis ac corporis caecus, christianae fidei renunciavit, et iterum apud Sabeos baptizatus fuit, ut dicetur infra, anno 1679, mense Junio.

Item christianus quidam, parvulam sive juvenem filiam sabeam furtim abstulit, quae a religiosis nostris, qui tunc temporis aderant in religione christiana edocta, et baptizata, ipsi fuit in matrimonium data quae post consortis obitum, vidua et in periculo apostatandi derelicta, a patribus anno Domini 1678 fuit transmissa suratem, ubi christiano nupsit, et huc usque perseverat in fide, et isti sunt duo soli qui hic Bassora in ecclesia matrimonium celebrarunt ex ista secta Sabeorum ; aliqui etiam in Indiis christiano more matrimonio juncti sunt, sed huc redeuntes ad primam suam sectam redeunt. Nota quod reperitur in Libro quod aliqui post celebratum matrimonium superstitioso more Sabeorum in ecclesia illud ratificaverunt, sed et hoc etiam dissimulantes fecerunt, ut religiosorum benevolentiam sibi acquirerent.

Quantum ad sepulturam, nullum ad huc sepelivimus, quia aegroti etiamsi, ad complacendum religiosis, confessi, et communicati fuerint, antequam moriantur induuntur septem habitus portionibus, quae sunt signum professionis suae fidei, et jubent suis ut statim sepeliantur, antequam notitia eorum obitus perveniat ad religiosos.

Semel accidit, et hoc, anno Domini 1667, 19 Martii, quod unus ex dicta secta Sabeorum, qui in sua aegritudine patrem qui pro tunc aderat non admonuit, sed paucis diebus mortuus est, imo et a suis supradicto modo sepultus est, quo audito P. F. Angelus a Sancto Joseph Bascia seu principem de facto admonuit, et ejus principis auctoritate corpus ejus ex sepultura Sabeorum extraxit, et ad sepulturam Christianorum illud attulit, cujus historiae nusquam obliviscentur Sabei et ego scire cupiens utrum iste obierit Christianus an Sabeus, de ejus ultimis sciscitatus sum Schek Hiahhie ben Schek Sem, qui ipsum septem supradictis habitus portionibus induit antequam moreretur, et mihi testificatus est, se ipsum induisse plene adhuc intellectu pollentem et volentem taliter indici et per consequens, suae religionis Sabaeae profitentem, et in ea mori desiderantem.

Illi igitur duo supradicti patres novi missionarii, tantam frigiditatem deplorantes, statim pro viribus laboraverunt, ut eos ad devotionem inducerent (non enim adhuc noverant istius sectae hipochrisim et dissimulationem) et idcirco eorum nominibus acceptis, quos baptizatos reperierunt in Libro, eos omnes ad ecclesiae frequentationem invitare, coeterisque ut a sua infidelitate recedentes veram fidem amplexarentur praedicare ceperunt: paucisque diebus ecclesia nostra plena fuit Christianis (si licet sic eos nominare) et cathecumenis, et nullus erat inter Sabeas qui non diceret se velle baptizari: admoniti vero quod necesse est prius recedere a termino a quo, deinde accedere ad terminum ad quem, neque unus inventus est qui voluerit ex secta Sabeorum egredi.

Si circa supradictam sectam sterilis est ista missio, fertilis est tamen circa Christianorum varias sectas, ex quibus huc quamplures adveniunt ex omni ritu Christianorum, ex quibus conversi ecclesiam et sacramenta frequentant, et diversi convertuntur, habemus hic nunc plurimas familias stabilitas, absque multitudine qui commercii causa istum portum frequentant, et singulis dominicis missis et praedicationibus adsunt.

Mense novembri ejusdem anni Domini 1674 R. P. Hieronimus a Jesu Maria Vicarius provincialis nominavit patrem fratrem Agathangelum a Sancta Theresia vicarium hujus nostrae residentiae, cujus literas patentes recepit die 11ª Decembris ejusdem anni, quae lectae fuerunt die 14ª ejusdem mensis et anni.

Mense Februario anni 1675 dominus Emanuel Rodriguez d'Aguyar, pro negotiis Lusitanorum agendis in portu Congo Residens scripsit nobis, et rogavit ut emeremus ipsi unam ex virginibus Georgianis quas Infideles furtim rapiunt a suis parentibus et eas in omnes Turcarum regiones conducunt eas vendendi causa, quam supradictus Dominus Residens volebat transmittere uxori suae in civitate Goensi in Indiis commoranti.

Notandum est quod inter Mahametanos sunt Leges et poenae severissimae contra vendentes tales puellas Christianis, et crudelissime infliguntur, tam vendentibus quam ementibus eas, sive puellae negaverint fidem christianam, sive adhuc in ea perseverent.

Non obstantibus istis legibus injustis nos gavisi sumus habere occasionem liberandi unam animam ex manibus infidelium, et omnibus istis poenis ultro nos exposuimus et alacriter, ut animam pro qua Dominus Noster Jesus Christus mortuus est in viam Salutis reduceremus et Ideo conventione facta cum quodam navis procuratore Mahametano, ut ipsam suo nomine reciperet in navim, et eam conduceret in portum Congo : duobus aliis Mahametanis commisimus, ut unam eligerent et emerent : et sic fuit empta centum et sexaginta scutis et secreto fuit in navim transmissa: quae interrogata a me utrum perseveraret in fide Christiana respondit se vi et absque consensu interno, circuncisam fuisse et se infinitas Deo gratias agere quod talem occasionem salvandi se ipsi ministrasset, de qua responsione maximam consolationem habui, et ipsam exhortatus sum, ut tantam gratiam non parvi faceret sed ea bene uteretur.

Ast profunda sunt divina judicia, et inscrutabiles viae ejus qui permisit, ut dum visitaretur navis ante disgressum, ut moris est, visa sit puella et interrogatus procurator navis contra promissionem suam secretum discooperuit, et Religiosos eam in terras Christianorum transmittere divulgavit, et etiam nominavit venditorem et duos Mahametanos quibus mediantibus fuerat empta etiam accusavit, qui statim in carcerem detrusi sunt, et P. F. Agathangelus fuit citatus a judice mercatorum die 8[a] Aprilis ejusdem anni 1675 et ab eo interrogatus, utrum emisset talem puellam, ut eam mitteret in terras Christianorum, respondit verum esse se Christiani filiam emisse ut eam inter Christianos remitteret: talem responsionem quodam modo admiratus est praedictus Judex Mercatorum, et replicavit utrum ipsorum leges talem rem prohibentes ignoraret, ad quod Religiosus etiam respondit se eas nullo modo ignorare, et se bene nosse quod nulla lex juste institute potest prohibere, quin unusquisque liberet ex captivitate quoscumque in ea repererit [*sic*] de sua natione aut religione, et quod si talis lex apud eos vigeret, tantum per vim vigorem haberet: ad haec respondit praedictus Judex quod ad Bascia, sive provinciae gubernatorem res devolveretur, et quia supradictus P. F. Agathangelus cum isto Judice satis familiariter agebat, rogavit eum ut omnia bene componeret, timebat enim, et non sine causa propter leges supradictas. Crastina die, id est 9[a] ejusdem mensis et anni dictus pater vicarius fuit citatus apud Bascia vices gerentem; et eodem modo quo fuerat ab alio interrogatus heri, eodem modo fuit etiam hoc die ab isto et postquam easdem responsiones reddiderit, adhuc adjunxit haec verba domine mi nos in vestris provinciis degimus et eodem modo quo nullis de nobis judicatis : Notum tamen sit vobis quod si hodie in benefacto dijudicamur supremus Judex est qui inter nos et vos juste judicabit. Ad quae gubernatoris vicesgerens subridens respondit, Religiosi sunt nobis chari et istud negotium volumus amicabiliter determinare ; puellam secundum leges nostras non possumus relaxare ; sed poecunias reddemus ; et quicumque alius esset quam religiosus qui tale perpetrasset, non solum nec poecuniis, nec puellam redderemus, sed ab illo multo ampliores poecunias extraheremus, vel capite ipsum puniremus, et statim jussit quod poecuniae totaliter et integre redderentur.

Interim duo Mahametani qui fuerant emptionis mediatores, in carcere detenti, non aliam quam capitis sententiam expectabant : Sed Pater Vicarius eorum non oblitus petiit a Vicesgerenti, vulgo Kakie, ut favorem imperfectum non relinqueret, et ipsi incarceratos condonaret, maximas difficultates adduxit, in fine tamen dixit ut scias quantum Christianos religiosos aestimamus, et diligimus eos nobis condonamus, et sic misera et infelix puella in captivitate remansit quod si poecunias gubernator restituit, non tamen idcirco quaestu privatus remansit, quia et puellam pro se accepit et puella venditorem poecunias reddere obstrinxit.

Eodem anno 1675 quidam Sultani miles, vulgo Janisserus, nomine Rom Mahamed, qui oriundus ex insula Zante filius Christiani Graeci, a juventute fuerat a Mahametanis captus, et per plures annos in captivitate Christianus perseveraverat, postea vero misere fidem suam Babiloniae pro Libertate vendiderat, et deinde inter Janisseros annumeratus, et tandem dives effectus, de fabricando palatio cogitavit, ideoque quamdam antiquam domum, domui nostrae adjacentem emit, superbamque fabricam supra domum nostram elevavit, sexque magnas fenestras aperuit, ex quibus duae salario [*sic*] nostro dominabant, et per quatuor alias in aula nostra perspiciebatur: ita ut nihil ibi posset, nec dici, nec fieri quin ex istis fenestris audiretur, ac videretur. De his admonitus Frater Agathangelus qui tunc in lecto graviter aegrotus degebat, Janisserum vocavit, ipsumque rogavit ut tales fenestras amicabiliter clauderet, aliter obligaremur ad jus recurrere. Iste dissimulans promisit eas libenter clausurum, et etiam cum subtiliori fictione adjunxit, quod nullo modo fuerat oblitus qualem reverentiam tenebatur habere versus ecclesiam et religiosos, sic se nullo modo voluisse nos incommodare, fenestrasque quam cito clausurum esse. Sed quanto majorem reverentiam dissimulabat, tanto pejorem astutiam fovebat, et pluries a dicto patre admonitus, ut eas clauderet, semper pollicebatur, nusquamque exequebatur, donec religiosi miserint exploratorem qui ejus intentionem circa hanc rem agnosceret, et eis illam referret, exploratorque retulit se eum audivisse dicentem quod citius quindecim millia scutorum expenderet, quam unam ex istis fenestris clauderet; quo audito Religiosi, primo Judicem mercatorum, vulgo Sciabandar, de re admonuerunt, qui statim promisit se eos a tali injuria vindicaturum esse. Sed a dicto Janissero poecuniis corruptus, ad patientiam nos est exhortatus deinde ad Judicem civitatis, vulgo Kadhi, ad Janisserorum capitaneum, ad Vicesgerentem Bascia, vulgo Kakie, et tandem ad ipsummet Bascia seu gubernatorem recurrimus, ex quibus omnibus etiam poecuniis corrupti nullus fuit qui voluerit justiciam exercere, aut recte judicare, et singulatim computatis muneribus, quibus praedictos judices corruperat reperimus quod supra septingenta scuta expenderat.

Unde tamen poenitus spem non perdidere Religiosi, et re Deo commendata per aliquot dies tacuere, donec ex divina providentia acciderit, quod dominus Petrus Tavera Lusitanorum exercitus in sinu Persico Admiralis, et dominus

Emanuel Rodriguez d'Aguyar ejusdem nationis Lusitanae in portu Congo residens nobis scripserint, et notificaverint quod ad nostram requisitionem liberaverant duas naviculas pertinentes ad mercatores hujus civitatis Bassorae, et de facto in hunc portum apulerunt dictae duae naviculae liberatae; de quibus Bascia a nobis admonitus statim jussit quod fenestrae clauderentur, et sic factum est: leviter tamen, id est, luto tantum clausit eas, volens post illius Bascia discessum, eas iterum aperire: ast ut ad tale futurum periculum evidens, oportunum apponeretur remedium, statim ac fuerint clausae parietem ad parietem elevavimus, et cellas contra [contra] fenestras fabricavimus.

Quando admonuimus Bascia de liberatione navicularum, et iterum rogavimus ipsum ut erga nos justiciam exerceret, ipsi praesentavimus annulum argenteum cum petra melitae, quae vulgo dicitur oculus serpentis, et sic cum uno annulo et divi pauli orationibus pauperes Religiosi detraxere, quod Janisserus cum ingentibus paecuniarum summis pro se stabilisse credebat.

Eodem anno 1675 die 18 Septembris, apulit in hunc portum P. F. Cornelius a Sancto Cypriano, professione Romanus et natione Belga, religionis nostrae professus, et antiquus missionarius, qui procurator missionum nostrarum electus, ad capitulum Generale Romam se conferebat. huc male dispositus advenit, et die 6ª ab adventu suo, id est, 24ª ejusdem mensis Septembris creatori suo reddidit spiritum, quo die circa mediam noctem, peccata confessus est, hora sexta matutina post missam illi sacrum viaticum tulimus comitantibus omnibus nostris Christianis cereos accensos manibus gestantibus, et hora nona ei sanctam extremam unctionem administravimus, qua accepta statim animam reddidit Creatori suo, cum maxima nostra aedificatione, quia istis paucis diebus multa virtutum exempla nobis reliquit. Sepultusque fuit eadem die in coemeterio nostro, vulgo dicto, Haissa ben Mariam cujus ossa transtulimus in ecclesiam die 6ª Maii, anno Domini 1680. eaque deposuimus in capella Sanctissimi Sacramenti prope altare ex parte Evangelii.

Eodem anno 1675 die 27 Decembris apulerunt huc quatuor nostri Religiosi, id est P. F. Celestinus a Sancta Ludivina ex Holandia oriundus, et antiquus montis Libani missionarius, qui etiam per diversos annos, Romae linguas orientales in Seminario nostro Sampancratio docuerat, et P. F. Bartholomaeus a Sanctu [*sic*] Sacramento Longobardiae professus, qui etiam in Sampancratio per aliquot annos controversiarum professoris munus exercuerat, et P. F. Agnellus ab immaculata conceptione etiam Longobardiae provinciae professus, et P. F. Angelus Franciscus a Sancta Theresia pedemontium provinciae professus, cum quodam Suriano Propagandae alumno qui dictis nostris Religiosis interpres inserviebat, qui omnes pergebant versus coccinum in Serra Malavarensi, locum ad quem mittebantur a Sacra Congregatione de Propaganda, ut ibi missionariorum munere fungerentur; notum fuit nobis quod adhuc navis propter ventum contrarium detinebatur in flumine distanter tamen satis a civitate supradicti Religiosi nostri, ne perderetur occasio transmittendi se cum ista navi Surattem, voluere eodem die, spreta consolatione festivitatum, et hospitalitatis, post dictam navim currere, sed quia P. F. Celestinus summo senio, et itineris labore multum fatigatus erat, bene visum fuit illis, ut ipse et P. F. Agnellus hic quiescerent usque ad novam ocasionem, et alii duo cum interprete se ad navim transferrent, et sic, sumpto prandio, istius domus vicarius conducta parva navicula eos ad navim deduxit, qui per totam noctem navigantes crastina die, scilicet, 28ª ejusdem mensis Decembris, oriente sole ad navim pervenere, et salutato navis procuratore, qui erat Christianus Armenus, et capitaneo qui erat Holandus, utroque patri vicario multum familiari, qui eos de receptione missionariorum in navim rogavit, primus cum maxima urbanitate admisit eos in navim, dixitque patri vicario quaere ipsis locum in quo sedeant, quantum ad transitum ipsis libenter et gratis concedo ; qui alacris ivit ad capitaneum seu nauclerum quem sibi non minus facilem promittebat, stante ipso Europeo, et etiam Bassorae in conventu, a dicto patre non modice fuerat honoratus. Sed multum fuit stupefactus pater Vicarius quando audivit ipsum respondentem suam cameram esse strictam et non posse eos continere, et admonitus quod gratis id non postulabatur, sed quod solveretur, ut ordinario ab extraneis solvitur, nec ullo modo potuit inflecti, donec viderit, quod, quamdam camerunculam in arcae modum factam, intra quam unus et supra quam alius poterat sedere, ab alio navis officiali conduxerant, et tunc capitaneus dixit, quod si ipsi vellent dare centum abbassis, id est triginta scuta eos in suam cameram admitteret, quae ipsi statim numeraverunt, et sic admissi sunt.

Alii vero duo missionarii P. F. Celestinus et P. F. Agnellus hic remanserunt usque ad 25[a] Januarii sequentis anni 1676. qua die naviculam conscenderunt versus Bander Abbassis, ubi non inventa commoditate transmittendi se Surattem versus Scirasum perrexerunt etc.

Anno Domini 1676 mense Februarii P. F. Tussanus a Jesu, ivit in Persidem ut interesset capitolo nostro ad electionem Prioris Hispahensis, et sic Frater Agathangelus a Sancta Theresia solus hic remansit usque ad diem 16[a] Julii ejusdem anni qua die apulit hic ex Perside P. F. Angelus a S[to] Josepho provinciae Aquitaniae professus.

In isto quinque mensium intervallo diversae domus fuere de nocte a latronibus pertoratae, homines occisi, ac merces abreptae, mirum tamen quod Deus non custodierit.

Dicto mense Februario propter homicidium nocturnum tres Christiani in carcerem fuerunt detrusi, non quod homicidium commiserint, sed quia in vicinio reperti fuere, et aliquod post dies fuerunt, nobis mediantibus, liberati, ex quibus unum Indum nomine Remundum transmisimus in Persidem cum patre fratre Tussano, et alterum nomine Arakielem Armenum Babilonensem in nostro servitio domi admisimus, qui deinde fidem Catholicam professus est.

Eodem anno 1676 mense Julio apulerunt in hunc portum tres naves Anglicae, ex quibus tres Juvenes famuli quadam die a Mahametanis injuriis affecti, ipsos Mahametanos etiam isti injuriis affecere, et ex verbis ad verbera advenere : ita ut plusquam quinquaginta Mahametani lapidibus et fustibus istos tres extraneos annihilare voluerint, qui ex manibus Mahametanorum fustibus extractis, istos Mahametanos licet plures et multo plures numero, ita feriere, ut duo velut mortui remanserint, coeteri vero fugam arripuerint, unde isti tres juvenes Angli in carcerem adducti sunt : et statim Frater Agathangelus fuit accerssitus a mercatorum Judice vulgo Sciabandar, qui re cognita illos Juvenes ut non metuerent exhortatus est, et mercatorum Judicem apud quem incarcerati erant rogavit, ut eos ipsi traderet, promittens, quod, si illos noxios reperiret, efficeret ut eorum capitaneus illos debite castigaret. Sciabandar se excusavit, dicens quod si tam cito eos liberaret coeterorum Mahametanorum odium in se attraheret, et forsan seditio excitaretur, dixitque patri Vicario veni serotinis horis, et eos tibi dimittam.

At Anglorum Capitaneus re cognita rogavit dictum patrem, ut eos amplius non postularet dicens se eos velle vi ex manibus istorum infidelium extrahere. Et ideo duos de suis misit ad mercatorum Judicem, qui audacter ab ipso petiere, ut suos famulos eis liberaret, qui tali modo exigendi offensus absolute negavit, dicens se velle eos secundum suas leges punire, id est quod si quis Christianus Mahametanum ferierit, vel morte puniatur, vel Mahametanus fiat, de cujus responsione offensus capitaneus Anglus se cum suis in navim recipit, et per octo dies absens a civitate remansit ; donec nos admoniti, quod isti tres juvenes singulis diebus a Mahametanis sollicitarentur, nunc honorum ac divitiarum promissionibus, nunc mulierum ostensione, ut Mahametanorum sectam amplecterentur, iterum mercatorum Judicem adiimus, eosque ex ejus carcere liberavimus ; et eos cum Patre fratre Angelo a Sancto Josepho in navim misimus ad suum capitaneum, qui deinde in civitatem rediit, suamque mercaturam exercuit.

Redeamus ad Janisserum Rom Mahamed de quo locuti sumus anno praeterito, qui aegre ferens, se a pauperibus Religiosis superatum fuisse, quotidie eorum perdictionem [*sic*] meditabatur, praesertim patris fratris Agathangeli, quem occisurum se juravisse nobis fuit notificatum : et in singulis occasionibus nos inquietare conabatur, qui singulis diebus pro ejus conversione Deum precabamur : donec quadam die cum novam nobis fecisset insultationem in missa pater Vicarius recitavit orationem quae in missa apponitur recitanda contra male agentes et persecutores, ac post missam ex ecclesia egrediens audivit quosdam clamores in ejus Janisseri domo, et hoc, per profundum Dei judicium, quod ejus servi securibus, pugionibus et fustibus armati supra se clauso ostio illum occidere conabantur, et de facto occidissent, nisi ipsi occurrisset alius Janisserus qui ex tecto descendit eumque liberavit de manibus servorum, novem pugionibus vulneratum, et quia non ignorabat quod in civitate nullus sibi esset bene affectus nos advocavit, supliciterque rogavit, ut eum adjuvare dignaremur, protestans quod nos aestimaret majores quos haberet amicos, nosque ei in consiliandis medicamentis non defuimus, unde et ex quo periculo liberatus, et deinde Aga Janisserorum nominatus, nos, saltem exterius, multum amavit, nec amplius ab eo injurias, aut hostilitates recepimus ; et hoc accidit Sabato decima nona die Decembris 1676 ; et egomet frater Agathangelus qui haec scribo in missa supradictam orationem indigne recitavi, de quo sit

Laus Deo omnipotenti, qui me ex manibus talis inimici per Suam maximam misericordiam liberavit.

Non est hic praetermittendum quod accidit circa finem ejusdem mensis Decembris et anni 1676. circa quemdam Christianum nomine Balta qui pluribus annis Bassorae commoratus nusquam voluit assuefieri Ecclesiae frequentationi contra multum Catholicae fidei adversarius perseveravit, tandem in morbum incidit, et absque sacramentis obiit, nos vocaverunt ut ipsum sepeliremus, sed scicitatus [*sic*] sum utrum in morbo nos desiderasset, ad confitendum et se saltem in fine vitae Christianum ostensurum, et agnovi, quod, nullo modo, sed quod qualiter vixisset taliter obiisset, et ideo illum sepelire recusavi, et interrogatus quid de illo ageretur, respondi comedatur a canibus. fuit tamen corpus ejus, seu cadaver, asportatum ab aliquibus Mahametanis in coemeterium nostrum ibique sepultum ; sed videtur quod Deus voluerit sententiam confirmare, tertio namque die post ejus sepulturam repertum est, quod canes ejus brachium et scapulam e sepulchro extraxerant et comederant, et hoc visum fuit ab omnibus mercatoribus Christianis, qui ante discessum suum in Indias juxta suam laudabilem consuetudinem, in coemeterium se transtulerant, ut ibi pro defunctis orarent, visoque sepulchro adhuc aperto et cadavere dilacerato multum stupuerunt; sed majori terrore affecti sunt, quando unus ex ipsis nomine Agazar dixit, ecce ministri Divinae justiciae executi sunt sententiam Patris Vicarii, qui a me interrogatus quid de tali defuncto ageretur; dixit comedatur a canibus.

Eodem mense Decembri et anno 1676 quidam aurifex Armenus, nomine Cerkis, a multis mensibus aegrotus, et saepe ac saepius a me visitatus tandem cum ipsum de vita periclitantem vidissem, admonui eum quod forsan haec erat Dei admonitio, ut animae suae saluti provideret, et quod si vere se Catholicum profiteretur, Dei misericordiam experiretur, quibus verbis ac similibus tactus me ad crastinam diem remisit, quo die se Catholicam fidem amplecti professus est, et suam esse voluntatem, ut taliter faceret tota sua familia, unde confessus ac Sanctissimo per modum Viatici refectus, ex Dei misericordia Eucharistia fuit illi etiam remedium temporale et qui a quinque mensibus in lecto jacebat, quinto die a receptione tanti Sacramenti bene valens in suam officinam ivit.

Apropinquante die 6ª Januarii anni 1677 juxta ritum orientalem, juxta vero ritum nostrum Ecclesiae Latinae die 16ª Januarii, quo die Armeni celebrant simul et conjunctim festivitates nativitatis Domini, et Epiphaniae, quas festivitates in unam coacervaverunt in conciliabulo Thevinesi, ad profitendam unicam naturam in Christo, istamque solemnitatem vocant sua lingua Cacciacivran, propter benedictionem aquae in qua immergitur crux, et propter hoc vocatur solemnitas immersionis, vel baptismi crucis. Die praecedenti istam festivitatem propositum fuit in domo supradicti Cerkis, utrum juxta Armenorum superstisiosum morem, immolaretur victima arietis, et bene visum fuit, quod consuleretur pater, et audiretur quid sentiret, qui audita tali propositione ipsis ad longum exposui, quomodo talis coeremonia esset superstitiosa, Judaica et ab Ecclesiae Catholicae usu aliena, ita ut omnes convenerint quod non esset faciendum tale Sacrificium, sed me egresso insurrexit unus nomine Sirak supradicti Cerkis cognatus, qui alte dixit quod pater esset frangi, id est Europeus, et quod ipsi Armeni, et quod propter ejus loquelam non esset omittenda antiqua coeremonia, ipsosque ad se adduxit. Sacrificiumque immolaverunt diversosque invitaverunt, ut ejus carnes comederent, inter quos fuit etiam invitatus quidam apostata qui ab aliquibus annis negata Christiana religione ab Armenis ad Mahametanos transierat, et iste apostata post comestionem arietis immolati, sexies feriit pugione supradictum Sirak, et sic qui alios ad sacrificium immolandum induxit, fuit ipsemet victima diaboli.

Nota quod quando ipsos admonui ut non facerent dictum sacrificium, ipsos etiam admonui ut sacrificio missae adessent, et inde divina benedictione accepta festivitatem celebrantes gauderent in Domino, quod mihi polliciti sunt, sed spreto primo consilio etiam secundum sprevere, eademque hora qua dicebatur missa in Ecclesia occupati sunt ad manducationem arietis sacrificati, quam, pro benedictione, secuta est sacrificatio promotoris ad sacrificium.

Item nota quod saepe saepiusque istum juvenem Sirak monueram ut sibi de salute sua provideret, et Ecclesiam frequentaret, quod nullo modo volebat audire, et aliquibus diebus ante nativitatis Domini festivitatem juxta ritum nostrum Romanum, id est circiter vigintiquinque diebus, ante suam occisionem ex proposito misi ipsi famulum et in nostra cella multa circa suam salutem cum ipso locutus sum, ipsumque sic frigidum videns, et a vera Catholica fide multum alienum, in fine ipsi dixi, et hoc sit pro ultima vice quod te monuero, sed cave tibi, et a divina derelictione metue.

Anno Domini 1677 die 23 Maii apulerunt in hanc civitatem R. P. N. Joannes Baptista a Sancto Josepho provinciae Longobardiae professus, et a nostris superioribus majoribus missus Visitator Generalis, ac Vicarius Provincialis Persidis et Indiarum, et P. F. Elias a Sancto Alberto provinciae Valonensis, et P. F. Fortunatus provinciae Ciciliae, et P. F. Caetanus a Sancto Michaele provinciae Venetiarum. Sed quia non pervenerunt ante celebrationem capituli Generalis, ideo R. P. N. Visitator patentes suas non legit, nec etiam multum rogatus voluit locum accipere, sed post mensem cum duobus de suis sociis iter egit versus Scirasium, et P. F. Fortunatus remansit hic, usque ad mensem Novembrem, quo tempore cum licentia Reverendi patris nostri Vicarii Provincialis in Persidem se transtulit, non enim potuit assuefieri aeri hujus climatis, quem suae complexioni infestum esse expertus est.

Anno Domini 1678 die cinerum, id est, 23ª Februarii, apulit huc R. P. N. Joan. Baptista a Sancto Josepho Visitator Generalis missionum nostrarum, duosque religiosos ex Perside secum adduxit, scilicet patrem fratrem Aurelium a Sancto Augustino provinciae Germaniae professum, et patrem fratrem Tussanum a Jesu provinciae Parisiensis professum : quorum primum, prima die Martii hujus residentiae Vicarium constituit, et secundum ipsi socium adjunxit. Patentesque dedit patri fratri Angelo a Sancto Josepho ex commissione superiorum nostrorum majorum ut in suam provinciam Aquitaniae rediret, estque hinc profectus post Solemnitatem Paschalis ; et quia Ecclesia nostra ex antiquitate in ruinam minaretur R. P. N. Visitator dedit dicto patri fratri Angelo literas a se et a patribus hujus residentiae subscriptas, ad Dominum Marchionem Carolum Franciscum De Nointel, pro Christianissimo rege Galliarum Constantinopoli Legato, ut pro reparatione nostrae Ecclesiae a Sultano nobis licentiam obtineret, et ideo R. P. N. Visitator ordinavit patri fratri Angelo ut iter agendo Constantinopoli pro praesenti negotio agendo transiret, cujus successum inferius scribemus Deo juvante.

Et Reverendus P. N. Visitator Generalis visitavit residentiam die 6ª Martii, hincque profectus est die 21ª ejusdem mensis Martii et anni 1678. ut in Persidem rediret, secumque adduxit patrem fratrem Agathangelum a Sancta Theresia cui patentes dedit ut in conventum nostrum Ispahensem se transferret, Scirasiumque advenere die 27ª Aprilis, ubi R. P. N. Visitator voluit dictum patrem F. Agathangelum sistere, et inceptum iter versus Ispahanum non progredi. Sed die decima Septembris ejusdem anni, illi, ut Bassoram rediret, praecepit, ipsique patentes Literas dedit, ad pristinum officium Vicarii hujus residentiae exercendum ; scripsitque patri fratri Aurelio ut Goam, in Indias peteret.

P. F. Agathangelus a Sancta Theresia ex Perside apulit huc die 12[a] Octobris ejusdem anni 1678. dieque 15[a] ejusdem mensis et anni in solemnitate Sanctae Matris nostrae Theresiae, lectis patentibus literis, hujus residentiae curam reassumpsit et P. F. Aurelius hinc est profectus versus Indias die 29[a] ejusdem mensis et anni. [See 'Notes', f. 33.]

Circa finem Julii hujus anni 1678 quidam nauta Indus Catholicus nomine . . . fuit occisus a suo capitaneo in navi Anglica et in aquam projectus, sicque successit iste casus. Supradictus nauta die domenica confessus et in ecclesia nostra sacratissimam Eucharistiam recepit. Deinde navim petiit ubi officium fabri Signarii exercebat, quam cum conscendisset a capitaneo haeretico interrogatus est, unde veniret; cui cum respondisset ex ecclesia, capitaneus ira et rabie accensus eum ense supra humerum et in medio capite feriit, et in fluvium injecit, unde probabile est quod ipsum non alio motivo quam solo fidei Catholicae odio occiderit, etsi falso ipsi imposuerit quod ei venenum voluisset propinare, quo audito Religiosi nostri diligentias adhibuere ut ejus corpus reperiretur et honorifice sepeliretur, sed nihil aliud repertum fuit, nisi quod per aliquot dies fuerat visum in fluvio transportatum hinc inde a fluxu et reflexu aquarum, deindeque quidam Mahametani viderunt illud in insula projectum.

Religiosi noluerunt istum capitaneum accusare apud infideles quia infallibiliter illum coegissent ut Mahametanus fieret: erat tamen tunc temporis in civitate quidam chirurgus natione Gallus nomine Antonius Petit oriundus ex opido S[t] Bonet Le Chatel in Segusiano, vulgo Forest, dioecesis Lugdunensis, qui aegre ferens, quod innocens sic impie occisus fuisset, de homicida nimis libere loquebatur, quibus auditis homicida etiam apposuit in corde suo ut de chirurgo se vindicaret, vel impediret quin amplius loqueretur, quod pro facinore praeconcepto oportuna occurrit occasio, quando quidam alius Naucherus (l. ' cl ') Holandus convivium fecit, die 24ª Augusti istius anni 1678. non propter festivitatem Sancti Apostoli Bartholomaei de cujus solemnitate gaudet illa die Sancta Ecclesia, sed propter solemnitatem propriae nativitatis anniversarii omnesque Europeos qui pro tunc erant Bassorae invitavit, et nostros etiam Religiosos invitavit, qui Religiosi excusaverunt se, et noluerunt ire ad tale convivium non est enim mos apud Catholicos nativitatem Suam conviviis celebrare, cum juxta Eccl. cap. 2° (l. 7) melior sit dies mortis die nativitatis meliusque ire ad domum Luctus quam ad domum convivii. Acceptata igitur Religiosorum excusatione, in locum convivii perexerunt juxta fluvium Kobar in quoddam antiquum castellum nominatum gordelan, ubi post prandium dormiens supradictus Antonius Petit, iste alius haereticus Anglus in ipsum male affectus ex ratione supradicta pulvinari supra dormientis Antonii Petit os opposito, ipseque desuper sedens, per aliquod tempus eum oppressit, deinde se erexit clamans Jam abiit, innocensque oppressus, ex tunc agonizans aparuit, statimque expiravit: et sic quemadmodum convivium natalis impii Herodis fuit occasio vindicandi se mulieri incestuosae juste increpatae, Simul ac occasio mortis Sancti Praecursoris Domini; sic etiam convivium Natalis heretici, fuit occasio homicidae juste increpato vindicandi se, simul ac occasio mortis innocentis Catholici.

Cum autem utrumque istud facinus, seu homicidia perpetrata fuerint, dum ego abessem, et quando ex Perside adveni, jam discesserat dicta navis Anglica, istumque capitaneum non vidi, nec aliquem ex navi hic reperi, ut de primo facinore testimonium autenticum accipere possem: de secundo autem cum nullus ibi esset praesens Catholicus, ab infra nominatis testimonium accepimus, scilicet, Simon Nega Naukerus (l. ' cl ' for ' k ') Holandus Luteranus, et Meki filius Bassori Mahametanus hujus civitatis Bassorae incola coram nobis P. F. Tussano a Jesu et fratre Agathangelo a Sancta Theresia, ita esse ut supra scripsi testificati sunt.

Eodem anno 1678 circa finem Decembris aegrotavit quaedam mulier ex secta Sabaeorum cujus maritus Christianam religionem amplexus fuerat, praedictae igitur mulieri graviter aegrotanti Beatissima Virgo in somnio aparuit puerum Jesum in ulnis gestans, severoque vultu illam increpavit dicens quare mei filii religionem quam tuus conjux profitetur, etiam tu non profiteris? quae expergefacta visionem conjugi narravit, qui eadem die me de his admonuit, quâ occasione accepta eam de Dei vocationem ad Christianam religionem admonui, et mihi promisit, quod dictam veram religionem amplexura esset, et etiam adjunxit, quod si vellem eam baptizare, prompta esset ad baptismum suscipiendum; Sed quia istius sectae sectatores facile dissimulant, et pauci vere religionem amplectuntur, ipsi dixi, quod cum sana evasisset eam instruerem circa ea quae necessaria sunt ad salutem; paucisque diebus perfectam salutem a Deo obtinuit, sed de bono proposito oblita doctrinam Christi audire noluit, quam cum pluries admonuissem, tandem de Dei castigatione cavenda eam etiam admonui, quemadmodum successus monstravit, nam circa finem Januarii sequentis anno Domini 1679, quadam die bene valens et sana serotinis horis cubile petiit, crastinaque die suffocata ab invisibili potestate, et justo Dei judicio reperta est.

Die 20ª Januarii anno Domini 1679 apulerunt in istum portum Bassorensem quatuor nostri Religiosi Carmeletani Excalceati missionarii, scilicet P. F. Ægidius a Sancta Theresia provinciae Avinionensis, P. F. Petrus Paulus a Sancto Francisco provinciae Napolitanae, P. F. Amandus a Sancto Elia provinciae Germaniae, et frater Cirillus a Sancta Maria Magdalena donatus provinciae Romanae professus: quorum duo, id est, P. F. Ægidius, et Frater Cirillus, ex ordine Reverendi Patris Nostri Vicarii Provincialis remanserunt hic residentes, et alii duo profecti sunt hinc die quarta Februarii ejusdem anni, ut Coccinum in Indiis, se transferrent.

Die 24ª Januarii 1679, convocavimus Sabaeos in nostrum hospitium, tam eos qui jam baptizati fuerant quam coeteros nondum baptizatos, ut videremus utrum esset aliqua spes eorum verae conversionis, tam baptizatorum dissimulantium, quam non baptizatorum. Ratio hujus convocationis fuit, quia experta et bene verificata eorum circa Religionem dissimulatione, non parvum scrupulum habuimus circa administrationem sacramentorum tali progeniei: tale scrupulum habuerunt etiam antiqui patres nostri, ut patet ex Libro in quo annotantur baptizati, in quo scriptum reperitur anno Domini 1624 his terminis: Deste tempo peraqua naon baptizamos nehun Christaon de Saon Joan per nos pareçer materia devidente scrupullo ficando em poder de seus pais que saon paganos et naon saben ne osservaon a lei de Christo nosso Senhor. Nec in Libro reperitur baptizatus ullus illius sectae ab Illo supradicto anno 1624º usque ad annum 1655 in quo iterum ceperunt eos baptizare.

Et ideo quum plurimi accesserunt in hospitium nostrum, die et hora determinata, et coram Patre Fratre Ægidio, patre F. Tussano, patre F. Petro Paulo, et Patre F. Amando Ego Frater Agathangelus eos interrogavi utrum veram religionem Christianam Catholicam agnovissent. Responderunt unanimiter quod eam bene agnoverant, et quod partim eorum qui praesentes aderant fuerant baptizati, et quod tota sua natio baptizaretur, mediantibus sequentibus conditionibus.

Prima, si Papa ipsis annualem pensionem mitteret, ad solvendum tributum quod Mahametani exigunt ab eis singulis annis, vel apud Sultanum illos totaliter liberaret a tali tributo.

Secunda, si ultra baptismum Christianorum relinqueretur

ipsis Libertas baptizandi et rebaptizandi se toties quoties vellent juxta suam consuetudinem.

Tertia, si permitteretur ipsis matrimonium celebrare juxta suum morem, et non obligarentur dare suas filias Christianis in uxores, nec de Christianorum filiabus uxores ducere cogerentur.

Quarta, si permitteretur ipsis mortuos suos sepelire juxta suum antiquum morem.

Quinta, si non obligarentur manducare carnes animalium occisorum a Christianis, Mahametanis et aliis extra suam sectam, sed relinqueretur eis libertas manducandi tantum carnes occisas a suis ministris juxta suam consuetudinem.

Respondimus ipsis quod quantum ad primam conditionem, pertinebat ad liberalitatem suae Sanctitatis ; et quod ultima facile concederetur ipsis ; sed quantum ad tres alias, nullo modo poterant ipsis concedi, ratioque fuit illis ad longum exposita.

Deinde interrogati sunt in particulari hi qui fuerant baptizati, quare nullatenus more Christiano, sed totaliter more Sabeo viverent.

Responderunt quod semper putaverunt, quod ut essent Catholici sufficiebat quod in Ecclesia fuissent baptizati, et quod deinde licitum esset illis baptizari et rebaptizari, nubi et nubere, ac secundum suam pristinam consuetudinem vivere, &c.

Fuit ipsis expositum quod cognita vera lege divina nullo modo esset licitum homini falsae legis ritus observare, et quod nullus posset fieri Christianus, quin prius abrenunciasset suae antiquae legi.

Ad quae responderunt qui fuerant baptizati adulti, se id nullo modo intellexisset et quod si talia intellexissent, se a patribus baptizari nullo modo permisissent. Et qui infantes fuerunt baptizati dixerunt, se nescivisse quid facerent, et sic absolute volebant vivere et mori more Sabeo.

Ex quibus responsis multum obstupuimus, multumque nos poenituit, quod praecedentibus annis diversos ex supradictis, ad confessionis et Sacrae Eucharistiae Sacramenta admiseramus.

Non tamen propterea cessandum est a clamando et admonendo, et docendo eos veram et orthodoxam fidem, quam benigne audire videntur et si dissimulant, et corda eorum sint obturata, non debent propterea missionarii ab officio cessare, caute tamen debent se gerere in administratione sacramentorum ; et ideo a tempore quo tantam infidelitatem discooperuimus in ista secta durae cervicis nullum baptizavimus nisi quosdam periclitantes ad mortem, quia in extremitate mortis eos non dissimulare probabiliter credi potest, etsi contrarium experientia docuerit, nam unicus ex his quos in extremitate baptizavimus convaluit, pristinoque more semper vixit, et duobus post annis iterum in morbum cecidit, et antequam moreretur declaravit se Sabeum mori, et a Sabeis non autem a Christianis sepeliri velle.

Adveniente die 5ª Junii qua die, vel una ex quatuor sequentibus diebus omnes Sabaei tenentur a suo sacerdote seu ministro baptizari, et isti quinque dies vocantur Festum Penge Spiculatores aposuimus ad verificandum utrum pauci ex ista secta qui ecclesiam frequentabant adhuc baptizarentur, et reperimus quod omnes baptizati sunt, etiam caecus Habdelsaïd qui Romae fuerat baptizatus et vocatus Isidorus Panphilius, quique cum huc advenisset seniculam, ut supra diximus, mulierem Sabaeam repudierat, et juvenem Christianam in uxorem duxerat ; quae cum in Indias ivisset cum sua filia quae Europeo nubserat [*sic*], iste caecus senex Septuagenarius multum aegre tulit quod eum reliquisset, et id adnimavertens [*sic*] ego ipsi obtuli, ut si vellet, efficeremus, ut sua mulier rediret, et eum in senectute sua consolaretur, quod noluit ipse ; fuit tamen seductus a suis filiis qui ipsi promiserunt quod si vellet Sabaeam legem reaccipere ipsi uxorem providerent, quorum adulationibus consensit, et seductus die 6[a] Junii istius anni 1679, baptizatus fuit ab uno ex ministris seu Seick Sabaeorum extraneo, duo enim qui hic ordinario degunt noluere eum baptizare dicentes, non esse licitum baptizare eum qui uxorem Sabaeam repudiaverat et Christianam, more Christiano duxerat, extraneus vero istas difficultates non examinavit, sed eum audacter baptizavit, alii duo illud aegre ferentes suspenderunt illum ab officio baptizandi, donec haberetur responsio a Ganzebra, seu ministro majori, qui respondit quod factum est, factum est ; et quod si iterum in suam sectam voluerit ingredi debuit admitti.

Filii autem ejus qui eum perverterunt (putabatur enim iste vere conversus) non remanserunt impuniti a Deo, quia major natu eodem mense Junio captus fuit a Mahametanis, propter monetam quam eum in cuneo atterasse dicebant, et per tres menses fuit incarceratus, et solum liberatus mediante exhorbitanti summa denariorum quam propter hoc Mahametani acceperunt a Sabaeis. Et secundus natu misere mortuus est mense Octobri ejusdem anni eodemque tempore obiit soror eorum unica filia ejusdem senis Habdelsaïd.

Cum nostra Ecclesia ex antiquitate ad ruinam propenderet, et quia Mahametani non permittunt nisi difficillime, ut Ecclesiae Christianorum repar[ar]entur, missus erat P. F. Angelus a Sancto Josepho Constantinopolim (ut supra dictum est) ut mediante Excellentissimo Domino Carolo Francisco de nointel Franciae Legato, a Sultano eam reparandi a fundamentis licentiam obtineret, sed quia ex ejusdem patris epistolis vidimus quod pauca esset spes talem licentiam obtinendi. Imo idem pater Angelus aliam difficultatem invenit ; scilicet quod non possemus obtinere licentiam eam reparandi quin prius obtenuissemus eam instituendi : talemque difficultatem apprehendebat ex hoc, quod nostra Ecclesia fuit instituta ex tempore quo ista civitas in Arabum erat dominio, cum autem ex Arabum dominio ad Hossemalium dominium transisset, ab eis licentiam novam institutionis esse necessariam arbitratus est. Et ideo pro reparationis autentica licentia quam desiderabamus, institutionis autenticum instrumentum nobis transmisit, dico, particulare mandatum a Sultano pro hujus nostrae Ecclesiae Bassorensis institutione, sive ejusdem jam institutae ecclesiae protectione, judicans pro nunc impossibile, ut patet ex ejus epistolis, obtinere reparationis ecclesiae mandatum seu licentiam.

Item transmisit etiam nobis aliud mandatum a Sultano seu privilegium generale pro omnibus *Carmelitis et Capucinis* qui in oriente sub dominio Turcarum degunt, sive peregrinantur, quorum amborum mandatorum exemplaria eorumque interpretationes infra inseruntur.

Mandatum obtentum a Sultano in particulari pro institutione, seu jam institutae ecclesiae nostrae Bassorensis *Carmelitarum Discalceatorum* protectione, mediante Excellentissimo Domino Carolo Francisco Olier Marchione De Nointel, pro Christianissimo Rege Galliorum Ludovico 13° [ad] Turcarum Imperatorem Mahametem quartum, Legato. Anno Domini 1679.

صورة امر السلطان محمد كه نصارى فرانسه جماعتلرينه اصمرلمغه بيورلمشدر
وبصره ساكنلري اولان نصارى طايفه سندن وكليسا ساكنلرندن رهبان
بكلربكي حقلرنده فرمان شريف همايون عالي فرمان بيورلمش بود ز

شريف طره مكاني
سلطان محمد بن
ابراهيم

امیر الامراء الکرام کبیر الکبراء الفخام ذو القدر والاحترام صاحب العز
والاحتشام المختص بمزید عنایة الملک الاعلی مصر بکلربکیسی
دام اقباله وقدوة القضاة والحکام معدن الفضل والکلام و
قاضیلری زید فضله توقیع رفیع همایون واصل اولیجق معلوم اولا که
فرانچه پادشاهنك آستانهٔ سعادتمده مقیم ایلچیسی اولان قدوة امراء
الملة المسیحیة مارکز دنیوا ننك ختمت عواقبه بالخیر درکاه معلاّمه عرض
حال کوندروب فرانچیه تابع اق خرقرلی قرملینان دیمکلی معروف افرنچه
رهبان طایفه سی مدت مدیدن برو مدینهٔ مصرده اولان کلیسا لرنده وسا[یر]
املاکلرنده کندو حالرنده اولوب تجارة اوزره اسکان وکلوب کیدن افر[نجه]
تجارینه تلاوت انجیل ایلیوب کمسنه یه تعرضلری یا اولمامغله سپاه
وینکچری وجمله اهل عرف طایفه سی طرفلرندن واحد ذمجرد اخذ وجلب
ایچون مداخله ومعارضه ایتدرلیوب معاونت وصیانت اولنملری بابنده
حکم همایونم رجا ایتمکین عهدنامهٔ همایونمه مراجعت اولندقده ازمیرده
وصیدده واسکندریه ده وسایر لردن اولان فرانسز طایفه سنك کلیسا[لرینه]

دخل و تعرض اولنمیه و تیمار خانه لرنده کندوخا اللرنده انجیل تلاوت
ایلدکلرنده رنجیده اولنمیه لر دیو مسطور و مقید بولنماغین عهدنامهٔ
همایون موجبنجه عمل اولنمق امرم اولمشدر سورد مکه حکم شریفله وصول
بولدقده بو بابده صادر اولان امرم و عهدنامهٔ همایون موجبنجه عمل ایدوب

دخی طایفهٔ مزبورك مدینهٔ بصره ده اولان کلیسیالرنده و سایر
املاکلرنده کندوخا اللرنده اولوب تجارتا وزره اسکان و کلوب
کیدن افرنجه تجارسنه تلاوت انجیل ایلدکلرنده اولمقوله لره سیاه
ویکجری و بالجمله اهل عرف طایفه سی طرفلرندن واخذ دن مجرد اخذ
وجلب سببیله مداخله و معارضه ایتدرلمیوب هر وجهیله حمایت
وصیانت ایتدرلیوب دائما عهدنامهٔ همایون و صادر اولان امر
شریفمك مضمون و منیفی ایله عمل ایلیه سن شویله بیله سن وبعد
النظر بو حکم همایونی اللرنده ابقا ایدوب علامت شریفه اعتماد
قله سن تحریرا فی اوایل شهر صفر الخیر سنه تسعین والف

بمقام المحروسه ادرنه

طبق اصله المطاع حرره الفقير الى الله سبحانه شيخ محمد بن احمد

المولى خلافة بالمحروسة غلطه عفى عنهما

قاضي غلطه

Supra scripti mandati interpretatio haec est.

Locus nobilis inscriptionis
nominis Sultani.

SULTAN MAHAMED
Filius Ebraim.

Principum princeps venerabilis, magnatum magne gloriose, potestate, ac auctoritate praedite, charissime et a nobis qualificate, et a supremo rege gratiarum abundantia privilegiate . . . N. Bassorae gubernatorum gubernator, cujus favorabilis fortuna sit perpetua. Ac Judicum et magistratuum exemplar, virtutis et eloquentiae fodina. N. . . . Kadhi, seu Judex, cujus virtus augeatur. Cum istud excellens et nobile instrumentum ad nos pervenerit, manifestum erit, quod christianissimae nationis principum Exemplar Honorabilis Dominus Marchio de Nointel in nostra felicitatis curia residens pro Franciae Rege Legatus, cujus negotiorum exitus in melius terminetur, ad nostrum sublimem thronum memoriale praesentavit, nobis notificans, quod *Europei Religiosi Carmelitae nominati albo colore vestiti* a Francia dependentes, a tempore praescripto Bassorae in sua Ecclesia, aliisque suis possessionibus habitaverunt, quorum occupatio est Evangelii lectio, sive interpretatio Europeis mercatoribus Bassoram accedentibus et inde recedentibus, ibidemque pro suis negotiis habitantibus, quin usquam ulli molestiam causaverint : et ideo a nobis petiit, ut Augustum daremus mandatum imperans, quod custodiantur et protegantur quin liceat militibus Janisseris nec cuiquam alteri, ipsos vexare, aut ipsis molestias quocumque modo inferre, aut aliquid ex ipsis exigere, et cum Capitulationes examinaverim, articulumque reperierim scriptum, et sigillatum in quo dicitur, non vexentur Ecclesiae Gallorum Smirnae, Saïdae, Alexandriae, et alibi commorantium, nec prohibeantur a lectione Evangelii inter se in suis hospitiis ; Jussi ut juxta Augustas capitulationes fiat, et Jubeo ut istud meum mandatum talia continens, cum advenerit in executionem mittatur juxta Capitulationes, et ut supra dicti Ordinis Religiosi in sua Ecclesia aliisque suis possessionibus in civitate Bassora commorantes, Evangeliumque mercatoribus illuc accedentibus, indeque recedentibus sive ibi commorantibus legentes protegantur, et custodiantur, nullique sive militi Janissero aut cuique alteri permittatur eos vexare vel illis molestias inferre, aut aliquid ex illis injuste exigere. Fiat semper quidquid continent benedictae capitulationes, istique meo mandato obediatur quod cum legerint illud in eorum manibus relinquant, fidesque adhibeatur, et creditus nobili suprascriptioni. Scriptum in principio mensis Safer anno 1090. Andrinopoli.

Conformat originali mandati obedientiae digni, scripsit hoc pauper coram Deo Laudabili Sciech Mahumed filius Ahmad Judex Successor in custodita civitate galata, quibus condonetur.

Locus Sigilli.

Judicis galatae.

Mandatum Sultani in quo jubetur quod omnes *Episcopi Carmelitae*, et *Capucini* in Oriente commorantes vel peregrinantes protegantur, ostentum mediante Excellentissimo Domino Carolo Francisco Marchione De Nointel Christianissimi Regis Ludovici decimi quarti ad Mahamedem quartum Turcarum Imperatorem Legato Anno Domini 1673.

صورت فرمان عالیشان سلطان محمدخان كه كرملیتان وقپوچین

رهبان طایفه‌لردن بیورلمش که ممالك محروسه‌ده ساکن و مشرق زمینه سایح اولان وصیّت وکندو حاللرینه مرحمت بیورلمش فرمان بودر

نشان شریف عالیشان سامی مکان سلطان وطغرای غرّای جهان ستان خاقانی نفذ بالعون الربانی حکمی اولدرکه فرانچه پادشاهنك استانهٔ سعادتمده مقیم ایلچیسی اولان قدوة امراء الملّة المسیحیّة مارکز دنوینتل ختمت عواقبه بالخیر درگاه معلّامه عرض حال کوندروب فرانچه تابع اولان پیس قپوسیلر وسایر فرنك مذهبنده اولان رهبان طایفه‌سی هر نه جنسدن اولورایسه اولسون ممالك پادشاهیمده قدیمدن اولدقلری یرلرده کندو حاللرنده اولوب آیینلرین اجرا ایلدکلرنده کمسنه مانع اولمیه دیو عهدنامه‌ده مسطور اولمغله فرانچه رهبانلرندن قپوچین دیمکله معروف رهبان و قرملیتان طایفه‌سی دایما سیاحت اوزره اولوب ممالك محروسمده اکر روم ایلی واکر اناطولی ومصر جانبلرنده شهرلرده وقصبانده وقراده کزوب

قونسلوسلري اولدوغي يرلرده وكليسيالرده طوروب واوتوروب
وكندو طريقلري وايين باطللري اوزره كليسالرده عبادتلرين
ووعظلرين ايدوب ومكتبلرنده عيسويلره تعليم علم مسيحيه
ايدوب كمسنه مداخله ومعارضه ايلميه لرديو مقدما امر
شريفيم ويريلوب لكن سپاه وينكچري وبعض اهل عرف
طايفه سي مجرّد اخذ وجلب ايچون مزبوران رهبان فقراسي
تعجيز ورنجيده ايلمكدن خالي اولمدقلري اجلدن مجدّدا
ويريلان عهدنامه همايونه ومقدما صادر اولان امر شريفم
موجبنجه مزبورون رهبان طايفه سي رنجيده اولنمامق
اوزره برامر شريفم ويريلمك بابنده استدعاي عنايت
ايلديكلري اجلدن اشبو نشان همايونم وعزت مشحونم
ويردم وبيوردمكه بعد اليوم مزبورون قپوچين رهبان
طايفه سي وقرمليتان برقرار سابق ممالك محروسه مده روم ايلي
واناطولي ومصر جانبلرنده شهرلرده وقصبات لرده وقرالرده

کزوب قونسلوسلري اولدوغي يرلرده وکليسالرده طوروب
واوتوروب وکندو طريقه لري واينن باطللري اوزره کليسالرده
عبادتلرين ووعظلرين ايدوب ومکتبلرنده عيسويلره تعليم
علوم مسيحيه ايليوب مادامکه کندو حاللرنده خلاف
شرع شريف برنسنيه صادر اولميه مي بعده سپاه وينيچري
وساير اهل عرف طايفه سي مجرد اخذ وجلب ايچون رهبان
طايفه سن بروجهله رنجيده ورميده ايلميوب دايما
عهد نامه همايون واشبو نشان عالي شان اطاعت
مقرونمت مضمون منيفي ايله عمل اولنوب خلافي ارتکابدن
احتراز اوزره اولالر شويله بلالر علامت شريفه اعتماد
قيلالر تحريرا في اواسط شهر ربيع الاول سنة اربع وثمانين والف
بمقام ادرنة المحروسة

طبق اصله العنون بالطغراء السلطاني حرره الفقير الى الله سبحانه

عبدالله بن خضر القاضي بمدينة غلطة المحروسة عفي عنهما

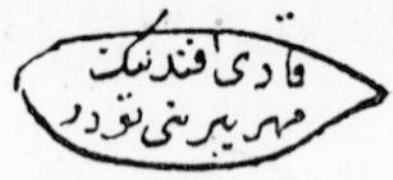

Supra scripti mandati interpretatio haec est.

Tale est, nobilis Othomanorum familiae et tot provinciarum aquisitione [*sic*] gloriosissimae, Signum hic appositum ab Illustrissimo Sultani Sigillorum Administratore ejusdemque Locotenente seu Vizir, ad tale officium, ex Domini auxilio, Electo. Cum Franciae Regis Legatus in nostra felicitatis curia Residens, Christianorum principum exemplar Marchio de Noïntel cujus exitus succedat in bonum, nobis memoriale transmittens notificaverit, et petierit, quod Episcopi omnesque cujuscumque ordinis sint Religiosi Europei ex Francia dependentes, quique ab antiquitate in nostro vastissimo imperio morantur, suas caeremonias exercere valeant, ea conditione, quod nihil ad consequentiae sequelam efficient. Eoque magis, quod in Capitulationibus scriptum est, quod amborum Capucinorum, et Carmelitarum ordinum Religiosis, jugiter per nostrum Imperium sive per Graeciam, sive per Asiam, et Ægyptum aut caeteras urbes, civitates, vel pagos nostri Imperii peregrinantibus, aut morantibus in iis ubi habent consules et Ecclesias nullus his se opponere vel contradicere possit, quin libere suas vanas caeremonias et consuetudines exerceant, et orationibus praedicationibus, doctrinaeque Christianae expositioni vacent. Et jamdudum nobili mandato prohibuimus ne ullus miles, vel Janisserus, aut quivis alius supradictos pauperes Religiosos vexet, aut inquietet, ex ipsis aliquid injuste exigendo. Et ideo, cum meam Benignitatem rogaverit, ut conformiter benedictis Capitulationibus, pristinisque nostris jam datis nobilibus mandatis, nobile istud mandatum impertiar, ut supradicti Religiosorum Ordines, nec molestiis nec vexationibus patiantur. Ego ipsi praesens benedictum signum gloria, et majestate plenum largitus sum et praecipio, ut ab hac die, ambo supradicti Capucinorum et Carmelitarum ordines juxta suam antiquam consuetudinem itinerantes, per Graeciam Asiam et Ægyptum, sive commorantes in urbibus, civitatibus et pagis vastissimi nostri Imperii, ubi habent consules et Ecclesias, in his libere exercere possint suas consuetudines, et vanas suae religionis caeremonias, et in scholis suis Christianam doctrinam Christianos docere valeant, modo nihil contra nobilem justitiam aut ad consequentiam operentur, et ut milites, Janisseri, aliique civilis juris officiales ipsis molestias non inferant, nec tyrannide, aut rapina aliove iniquo modo aliquid ex illis exigant, aut extorqueant. Et ut executioni mandentur benedictae Capitulationes, nostroque Sublimi et Imperiali Signo obediatur, et ab illius transgressione quocumque modo caveatur, et ut, sic esse, manifestur ipsis, nec ab ignorantia excusentur, et ut nobili Supraposito, et scripto Signo fides adhibeatur anno 1084 circa medium mensis Rebihe Elauvel. Andrinopoli Civitate Custodita.

Ista Sublimis et Imperialis Inscriptio concordat cum originali ; Scripsit hoc, Pauper coram Deo Laudabili Habdhallah filius Kader Judex in Custodita Civitate Galata, quos Deus conservet.

Locus Sigilli.
Judicis galatae.

Item P. F. Angelus a Sancto Joseph transmisit nobis Litteras patentes Consulis nationis Galliae quo titulo Dominus Carolus Franciscus Olier Marchio de Noïntel Regis Galliae ad Sultanum Mahamedem Legatus, hujus residentiae Vicarium qualificare dignatus est, quam qualitatem pro hinc non acceptavimus sed ad nostros Superiores de ea re scripsimus quorum determinationem circa illius acceptationem expectamus et istarum patentum literarum transcriptionem hic etiam inserere expedire judicavi et haec est.

Carolus Franciscus Olier Marchio De Noïntel Regi ab omnibus Consiliis in principe Parisiorum Curia Senator. Ejusdemque Sacrae Majestatis ad Portam Ottomanam Legatus ; omnibus praesentes litteras Inspecturis Salutem.

Christianissimi Regis nobis intimato jussu, quo Sacra Majestas mutui Foederis Capitulationes inter Galliam et Portam Ottomanam renovari praetendebat, ea potissimum mente ut Religionis Catholicae, et Apostolicae exercitium juxta Romanae ritum Ecclesiae, per universas Ottomani Imperii plagas staret, vigeretque incolume ; idcirco omni nos opera studioque huic nos insistentes incumbentesque operi, nec latum quidem unguem a regii mandati scopo deviantes tandem aliquando quantumvis ardua, quantumvis dura, visa fuerit negociatio illa ; quippe quae Turcis suspecta prorsus, nec non ambagibus, ac tergiversationibus scatens, ita ut pluribus ab hinc annis vel minimum quid extorquere impossibile foret, ipsorum tamen superata resistentia, seu potius Deo optimo max. Regis intentiones efficacibus benedictionibus promovente, quatenus non nisi ad divinae Majestatis gloriam collimarent, hoc demum opus absolvimus die 5ª Junii anni a Nativitate Christi millesimi sexcentesimi septuagesimi tertii, qua nimirum die novi istius tractatus Instrumentum authenticum post tot dictas difficultates per manus Supremi Ministri seu Magni Visirii Ahmed Kiopruli nobis traditum ac consignatum fuit ; optabamus quam ardentissime ut Jesu Christi Domini Nostri patrimonium hujuscemodi vigore diplomatis in pristinum splendorem reassurgeret, diuque meritoque reclamatum Libertatis statum resumeret ; desiderabamus insuper ut decor ac pulchritudo Carmeli, qui insignem, ac non modicam sanitorum locorum partem constituit nequaquam in posterum Arabum obscuraretur tyrannide ; Verum enim vero si coelum non favit votis haec saltem nobis superest consolatio, quod complures articulos praetiosa haec monumenta concernentes in hoc instrumento exprimi satagerimus praecipue vero in ministrorum omnium gratiam Reverendissimorum videlicet Episcoporum, necnon omnium ordinum missionariorum iisdem Sacris Locis deservientium, ipsa etiam ut ita dicam ampliantium, ac dilatantium ; illi nempe missionibus suis per cuncta vastissimi hujus imperii compita circumquaque diffusis, Sanctuaria illa marcessentia, veluti ac mortua reflorescere, ac reviviscere contendunt ; Patrimonium siquidem Jesu Christi proprio tanti redemptoris irroratum sanguine, tot tamque diris laboribus pro toto exantlatis orbe decoratum ad solas utique Judeae, Galileae, Ægypti, Siriae, ac Palastinae plagas coarctari nullatenus valeat ; quocirca cum soli Reverendi admodum patres Carmelitae Discalceati pulchritudinem, decoremque Carmeli ad extremos usque hujusce imperii fines, ultra desertas videlicet Arabiae Solitudines, necnon in ejusdem confiniis nempe Bassorae, et in hujus civitatis praefectura, seu principatu mirum in modum, perferant, propalent, ac diffundant ; Propterea justum et aequum duximus, ut privilegiorum omnium, et immunitatum, quibus caeteri ministri Terrae Sanctae Reverendissimi nempe Episcopi, necnon Reverendi patres ordinis Sancti Francisci, Societatis Jesu, Sancti Dominici aliique fruuntur ipsi etiam participes evaderent, et consortes : Caeterum adeo nostra fuit mens, et intentio, illis non secus ac eorumdem fratribus Carmelitis Aleppi, aut in aliis Syriae Locis residentibus facultates omnes ac immunitates communicari, et impertiri, ut ea de causa imperiale diploma praefatos reverendos patres Carmelitas nominatim indigitans ad ipsos perferendum direxerimus ; Sed cum ob Locorum intercapedinem, ac distantiam, nec tale diploma receperint, nec Literae nostrae ad ipsorum manus pervenerint, propterea Reverendum admodum Patrem Angelum a Sancto Joseph Tolosanum ad nos deputarunt, qui eorumdem patrum indigentiis apprime explanatis, suaque legatione summo zelo, et ingenti capacitate digne fungens, nos in ardenti solicitudine constitutos reperit quo potentissimi Regis auspiciis ac protectione Reverendissimis hisce patribus spem omnem, auxiliumque conveniens praestaremus, ac protinus eosdem in eo constitueremus statu in quo Sacrae majestatis subditos in eadem civitate aut in ejus praefectura commorantes seu illac transeuntes protegere et fovere valeant, cum vero in celebri praememoratae urbis Bassorensis Emporio copia consulis hactenus non esset, idcirco nedum conveniens, verum etiam necessarium duximus, ut illic personae cuiquam hanc dignitatem conferemus. Has ob causas praefato Reverendo patri Angelo a Sancto Joseph Instrumentum originale tractatus seu Capitulationum inter Galliam, inter et portam Ottomanam, praedicta jam die 5[a] Junii anno 1673 renovatarum, nec non aliud diploma Imperiale authenticum concessimus ac consignavimus, ut his omnibus validis authenticisque scripturis ad manus usque Reverendorum Patrum Carmelitarum Discalceatorum Bassorae per praefatum R. P. Angelum a Sancto Joseph transmissis libere his ac pacifice gaudeant, utantur, fruanturque, tum quoad exemptiones a vectigalibus quibuscumque, seu ab aliis onerosis legis Mahametis juribus tum quo ad immunitates quascumque explicite aut implicite in earumdem Capitulationum textu expressas et contentas, seu quidem ipsorum domicilia, ecclesiam seu personas proprias, seu Interpretum aut domesticorum vel quorumcumque Regis Christianissimi subditorum personas concernant: ut autem majori auctoritate ac facilitate has omnes praerrogativas, ac privilegia sibi adsciscant jugiterque possideant sub praefatae S. Majestatis beneplacito, tum etiam in subditorum suorum seu illic negotiantium, seu quocumque praetextu vel ratione illic degentium utilitatem: Reverendum admodum Patrem superiorem praedictorum Reverendorum Patrum Carmelitarum Discalceatorum Bassorae, cujuscumque nationis fuerit, vel eo absente quemcumque ejusdem ordinis in sui loco substituere libuerit, harum tenore praesentium Consulem pro natione Gallica, tum in praefata civitate Bassora tum in ejusdem dependentiis et adhaerentiis constituimus, ac constitutum volumus et declaramus: Injungimus autem, ut hujusce dignitatis titulo, ac virtute praedicta omnia Capitulationum aliorumque diplomatum instrumenta publicae Registrorum matrici inseri, inscribique faciat, imo etiam Basciae seu civitatis gubernatori omnia exhibeat, ut secluso ignorantiae praetextu horum omnium mandatorum et ordinationum Imperialium executionis in tota sua extensione manu tenentiae invigilet, in gratiam videlicet, tum Reverendorum Patrum Carmelitarum tum in mercatorum, aut aliorum cujuscumque conditionis fuerint Galliae subditorum utilitatem: Praecipimus insuper et expresse injungimus, ac mandamus omnibus, et singulis Christianissimae Majestatis subditis mercatoribus, viatoribus, et aliis quibuscumque, ut praedictum Reverendum Patrem Carmelitarum Superiorem Consulem suum agnoscant, ad ipsius protectionem in negotiis suis confugiant, ac judiciis ejusdem stent, omninoque obtemperent, etiamsi navim conscendere, et ad patriam redire juberet, quod quidem solita prudentia cum ipsi videbitur executioni mandabit, ad compescenda potissimum aut praecavenda inconvenientia, seu scandala quae a quibusdam vagabundis, et inexpertis imo et temerariis adventitiis plerumque excitari solent. Sic ergo decrevimus ac statuimus, eo intuitu, ut stricta et exacta Capitulationum executio in Locis etiam a Constantinopoli remotioribus servaretur, tum quidem ad Christianae Religionis gloriam, tum ad Regis

Domini nostri decus ac splendorem, tum ad ejusdem Majestatis subditorum utilitatem. Ut autem his praesentibus Litteris plena et inconcussa fides adhibeatur, ipsas manu propria subscripsimus ac sigillo insignium nostrorum munitas, ipsas quoque manu primi nostri secretarii subsignari jussimus. Datum Constantinopoli, et in palatio nostro vinearum Perae die 27[a] Februarii anno 1679 Olier de Nointel Christianissimae Majestatis ad Portam Ottomanam Legatus . . . et inferius, de mandato ejusdem Excellentissimi Domini De la Croix Secretarius.

Locus Sigilli.

Item supradictus P. F. Angelus a Sancto Joseph transmisit etiam nobis capitulationes inter Regem Galliae, et Portam Otthomanam in quarum virtute hujus residentiae Religiosi uti possunt omnibus privilegiis quibus utuntur caeterarum Turchiae Scalarum Consulis Galli.

Sed reparationis Ecclesiae a fundamentis licentiam quam expectabamus, obtinere se non posse scripsit nobis, ut patebit ex infra citatis ejusdem patris epistolis.

Quantum ad difficultatem quam aprehendebat [*sic*], scilicet, circa institutionis ecclesiae licentiam, Notandum est, quod inter Mahametanos, praescriptio antiquitatis est lex inviolabilis: estque ipsis mos iste, quod in conquisitis provinciis omnium possessionum, domiciliorum, etc. specificam notam accipiunt, cujus copia altera remanet in locis propriis, et altera mittitur Constantinopolim, et sic ab Othomanis conquisita Bassora, nostra etiam ecclesia fuit annotata in Libro descriptionis civitatis, et sub nomine Ecclesiae fuit annotata. Item in sigillo seu publico instrumento emptionis domus adjacentis nostro hospitio, ex parte occidentali quam emit Coagia Habdhallah Raghiatti anno Domini Nostri Jesu Christi 1666, anno scilicet Mahamedis 1077. in descriptione limitum dictae domus scribitur, ex oriente

Kenisset, id est Ecclesia. . . . Item notatur etiam sub nomine Ecclesiae in Sigillo domus alterius nostri vicini nominati Dervisë Hassein scripto in anno Mahamedis 1071 mense di Elcahede Elhharam, quae cum sint instrumenta per manum Judicis publici scripta sufficienter probant nostram Ecclesiam vere esse a praescripto tempore Ecclesiam et non indigere institutionis sed tantum reparandi Licentia.

Advertentibus igitur nobis quod nulla esset spes obtinendi istam licentiam a curia Constantinopolitana, agnoscentesque quod Bascia Bassorensis, qui pro tunc erat, multum erga nos esset affectus, judicavimus talem non esse praetermittendam occasionem, praesertim cum ad id requisitam haberemus licentiam Reverendi patris ñ. Joannis Baptistae a Sancto Joseph Visitatoris Generalis a quo, cum ego regrederer ex Perside, inter alias Licentias istam petii 2° loco his terminis. 2° ch'in caso ch'otteniamo licenza de Constantinopoli de rinovare la chiesa, si rimette a l'altezza n'ella quale fu fabricata la prima volta, et si faccia con volta di mattoni cotti, & gesso; & in caso che la licenza de Constantinopoli non vienne, ò non sia speranza de poterla havere ci potiamo rischiare de fabricarla con qualche favorevole occasione avanti che non caschi a ffatto. & infra, concedo le soprascritte licenze fra Gio. Batista di S. Giuseppe Visitat. Generale. Sciras 11 Settembre 1678.

Et ideo die vigesima septima Martii anni Domini 1679 praesentavimus Hassen Bascia seu Gubernatori suplicationem in scriptis, ut nobis permitteret Ecclesiae reparationem a fundamentis, et quia non erat nobis locus aliquis commodus, ut mulieres ex eo missam audirent, non enim est hic mos ut mulieres coram viris apareant, et ex parte refectorii in quamdam capellam parvulam prope altare majus ex parte Evangelii veniebant quae nunc est capella ubi reservatur Sanctissimum Sacramentum, qui locus erat pro ipsis nimis angustus, et pro nobis nimis incommodus ratione vicinitatis cuilinae [*sic*] et refectorii propterea in suplicatione [*sic*] petiimus [*sic*] ut nobis permitteretur tribuna supra januam Ecclesiae. Suplicationem scripsimus idiomate Turcico ut hic annotatur.

Suplicatio praesentata Bascia Bassorensi
pro Licentia reparandi Ecclesiae.

سلطانم

مروتلو سعادتلو حضرتلري صاغ اولسون قديم الايامدن وكلاي دولت

عليه حضرتلري شرط نامه مزده بندر بصره ده واقع اولان كليسا خانه مزي اكر تعميري لازم

كلور ايسه تعمير ايدرز اذن شريفلري بيورمشلر حالا اول مطيع الاسلام قوللري كليسامز

ويران اولمشدر حدود قديمه سي اوزره تعمير ايدوب وقاپوسي اوزره برمخفي چارداق

ياپسه اذن شريفلري رجا اولنور باقي فرمان سلطانم حضرتلرينكدر سنه ١٠٩٠

بنده

پادري اغاتنجلو

Cujus haec est interpretatio. Liberalissime ac felicissime Domine Excellentia vestra sit incolumis. Ex tempore antiquo et ex pristinorum Bascia liberalitate Ecclesia fuit in ista civitate Bassorensi aedificata, qua nunc in ruinam prorrumpente ; ex munificentia vestra speramus licentiam, ut dicta Ecclesia reaedificetur juxta pristinos terminos ac limites ; ac insuper, ut supra illius januam tribuna aedificetur. Anno Mahamedis millesimo nonagesimo. Servus Frater Agathangelus.

Istam suplicationem praesentavimus die 27[a] Martii Anno Domini nostri Jesu Christi 1679, ut supra dicta est, mediante fratre gemello ejusdem Bascia, ac ejus locotenente, qui nobis promisit se erga suum fratrem, nostrum futurum esse advocatum, et quod sperabat se obtenturum licentiam reparandi Ecclesiam juxta limites antiquitatis etiam si sit contra suas leges tales licentias concedere, quae solum a Sultano concedi possunt. Sed quantum ad novitatem, id est tribunam permittere, nullo modo se posse ad istud, ad quae respondimus, quod si pro prima licentia gratiam invenissemus, inveniremus etiam pro secunda, et in facto ejus intercessione mediante utramque licentiam Bascia nobis concessit : ut patet subsequenti scriptura quam hic apponendam non incongrue esse judicavimus.

Licentia Hassen Bascia Bassorensis reaedificandi Ecclesiam a fundamentis ; et faciendi tribunam supra Januam Ecclesiae.

Locus Sigilli.

فضيلتلو قاضي افندي زيد فضله كليسياي مرقوم خرابه مشرف

اولوب تعميرينه محتاج اولدوغي واقع ايسه طرفكزدن كشفي ايچون

نايبي ارسال وبناء اصليه سي حدودي ايله كشف وحجت ايدوب امور مزبوره

تدقيقنده اهتمام ايليه سز

Cujus interpretatio haec est.

Virtuosissime domine Judex ; augeat Deus vestram virtutem ; oportet ut mittas commissarium qui antiquos supradictae Ecclesiae terminos seu limites exploret, deinde authenticam scripturam seu licentiam dabis ut reaedificatur juxta antiquam aedificationem, quod cito et perfecte fiat.

Ista Licentia, seu Mandatum Bascia, nobis fuit concessa die tertia Maii ejusdem anni 1679 et eodem die praesentavimus eam Judici, vulgo Kadhi ut nobis scriberet authenticam, ac juridicam licentiam, pro ut ipsi a Bascia jubebatur qui statim suum locotenentem misit, qui antiquae Ecclesiae limites exploravit ac scripsit, nobisque dixit agite autenticam judicis scripturam vobis afferam, operarios disposuimus, ut antiquam demoliremus fabricam; expectavimus tamen usque ad septimam ejusdem mensis, qua die ego ivi ad quemdam virum gravem judicis familiarem quem sciscitatus sum quare nondum licentiam miserat nobis, et ille dixit mihi ego eam vidi scriptam ac sigillatam, sed tantum expectat quod ipsi mittatur aliqua pecunia, quibus verbis nimis cito fide adhibita crastina die id est octava Maii die dicata miraculosae Sancti Michaelis Archangeli aparitioni, quem nostrae fabricae patronum elegimus, celebratis missis antiquae Ecclesiae demolitionem agressi sumus poecuniamque judici misimus; sed multum obstupuimus quando fuit nobis relatum quod Judex authenticum Sigillum scribere nolebat, nos autem putantes quod hoc (Mahametanorum more) faceret ut plus poecuniarum acciperet ei obtulimus usque triginta scuta, ast absolute dixit quod nullo modo daret nobis talem scripturam: ad Bascia recursum habuimus, qui ipsi quemdam suum familiarem misit, rogans eum quod tales non adduceret difficultates; sed respondit iste quod neque pro Bascia, neque pro toto mundo contra suam conscientiam et leges suae sectae tale sigillum non scriberet; novamque difficultatem attulit scilicet quod Ecclesia esset nimis prope eorum mosqueam, seu locum adorationis, cujus responsione multum excandescens Hassen Bascia, vidensque quod a Kadhi sua licentia nobis data sic asperneretur, et iterum quod spernerentur etiam ejus supplicationes multas injurias contra ipsum protulit; deinde nos est exhortatus, ut tantisper expectaremus, dicens quod ex me fuit, ego feci, non expedit, ut isti impertinenti vim faciam, scio autem quod iste quam cito deponetur ab officio et a novo Kadhi vobis juridicum sigillum obtinebo. Sed quia novi Kadhi adventus incertus, ac dubius erat, et supposito quod veniret, utrum antiqui opinionem sequeretur an non etiam erat in dubio ; ex istius antiqui Kadhi amicis, seu familiaribus nullum praetermisimus quem erga eum pro nobis advocatum non acceperimus, sed semper remansit inflexibilis.

Deo autem nolente quod sua domus si remaneret demolita, remedium adhibuit, novumque Kadhi nobis adduxit, qui in istam civitatem appulit die Sexta Junii ejusdem anni 1679 de cujus affectione dubitantes, iterum Bascia rogavimus, ut ipsi quemdam familiarem ex parte sua praemittere dignaretur, qui eum disponeret ad bene faciendum, sed Bascia voluit ipsemet eum disponere, et ita fecit, scilicet prima die quod Kadhi venit ad ipsum salutandum, Bascia sic eum est allocutus, multum gaudeo de tuo adventu et quod alius sit depositus, canis est enim impertinens, et maledictus, nec urbanitatem agnoscit ullam, ego ipsi mandavi ut authenticum, ac juridicum sigillum reaedificandi Ecclesiam scriberet, insuper multum pro hoc illum rogavi, sed neque meum mandatum neque meas rogationes admisit, cui respondit novus Kadhi, quidquid jusserit dominus meus Bascia, Ego lubenter efficiam : Etsi jam fuisset praeoccupatus, et dixisset quod si praedecessor noluerat illud scribere, nec scriberet ipse ; sed quando vidit quod sic Bascia, et tali modo de praedecessore loqueretur, quid erit de me, dixit ipse, si Ego recusem ; accipiamus triginta scuta quae praesentabantur alteri et leges nostros tantisper inflectamus.

De quibus nos admoniti ipsi terminos Ecclesiae misimus quos pro arbitrio scripsimus, cum tribuna supra januam, item Ecclesiae antiquitatis [*sic*] praescriptionem notavimus, ut non dubitaretur amplius de nostra stabilitate : Ipseque Kadhi eo modo quo ipsi notavimus, nobis sigillum authenticum scripsit testesque apposuit sex ex principalibus hujus civitatis habitantibus ut patet infra.

Sigillum authenticum Kadhi seu Judicis Civitatis Bassorensis reaedificandi Ecclesiam a fundamentis in quo etiam annotatur Ecclesiae antiquitatis praescriptio etc.

سجل شرعي القاضي بالبصرة لاستعمرت جديدًا بيعة البادرية الكرمليتان

ومنه يبين قد بمتها

ما فيه من الاذن لترميم كنيسة الكفرة على منوال في الكتب المعتبرة موافقة

نمقه افقر الورى الى الغني تعالى كريم لا ينحل عن الصدد في

القاضي بمدينة البصرة المحمية عفي عنه بمنه

كتب الداعي الى تحرير هذا الكتاب الشرعي والباعث لتسطير هذا

الخطاب المرعي هو انه لما كانت الكنيسة القديمة البنيان المشتملة على حجرتين احديهما

عن اليمين والثانية عن الشمال وغرفة مركبة على باب الكنيسة التي مساحتها طولًا

سبعة وعشرون ذراعًا وعرضا عشرة من الاذرع وعلوها احدى وعشرون

ذراعًا باليد المعتدلة الواقعة بداخل مدينة البصرة دار الامان بالقرب من

جسر الغربان المتعبد بها البادرية الكرمليتان الملازمين و

الرهبان المترددين والافرنج وطايفة النصارى في ساير الازمان

قد وهي بنيانها وتساقطت حيطانها ومست الحاجة الى بنيانها
مثلما في القديم كان فعند ذلك حضر في مجلس الشرع الشريف المستطاب
والتمس من الحاكم الشرعي الواضع ختمه وخطه المرعي اعلى الكتاب البادري
الملازم الآن للكنيسة المذكورة بعد ان عرض القضية المرقومة
اعلاه بين يدي امير الامراء الكرام كبير الكبراء الفخام مدبر
جمهور الانام بالرأي التام والاحسان العام حضرت مولانا
حسن باشا يسر الله له من الخير ما يشاء الوالي بديار البصرة
المحمية حماها الله به من كل بلية وآفة وشرحها على
منوالها لديه ادام الله سوابغ النعم عليه الاذن ببنيانها حذرًا
من ان تخفى رسومها واعلامها فاجابه المولى الموحى اليه الى ملتمسه وارسل
علي چلبي نايبًا من طرفه كاشفًا عن حال الكنيسة المسطورة اعلاه
فكشف عن الكنيسة المذكورة بحضور من عدول المسلمين فراها مشتملة على

ماهو المرقوم اعلاه منهدمة الحيطان محتاجة الى البنيان فبعدما
تحقق لديه ذلك اذن المولى المشار اليه ببنيان الكنيسة المذكورة على
الرسم القديم من غير زيادة ولا نقصان وكتبت هذه الوثيقة الشرعية
ووضعت بيد حاملها ليتمسك بها لدى الحاجة اليها وعلى ذلك وقع تحرير الاشهاد
في اوايل شهر جمادي الاولى لسنة تسعين والف شهود الحال

المحترم المكرم حسن اغا شاه بندر — المحتشم الحلبي خليل شيخ بندر — الحاجي قاسم الشامري — هداية جلبي بن عثمان — الحاجي موسى القبانجي

Ratio causae juxta dattam [*sic*] inscriptionis istius Sigilli juridici, et ratio lineationis hujus scripturae patentis est: quod fuit Ecclesia antiquitus fabricata cujus in aedificatione, erant duae cellae una ad dexteram, et altera ad sinistram, et tribuna fabricata supra januam Ecclesiae, cujus limites sunt longitudo ejus viginti septem cubiti et latitudo ejus decem cubiti, et altitudo ejus viginti et unus cubitus; cujus fabricae situs est in interiori civitatis Bassorae opidi fidelitatis, prope pontem Elgorbam, in qua Ecclesia adorant Patres Carmelitae ejus possessores, et Religiosi huc accedentes hincque recedentes Europei, et reliquae Christianorum sectae usque in sempiternum. fabrica est ab antiquitate praescripta, cadentibus parietibus indiguit a fundamentis reparari, et necesse est ut reparetur juxta antiquam fabricam; et ideo ejus Religiosus pro nunc assistens venit ad nobilis Justiciae Locum, et petiit a Judice cujus sigillum supra hanc scripturam appositum est, licentiam eam reaedificandi, sed antea praesentaverat pro hoc memoriale inter manus domini dominorum Venerabilis magnatum maximi, Excellentissimi omnium viventium cum optima, perfecta et manifesta cognitione directoris, Illustrissimi domini nostri H[a]ssen Bascia quem Deus dirigat in omni bono quod desiderat, de praesenti Bassorae urbis protectae gubernatoris, quam protegat Deus ab omni flagitio, et malo, et eam conservet in manibus ejus secundum pristinam prosperitatem, et Deus perpetuet super eum ejus felicitatōm continuationem, qui praecepit reaedificationem Ecclesiae, supra fundamenta antiqua, et eorum signa ac vestigia, et ejus mandatum ut in Libro Justiciae insereretur ad praesentem Judicem atulit, qui ex sua parte commissarium Hali celebi misit, ut ipsius terminos verificaret, quos vidit in praesentia plurium Mahametanorum, quos, secundum quod sunt supra notati, esse verificavit, murosque dextructos [*sic*] reparatione indigentes, et postquam testificatus est inter manus Judicis quod, ut supra, sic esset : Jussit Dominus Judex reaedificationem supradictae Ecclesiae aut secundum antiqua vestigia sine additione diminutione, et scripsit istud instrumentum juridicum, illudque concinnavit inter manus Ecclesiae Rectoris qui accepit illud eoque poterit uti et praevalere se de illo in necessitate occurrenti ; cujus testes sunt infra scripti probitate viri insignes. Datum Bassorae in principio mensis gemadi Elauvel anno Mahamedis millesimo nonagesimo. Testes

Venerabilis	Venerabilis	Hagi	Hedaïe	Hagi
Hassen Aga	Hagi Kalil	Kassem	Celebi	Moussa
Sciabandar	Sciabandar	Sommeri	Scriba	Librator
praecedens	praesens.			

Supra scriptum sigillum authenticum fuit nobis concessum die 13[a] Junii anno 1679 die dedicata festivitati Sancti Antonii de Padoua, ad quem Sanctum die 1[a] Junii in supradictis angustiis constitutus et multum afflictus ego accurri, ipsique in particulari promisi, me usque quod nos ex istis angustiis liberati essemus ejus officii antiphonam versiculum et orationem recitaturum esse quotidie, et hoc est specialiter notatu dignum quod ejus precibus et meritis, ejus festivitatem laetantes egimus accepta licentia diu desiderata dieque 18[a] ejusdem mensis Junii primarium lapidem cum caeremonia ecclesiastica apposuimus, quam caeremoniam solemniter egit Reverendus Pater Joannes a Trinitate Ordinis Sancti Francisci, qui pro tunc apud nos hospes repertus est.

Cum maxima quiete fabricam prosecuti sumus usque ad diem 10[a] Septembris ejusdem anni, qua die Ecclesiae benedictione de more ecclesiastico facta primam missam solemniter celebravimus : et die 29[a] in dedicatione Sancti Michaelis Archangeli, quem fabricae patronum, ut supradictum est, acceperamus Sanctissimum Eucharistiae Sacramentum in tabernaculo posuimus, in parva capella, Mahametanis incognita, in qua deinceps conservabitur, juvante Deo, cum lampade ardente ; non est enim decens ut in ipsa Ecclesia conservetur propter multitudinem Mahametanorum, Sabaeorum, Gentilium et aliorum infidelium, quibus Ecclesiae visitatio non potest negari ; si enim Mahametani viderent tabernaculum curiositate vellent scire et fortasse videre quid ibi esset reservatum, et ideo convenientius est ut asservetur in capella ipsis ignota.

Die 23 Julii ejusdem anni 1679 ex Dei misericordia totali incendio liberati sumus, et sic evenit quod dicta die, apud nos venit quidam nauta holandus nomine Simon Nega, qui a nobis cellam petiit in hospitio in qua per aliquot dies medicamentis uti commodius posset, erat enim mala valetudine affectus, quam ipsi concessimus, et serotinis horis medicus ei quaedam parva medicamenta ad crastinam medicinam praeparativa ministravit. Media nocte medici discipulus venit ad Januam hospitii, qua pulsata, ego famulum misi ut videret quis esset et quid vellet, qui mihi responsum attulit dicens medici discipulus quaerit quomodo valet aegrotus : ad quem ego, non taliter aegrotat, ut necesse sit sic intempestive et media nocte Januam pulsare, vade tamen, dixi ipsi, et vide quomodo valet, et redde ipsi responsum. Et in brevi apparuit quod illa januae intempestiva pulsatio non fuit ex discipuli indiscretione bene vero a Deo ordinata, nam cum famulus iret ad aegrotum invisendum erat enim ejus cella supra refectorium prope cuilinam [*sic*] quam vidit totaliter ardentem, et statim clamans ad ignem, surreximus et eum extinximus quod si tantum per spatium quo recitaretur bis Pater Noster tardius venissemus, flamma superius tectum attigisset, nec extinguendi remedium superfuisset.

Nec hic silere debeo circa sequentem narrationem quae accidit circa finem istius mensis Julii ; quidam mercator Anglus nomine Mr. Adames [*sic*] pannum Londrinum nobis miserat pro habitu ; sed quia non fuit nostri coloris, ipsum cuidam Christiano vendendum commisimus, qui Christianus paucis post diebus e vita discessit, ipsiusque creditor ex officina pannum arripuit, quo agnito eum rogavi ut pannum redderet, sed renuit. Ego ad mercatorum Judicem ivi qui statim misso famulo illum ac[c]ersivit ut de facto rationem redderet, iste etiam venire recusavit, erat enim Janisserius, et per consequens multum superbia inflatus, cujus superbia et obstinatione agnita mercatorum Judex mihi consuluit, ut ad Kakie seu gubernatoris locotenentem accurrerem, ipsumque de facto admonerem, quo facto statim Janisserum accersivit et huic non potuit negare quin veniret, qui ei jussit ut nobis pannum redderet, sed quia noluit obtemperare eum ad ejus capitaneum castigandum misit qui me praesente, ferreis vinculis ligavit eum, sed iste civilem Judicem appellavit, et voluit inter se et nos secundum leges judicari ; Ego autem ante quam ad Judicem accederem de ejus appellatione supradictum Kakie admonui, qui mihi dixit vade ad Judicem et de rei exitu nos admone; ad Judicem ivimus, et cum ego eum de facto plene informaverim, Janisserum interrogavit, utrum sic esse ac dixeram ; qui respondit sic esse rem, sed se nescire utrum ad me vel ad alium pertineret pannum, sed tantum scire se, quod defunctus ipsi debebat triginta et quinque scuta, pro quibus ex officina ejus pannum arripuerat: Judex a me petiit utrum haberem testes, cui respondi quod cum Christiani essent nostri filii agendo cum eis nullum adhiberemus testem, et quod si iste Christianus adhuc viveret de hoc nulla esset litigatio. Judex jussit mihi ut jurarem quod ita se haberet, cui respondi quod Ego Religiosus apud nullum nisi apud solum meum superiorem jurare deberem, nec alius posset me ad juramentum obstringere, qua responsione excandescens Judex seu Kadhi, tuis privilegiis gaudeas in tua patria, hic autem si a me justitiam quaeris, coram me jurabis, aliter pannum tuo competenti dimittam, cui respondi, quod tibi bene visum fuerit age, neque pro panno, neque pro toto mundo coram te jurabo, ipseque pannum Janissero dimisit, et ego dicens ei Deus dedit, Deus abstulit, sit nomen Domini benedictum, eum de more salutavi, et discessi, hominemque misi ad Kakie qui eum de rei exitu informavit, at ipse multum excandescens dixit utrum Judex ignoraret quod Religiosi Christiani neque mentiuntur, neque jurant, et quod Mahametani facile jurant, faciliusque mentiuntur, et se uni Religioso majorem fidem adhibiturum quam decem Mahametanis. Cito afferte mihi, dixit, pannum istud, quod contemplans in eo invenit sigillum illius qui nobis ipsum miserat alacriterque dixit videte utrum istud sit sigillum Janisseri, ipsumque commisit uni ex suis familiaribus qui nobis illud in nostram residentiam attulit et hinc pateat in quali reputatione sint Christiani Religiosi apud Infideles Mahametanos.

Die 2[a] Augusti hujus anni Domini 1679 P. F. Tussanus a Jesu ex mandato Reverendi Patris nostri Vicarii Provincialis hinc profectus est versus Scirasum in Perside, et die 17[a] ejusdem mensis et anni P. F. Ægidius a Sancta Theresia ad meliorem vitam transiit, qui cum maxima resignatione ad divinam et superiorum voluntatem per septem menses in hac residentia commoratus est, ipse enim delicatioris complexionis nullo modo istius civitatis intemperiei assuefieri potuit, et semper male dispositus, immoderatis advenientibus caloribus quotidie pejus se habebat, pluriesque rogatus a P. Vicario ut abstinentia interposita carnibus vesceretur, nullatenus abstinentiam interrumpere voluit, vinoque nimis pauco utebatur et ita observantiae vigori instabat, ut nec aquam per die [*sic*] extra refectionis horas bibere vellet ; et hoc ipsi multum nocuisse non dubito, calores enim sunt hic adeo vehementes ut pene impossibile videatur per unam horam a potu aquae abstinere, de quo saepe saepiusque admonitus, isti sanctae religionis consuetudini cum propriae sanitatis detrimento adhaerere voluit, donec die Assumptionis Virginis Mariae sacro, cum solita devotione celebrato, febri abreptus fuerit, et die 17[a] ejusdem mensis animam Deo reddidit hora sexta matutina, sepultusque est in coemeterio nostro vulgo dicto *Haissa ben Mariam* et ab illa die ego peccator frater Agathangelus per duos annos integros solus remansi in hac residentia.

Dictum Patrem fratrem Ægidium pie defunctum in Ecclesia sepelire nolui, quia actualiter fabricabatur, et si esset aliquis rumor pro hoc ex(h)ortus fortasse fabricam retardasset, et ideo eum in communi coemeterio sepelivi, sperans fore ut aliquando ejus ossa in ecclesiam transferamus, quemadmodum Patris fratris Severini et Patris fratris Cornelii pie hic defunctorum ossa huc transtulimus, et in capella Sanctissimi Sacramenti ea recondimus ante altare isto anno 1680. id est Patris F. Cornelii die 6[a] Maii et fuerunt recondita ex parte Evangelii, et Patris F. Severini die 13[a] Augusti, et fuerunt recondita ex parte Epistolae.

Supradiximus quod R. P. N. Joan. Baptista Visitator Generalis et Vicarius provincialis nobis ecclesiam reaedificandi Licentiam concesserat ; sed propter multas missionum occupationes talis licentiae concessionis oblitus est et cum ex Indiis redisset miratus est, audiens quod Bassorae Ecclesia reaedificata fuisset et ideo Reverendum Patrem F. Felicianum a Sancto Rocho priorem conventus nostri Goensis, qui tunc congressus causa in Portum Bander Abbassis advenerat, nobis Visitatorem misit, qui agnosceret qua licentia Ecclesia restaurata esset, cui cum dicti Reverendi Patris nostri Visitatoris Generalis licentiam suprapositam ostendissem ; ex benignitate sua dignatus est a me exigere ut in scriptis ei darem talis licentiae concessionem, et rationes quibus pro tunc Ecclesiae reparationem incepissemus ; et id circo infra appositum manifestum scripsi, quod vidit, et examinavit Reverendus Pater Prior Goensis noster Visitator, et aprobavit quaecumque circa talem fabricam fecerimus, istudque manifestum manu propria subscribere suique officii sigillo munire dignatus est, nec incongrue mihi visum est illud hic inserere, et est ut sequitur.

Manifestum quo patet quibus rationibus
et qua licentia ecclesia nostra fuerit
reaedificata anno Domini 1679.

Cum exortum fuerit dubium utrum Pater frater Agathangelus a Sancta Theresia reaedificaverit ecclesiam nostrae residentiae Bassorae cum debitis licentiis an non, cujus reaedificationem incepit die 8ª Maii Anno Domini 1679. Ego infrascriptus Frater Felicianus a Sancto Rocho pro nostro Reverendo Patre Fratre Joanne Baptista a Sancto Joseph Vicario Provinciali Carmelitarum Discalceatorum Persidis et Indiarum Visitator hujus nostrae residentiae Bassorensis, ex commissione ejusdem patris nostri Vicarii Provincialis rem exacte examinavi, et verificavi, quod dictus

P. F. Agathangelus a Sancta Theresia cum debitis licentiis, et oportuno tempore eam reaedificaverit.

Reperi et propriis oculis legi quod inter alias licentias, quas ipsi concesserat supradictus R. P. N. Vicarius Provincialis, Scirasii die 11ª Septembris anno 1678 et quas propria manu subscripsit ipse Vicarius Provincialis pro tunc Visitator Generalis praesens Licentia inseritur 2° loco his verbis . . . che in caso chotteniamo licenza de Constantinopoli per rinovare la chiesa, si rimette a l'altezza n'ella quale fu fabricata la prima volta, & che si faccia con volta de mattoni cotti & gesso, & in caso che la licenza da Constantinopoli non vienne, o non sia esperanza de poterla havere, ci potiamo rischiare de fabricarla con qualche favorevole occasione. avanti che non caschi affatto & in fine subscriptus est Frater Giovanne Batista di S. Giuseppe Visitator Generalis.

Ecce licentia Reverendi Patris nostri Visitatoris Generalis. Licentia reaedificandi Ecclesiam non fuit obtenta in curia Constantinopolitana, nec etiam spes eam obtinendi superfuit, ut infra patebit.

P. F. Angelus a Sancto Joseph scripsit patribus Bassorae die 13ª Januarii anno 1679 Constantinopoli his terminis in medio epistolae . . . spero ottenere ancora il comandamento espresso per nostro stabilimento in Bassora senza il quale non si pol parlare di riparare, ne ristuurare la chiesa a fundamentis ; gia lambasciatore mando un drogomano a la porta per questo, & in fine, siano secure le Loro RR[e] che tutto gia S. E. a fatto per noï non conttarebbe a altrimeno di quatro ò cinque milla piastre ; toca a le Loro RR[e] di farsi valere etc. suprascriptio Epist. a i Reverendi patri Car[ni] Scalzi Bassora.

Ista Epistola fuit recepta Bassorae a patribus die 15ª Martii ejusdem anni 1679, ex qua patet quod nostrum stabilimentum reducebatur in dubium, et quod non procurabatur reaedificatio ecclesiae bene vero ejus stabilimentum.

Item dictus P. F. Angelus scripsit patri fratri Agathangelo ex portu Smirnensi die 25ª Aprilis 1679 his terminis. J'ay obtenu de plus une copie autentique dun commandem déstablissem^t de nos peres par touttes les escheles de Turquie, iéspere de trouver a Venize le commandem^t particulier pour Bassora, et pour l'establissem^t de l'Esglise consulaire, sans lequel, on ne pouvoit parler de la permission de restablir l'Esglise, laquelle sous ce Visir qui est un tiran afamé est une demande delicate ; si ieusse portant eu cinquante piastres i'eusse resté jusques a la fin pour l'obtenir, et me servir de l'occasion d'un si bon seigneur ; laquelle a mon advis ne reviendra plus. l'Exemple des Maronittes qui offrent dix mille piastres pour ouvrir une porte a leur Esglise et l'Example des peres Capucins de Mossol qui n'ont pu rien faire, non obstant leurs diligences, jusques la que le pere Estienne sert encore de medecin a Capelan Bacha et luy a mesme servi dans la campagne contre les Moscovittes preuvent evidamm^t mon dire : enfin ce que i'ay obtenu est suffisant pour tout, mais il faudroit la un homme comme V. R. pour s'en scavoir servir etc. suprascriptio epistolae Al' M^to Reverendo patre oss^mo il P. F. Agathangelo de Sancta Theresa Car^m Scalzo Miss^o Apost. Ispahano, o dove sara.

Item Excellentissimus dominus Franciscus Olier ad Turcarum Imperatorem Galliarum Regis legatus, scripsit patribus Bassorae, Constantinopoli die 11ª Maii 1679 his terminis. . . . Le R. P. Ange parti diuy le 22 Mars, & ie le crois encore a Tanedos a cause qu'il est sur un vaisseau(x) Venetien, qui attend en ce lieu l'escorte des vaisseaux de guerre de la republique, i'ay cependent escrit a ce bon pere a Venize par voye de terre et mon pacquet aparemment l'attendra quelque temps en cette ville, ie luy ay adressé un commendem^t general pour vostre mission de Bassora qui ordonne au Bacha et Cadis de vous proteger, suyvant les capitulations de la France avec la porte, et pour [vous] monstrer que ie n'oublie rien de ce qui pu vous ayder, et proteger, i'ay fortem[t] recommendé vos interets a Hebrahim Beyk porteur de cette lettre l'un des escuyers du grand Seigneur qui est maintenant despeché en vos quartiers pour affaire expresse, et dont le deffunt frere estoit Bacha de Bassora. Supra epistolam aux RR. PP. Carmes Deschaussez de la Mission de Bassora.

Item idem legatus scripsit eisdem patribus Bassorae die 15[a] Maii 1679 Constantinopoli his terminis. . . . Mes Reverends peres voyey la seconde lettre que ie vous escris par la méme voye, cest pour vous advertir que Hebrahim Beyk porteur de ces deux despesches m'a faict asseurer de nouveau qu'il vous protegeroit & assisteroit en tout ce qu'il porroit aupres du Bacha, Cadis, et Chabandar [*sic*], il sera asseurem[t] consideré, puisqu'il va pour affaire importante, et si vous luy faites quelque regale, il porroit put estre trouver moyen de vous procurer le restablissem[t] de votre Esglise, la copie du commendem[t] que ie vous adresse, et votre industrie et diligence a profiter de la presence dudict Hebrahim porroint faciliter cette entreprise si necessaire. Cest a vous de n'en pas menquer l'occasion etc. Supra epistolam aux RR. PP. Carmes Desch. de Bassora.

Item supradictus P. F. Angelus a Sancto Joseph scripsit Smirnae die 4[a] Junii 1679 Patri Vicario Bassorae his terminis. . . . Mi sono ravisato & cosi non porto piu meco gli commandamenti per la casa de Bassora sin a Venetia ma per non esponerti piu a gli rischi del mare mando tutto per via d'Emir Coagia Armeno domat [*sic*] del deffunto Aga Zeni a M[r] L'Estoyle in Ispahan per essere tutto consignato nelle mani de nostri patri d'Ispahano quali mandaranno di la a V. R. per via sicura il tutto : solamente mi resta il novo comandamento espresso ottenuto dal gran Signore per il stabilimento di nostra chiesa & casa di Bassora quale cio e' l'originale io mandaro da Venetia, & fra tanto S. E. di Francia ha mandato gia a le loro RR[e] per via del Capigi del

G. Signore chiamato Hebrahim Aga una copia ottentica del detto comandamento ò Barat : & con tutte queste cose facilmente V. R. con darne parte ad Bascia & Cadi & con qualche presentuccio potiamo al suo tempo riparare & rifare la chiesa &c. Supra Epistolam Al M^to^ R^do^ P. Oss^mo^ il R^do^ P. Vic. de Car^mi^ Scalzi Bassora.

Ex quibus epistolis quas ego vidi legi et examinavi patet quod nullo modo obtenta est licentia reparandi Ecclesiam a fundamentis a curia Constantinopolitana, sed solum obtentum est mandatum institutionis ecclesiae quod nullo modo erat necessarium, cum ecclesia fuerit instituta a tempore praescripto & apud Turcas praescriptio est lex inviolabilis : et Ideo manifestum est, quod supradictus P. F. Aganthangelus a Sancta Theresia Vicarius istius residentiae Bassorae prudenter se gessit et optimum obsequium reddidit toti religioni, et in particulari isti missioni, quia cum primam admonitionem habuerit, quod nulla esset spes obtinendi licentiam reaedificandi Ecclesiam a fundamentis, ad Bascia, et alios civitatis officiales reccurrit quos favorabiles reperit, et sic occasionem non amisit, quae forsan nusquam amplius se obtulisset, propter leges severissimas quas habent contra reaedificationes ecclesiarum et ipse nullo modo fecit contra obedientiam cum R. P. N. F. Joannes Baptista Visitator Generalis et Vic. Provincialis id ipsi permiserit his verbis . . . & in caso che la licenza de Constantinopole non vienne ò non sia esperanza de poterla havere, ci potiamo rischiare de fabricarla con qualche favorevole occasione, avanti che non caschi a fatto.

Item vidi et reperi, quod necessarium fuit reaedificare a fundamentis celulas quae ex utraque parte Ecclesiae propter connexionem trabum ceciderunt convenienterque tribunam pro mulieribus ad audiendum sacrum fabricavit [*sic*]. et sic nihil superfluum, aut inutile effecit, sed omnia optime, et ad propositum hujusque residentiae commoditatem ; in quorum fidem praesentem scripturam subscripsi proprio nomine, eamque officii nostri sigillo munivi. Actum Bassorae hodie 6ª Augusti 1680 et infra Frater Felicianus a Sancto Rocho Visitator Provincialis et Prior conventus Goensis. Locus ✠ Sigilli.

Dictus Reverendus P. F. Felicianus a Sancto Rocho finita sua visitatione hinc progressus est versus Congo die 23ª Augusti dicti anni 1680 ut in suum conventum rediret; cum maxima sua et nostra satisfactione istam residentiam visitavit et prudenti ordinatione confirmavit morem non dandi vinum saecularibus, qui apud nos urbanae visitationis causa veniunt, qui mos ab uno anno in usum jam introductus fuerat, id est a tempore quo Ego post obitum P. F. Ægidii F. M. hic remansi solus, et spero quod in futurum dictus mos perseverabit cum majori religiosorum quiete et reverentia, facileque est introductus quia cum sint ipsi Holandi in societatem, mercaturae gratia, reducti, quasdam habent inter se consuetudines quas neque propter religiosos, neque propter saeculares, quamtumcumque sint amici usquam transgrediuntur et sic cito capaces facti sunt quod propter ipsos non debemus transgredi laudabilem consuetudinem sacrae religionis nostrae non bibendi cum saecularibus aut extra refectionem nisi necessitas, aut urbanitas aliud postulet.

Isto anno 1680 die 6ª Junii fuimus accers(s)iti a Kadhi, seu Judice civitatis propter domunculam quam ex alia parte vici habemus ante januam nostram; et sic evenit, quod Frater ejus qui eam antiquis patribus nostris vendidit, sciens quod tempore belli propter fugam Religiosorum deperdita esset autentica scriptura emptionis hujus domus, ivit ad Judicem die 5ª istius mensis Junii postulans ut in possessionem domus sui fratris ingrederetur, dicens, quod patres frangi, seu Europei injuste eam possiderent, et ut ipsius postulatio facilius effectum sortiretur ipsi florem more patriae praesentavit, cui respondit Judex, cras patrem vocabimus et rem mature examinabimus. Deus benedictus voluit quod quidam noster amicus tunc cum Judice casualiter sederet, qui talem florem accepit, et nobis eum attulit admonendo de iis quae patrabantur, et sic tempus habuimus inquirendi quinam essent testes talis emptionis et reperti sunt duo, unus senex et una senicula quos de re admonuimus et ut si vocarentur ad Judicem, vere et sicut sciebant esse coram Deo testificarent et sic evenit, quia vocatus die 6ª Junii, et interrogatus de scriptura emptionis, respondi quod deberet reperiri in codicibus Judicis, sed Judex respondit quod antiqui codices deperditi fuere in fuga Arabum quando Hossemali civitatem arripuere, et Ego, sic esse de nostris scripturis, sed adsunt (dixi ego) testes qui accerssiti testificavere antiquos patres istam domum emisse et bene eam solvisse et sic alius a praetensione sua rejectus est et ne amplius similis postulatio oriretur novam autenticam scripturam dedit nobis Judex quam hic apponemus ut si periret scriptura hic reperiatur ejus exemplare etc.

Scriptura autentica Judicis Bassorae ex qua patet domumculam quae est ex altera parte vici ad nos pertinere.

سجل شرعي القاضي البصرة الذي منه يبين ان البيت المقابل بابنا وملكنا

حسب الله وحده

الامر حسبما ذكر فيه حرره افقر الورى الى ربه الغني

بن نعمة عمر الصديقي القاضي بمدينة البصرة المحمية

من كل بلية وقضية عفي عنه

السبب الداعي الى تحرير هذا الكتاب الشرعي هو انه قد ادعى احمد بن حاجي محمد بن علي

آغا تجلو الراهب الساكن يومئذ في الكنيسة الكاينة بالقرب من خان الذهن بان

النصف شايعا في جميع المنزل المشتمل على بيت وايوان وحوش سابقا المشتمل على بيتين

وغرفة حالا للافرنج الواقع بالقرب من المحل المذكور وينتهي اصل الشاع منه

قبلة ورثة الحاج عبد الله الرقيات وشمالا الخرابة وشرقا بنت حمد وجنوبا

الدرب الفاصل بينه وبين الكنيسة المذكورة بكافة حدود ذلك وعامة

ما الدن الحقوق مال وملك لمن كان اخيه محمد باع الجميع تبرعا منه في نصفه ويطلب منه

اقراره بذلك وتسليم النصف منه اليه فسئل المدعى عليه فاجاب بان برنبه

الراهب الذي قبله قد اشترى ذلك من محمد المذكور منذ خمس وعشرين سنة بثمن قدره

الف شاهية البصرة وعمره وجعله تابعا للكنيسة وسكنا للافرنج الملازمين للكنيسة

واجرته لمصالح الكنيسة وهو بتصرفهم الى الآن واحمد المذكور يشاهد

تصرفهم ولم تصدر منه عليهم دعوى فاقر احمد بمرور المدة ومشاهدته

تصرفهم وعدم دعواه فلما ان كانت الحالة هذه ثبت ان هذه الدعوى

من الدعاوي المتروكة العتيقة والقضاة ممنوعون عن استماع مثلها

على ما افتى به المتاخرون فبموجب ذلك حكم على احمد المذكور بعدم تعرضه

لا غانيخلوا ومن يقوم مقامه من جهة الخصوص المسطور مرة اخرى حكماً

شرعيا وعلى ذلك وقع صحيح الاشهاد تحريرا في اواسط شهر جمادي الاول لسنة

احدي وتسعين والف شهود الحال

يوسف بن عبد علي — الملا محمد البهبهاني — ابراهيم بشر بن علي

Isto anno 1680 mense Julio advenit huc quidam Sacerdos Armenus nomine Der Arakiel qui videns quod Christiani Armeni bene essent erga nos affecti Ecclesiae assidui, et ex ipsis multi paschatis praeteriti tempore confessi erroribus renunciaverant illos ex ortodoxa via jam amplexa detrahere conatus est et de facto multi qui nondum satis effecti erant stabiles ex ejus instigatione fidem et ecclesiam dereliquerunt, et ipsum secuti sunt, qui Mahametanam domum conduxit, ibique missas celebravit, nec usquam fidei Catholicae veritati voluit assentiri, et cum rationibus non posset respondere, concludebat dicendo se suorum antiquorum opiniones deserere nolle, et si propter tales opiniones in Infernum obierint praedecessores sui se etiam in Infernum cum ipsis ire velle, et sic Christiani nostri multum fuere perturbati, et divisi; multi enim perseveravere constantes in fide; alii autem ad schismatici sacerdotis persuasionem defecere, et ista divisio perseveravit usque ad mensem Januarium anni sequentis 1681. quo mense idem sacerdos schismaticus quadam die omnes Christianorum domos percurrens ipsos terrere voluit dicendo quod civitatis gubernator audierat quosdam Christianos Armenos francorum Ecclesiam frequentare et ideo ipsum eos velle comprehendere, in carcerem mittere et mulctas ab eis exigere : Sed ex sapienti Dei dispositione, qui suos ex insidiis diaboli liberare novit, res aliter evenit, contigit enim quod sequenti nocte ipsemet sacerdos qui praedixerat nostros debere comprehendi, ipsemet fuit comprehensus et in carcerem missus a Mahametanis qui ab ipso petiere quomodo domum Mahametanam in Ecclesiam convertisset, deinde a suis sequacibus cum poecuniis fuit liberatus, nostri autem Catholici Dei protectionem experti magis ac magis in fide confirmati sunt : et haeretici cum suo sacerdote sine Ecclesia, et sine missa remansere usque ad tempus motionis quo tempore sub umbra mercatorum iterum domum Mahametani conduxit idem sacerdos,et tunc superbia inflatus adhuc nostros Catholicos terrere conatus est minans quod si apud nos venire perseverarent a suis episcopis excommunicarentur et etiam in hac occasione non defuit Dei protectio erga suos fideles, quia antequam domum ornasset venit ipsemet sacerdoti excommunicatio a suo episcopo Vertabiette Agazar qui pro tunc aderat Babiloniae et de istius sacerdotis actionibus et more vivendi bene fuerat instructus, qui tamen non resipuit sed cum omnium Christianorum etiam suorum sequacium scandalo maximo missas celebravit et caeteras sacerdotii functiones exercuit.

Isto anno 1681 mense Martio et Aprili multi discooperti sunt et aprehensi latrones quos poenitus extirpare decrevit Bascia ; et ideo quam plurimos istis duobus mensibus ad paxillum infixos occidit, inter quos fuit etiam aprehensus unus Christianus, ritu Surianus vocatus Habdhallah oriundus Merdin et a pluribus annis Bassorae commorans, quem aprehenderunt sed eum latrocinio convincere non potuerunt, tantum convictus fuit se latronibus commodasse naviculam suam qua fluvium ex parte in aliam transgrederetur : comprehensus est die 28ª Martii et 29ª propositum fuit ipsi ut si vitam vellet conservare oportebat quod Mahametanus fieret, quod si recusasset se eodem supplicio afficiendum esse quo etiam affecti fuerant multi ex latronibus quibus dicebant ipsum patrocinium praebuisse, id est quod paxillo affigeretur, quibus generale respondit se neque pro vita neque pro toto mundo Dei legem relicturum, et se Christianum esse et Christianum mori velle et quod propter paucos annos quibus forsan gauderet in hoc mundo aeternitati nolebat abrenunciare ; quod cum bis et ter firmiter confirmasset Bascia causam remisit ad Kadhi seu judicem ut auditis testimoniis eum juridice condemnaret, sed ante judicem nihil aliud fuit verificatum, nisi quod istis hominibus non tamquam latronibus, sed tamquam itinerantibus naviculam praebuisset, unde non judicavit reum mortis ; Instante autem Bascia quod vellet illum mori, respondit judex Bascia istis diebus quam plures occidit absque meo juridico judicio (est enim mos etiam apud Mahametanos, ut nullus morte afficiatur, nisi praemissis juridicis probationibus) quem morem transgressus fuerat Bascia, et ideo respondit Judex, quod illum etiam poterat occidere, illud tamen decrevit, ut, supposito quod illum infigere vellent, antea suffocaretur, ne cum stipiti infixus fuisset Christianam fidem in Mahametanae fidei dedecus praedicasset et sic die 30ª Martii Domenica Palmarum, cum egressus fuissem ex Ecclesia finita caeremonia palmarum, venit quidam Christianus qui me monuit quod illum ducerent ad supplicium, quo audito festinanter ad locum supplicii me contuli, et illuc perveni eodem momento quo ipsum elevabant ad paxillum, sed antea illum fune suffocaverant, et sic ipsum alloqui non potui ; spero tamen quod etsi non potuerit confiteri Deus tamen ipsi misericordiam impertitus fuerit, non enim convictus est crimine digno mortis, ut diximus supra, et si voluisset a fide deficere, a tali morte se liberasset, unde bene concludi potest quod quodam modo propter fidem occisus est, et spero quod in conspectu Domini mors ejus habita fuerit praeciosa.

Isto anno mense Junio Ego febribus correptus sum et taliter quod me ad ultimum vitae putaverim pervenisse, multumque afflictus quod copiam conffessorii non habens sine conffessione me moriturum viderem die 19[a] mensis unum ex nostris Christianis rogavi, ut principaliores Christianos admoneret, quod crastina die adessent, ut coram ipsis sanctissimum sacramentum consumerem, et deinde omnia superlectilia praeciosiora in Sachristia et aliis coelulis clauderemus quarum claves conservarentur usque ad adventum novorum religiosorum, in casu quod morerer, sed Deus aliter disposuit, crastina enim die febri liberatus sum et melius coepi me habere et cum nostrorum Christianorum maxima consolatione sequenti domenica sanctam missam celebravi.

Et die 5[a] Septembris istius anni 1681 apulit huc P. F. Carolus Hiacinthus a Sancta Theresia religiosus noster professus provinciae Longobardiae, qui missus est nobis a superioribus nostris ut missionarii munus exerceret, cujus infelix socius P. F. Clemens a Sancto Joanne Baptista remansit Babiloniae ubi se Judaeam et Judaei filium esse declaravit, et retrogressus est, Iste dum esset in Seminario Sancti Pancratii totam religionem scandalizavit, deinde cum remissus fuisset in suam provinciam Ceciliae ibi per aliquot annos dissimulans sub falso virtutum habitu superiores decepit, qui putantes eum vere conversum multas Deo animas lucrefacturum esse, ad missiones miserunt eum, sed alia erat ejus intentio ut exitus demonstravit.

Item die 13[a] ejusdem mensis apulit etiam huc P. F. Philipus a Sancto Francisco Xaverio, religiosus noster professus Goensis quem nobis misit Reverendus P. N. Prior Hispahensis tuncque maxima affectus sum consolatione quod post duos annos solitudinis duos socios a Deo obtinuerim, cum isto ultimo advenit etiam P. F. Clemens ab Ascensione professus Genuensis ut hinc in Indias navigaret, quod fecit conscendendo navim Gallicam, quae hinc versus Surattum progressa est die 9ª Octobris.

Die 22 Decembris advenit etiam nobis alius missionarius scilicet P. F. Joannes Franciscus a Sancto Hermengildo professus provinciae Longobardiae.

Anno Domini 1682 die 6ª Februarii post aliquot dies vehementiae ventorum meridionalium in tantum excreverunt fluctus maris, ut ruptis arginibus [*sic*] maris aquae ex parte deserti supra istam civitatem Bassorensem irruperint; omnesque hortos et plateas quae circum circa civitatem sunt inundaverunt, et nisi canales seu aquaeducti ampli reperti fuissent, qui maris aquas in fluvium divertissent, tota civitas inundata fuisset : fluvii aquae per plures dies amarae remanserunt.

Et die 14ª ejusdem mensis duo soles aparuerunt matutinis horis ita consimiles, ut verus a falso aliter quam a loco in quo aparebat non distingueretur, et circa duas horas duravit ista aparitio.

Die 17ª Januarii anno 1682 in hunc portum apulere Didacus Barreira ex Hispania oriundus et in insula Macao in Indiis uxoratus, et Antonius Norrogna Goensis, ambo Christiani Catholici mercatores, quos per aliquot dies hospitio suscepimus ; donec domum nostram conventui adjacentem locatione receperint, Eos de famulis ad deserviendum necessariis providimus, sed unum quemdam absque consilio nostro admiserunt, quod cum advertissemus, eis consuluimus, ut hunc expellerent, erat enim a natalitiis Sabeus, deinde cognita veritate conversus erat ad Christianam religionem, et fuit baptizatus a nostris antiquis religiosis, demum in furto aprehensus ignominiose defecerat a Christiana fide, Mahametanamque complexus fuerat. Iste apud Sabeos vocabatur Habdelseia, apud Christianos Joseph, et apud Mahametanos Habdhallah, ipsum igitur expulere a famulatu secundum consilium nostrum, sed in brevi eum iterum recepere qui paulatim conatus est corrumpere istorum mercatorum servos, unumque effective corrupit, et ad perversas vias direxit, et demum ad interitum deduxit consulens ipsi, ut poecunias a suo domino furaretur, et deinde apud Mahametanos se refugiens poecunias inter se dividerent, quibus consiliis infoelix, ac miser servus obtemperans sac[c]um sui domini furatus est, in quo continebantur moneta hujus patriae valoris circiter centum scutorum Romanorum, ipsumque commisit suo detestabili conscio, summoque mane die vigesima secunda Junii ejusdem anni 1682 ad gubernatoris domum confugit, dicens se velle Mahametanum fieri ; quod cum audissemus pater Frater Joannes Franciscus a Sancto Hermengildo cum supradictis mercatoribus ad Sciabandar seu mercatorum Judicem se contulit, ut ipso mediante istum infelicem a perversa via reducere procuraret, sed in vanum, diabolus enim intraverat in cor ejus, illumque poecuniis furatis obcaecaverat : et interrogatus a supradicto patre coram Sciabandar qualem religionem vellet Christianam an Mahametanam impune respondit se esse Mahametanum, quo audito P. F. Joannes Franciscus coronam Beatae Mariae Virginis quam adhuc collo apensam habebat abripuit, illumque jam in tenebris exterioribus rejectum dereliquit.

Cum autem dominus ejus Didacus Barreira domum reversus fuisset, capsulamque visitasset, poecuniisque spoliatam reperisset, ad Sciabandar rediit, qui de furto admonitus, temere judicavit istum mercatorem falso suum servum jam perditum accusare, sed opinione mutavit, quando servus interrogatus, quid esset de poecuniis ex suo domino sublatis, confessus est se eas suo detestabili directori, vel ut melius dicaret, perversori, commendasse, qui acerssitus, primo negavit, deinde impunitatem expostulans promisit, se poecunias redditurum, qui cum ipsi promisisset judex impunitatem, cum famulo Sciabandar seu judicis propriam domum petiit, et saccum ex terra defossum cum integra poecuniarum summa attulit, et tunc Sciabandar dixit vere veridici sunt Europei, nec mendacium agnoscunt. Voluit etiam iste Sciabandar solvere Didaco Barreira pretium servi, quem dicebat se non posse dimittere, quia secundum suas leges non possunt non admittere qualemcumque qui eorum fidem vult amplecti: Didacus Barreira generose respondit se nolle suum servum vendere Mahametanis, nec ejus pretium ab ipsis recipere, sed si servum suum retinerent, scirent se eum per vim retinere.

Mense Junio ejusdem anni 1682 naves Suratenses, quae, mercium causa, veniebant huc Bassoram detentae fuere in portu Congo ab exercitu Lusitanorum, et quia erat periculum ne Persae, vi acciperent vectigalia supra merces pro Bassora destinatas, quod in perversam consuetudinem et in detrimentum Bassorae transiret: ad cui obviandum Bascia Bassorensis nomine Hassein Bascia nos acerssivit et rogavit, ut domino Rodrigo de Costa generali exercitus Lusitanorum scriberemus, ut amicitiae et bonae confederationis causa, merces, et mercatores Bassorenses a Persarum vexationibus liberaret, quod difficile videns respondi simplicem epistolam non sufficere sed adhuc necessarium esse aliquem religiosum illuc se transferre, meque illuc iturum obtuli, si Bascia juberet, ad quid respondit mihi Bascia, timeo ne calore et itineris incommoditatibus incommoderis (eram enim a gravi infirmitate convalescens), sed sufficit ut unum ex sociis cum epistola mittas, quod cum proposuissem Reverendo Patri Fratri Joanni Francisco a Sancto Hermenegildo benigne laborem acceptavit, cui epistolam commisimus pro domino Rodrigo de Costa, et aliam etiam ipsi commendavit dictus Bascia, naviculamque expressam pro ipso conduxere, et hinc progressus est versus Congo die 28[a] Julii praesentis anni feliciterque paucis diebus in portum Congo pervenit, ubi benigne et honorifice fuit acceptus a domino generali qui ex sua innata generositate subito ipsi promisit se propter religiosos facturum quidquid posset in favorem Bassorae ; et sic tertia die ab adventu patris eum remisit misitque cum ipso Antonium Machiada de Beritto, ut tractaret negotia, et quasdam capitulationes stabiliret cum Bascia Bassorensi tam ad honorem Christianorum quam ad beneficium istius civitatis Bassorae, et huc pervenerunt die 30[a] Augusti ejusdem anni 1682. Secundaque die post eorum adventum id est die 1[a] Septembris ad Bascia ivimus ipsique presentavimus epistolam domini Rodriguez de Costa in responsionem suae antecedentis, in qua promittebat ipsi, se naves liberaturum, statim ac sua ipse expedivisset negotia. Bascia honorifice recepit aparenter hunc missum Antonium Machiada de Beritto, eum veste rubea vestivit, et promisit se quidquid justum foret, esse facturum, expectare tamen se velle, donec naves motionis venissent, et sic donec advenerint naves, istum missum nec voluit amplius videre nec audire, et quando advenerunt naves noluit de capitulationibus audire, nec cum ipso misso de eis tractare, sed tantum ei prae manibus dedit epistolam in responsionem epistolae domini generalis, dicens quod, quidquid supra talia negotia dicendum habebat in epistola continebatur, ipsumque missum secunda veste rubea vestitum sic remisit, hincque est profectus die octava Novembris ejusdem anni 1682.

Die 12[a] Augusti ejusdem anni 1682 apulit in hunc portum navis Societatis Galliae, nomine Le Vautour Coronné, in qua erant circiter Sexaginta Europei Galli, ipsi in occursum ivimus supra flumen ; et inter alia consilia quibus nautas praevenimus, unum ex praecipuis fuit, quod nullus de nocte perambularet civitatem : hoc tamen non obstante, navis nauclerus Jacobus Bordelay natus Marenae in Xintongia [*sic*], die 23[a] Octobris ejusdem anni, tardius ex nostro conventu profectus, id est, circa solis occasum in navim ante noctem pervenire non potuit, et sic circa principium noctis, quibusdam occurrit prope flumen, qui ipsum in capite duplici ictu vulneraverunt, ac deinde in humeris, et dorso sexies ipsum pugione feriere : utrum semivivum, an mortuum reliquerint nescimus, hoc tantum scimus, quod die sequenti mane admoniti de occisione unius Galli, cum Carolo Lamercandiere praedictae navis praefecto, et cum Justitiae officialibus illuc perreximus. Et supradicti Jacobi Bordelay corpus invenimus supra vultum incubans, et in manu dextera tenens strophiolum ad faciem, cujus ore et naso parum sanguinis effuderat.

Prima fronte isti Justitiae officiales Mahametani dicebant quod cum quodam alio Gallo altercans occisus fuerat, nec aliud pro sua natione afferebant, quam quod vulnera quibus afficiebatur, ensis Europei vulnera esse viderentur. Et antequam ad gubernatorem relationem atulissemus, ita esse praeocupatus fuerat : mutavit tamen opinione, quando ipsum animadvertere fecimus quod Europei inter se ensibus altercantes non retro, sed anterius feriunt ; conclusumque fuit, quod a quibusdam Mahametanis primo in capite percussus dejectus est ad terram ubi pronus Turcarum pugionibus supra dorsum fuit vulneratus ; nec aliud novimus ablatum ex ipso fuisse, quam ensem Europeum, et baculum indicum utrumque cum capulo argenteo ; habebat enim in pera quasdam monettas argenteas, quas non accepere ; unde non fuit pauca suspicionis causa quod Mahametani illum ex proposito expectaverint, duobus enim ante diebus mercatorum judex multum minatus fuerat propter quosdam bonae correspondentiae deffectus inter ipsum, et navis Galliae praefectum, quod ego animadvertens, et futurum aliquod grave inconveniens praevidens ad supradictum Lamercandiere ivi, ipsumque de remedio adhibendo innixe rogavi, patebat enim, et ex ipso proveniebat malae intelligentiae causa, Sed in vanum laboravi, nec consiliis assentire voluit : ast multum est deplorandum quod innocens poenam sustinuit, et vere innocens, erat enim optimae indolis, in loquendo parcus, modestus et pacificus, nec ullum in eo per duos menses, quibus cum ipso tractavi deffectum agnovi, nec aliquem de illo querentem audivi. eadem die illum sepelivimus in coemeterio nostro extra urbem vulgo dicto Haissa eben Mariam nec usquam potuimus discooperire quinam fuerint ejus occisores.

Isto anno 1682 mense Junio apulit in hanc civitatem quidam Juvenis natione Gallus oriundus ex civitate Turonensi, qui in Insula Cretensi pro Venetis militans, a Mahametanis fuerat in captivitatem redactus, et deinde vi, et vexassionibus fuit circumcisus, qui primo apud gubernatoris seu Bascia pulsatores instrumentorum abiit, hujus enim artis erat ipse, inter eos fuit admissus. Singulisque mensibus salarium recipiebat, et cum audisset esse in hac civitate religiosos Christianos, in residentiam nostram, nos visitandi causa venit : quem eum interrogavissemus, utrum ex hoc miserabili statu nollet resurgere, se ex toto corde desiderare respondit : cui promisimus omne ad hanc bonam voluntatem adimplendam auxilium necessarium, sed quia in Bascia servitium ingressus fuerat, ergaque omnes multum erat acceptabilis, praesertim erga quemdam Aga apud quem degebat, difficultatem non exiguam advertimus, unde ipsi consuluimus ut caute se ageret, et expectaret usque quod peregrini vulgo Hagi ad Mekam proficiscerentur, dissimulansque, se Mekam petere velle, eadem die qua isti e civitate egrederentur, ipse apud nos ingrederetur, et sic fuit, ita ut die undecima Novembris divo Martino Turonensi Episcopo dedicata, qua die praedicti Hagi qui maximo numero huc ex Perside et aliis circumvicinis regionibus peregrinationis causa convocati fuerant, profecti sunt, ille ad nos refugiit, absconditusque remansit usque ad diem decimam octavam Decembris, qua die eum ad navim Gallicam nomine, Le Vautour Coroné, deduximus serotinis horis, et ex portu progressa est die vigesima ejusdem mensis. toto tempore quo in nostra residentia remansit spiritualibus exercitiis vacavit, et confessione generali ad reditum in Christianitatem se praeparavit.

Nec defuit in hoc, tam erga nos, quam erga ipsum, auxilium divinum, cum enim Aga apud quem degebat animadvertisset eum abfuisse subito ad Cafilam, seu peregrinorum turmam misit, qui ipsum quaererent, et reducerent, si reperiissent, et cum non reperierint ad naves Gallicam, et Anglicam speculatores misit, ut secreto illum investigarent, ipsumque Bascia admonuere, qui illum apud nos absconditum esse non dubitavit, ex divina tamen Providentia noluit permittere, ut domus nostra visitaretur.

Resque miranda, quod eadem die qua ille tympanarum pulsator, ex divina misericordia, navim conscendit, et a daemonis vinculis evasit, eadem ipsa die quidam Christianus Indus buccinae pulsator, qui Anglis inserviebat inebriatus est et ex crapula in diaboli vincula cecidit, dicens coram Mahametanis, se Mahamedis legem amplecti velle quem subito ad Bascia detulere et Mahametanam fidem profiteri effecere.

Eodemque anno mense Jejunii Mahametanorum quemdam nautam Christianum immutato habitu de nocte civitatem perambulare admoniti fuimus, et hoc ab ipsismet Mahametanis, et adjungebant quod jam se legem Mahametanam amplexurum promisisset : quo audito subito capitaneum navis admonuimus, qui prudenter expectavit, donec in navim rediret, et tunc eum aprehendit, et per aliquot dies in vinculis detinuit, nec amplius ei in civitatem veniendi licentiam dedit, et sic ne pejus succederet provisum est.

Non incongruum duxi etiam hic annotare quod accidit hic Bassorae mense Octobri anni Domini 1682 circa quemdam juvenem Judaeum, qui vocatur Joseph filius Sciahin ; hic cum interrogaretur a quodam Mahametano, cur non fieret Mahametanus (nota, quod Mahametani sibi arripiunt nomen مسلم Musselem cujus interpretatio est, Resignatus

Deo). Et ita Mahametanus dixit Judeo juveni, quare non fis Musselem? Hic respondit, a multo tempore ego sum Musselem. Statim clamavit alius Testes, Testes, iste est Musselem et duxerunt ipsum ad Kadhi sive Judicem qui cum illum vellet constringere ut fieret Mahametanus, constantem reperit eum et dicentem se semetipsum credere Musselem, id est resignatum Deo in sua lege, nec se per hoc praetendisse egredi a sua lege. Cum autem Judex eum vidisset sic firmum eum remisit liberum.

Quo audito Bascia accusavit Judicem nimis parum pro sua lege Mahametana zelantem, et sic juvenem aprehendit, et in carcerem reclusit eum per plures dies, ubi eum nunc promissis nunc minis nunc fustibus afficiens; et mortis supplicio minitans ejus constantiam tentavit, sed non potuit evertere, tandemque eum relaxavit liberum. Et Judex ipsi autenticam dedit scripturam, in qua probatur, quod ex prolatione istius dictionis, ego sum Musselem, non potest constringi nec Judaeus nec Christianus ad legem Mahametanam amplectendam, nisi dixerit renuncio meae Legi Christianae vel Judaeae, si autem istam ultimam dictionem protulerint tunc secundum eorum leges debent eorum sectam amplecti vel mori.

Ego autem volui hic annotare transcriptionem istius autenticae scripturae, ut si accideret (quod Deus avertat) quod vellent angar(ri)are aliquem Christianum circa similia verba, ut ipsemet ego audivi pluries accidisse, et diversas constrinxisse ad amplectandam (*sic*) eorum sectam, possint adjuvari isto exemplo cujus originale conservatur in libro Justiciae civitatis.

Necnon adhuc at Christiani qui in vera et Sancta lege Deum colunt discant constantes esse, ab exemplo istius infidelis qui sine ullo auxilio supernaturali, sed ex solo naturali paternarum observationum amore potuit violentiae promissionum, minarum, et verberum resistere quanto plus debet firmus esse Christianus cui nunquam desunt divina auxilia et Sanctae Ecclesiae Sacramenta et ideo infra scribitur istius juridici instrumenti translatio.

هكذا مسطور في قاضي خان فاه الفقير الى الرحيم الرحمان
اسماعيل القاضي بمدينة البصرة
دار الامان عفي عنه الملك المنان

هذا مسطور في قاضي خان

وجد مكتوب في وهو انه

افوز

كتبه احقر عبد الله المرحوم

فتح الله المرحوم

طوبى للذين غفرت ذنوبهم والذين سترت

عند [illegible]

الشرع

السبب الداعي الى تحرير هذا الكتاب

هو انه لما كان قد شهد في مجلس الشرع الاقدس والمحفل الحكم المنيف الانفس لدى القاضي الفاضل الكامل
والعالم العامل بالاصح والاقوي من المسايل الواضع ختمه وخطه اللطيف على هذا الكتاب طوبا لروحه من
كل واحد من الملا يعقوب بن فرهاد الكردي وحسن باشا ابن عبد الله بمواجهة يوسف بن شاهين اليهودي
بانه بمحضر منهما قد نطق وقال اني مسلم من زمان وطلب بعض الحاضرين من الحاكم الشرعي المومي اليه
بيان حكم هذا القول والعمل بموجب ما يترتب عليه من الحكم وعدمه فاجابهم الى ملتمسهم ونظر
الى اقوال الايمة الحنفية واصحها وتتبع عباراتهم دقيقها واوضحها فاذا المسئلة على الاطلاق في
من غير تقييد كما ذكر قاضي خان وهذه عبارته بلا زيادة ولا نقصان ولو قال اليهودي او النصراني
انا مسلم او قال اسلمت لا يحكم باسلامه لانهم يقولون المسلم من كان منقادا للحق مستسلما
ونحن على الحق فاذا قال انا مسلم يسال عنه ان قال اردت به ترك دين النصرانيه
او اليهوديه والدخول في دين الاسلام يكون مسلما حتى لو رجع بعد ذلك يقتل
وان قال اردت به اني مستسلم وانا على حق لم يكون مسلما وكذا عبارة جميع الكتب على
اطلاقها فمثل ذلك الحكم شاملا سواء كان قوله انا مسلم جوابا لقايل قال له اسلم او لا ما جرى

قولا واحدا عن الحسن بن زياد فانه خصص الحكم فيما اذا قال الرجل الذمي اسلم تعالى اسلمت كان اسلاما كذا ذكره قاضي خان والقول الواحد اذا خالف النصوص من اقوال الجمهور من الكتب يكون ضعيفا لا يجوز العمل به خصوصا ان القضاة ممنوعون من طرف

السلطان نصره الرحمان عن العمل بالقول الضعيف بموجب ما هو المسطور في دواوينهم فعند ذلك احضر يوسف المزبور واستفسر منه ما مراده بقوله ذلك فاخبر ان مراده ليس ترك دين اليهودية والدخول في دين الاسلام بل كان مراده الاستسلام بذلك فبموجب ذلك حكم مولانا المومى اليه ان يوسف لم يكن مسلما بالقول المذكور حكما شرعيا وكتب هذه الوثيقة الشرعية ووضعت بيد حاملها بالتماس ليتمسك بها لدى الحاجة اليها تحريرا في شوال سنة ثلاث وتسعين والف من الهجرة شهود الحال ما لاصل

وغيرهم من المسلمين	محمد بن سيد هاشم	اسكندر بن جعفر	موسى ابن عباس	موسى باشه

السلطان نصره الرحمان عن العمل بالعوام

[illegible]

Anno Domini 1683 mense Junio obiit quidam natione Sabeus apud suos vocatus Sahad, et apud nos Gonzalve de Souza, qui adhuc juvenis fuerat ab antiquis Patribus nostris instructus in fide et baptizatus, et tandem missus in Indias, ubi per triginta et amplius annos Lusitanis in militia deservivit; aparenterque Christianus vivebat, donec in senium reductus, tandem de reditu in propriam patriam, ut ibi Sabeus commodius moreretur cogitaverit : et sic in hanc civitatem Bassoram advenit anno Domini 1675, semperque coram nobis taliter fingere scivit ut eum vivum Christianum putaremus esse, donec in laetalem morbum inciderit et tunc a nobis saepe saepiusque visitatus, et ad confessionem caeteraque Christiani debita exhortatus, quae semper ad oportunius tempus dissimulans remittebat, et se Christianum taliter fingens donec ipsi nulla a morbo resurgendi spes remanserit, vidensque se temporali Religiosorum auxilio amplius non indigere, se tandem Christianum non esse testatus est, bene vero Sabeum se esse et Sabeum se mori velle professus est, in cujus testimonium jussit uni ex circumstantibus, ut ipsi quamdam peram afferret, ex qua Beatissimae Virginis Mariae coronam extraxit eamque contra nos in despectum nostrae Sanctae religionis projecit, crastinaque die mortuus est in sua infidelitate obstinatus. et hanc narrationem hic ingerimus, ut, ad quos pertinebit, videant cum quali advertentia se debeant gerere circa conversionem istorum Sabeorum, qui impertinenter coram Europeis (non autem inter se) Christianorum Sancti Joannis arripiunt nomen, ut sic facilius decipiunt eos, qui nimis facile illis credunt.

Ast si illius Sabei fictionem in fide et tandem reprobum finem narrare deplorandum sit, alterius a natalitiis Mahametani historiam hic describere cum magna consolatione suscipimus, qui vocabatur apud suos Joseph filius Mahamedis.

Et ut a principio incipiamus oportet notare quod quadam

die octo abhinc annis, vel circiter, cum essem apud unum ex hujus civitatis magnatibus eum visitandi causa, quem cum domi non reperissem, bene vero ejus filium reperi cum pedagogo suo, qui ipsi Alcoranum exponebat, ad quos accessi, et ipsis de more salutatis, et interrogavi qualem librum legerent mihique subito respondit Pedagogus Ketab Hallah, id est, Librum Dei, cui ego si liber Dei est, quomodo intelligitur, in capite de vacca, Mariam matrem Christi esse filiam Hamram, et sororem Moisis et Aaron, cum inter Moysem et Christum spatium mille quingentorum et tot annorum decurrerit, qui responsum nesciens admirabatur, et Ego ipsi, cogita bene de responso, quod si nescieris, venias ad me, et ego hujus propositionis misterium indicabo, paucisque diebus ad me venit confitens ingenue se talem propositionem non intelligere : unde occasione accepta ipsi ad longum exposui, quomodo talis propositio ex auctoris hujus libri ignorantia effluxisset, indeque manifeste vidit, sicut et ex aliis diversis non minus malitiae quam ignorantiae propositionibus in Alcorano scriptis, talis libri auctorem nullo modo Deum esse posse. Et ab illa die cognita suae sectae falsitate Christianae Religionis doctrinae sedulo incubuit, taliterque profecit ut saepe mihi dixerit, quod si eum vellem baptizare, et consentire, ut se Christianum profiteretur se nullo modo Mahametanorum insultationes sive persecutiones metuere, quinimo, se pro Christi fide moriturum si occasio id postularet : Nec defuerunt occasiones probandi ejus spiritum quadam enim vice librum pro nobis scripsit, in cujus fine se Christi servum subscripsit, quo cognito a Mahametanis, et libro subrepto, nisi diligenter accurrissemus denunciatus fuisset, et deinde inter sermocinationes a me interrogatus qualiter se gessisset, si ad judicem fuisset delatus, protestatus est, se usque ad mortem Christi servum confessum fuisse.

Item accidit quod anno Domini 1681 feria sexta Majoris

Hebdomadae qua die Sancta Ecclesia Christi Domini Nostri passionem celebrat, ivisset supra dictus Juvenis in quemdam hortum casualiter, ubi plures sedebant Mahametani, quem cum vidissent ad se accersserunt eum dicentes ludamus tantisper cum isto Christiano, eique nunc colaphis nunc contumeliis injuriisque per duarum aut trium horarum spatium illuserunt : quod cum mihi narrasset Deum simul collaudavimus qui simili die suum unigenitum Filium pro nobis nostraque salute permisit illudi, ac crucifigi ; et quia minus securum putavimus, si eum hic baptizaremus, ipsi consuluimus ut Goam in Indias pergeret, et hoc anno cum nostra magna consolatione audivimus eum Goae baptizatum fuisse, ibique vivere more boni Christiani, et maxima cum aedificatione cui finalem perseverantiam impertiatur Deus maximus et optimus.

Hoc eodem anno 1683 Armeni rogaverunt nos ut eis in domo nostra adjacenti permitteremus suos exercere caeremonias, quam ipsis praecedenti anno locaveramus, et ut talem licentiam a nobis facilius impetrarent, ad civitatis gubernatorem recursum habuerunt, eisque permisimus coram dicto gubernatore pro quinque mensibus, eo pacto quod in dicta domo nullo modo vinum nec facerent nec venderent, Itemque quod nullatenus ibi Judaicam sacrificii arietis caeremoniam exercerent, quibus pactis, nec adhaeserunt, nec ea observaverunt, e contra in talem superbiam devenit eorum sacerdos, ut dicere non erubuerit, sibi sufficere intrasse, nec se eggressurum esse quando vellemus, et in super nostram etiam Ecclesiam sibi invadere promittebat : nec defuit ipsi conatus, per astutiam enim duos falsos testes sibi adeptus est qui testificarent ecclesiam fuisse reaedificatum sumptibus Armenorum, quos testificabant pro reparatione ecclesiae nobis dedisse quatuor millia et quingentos abbassis, et de hoc praeoccupatus gubernator nos accersivit, postulans quare Armenos domo expulissemus, ad quos pertinebat ipsa ecclesia illorum sumptibus reaedificata, cui respondimus nos eos non expulisse nisi finito termino, quem illis coram ipso praefixeramus ; insuper cum pacta inter nos coram ipso facta non observassent indignos se beneficio reddidisse, nec amplius eos ibi manere permitteremus, neque fuit difficile eos et testes appositos de falsitate convincere cum ex libro computuum pateat Armenos non contribuisse fabricae Ecclesiae nisi cum quadraginta scutis vel circiter quae ex singulorum singulorumque eleemosinis fuerunt congregata et sic eorum sacerdos cum suis coajutoribus ex injusta praetentione cum sua maxima confusione fuit dejectus. Cum illo sacerdote erat etiam unus episcopus, qui vocabatur Aones, qui etsi exterius non se gereret tam impertinenter, alios tamen stimulare non cessabat ; cui spero Deus pepercerit, errores enim suos detestatus est et fidem Catholicam professus est antequam moreretur, sicut videbimus anno sequenti.

Anno Domini 1684, die 13ª Junii huc advenit R. P. F. Agnellus ab Immaculata Conceptione Provinciae Longobardiae professus, quem R. P. Noster Generalis Frater Carolus a Sancto Brunone misit nobis Visitatorem Generalem, et Vicarium Provincialem, cum quo etiam advenerunt P. F. Amadeus a Sanctissima Trinitate Provinciae Romanae, et P. F. Innocentius a Sancto Honufrio Provinciae Longobardiae, et P. F. Conradus Provinciae Germaniae.

R. P. N. Visitator Generalis peracta sua visitatione cum summa prudentia, et maxima nostra consolatione hinc progressus est versus Scirasium Simul cum P. F. Conrado ab Assumptione die 17ª Julii ejusdem anni relictis hic aliis duobus sociis, patre fratre Amadeo usque ad novum ordinem, et P. F. Innocentio usque ad discessum navium, ut cum quadam ex navibus in portum Bander Abbassis pergeret, ibique ipsi occurret, quod ita prospere evenit ut dictus P. F. Innocentius hinc progressus die decima Novembris et R. P. N.

Visitator Generalis progressus Scirasio die quinta ejusdem Novembris, R. P. N. Visitator advenerit in Portum Bander Abbassis die 28ª et P. F. Innocentius die 30ª ejusdem mensis Novembris, paucisque post diebus simul iter suum perrexere versus Indias, in eadem navi quam hic conscenderat P. F. Innocentius cujus capitaneus et dominus erat Tilman Gromuel Mercator Holandus particularis.

Redeamus ad supradictum Episcopum Armenum dominum Joannem, qui dum sanus esset satis alienum a religione Catholica se demonstrabat saltem exterius, interius enim esse Catholicum mihi pluries protestatus est, sed non posse talem se profiteri dicebat propter suae gentis respectum, talis enim respectus majus est vinculum quo solet diabolus alligare Armenos, paucos quippe ex eorum doctoribus aut literatis vidi, qui mihi ingenue non confessi sint, se vere nosse et scire puritatem fidei Christianae esse quam docet ecclesia Romana, sed propter respectum alterius ad alterum, quo diabolus eos stringit, pauci sunt qui tales se profiteri exterius audeant, et ex eorum numero fuit dictus dominus Aones Episcopus qui olim fuit patriarcha Constantinopolitanus, id est, pro Armenis intrusus, verus enim patriarcha est quem nominat, vel saltem confirmat legitimus Sancti Petri successor Pontifex Romanus.

Dictus autem Episcopus Aones suo patriarchatu non contentus ad Hierosolimitanum inhiebat, pro quo obtinendo multas in vanum fecit expensas nihil enim obtinuit, et cum creditoribus, a quibus pro hoc poecunias mutuo acceperat satisfacere non posset, huc se refugere coactus est, et hoc forsan ex divina providentia, ut saluti suae provideret, hic enim in morbum decidit, et saepe saepiusque a nobis visitatus tandem fidem Catholicam cum singulari devotione professus est die 17ª Junii istius anni Domini 1684 et cum bis in morbo confessus et communicatus fuisset ingravescente morbo Sancta Extrema Unctione munitus animam Deo reddidit die decima Julii, et die sequenti sepultus est in coemeterio nostro dicto Haissa Ben Mariam.

Isto anno 1684 mense Junio fuit incarceratus quidam Armenus nomine Schiahin et in carcere mansit per duos menses propter debita quae cum non posset solvere erat in urgenti periculo, ex quo ipsum liberavimus mediantibus quadringentis abbassis, quos a Christianis ex eleemosina recepimus et solvimus et sic ex periculo incolumis evasit.

Nunc vero sciendum est quod ab anno supradicto usque ad hanc diem 9 Februarii anni 1701 nullus ex nostris Patribus aliquid memoriae mandavit. quia propter ea qua par fuit diligentia. Et possibilitate non sine aliquali labore conatus sum hinc inde fragmenta in unum colligere saltem ne memoria perdatur series nostrorum Religiosorum qui in hac nostra antiqua Residentia Bassorensi quo zelo verae Religionis laboraverunt.

1685. Anno igitur sequenti 1685 die 20 Januarii apulit huc R. P. F. Joannes Franciscus a S. Hermenegildo nostrae religionis professus et Missionarius iterum reversurus Sirasium, ubi offitio Vicarii functus fuerat ; interim R. P. Noster Frater Agathangelus a S. Theresia huius nostrae Residentiae Vicarius electus fuit Vicarius Provincialis substitutus et ideo die 19 Februarii huius anni 1685 hinc progressus est in Persidem una cum R. Patre Jo. Francisco et hic remanserunt R.R. P.P. F.F. Carolus Hiacinctus a S. Theresia, et P. F Ludovicus a S. Theresia ambo ex mea Longobardica Provincia quem P. F. Carolum Hiacinctum R. P. F. Noster Agnellus Visitator Generalis huius residentie Vicarium constituit.

Hoc eodem anno die 17 Decembris R. P. N. Agathangelus Vicarius Provincialis substitutus, peractis aliquibus Provincie negotiis huc ex Perside rediit : quo tempore missi sunt a superioribus nostris duo Apostolici Missionarii R. scilicet P. F. Candidus a S. Joseph ex Provincia Flandro Belgica et

R. P. F. Joseph Maria a Jesu ex Veneta Provintia in hanc nostram vineam ut ofitio missionarii fungantur, et ideo huc apulerunt die 2ª Januarii anni 1686.

1686. Notandum hic venit quod R. P. N. Agathangelus obtinuerat licentiam a superioribus nostris reedificandi stabiliendique missionem nostram Bander Abbaziensem, quapropter die ii Februarii huius anni 1686 asumpsit secum R. P. F. Candidum, et hinc progressus est versus Bander Abbazis, ubi post multos labores pro Catholica Religione toleratos die 3ª Junii eiusdem anni animam Deo redidit omni humana consolatione privatus, etiam Religiosorum nostrorum ut fusius adnotatum adinvenies in libro Mortuorum. Hoc fateor, quod usque ad presens in hac civitate Bassorae a Christianis, Mauris et infidelibus taliter colita eius memoria, qualiter sanctitatis et prudentiae vestigia reliquit.

R. P. F. Candidus appulit huc ex Bander Abbazzi die decima eiusdem mensis quem ob aliqua negotia transmiserat R. P. F. Agathangelus antequam infirmaretur, et remansit hic usque ad vigesimam nonam Augusti eiusdem anni qui denuo discessit Congum versus et inde Bander Abbazzi.

Die 22 Augusti huiusdem anni ex Indiis appulerunt huc R. P. F. Jo. Maria, et R. P. F. Clemens ab Ascensione ex Provincia Genvensi, qui in Europam redibant, quique post aliquot dies progressi sunt versus Bagdad una cum R. P. Ludovico a Sª Theresia ex Provincia Logombardie [*sic*] huius nostrae Residentiae Missionario.

1687. Die 20 Septembris appulit huc R.P.F. Hermenegiildus a S. Marcello ex Provincia in sotium R. Pater Frater Caroli Hyacincti huius Residentiae Vicarii licet in libro Hospitum scriptum adinvenerim quod R. P. Hermenegiildus venerit Vicarius huius residentiae, sed de facili adinvenitur error, quia in Libro Computuum clarum est R. P. Carolum Hyacinctum gubernasse hanc domum a die 19 Februarii anni 1685 usque ad finem Septembris anni 1690 quando mortuus est ex pestilentie morbo. Insuper in eodem Hospituum libro notatum est R. P. Hermenegiildum die 19 Januarii anni 1688 progressum esse versus Bander Abazzi ut peteret Scirasium, et denuo huc reversum die 24 Decembris eiusdem anni, cum Patente Visitatoris Provincialis ut visitaret hanc domum missum a R. Patre Nostro Provinciali, licet in libro Visitatorum adinveniatur, hanc domum illo eodem anno 1688 visitatam a R. Patre Joanne Francisco a S° Hermenegiildo ex Provincia Longobardiae die ultima Decembris: quapropter credendum iudico Reverendum Patrem Nostrum Vicarium Provincialem prius comisisse Visitationem huius Residentiae Rev. Patri Hermenegiildo, et posthea ob aliquod motivum tradidisse Rev. Patri Joanni Francisco, qui die 24 Decembris huius anni 1688 appulit huc et hanc nostram Residentiam visitavit die 31 eiusdem mensis et anni ut adnotatum est in libro Computuum gubernante hanc Domum R. Patre Carolo Hyacincto.

1689. Circa finem Januarii huius anni 1689 R. P. Jo. Franciscus Visitator Provincialis rediit Scirasium et die 20 Augusti appulit huc R. P. F. Hermenegiildus et mense Novembris hinc discessit R. P. F. Joseph Maria Scirasium versus, et hic R. P. F. Hermenegiildus in sotium Patris Caroli Hyacincti Vicarii [remansit].

1690. (Pro) huius anni 1690 nihil penitus adnotatum inveni: attamen non erit inutile mandare memoriae quod hoc anno gubernante Civitatem Calil Bascia et advenientibus navibus ex Indiis illustrissimus Dominus Antonius Machiada pro Arce Lusitana Generalis retinuit omnes illas naves in Charek, nec reliquit illas, nisi post Capitulationes factas cum Mercatoribus Bassorae, qui se obligaverunt dare singulis annis quinque millia et quingenta scuta pro Lusitanorum maritimo exercitu et unum equum et pro singulis diebus duos Venetianos, unum scilicet pro factore et altero [*sic*] pro Patre Lusitano tunc residente, et istas Capitulationes Calil

Bascia proprio sigillo munivit, et dicto Antonio Machiado misit in Charek cum supradicta summa et equo, quae Capitulationes servantur apud Lusitanos oportuno tempore ostendendae: Haec brevis notitia iuvabit pro intelligentia aliarum rerum quas Deo Favente inferius describam.

1691. Die 19 Aprilis cum haec civitas pestis flagitio vexaretur mortuus est ex eodem pestilentiae morbo R. P. F. Carolus Hyacinctus huius Residentiae Vicarius, cuius virtutum bonus odor usque adhuc viret apud Christianos et infideles et hic remansit solus R. P. Frater Hermenegiildus. hic advertendum iudico (ne denigretur fama Religiosorum) quod P. F. Hermenegiildus pre timore pestis tunc grassantis semistultus evasit, et ideo aliqua suo tempore evenerunt, quae (alias) fuissent scandalosa. attamen hoc ignorante R. P. Nostro V. Provinciali ex Hiispahano misit literas patentes Vicariatus huius residentiae quas ipsi dettulit mense Junii eiusdem anni R. P. Tossanus a Jesu Gallus ex Provincia N. qui hic remansit in sotium Patris Hermenegiildis qui cum, ut dixi, esset mente captus hinc discessit Hispahanum versus mense Augusti huius anni, et hic solus remansit R. Pater F. Tossanus, qui propter mala tempora multa passus est, ita ut et ipse semistultus evaserit, qui tamen gubernavit hanc domum eo meliori modo quo usque ad mensem Octobris anni 1693 qui posthea insalutato hospite, et relicta domo aperta et omnibus exposita discessit Congum versus.

1692. (Pro) hoc anno 1692 nihil omnino adnotatum inveni: tamen notificatum est mihi ab amicis meis quod hoc anno Calil Bascia terminavit gubernium suum et in sui locum venit Akamed Bascia filius Usman Bascia, quem posthea circa finem huius anni Mahane Arabs occidit in obsidione Bassorae quae tamen adhuc remansit sub dominio Turcharum, et sic hoc anno haec civitas remansit sine Bascia, erat tamen hic quidam Assen Aghor gemmal, vir potens et prudens, qui videns civitatem sine capite a semetipso sumpsit gubernium urbis, civibus consentientibus in unum : attamen interea scripserunt ad Gubernatorem Babilonis, qui pro principio anni sequentis scilicet 1693 misit literas Patentes ad Kiaia deffuncti, vel occisi Gubernatoris nomine Assen Bascia qui incipit gubernare Civitatem.

1693. Hoc anno venerunt Lusitani et petierunt ab Assen Bascia ut extolerent Regium Vexillum supra tectum Domus et concessum est illis, acceperunt ergo in habitationem Domum cuiusdam Delli Benghi, et ibi cum laetitia magna erexerunt Vexillum Regium, sed quia nimis a longe prospiciebatur propter egregiam celsitudinem, Assen Bascia iussit ut comprimerent celsitudinem eius quod factum est, et hac de causa circa mensem Maii huius anni residens pro Lusitana natione insalutato hospite hinc discessit et secum omnia sua asportavit in Congum.

Mense Octobris ut supra dixi R. P. F. Tussanus hinc secessit et haec domus remansit sine Religiosis usque ad diem quartam Martii anni sequentis. Sed Deus Benedicat diaconum Abdelkerim Christianum sorianum, qui in hac ocasione maximam curam habuit ne domus nostra expoliaretur, sigillo muniendo omnes cellulas, et officinas, ne aliquid dependeretur.

1694. Die quarta Martii huius anni 1694 ex comissione R. Patris Nostri Eliae a S. Alberto V° Provinciali appulit huc R. P. F. Joseph Maria a Jesu ex Provincia Veneta Vicarius huius destitutae nostrae residentiae qui solus gubernavit hanc Domum usque ab decimam quartam Septembris eiusdem anni, quo tempore advenit et in sotium R. P. F. Antonius Maria ab Ascensione ex Provincia Longobardiae. Hoc eodem anno post adventum Reverendi Patris Josephi, sed antea adventum Patris Antonii Mariae quidam Arabs nomine Mahane veteranus miles et fortiter munitus videns imbecillitatem Turcharum qui tunc temporis afligebantur a Germanis, obsedit hanc civitatem quam gubernabat Cappiggi Calil Bascia, qui praevidens imminentem civitatis praedam vim fecit militibus suis, ut exirent extra civitatem contra inimicum, quos cum Mahane Arabs omnes occidisset victor intravit, et Calil Bascia aliquos post dies et ipse discessit. igitur hoc anno 1694 haec civitas cecidit de manibus Turcharum cum grandi sanguinis effusione, sed absque civium damno aliquo.

1695, 1696. His duobus annis in pacifica possessione regnavit Mahane Arabs, et ita prudenter gubernavit, ut omnes tam cives quam advenae contenti essent, omnibus enim rebus haec civitas suo tempore abundabat.

1697. Die secunda Martii huius anni 1697 cum R. Pater Vicarius Pater, scilicet, Joseph Maria destitutus esset pecunia, et alias haec nostra domus haberet multa credita apud Hiispahanum misit Rev. Patrem Antonium Mariam Congum versus ut hanc summam exigeret, et ipse Pater Joseph Maria solus remansit. illico post discessum Patris Antonii possidente hanc civitatem Mahane Arabo surexit quidam, nomine Mulla ferd giulla Arabs sed et Persa sed Mahane fortior, qui veniens cum ingenti exercitu obsedit hanc civitatem nec non obtinuit eam et eiecit Mahanem Arabum. Sed cum haec Civitas permixta sit ex Arabibus et Persis, ingrediente Mulla ferd giulla depopulaverunt, et depredati sunt Civitatem ita crudeliter, ut R. P. Joseph Maria ne periculo exponeret omnia, sponte donavit illis centum abbassi cum aliquibus aliis perpulcris donis, et ita incolumis evasit ab imminenti incendio: post haec statim pauperimus [*sic*] Pater Vicarius febri maligna coreptus [*sic*] est, et die 13 Aprilis eiusdem anni 1697 omni consolatione tam spirituali quam temporali destitutus animam Deo redidit, quem Scemas Abdelkerim cum aliis Christianis sepelierunt intra nostram Ecclesiam in cornu Evangelii extra cancellos. A die igitur 13 Aprilis huius anni usque ad 12 Julii, qua huc rediit R. P. Antonius Maria, domus relicta est in manibus famulorum, qui multa furati sunt, ita ut nec pepercerint ciborio parvulo argenteo deaurato, quod vendiderant per civitatem quodque redemit noster Scemas Abdelkerim pro sex Aslannis. Hoc exemplum deberet esse in praecautionem nostrorum Religiosorum, ut, in quantum fieri potest non remaneant hic soli, licet contigerit mihi haec scribenti per spatium trium annorum hoc deplorandum infortunium remanendi sine sotio ad inserviendum huic domui; Deus acceptam habeat bonam voluntatem meam, et ne inducat me in tentationem, sed liberet me a malo.

Igitur die 12 Julii rediit ad hanc residentiam ex Scirasio R. P. Antonius Maria qui iverat ad exigenda nostra subsidia cui dederunt pro Bassora viginti Timones, scilicet mille Abbassi. In Sciras erat quidam dominus Daniel Sciarier Gallus Calvinista qui alias moratus fuerat in Bassora pro sotietate Olandorum valde amicus cum R. P. Josepho: igitur unacum R. P. Antonio, nec non uno suo Procuratore misit, nescio quot, ballas cinamomi piperis, trucum (?) Moscatarum, et cardamomi hic vendendas, qui cum pervenissent in Bander Rikum ibi locaverunt unam navim ad haec asportanda, explicatis velis ut ventum facerent in litore maris confracta est navis et omnes natando vix evaserunt, sed omnia aromata Domini Sciarie [*sic*] et viginti Timones huius nostrae Residentiae et omnia simul naufragium fecerunt et perierunt. quapropter infelix Pater Antonius Bassoram venit die supradicta huius anni sine nummis, indutus una, vulgo, Abba, quam quidam Arabs misericordia motus donaverat ipsi ad cooperiendam nuditatem. Intrante civitatem, et audiente mortem R. Patris Vicarii vehementer contristatus est, ita ut ab illa die caput ipsius laesionem senserit unde non mirum si aliquas nugas comiserit, quas non patrasset si compos fuisset sui, quia naufragium passum, amissio tot peccuniarum, et mors non praevisa R. Patris Vicarii potuerant utique sufficere ad debillitandum cuiuscumque limitatum hominis iuditium.

Cum R. P. N. Vicarius [Provincialis] audierit mortem R. P. Josephi de qua per expressum missum Scemas Abdelkerim ipsum admonuerat, statim expedivit Rev. Patrem Raiimundum a Sancto Michaele ex Provincia Poloniae in sotium R. Patris Antonii, cui misit Patentes Vicariatus huius Residentiae. igitur Pater Raiimundus appulit huc ex Bander Congo die 23 Julii eiusdem anni, et ab hac die R. P. Antonius Maria incepit gubernare hanc domum.

Circa finem huius anni Rex Persarum ex Hiispahano misit Alli Merdum Kan ut gubernaret hanc civitatem, et Molla ferd giulla rediit Oezam, quo tempore R. Pater Raiimundus a Sancto Michaele post tolerantiam gravissime infirmitatis et spatium sex mensium videns et experiens contrarietatem aeris Bassorensis de venia R. Patris Nostri Vicarii Provincialis rediit Scirasium circa finem huius anni, et R. P. Antonius Maria Vicarius sine sotio remansit.

1698. Hoc anno gubernante hanc civitatem supradicto Alli Merdum Kan omnia prospere se habuerunt, erat enim iustus iudex, et secum habebat selectam militiam. Iste gubernator erat amicissimus nostrorum Patrum in Hiispahan et precipue Rev. Patris Nostri Eliae a S° Alberto qui nunc illustrissimus dominus Episcopus Julfalensis, cuius benevolentiam expertus est R. P. Antonius qui cum remansisset sine subsidiis et sine sotio volens hinc discedere Hiispahanum versus gubernator civiliter et obliganter impedivit mittendo ipsi quantitatem notabilem butiri, tritici, arisae et carnium dicens Rev. Patri Antonio : caveas inquiens ne ob hanc causam hinc discedas, quia quidquid erit tibi, et domui vestrae necessarium abunde suppeditabo. Attamen cum huc apulisset quaedam navis Gallica circa mensem Octobris huius anni et cum mense Novembris hinc esset reversura in Bander Congum, data occasione, cum illa discessit R. P. Antonius, relinquens hanc domum sine Patribus in manibus famulorum, et ita permansit usque ad diem 14 Junii anni sequentis quando huc appulerunt R. P. Petrus de Alcanthara Vicarius et P. F. Jõ: Athanasius a S. Antonio ambo ex Longobardica Provincia.

1699. In principio huius anni 1699 Alli Merdum Kan gubernator huius Civitatis vocatus est a Rege in Hiispahan, et in sui locum missus est Abrahim Kan qui summa prudentia gubernavit, erat enim ingenuus miles et ideo cum hoste pugnavit, et ab eodem hanc Civitatem generose deffendit, ut videbimus infra.

Mense igitur Junii die decima quarta mensis in Dominica Sanctissime Trinitatis pervenimus nos supradicti ex Hiispahano missi a Reverendo Patre Nostro Basilio a Sancto Carolo Priori Hiispahensi nec non Vicario Provinciali substituto post innumeros labores in itinere toleratos propter calorem incessabiliter accensum.

R. P. Antonius Maria quando hinc discessit omnes supelectiles absconderat, nec non cellulas et officinas sigillo munierat, et reliquerat Scemas Abdelkerimum nostrae domus procuratorem cum quodam famulo sene, nomine Simeon: sed quando huc nos pervenimus invenimus aliquas cellulas apertas, nec non multas res deperditas, quia famulus vendiderat sex pulvinaria satis pulcra, lodices, lances ex ramo, et pentulas, nec non aliquas ianuas ligneas perpulcre elaboratas: et licet R. P. Antonius reliquisset pro famulo copiosissimas provisiones butiri arise frumenti et farine hoc non obstante Scemas Abdalkerim expendit pro famulo quinquaginta abbazzi, quas nos redidimus ipsi ut notavimus in libro computuum. Hic etiam notandum est quod hoc sex mensium spatio quo domus remansit sola pervenerunt ex Hiispahan ad manus Scemas Abdalkerim ex nostris subsidiis missis a R. P. nostro Basilio Priori Hiispahensi et Vicario substituto Provinciali octingenta quadraginta abbazzi. dico *840*, quarum tamen ad nostras manus solum pervenerunt sexaginta et una abbazzi quia debuimus solvere debita a

P. Antonio predecessore nostro contracta cum Scemas Abdelkerim nec non censum, ne dicam usuram, duodecim Tomanorum cum dimidio quas peccunias acceperat a dicto Abdelkerim sex menses ante suum discessum.

Igitur aliquos post nostri adventus dies ivimus ambo ad invisendum Abrahim Kan sive gubernatorem qui valde humaniter nos recepit, et quando ostendimus illi Regis diploma deosculatus est illud et dixit bene veneritis ; et in quacumque re opus fuerit promptus ero ad auxilium vestrum, et statim ac discessimus misit ad nos munera scilicet fructus deurakenses in hac civitate raros quod repetiit multis vicibus.

Illico post nostrum adventum R. P. Vicarius qui per sex annos in Siiria missionarii munus exercuerat, et ideo perfecte calens linguam Arabicam incepit instruere septem vel octo Christianos qui tunc erant, et baptizare unum infantulum Christianorum a duobus mensibus natum, et in solemnitate Corporis Christi Domini Missam solemniter celebravimus, et omnes Christiane comederunt panem de Caelo, et per totam octavam serotinis horis, ut est in usu astiterunt Divinis offitiis et Benedictioni Sanctissimi Sacramenti cum plena animi nostri gratulatione.

Die 30 Augusti huius anni appulit hic quidam dominus : Dominicus Paschalis mercator Gallus ex Surate cum uno famulo gallo cum mercibus vendendis, qui locavit unam partem nostri Caravan Seraii, cuius infelicem finem, Deo favente inferius describam ; et post quatuor dies, die scilicet 3 Septembris ex Bagdad appulit ad nostrum hospitium F. Alexius Capuccinus Gallus Surattam profecturus, qui una cum famulo supradicti mercatoris velam fecerunt Congum versus die 16 Octobris huius anni. Circa finem Septembris huc appulerunt duo Lusitani Indiarum filii qui fugerant ex una navi, in qua (ut dicebant) detinebant captivi a Mauris, quorum unus post octo dies insalutato hospite disparivit, et alterum misimus in Bander Congum cum supradicto F.

Alexio cui R. P. Vicarius suppeditavit omnia necessaria ad iter faciendum.

1700. Die 21 Januarii huius anni 1700 ex Scirasio appulit huc unus famulus illustrissimi Domini Patris Nostri Petri Pauli Palmae Archiepiscopi Ancirensis Comissarii Apostolici, nec non Visitatoris Nostri Generalis cum Epistola expressa, qua intimavit R. Patri Vicario, vel in sui impossibilitatem suo sotio, ut quam citius unus ex nobis, vel ambo si voluerimus (attamen sine domus detrimento) iret cum prima occasione versus Bander Abbazzi ubi volebat conferre nobiscum aliqua necessaria pro bono Provinciae. R. P. Vicarius volebat mittere sotium suum qui a longo tempore infirmabat ut ex aeris commutatione convalesceret, attamen tam pro imbecillitate virium quam et precipue pro debito respectu ad suum Patrem Vicarium renuit et potius elegit infirmus et solus permanere, quam debitum honorem suo superiori indirecte perturbare, et ideo die 14 Februarii huius anni 1700 hinc discessit R. P. Petrus de Alcanthara Vicarius huius Residentie Congum versus, cum supradicto famulo qui invenit Illustrissimum dominum Archiepiscopum Ancirensem in Bander Abbazzi unde habita cum illo secreta conferentia post aliquos dies unus ivit ad Indos et alter in Hiispahan ubi suo tempore celebrato Capitulo Provinciali ipse electus remansit Prior Hiispahensis et ego solus, scilicet F. Jõ: Athanasius a Sancto Antonio ex Provincia Longobardiae remansi in hanc Residentiam. Circa finem mensis Januarii huius anni Sciek Mahane Arabs antiquus hostis huius Civitatis venit cum exercitu formoso, et per girum circumdedit urbem, et petiit ab Abrahim Kan quingentos Timones. Tunc temporis Gubernator non habebat sufficientem militiam ut pugnaret cum Arabibus et ideo dedit illis trecentum Timones, quibus acceptis, Arabes discesserunt. Interea Abrahim Kan vocavit ex Provincia Caghicolensi sex millia hominum in presidium huius Civitatis, qui cito venientes impediverunt Arabibus praedam Civitatis quam tamen debilitaverunt impedientes ingressum annonae, et ideo per aliquos menses fuit fames grandis. Mense Martii media nocte Dominice Palmarum intraverunt Arabes per ianuam que dicitur Misrak et occiderunt custodes et multas domus succenderunt, hoc audito Persae cucurrerunt, et omnes remanserunt occisi inter quos Kiaia, et Arabes fugerunt.

Die 18 Maii infirmatus est quidam nomine Josep sutoriae artis Armenus ex Bisantio qui a sex annis negaverat Christi fidem et secutus fuerat Mahameticae sectae superstitiones quo ad forum fori propter metum, cuius bonam voluntatem et inclinationem ad veram religionem, frequentatio nostrae Ecclesiae, et omissio omnium superstitionum Mahameticae sectae satis manifestabant, et ideo tertio suae infirmitatis die cum grandi lacrimarum copia venit ad ecclesiam, et cum cordis humilitate petiit a Patre Joanno Athanasio ut oraret Dei misericordiam ad impetrandam sibi veniam, quia licet ore negaverit, tamen corde semper professus fuerat Catholicam Religionem, quapropter P. Joannes Athanasius presidens huius Residentie supra caput aegri imposuit, disposuitque illum ad Confessionem sacramentalem faciendam ; idcirco die proxima premissa coram testibus Mahameticae sectae abiuratione, nec non excommunicationis absolutione, Sancte Matri Ecclesiae restituit et facta generali confessione suorum peccatorum a peccatis absolvit, cum pia spe salutis eterne eodem die hora meridiana animam Deo redidit et a Mahametanis sepultus est in eorum cemeterio.

Ad finem huius mensis Arabes denuo venerunt et obsiderunt Civitatem ita ut omnes mercatores et ego coacti fuimus abscondere omnes supelectiles propter imminens periculum depredationis. Tandem mense Junii die decimaquarta mensis in meridie ascenderunt moenia Civitatis et intraverunt sexaginta ex fortioribus, et quotquot invenerunt custodes occiderunt absque aliquo strepitu. Attamen hoc audito a quodam Abdi Agha, statim ascendit equum et cum sexaginta suis ita velociter oppressit Arabes, ut omnes captivos duxerit ad Abrahim Kan, qui illa eadem hora coram ingenti populo deccolavit et eorum corpora per civitatem circumducere, et posthea canibus proiicere iussit, et eorum capita ad campum Inimici defferri iussit, quo viso Arabes hinc discesserunt, et pro tunc non parum aleviata est civitas a longo tempore fame opressa.

Cum R. P. Petrus de Alcanthara huius Residentie Vicarius electus fuerit Prior Hiispahensis in Capitulo Provinciali ibi celebrato mense Maiio praeterito, misit litteras pattentes ad me F. Joannem Athanasium pro Vicariatu huius hospitii Bassorensis, quae epistolae pervenerunt die 29 Augusti huius anni 1700, quibus perlectis dixi : Domine fiat voluntas tua, scripsit enim mihi R. P. Prior ut solus sine sotio remanerem usque ad adventum Religiosorum ex Europa, praevidebam enim ad longum tempus solum permansurum ut de facto accidit.

Mense igitur sequenti, scilicet, Septembris huius anni Abrahim Kan vocatus est a Rege in Hiispahan et in eius locum venit Daud Kan, vel ut melius dicam vere Canis, qui prius erat gubernator Cornae, hinc Arabes videndo mutationem gubernii, et alias scientes timiditatem innatam novi gubernatoris denuo obsiderunt civitatem per circuitum, ita ut nemini daretur exitus, nec ingressus, et hoc tempore civitas erat multis calamitatibus, fame, scilicet et bello opressa, divites et pauperes clamabant, quia deerat panis, et ideo Daud Kan rebellionem timens statim scripsit ad Cameronensem gubernatorem ut triticum et ordeum mitteret in subsidium Civitatis. igitur quam primo ex Bander Abbazzi ille gubernator misit unam pergrandem navim nomine Velkon, que spectabat ad quemdam Celibi Surattensem Maurum, quam locaverant mercatores Armeni ad asportandas merces ex Suratte in Bander Abbazzi, et quia ibi sciebant hanc civitatem obsessam esse ab Arabibus propter securitatem navis posuerunt unum Capitaneum Olandum nomine Joannes Velkins et secum octo offitiales Francos, scilicet Europeos.

Ad perfectam sequentis tragedie inteligentiam, praesciendum venit quod aliquibus ab hinc annis Arabes Mascatenses (cuius rex vocatur Imam) iurgium habent cum natione Armena, et ideo audito, quod haec navis, quae dicebat Armenorum, discesserat ex Bander Abbazzi versus Bassoram ex Mascati venit una navis ad hunc portum Bassorae circa finem mensis Septembris, quae cum hic audierit pro certo adventum navis Velkon, et credendo quod in suo adventu veniret Armenorum mercibus onusta (nemine sciente) Arabes Mascatenses in hoc portu morantes miserunt nuntium in Mascati ut exirent in occursum eius antequam huc perveniret, et merces venderent. Hoc temporis intervallo Mahane qui cum militibus suis obsederat Civitatem, audiendo adventum navium non sine timore se abscondit ad Sciraggi paulo distans a Civitate.

Die decima octava Novembris navis Velkon pervenit et ipsa ad Seraggi, ubi invenit Mahane Arabum nostrae civitatis hostem cum militibus suis, qui statim misit munera ad Capitaneum suplicans illum ut ipsi adhereret, et Bassoram ne pergeret, cui capitaneus dixit : ego sum Francus, et Franci proditionem nesciunt, et iter paucis verbis se expedivit. Audito a navi Mascatinorum Arabum in civitatis portu degentium, quod navis inimica aproximabatur, obviam ivit ipsi, quibus inventis et anchora proiecta iverunt viginti vel triginta Arabes cum armis suis ad visitandum capitaneum, cum intentione depredandi eam si fieri probabile vidissent.

Hic etiam notandum venit, quod dominus Dominicus Paschalis mercator Gallus, de quo supra mentionem feci [usque] adhuc apud me hospitabatur, qui cum audierit navim Velkon pervenisse ad Seraggi, impatiens ibi se contulit cum

Age Meke Mauro Torcimano, et cum dominus Dominicus Paschalis calleret sufficienter linguam Arabicam audiebat, et percipiebat omnes Mascatensium Arabum Sermones, quos statim explicavit omnibus Europeis, qui cum capitaneo erant ad servitium navis, quibus sermonibus auditis omnes ad arma cuc(c)urerunt et aliunde Arabes videndo Velkon, ipsorum navi grandiorem, necnon fortiorem pro tunc nullam vim fecerunt, sed omnes recesserunt. Illa nocte dominus Dominicus Paschalis apud capitaneum moram fecit, et sequenti mane aparente sole velam fecit versus Bassoram, quo viso Arabes Mascatenses et ipsi explicaverunt velas suas et simul venerunt ad portum qui dicitur Mokam : Hic cum Arabes anchoram proiecissent, nimis audacter imperantes, designaverunt nostro capitaneo locum ubi et ipse anchoram proieceret, quorum nutibus dominus Capitaneus Velkins cum timiditatis nota acquievit, et anchoram proiecit ubi ipsi designarunt : Reliqui vero Europei qui cum Capitaneo erant ad servitium navis nimis aegre ferebant timiditatem dicens, et continuo murmurantes prudenter timebant, quod de facto timendum erat, attamen pro tunc quia haec navis Velkon erat suffitienter grandis et bene munita, Arabum vero inaequalium esset virium, quid fecerunt Arabes? finxerunt ire velle Mascatim versus et de facto discesserunt et iverunt usque ad finem fluvii, ubi invenerunt venientes duas alias ipsorum naves ex Mascati ut Velkon captarent. Hinc euntes statim nuntiaverunt de novo advenientibus navibus statum et vires Velkonie navis, et ibi ad ianuam fluminis steterunt per aliquot dies nemini permittentes accessum ad civitatem, ne Velkon acciperet notitiam et se praemuniret ad certamen, ut de facto fecisset si illorum adventum praevidisset.

Hoc parvo dierum circulo reliqui Europei de die in diem videntes ducis superfluam timiditatem, et prudenter timentes ne accideret quod posthea de facto accidit, omnes incre-

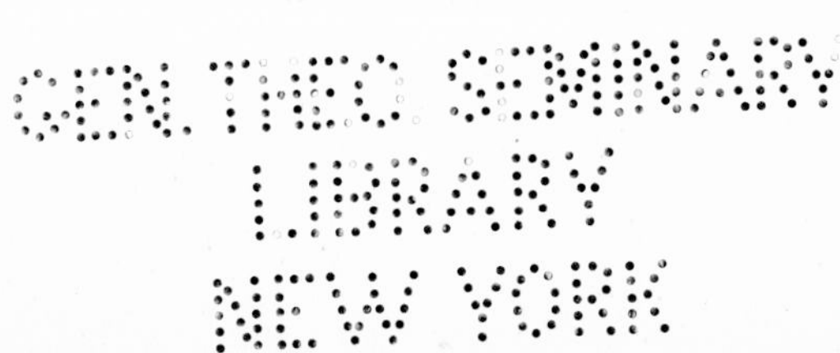

paverunt eum, dicentes: quod si nollet praecavere a malo imminenti, omnes solum dereliquissent: quo audito Capitaneus nimis imprudenter iratus est, et ideo omnes discesserunt a navi, et media nocte omnes simul cum capsulis suis venerunt in Civitatem, et apud me hospitium habuerunt: post duos dies dominus Dominicus Paschalis mercator Gallus ivit ad navim, et redeundo eadem die secum conduxit dominum Joannem Velkins Capitaneum ad domum meam, et ita locuti sumus, et hortati ut post octo dies omnes obedientiam prestiterint et navim ascenderint. Capitaneus mecum remansit, quem cum nostro Torcimano conduxi ad Daud Kan qui nos civiliter recepit, nec non muneribus honoravit, quique promisit infra paucos dies navim exonerandam curaturum, sed propter continuas pluvias parum vel nihil factum est.

Paucos post dies Daud Kan, die scilicet decima Decembris huiusdem anni 1700 voluit ire ad invisendam hanc navim recreationis causa, quo audito, Capitaneus statim navim conscendit et omnia arma abscondi curavit, ne milites et famuli Gubernatoris illa videntes fortasse furarentur. die vero sequenti die Sabati ego dixi domino Dominico Paschali ut ex navi remitteret mihi quatuor grandia nostra tapetia, quae comodaveram capitaneo praecedenti die, qui nimis iratus est contra me, dicens, quid times? attamen quia licitum est vim vi repellere, scripsi domino capitaneo unam parvam epistolam ut mitteret peristromata Ecclesiae quibus indigebam pro die Dominica, et ideo ex navi eadem die sabati serottinis horis detulerunt tapetia nostra. die vero sequenti facta est vox per civitatem, quod apropinquare(ra)nt huic portu duae naves cuiusdam Abdelscieki Mauri ex Congo, et egometipse ivi ad Abdraman fratrem Abdelscieki ut certificarer de nuntio, qui dixit mihi ita esse, et ipsemet misit epistolam ad Capitaneum Velkinsem dando ei hoc nuntium et ne timeret, sciebat enim esse hominem valde

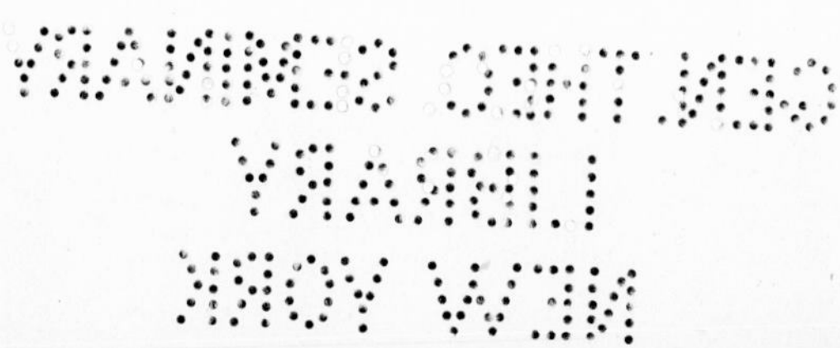

timorosum. Hac igitur data occasione dominus Dominicus Paschalis mercator Gallus antiquus apud me hospes preparavit lautam coenam ad navim deferendam, et nimis importune invitavit me, ut ibi accederem, cui (Deo sic inspirante) respondi impossibile esse, ut pro una coena relinquam populum meum die Dominico sine quotidiano orationum pabulo : iterum atque iterum tentavit me multiplicatis supplicationibus [*sic*], ita ut cum viderit duritiem meam dixit ; Pater reverende nunquam obliviscar tui : illa die Deus et Beatissima Virgo per suam piissimam misericordiam suam voluit me liberare ab illo evidenti paericulo mortis, et ideo benigne induravit cor meum ad resistendum nocivae huius mercatoris civilitati, ita ut ne tentationi succumberem ex domo discessi, et non redii nisi praecum oportuno tempore, et per viam inveni dominum Paschalem ad navem, vel potius ad mortem euntem, qui denuo reduplicavit instantias suas, cui respondi : Amice habeas me excusatum. Non ignoras quod nunc tempus est quo Christiani veniunt ad orationes, et ideo impossibile est tuae acquiescere voluntati, Vale : igitur ipse cum famulo suo, et Agi Meke Torcimano ivit ad navim. Statimac domum veni, inveni Christianos meos ad praeces paratos : dum accendantur candelae audivimus sonitus tormentorum bellicorum et diximus. Nunc venerunt naves ex Congo et ad invicem se salutant. de facto naves venerant non ex Congo, sed ex Mascati. Venerunt igitur duae naves Arabum Mascatensium, una satis pergrandis, et altera parva, haec venit prima in qua erant absconditi centum circiter Arabes, sed eorum nemo conspiciebatur duobus vel tribus exceptis, aproximabatur haec parva navis quae fingens rapide nimis defferri a fluxu maris petiit a nostro capitaneo ut alligaretur cum sua, quod cum fuerit ei concessum capitaneus dixit quaenam esset haec navis, cui responsum est ab uno Arabo, amici sumus, ne timeas, mercatores enim sumus : Arabes videntes omnes

Europeos tabaccum bibentes nec non semiebrios audacter surexerunt et cum ensibus suis ascenderunt navim cum impetu grandi et primo occiderunt capitaneum et Dominum Dominicum Paschalem cum Torcimano Agi Meke Mauro, quos cognoverant anthea ut supra dictum est ad locum Seraggi, posthea occiserunt alios quatuor Gallos nec non multos alios mortaliter vulneraverunt, et ita in instanti dum cantabamus in Ecclesia littanias Beatissimae Virginis Mariae obtinuerunt navim Velkon. Nauta navis Dominus Daniel Del Anglus, et Elias de Vellada Gallus Calvinista, et Suinus Azer Danensis hi omnes mortaliter crudeliterque vulnerati natantes fugerunt, et ad nostram domum venerunt una cum Antonio de Souza Lusitano navis medico et Chiirurgo, nec non una cum Sebastiano Emanuele, et Damiano Christianis qui a tam saevo et improviso spectaculo fugentes incolumes evaserunt, quique ab hac die 12 Decembris mecum permanserunt usque ad 13 Februarii anni sequentis non sine parvo dispendio et incomodo sed pro fraterna charitate libenter tolerato. igitur statim oportuna aposuimus medicamenta aegris, inter quos dominus Suinus Azer Danensis Luteranus erat nimis male tractatus, habebat enim septem vulnera mortalia. Attamen in tanto animi maerore Deus optimus maximus dignatus [est] maximam consolationem tribuere: cum enim vidissem hunc Luteranum morti proximum propter indefessam sanguinis fluxionem e vulneribus, ivi ad ipsum et offitium missionarii non pretermisi, hortando oportune et importune sicuti admonet Apostolus, et ita Deo cooperante anatematezavit Luteranam perfidiam, et confessus est peccata sua meliori modo quo possibile fuit in tali angustia, et promisit (si sanitatem Deus impertitus ei fuisset) publicam abiurationem elicere: post haec statim sanguis fluenta stetterunt, et inter quindecim dierum circulum sanus evasit, perdito tamen dextero oculo, attamen melius ei fuit cum uno oculo solo intrare in Regnum Caelorum, quam cum duobus in Gehennam ignis, die igitur 14 Januarii in solemniis Sanctissimi nominis Jesu coram omni populo ante missarum solemnia professus est Catholicam Fidem, et iuravit supra Sacrosanctum Evangelium quod nunquam aliud docebit et tenebit, quam quod tenet et docet Sancta Romana et Catholica Ecclesia, quem post duorum dierum spatium admisi ad penitentiae et Sacrosanctae Eucharistiae Sacramenta. Ita Deus voluit pro salute unius animae ut una grandis navis deperderetur, nec non tot homines occiderentur. Illa eadem nocte abscondi omnes peccunias deffuncti Dominici Paschalis, et pro timore dixi omnibus, quod ante duos dies omnes deportaverat ad navim, quia omnes utique sciebant quod volebat cum illa navi discedere, et ideo faciliter hoc crediderunt. Et summo mane ivi ad Daud Kan sive Gubernatorem et hoc idem ipsi narravi, quod et ipse credidit. Sequenti vero die Arabes mercatores descenderunt et venerunt ad invisendum Daud Kan, quibus propter timorem munera multa dedit, qui ei dixerunt, quod a Patre Franco volebant omnes peccunias dicti deffuncti Dominici Paschalis, quibus ille respondit quod omnes peccunias et quidquid habebat detulerat in navi, et ita crediderunt, multas enim res de facto ibi asportaverat attamen non remansi sine iusto timore, et ideo misi nostrum Torcimanum Abdelkerimum ad quemdam meum Amicum Abdi Aga, qui misit ex militibus suis quindecim selectos Arabes, ut domum meam mecum custodirent, et deffenderent, data occasione alicuius tumultus sicuti ab omnibus valde timebatur : et de facto post quatuor dies venerunt ad ianuam domus nostrae decem Arabes Mascattenses qui Patrem volebant, quibus cum responsum fuerit quid vellent, hoc idem dixerunt volumus Patrem et peccunias Mercatoris deffuncti, quo audito ad ianuam cuccurri, qua aperta videntes mecum tot milites bene armatos fugerunt absque alio tentato, nec amplius comparuerunt, et Deo Favente die

26 Decembris ex hoc portu discesserunt omnes illae naves et secum adduxerunt navim Velkon ordeo et frumento onustam, quia Daud Kan cum esset inermis miles donaverat ipsis frumentum et ordeum pre timore quo angariabatur, et nos omnes consolati sumus.

1701. Dominus deffunctus Dominicus Paschalis habebat multa credita apud Mercatores Bassorae quapropter post discessum inimicorum, invigilare incepi ea recuperare, et exigere, sed quia mercatores agnoscebant incapacitatem Gubernatoris aroganter nimis respondebant mihi quod si voluissem eis vim facere occidissent me. in hac Regione Deum pauci adorant, sed aurum multi, quia propter timui, et iudicavi expectare vel novum ghubernatorem vel aliquam navim in cuius favorem hanc summam exigerem, et ideo pro tunc quievi ab opere.

Interea nostri infelices hospites qui apud me morabantur perfecte sanati sunt, et tandem die 13 Februarii huius anni misi illos Congum versus, quia, alias, nimis gravatus eram pro expensis, erat enim fames grandis, et omnia caro nimis vendebantur. Hoc mense milites Persae erant ad numerum sex millium, et illis non solvebatur ratio militaris, et aliunde sciebant quod Turcae veniebant ex Babilone cum exercitu magno contra Bassoram, quapropter quot mille domus funditus destruxerunt nemini parcentes, nec mihi, habebamus enim unam parvam domum quae adhuc erat satis bona quam una nocte intrantes tectum eius vastaverunt et trabes asportaverunt, de qua re cum admonuerim Gubernatorem et nihil obtinuerim advocatis muratoribus ego metipse totaliter destruxi, ne perderentur tot trabes ad alia necessarias. Pariter una die dextruxerunt unam grandem domum nostro Caravan Serarii adjacentem cuius parietes ceciderunt supra nostras teratias cum grandi ruuina [*sic*] quae statim oportuit rehedificare cum magno dispendio et incomodo [*sic*]. Deo Favente, die nona Martii venit ex Babilone Turcarum

Mutselem scilicet Praeco postulans claves civitatis a Daud Kan, quas illico timens et tremens tradidit illi, et eadem die omnes Persarum milites praecipitanter ascenderunt naves ad hoc paratas et fugerunt et Daud Kan ivit et sedit ad Mokamum.

Die igitur decima eiusdem mensis et anni solemniter intravit in hanc civitatem Alli Bascia qui usque ad hanc diem feliciter prudenterque gubernat, quem Deus servet incolumem propter bonas qualitates suas erga Christianos : cum ipso solemniter intraverunt Mustafa vulgo dictus Daldaban Bascia Babilonensis nec non exercitus Turcharum Generalissimus, Karakolak Bascia Scirasensis, nec non Joseph Topal Bascia Cherchuchensis, et cum istis quatuor Bascia intraverunt triginta millia millites qui omnes transierunt per viam nostram supra portam nostrae domus, qui a me omnes reverenter salutati civiliter resalutaverunt. Daud Kan statim ac audivit militum strepitum navim ascendit ut fugeret, sed nimio superfluoque timore correptus illa eadem hora mortuus est, cuius cadaver denuo portaverunt ad Mokamum, ibique sepelierunt. Hoc suffitiat ad explicandam eiusdem indignitatem et incapacitatem ad ghubernandum.

Isti quatuor Bascia cum militibus suis hic permanserunt per decem dies usque ad eorum festivitates Romadzani, quibus peractis omnes discesserunt, et hic solum remansit Alli Bascia cum suffitienti exercitu in praesidium huius civitatis, reliqui vero iverunt Ellam versus, ubi erant alii sexaginta mille milites, ad coercendos Arabes, sed parum aut nihil fecerunt licet multa tentaverint, et multum expenderint. Post octo dies ivi cum Torcimano ad visitandum nostrum Bascia, et mecum detuli omnia Imperatoris Constantinopolitani diplomata. quando ivi ad ipsum ille comedebat, et audito meo adventu statim vocavit me, nec non invitavit ut secum comederem, qui cum dixerim pro nobis esse tempus Jeiunii et nobis non esse licitum comedere quidquam ante solis occasum valde acceptam habuit excusationem : finito prandio, nimis humaniter civiliterque tractavit me, et lectis diplomatibus valde gavisus est, et benedicens suum Imperatorem qui nobis et nostrae Nationi concessit tam ampla privilegia eodem deosculavit dicens, sicuti scriptum est fiat, mihique exibuit opus suum in quacunque occasione necessarium, et discessi. Post alios quindecim dies Bascia cum militibus suis equum ascendit, et transiens ante domum nostram fortuito obviam ei veni qui statim dixit mihi Pater Hoggia, scilicet Pater doctor quid feci tibi quare ad me non venis ? Cras veni, habeo enim aliquid quod conferam tecum. Ego igitur ignorans quid vellet conferre mecum determinavi frui benignitate talis Gubernatoris ; ideo vocavi unum scribam qui Turcico idiomate scriberet unam suplicationem die sequenti gubernatori dandam, petens in ea ut possim redimere credita deffuncti Dominici Paschalis quae erant redimenda a diversis mercatoribus et in suplicatione declarare feci nominatim debitores et summam quae ascendebat ad mille scuta argentea circum circa. Die igitur sequenti summo mane post orationes nostras me contuli ad Bascia quem solum inveni, de more salutato statim dixit mihi audivi quod anno transacto hic occiserunt quemdam mercatorem Gallum, qui habebat aliqua credita apud mercatores exigenda, alias scio quod vos Patres in tali casu estis executores : redemisti ne a debitoribus istas peccunias ? Hoc audito valde gavisus sum, et dixi, domine mi adhuc non redemi credita deffuncti, qui statim dixit ut scriberem unam suplicationem declarando debitores, et debita, quam mittam subito mercatorum Judici qui dicitur Scabandar ut illico solvi procuret : cui respondi, ecce domine mi, detuleram enim mecum suplicationem ut fruerer tuis benefitiis, quam statim accipiens et legens reddidit mihi ut illam defferrem ad dictum Judicem, et denuo comendavit mihi ut de octo in octo dies ipsum inviserem, et discedens detuli suplicationem ad Scabandarum qui statim accersivit omnes debitores, quibus determinavit tempus solutionis, et cum obedientibus fecit compositionem, cum inobedientibus vero fecit resolutiones et illos detrusit in carcerem nec non iuste punivit, ita ut post quindecim dierum circulum omnes solverint eo modo quo Judex composuerat cum illis, quia in simili casu mirum fuit et contra expectationem meam et omnium amicorum quod tantum exigerim.

Attamen quantum laborem sim passus pro isto negotio Deus scit, quia debitores experientes vim ghubernatoris, falso probabant omnia debita solvisse ante mortem creditoris, et unus etiam falso iuravit cum testibus dedisse deffuncto Dominico Paschali dum ibat ad navim, undecim venetianos, quem Deus punivit post octo dies, permittendo quod domus eius tota a grandi incendio combureretur, sicuti omnes viderunt et confessi sunt, sicuti adnotavi in Libro computuum dicti deffuncti Dominici Paschalis, qui servatur in Archivio nostrae Residentiae ad prudentem Cautelam. Hic etiam notandum est ad Dei Gloriam quod nos Patres Franchi ita apud Infideles ita veridici estimamur, ut quando debitores negabant aliquid delere, ipse Judex illos increpabat dicens : vobis non credo sed Patri do fidem quem scio non posse, nec velle mentiri.

Vix recuperaveram cum tantis laboribus istam peccuniam, ecce die 4 Aprilis appulit huc ex Congo Emanuel de Silva Lusitanus missus a domino della Marre Mercatore Gallo ut huic traderem illam. Statimhac [*sic*] dedit mihi epistolam illam bene examinavi et videns illam Lusitano idiomate scriptam, et legens illam vidi quomodo dominus della Marre mortaliter infirmabatur in Congo, alios videns hunc Lusitanum nimis in hoc negotio sollicitum timui fidere illi tantam summam, et quia adhuc nullum habueram ordinem ab Illustrissimo domino Alouiisio Pilavoine Directori Generali mittendi hanc summam, cuius maior pars ad ipsius uxorem pertinebat, determinavi retinere apud me has peccunias usque ad novum ordinem : preterquamquod Mahane cum Arabibus suis erat per circuitum civitatis qui spoliabat omnes euntes et venientes, sicuti de facto spoliaverant hunc Lusitanum Missum cui obligatus fui dare tunicas et vestes, nec non omnia necessaria ad suum iter agendum ut notavi in Libro computuum deffuncti Dominici Paschalis. Hoc audito, Lusitanus et quidam Torcimanus Bagnanus, qui cum illo missus fuerat, dixerunt, Nos hinc non discedemus sine peccuniis, quibus cum respondissem resolute silentes obedierunt, et hinc discesserunt die 12 eiusdem mensis Congum versus : et sit Deus in eternum Benedictus qui illuminavit me in hac opportuna necessitate. iverunt Congum et invenerunt dominum della Marre mortuum et sepultum, et ibi erat quidam Lusitanarum agens, quem posthea ob alia latrocinia ligatum miserunt in Goam, qui volebat suripere hanc peccuniam, sicuti narravit mihi idem Emanuel de Silva, qui huc rediit mense Augusti eiusdem anni cum una navi Lusitana ut infra dicam, et ideo gratias debitas egi Deo Meo, qui eripuit me de tam evidenti periculo, quia Deo specialiter non illuminante dedissem illis hanc summam, sciebam enim dominum della Marre multam partem habere in hoc negotio domini Dominici Paschalis, nec non esse procuratorem Illustrissimi domini de Pilavoine, sicuti constabat mihi ex Libro computuum et ex littera quam scripserat mihi ex Suratte domina Madame de Pilavoine, et deffunctus Dominus della Marre, adhuc vivente domino Dominico Paschali, qui timentes aliquod infortunium (sicuti de facto accidit) supra Dominicum Paschalem, in tali casu comiserant mihi curationem omnium suorum bonorum. Die 20 Maii huius anni ita praecipitanter infirmatus sum ut in octo dies ad terminum iudicatus fuerim ab omnibus, et ideo comendavi me, et domum meam Beatissimae Virginae, ita ut die Dominica infra octavam Corporis Christi detulerunt me in Ecclesiam, et Noster diaconus Abdelkerim porexit mihi Sanctissimum Viaticum coram flente et orante populo cuius praeces Deus acceptavit, et pepercit mihi peccatori, ita ut illa eadem die senserim singulare sublevamen, et de die in diem semper melius me habuerim, sed bis mortaliter cecidi cum simptomatibus extremis ita ut omnino desperaveram de salute. Attamen adhuc graviter aegrotante die 14 Junii apulit huc una navis Angla nomine Sedgguik ex Bander Abbazzi, Capitaneus erat dominus Henricus Harnet et dominus Henricus Griffit mercator Societatis Anglicae qui apud me volentes hospitari, sicuti fecere ex eorum bona conversatione paulisper alleviatus sum, et inde paulatim totaliter ab infirmitate liberatus, qui post venditus merces discesserunt versus Bander Abbazzi die 21 Septembris.

Die 2 Augusti Bascia vocavit me ad quem cum cucurrerim dedit mihi unam epistolam quam ipsi direxerat Capitaneus unius navis Bellicae Lusitanorum qui ex Congo Bassoram veniebat, qua lecta interogavit quid scriberet, cui dixi sicuti scripserat, scilicet quod veniebant ad restabiliendos canones antiquos cum illis, et ad perpetuandam amicitiam cum ipsis : quo audito Bascia dixit mihi : cras summo mane ibis obviam illis (erant enim distantes a civitate spatium duarum horarum) et consuluit mecum utrum salutare deberet illos cum tormentis bellicis, cui respondi, quod haec esset navis Regia debere, quod cum audierint eius consiliarii dixerunt non debere quia Mahomettani non debent salutare canes sine lege, sicuti sunt omnes Franchi. Cum haec verba audierim valde iratus sum, et dixi illis, Nos sine lege non sumus et ideo pro lege vobiscum semper pugnamus, et si sumus canes a nobis cavere debetis, ipsemet Bascia nimis iratus est et dixit illis. Vos canes sine lege ad quid baiulatis ? Vos sine honore ad quid contenditis ? adhuc ne ignoratis hoc primum principium, quod honor est in honorante? Silete; et crastina quot quot sunt ad Mokamum Tormenta bellica, et quot quot sunt triremes ibi vadant et Lusitanis advenientibus explodite, qui posthea ad me conversus dixit: Pater Doctor ne irascaris quaeso, quia omnes isti stercum comedunt, hoc verbum enim apud Mahometanos est in usu, sicuti aput [*sic*] nos solet dici, errant vel allucinantur. Sequenti igitur die summo mane ascendi parvam naviculam cum Torcimano, et illis obviam ivi, ad quos cum pervenerim Illustrissimus Dominus Petrus de Souza Attaiide Capitaneus vulgo dictus Mare equerra humaniter nimis me excepit, et cum pervenerimus ad portum Turcae primo exploderunt salutantes tormenta bellica, et plus quam ducentum spingardas, propter quod Capitaneus valde gavisus est, qui posthea et ipse explodit octuaginta bellica tormenta, quo audito Bascia et ipse laetatus est nimis, Capitaneus statim dedit mihi epistolas Illustrissimi domini Alouiisii Pilavoine Generali Sotietatis Gallicae in Suratte, qui adhuc ignorans mortem Dominici Paschalis comendabat mihi, vel ut vim facerem ipsi ut rediret Surattim vel consignaret mihi octo mille erupias quas tradiderat illi, vel in casu mortis curarem colligere omnia sua bona, et cum hoc navi Lusitana transmittere hanc summam Illustrissimo Domino Hiiacincto de Araviscio pro Lusitana natione supra intendenti in Congo morante: quapropter valde laetatus sum non tradidisse istas peccunias supradicto misso Emanueli Maxime quia scribebat mihi Illustrissimus director Generalis ex Suratte ne traderem nec fiderem istam summam cuilibet alio praeter Illustrissimo Domino Petro de Souza Attaiide huius Bellicae Navis Capitaneo.

Haec igitur Lusitanorum navis venerat, ut redimeret a mercatoribus huius civitatis quindecim mille scuta argentea et tres equos, quia ut superius adnotavi Calil Bascia pepigerat cum illis dare quolibet anno quinque mille et quingenta scuta argentea et unum equum, cum pacto ut quolibet anno conducerent ad hunc portum Mousonem ex Indiis, unde cum per trium an[n]orum spatium nihil recepissent venerunt ut hanc summam exigerent. Hoc totum mihi narravit dictus Capitaneus et posuit hoc suum negotium in mea manu. Cum redierim ex navi ivi ad Bascia cui omnia significavi, qui dixit, veniant aput me et videbimus Canones et omnia componam. Altera igitur die descenderunt de navi capitaneus secundus (primus enim scilicet dominus Petrus de Souza Attaiide nunquam descendit ita moris est apud Lusitanos) et cum illo signifer militiae cum comitatu grandi et formoso, et venerunt ad domum nostram cum magno strepitu, et detulerunt secum munera gubernatori offerenda. Miserunt igitur per manus Torcimani munera gubernatori, valoris centum quinquaginta circiter scutorum, et post horam ivimus et nos ad invisendum Bascia, qui nimis civiliter nos recepit, nec non induit illos quinque perclaris vulgo Callatis. Et cum explicuerim Gubernatori causam illorum adventus ipse respondit, Cras congregabo Divanum, scilicet concilium, et cum mercatoribus scrutabor canones antiquos et iuxta illos, si legitimi fuerint fatiam, et ita civiliter nos dimisit. Sequenti igitur die Bascia congregavit omnes mercatores Bassorae, nec non Judices, scilicet Caddi, et Mufti quos cum consuluerit nos advocavit. Ad nostrum ibi adventum haec res accidit, praeparaverant enim unum pergrande scamnum ut sederemus more Franchorum, sed posuerant illud in inferiori loco. Intrantes, statim deosculavimus manus Bascia ut moris est, et cum illius cubicularii ostendissent nobis sedendi locum ego dixi Gubernatori. Domine mi ille non est locus noster nec ibi sedebo, nec isti nobiles, qui videns me turbatum statim iussit mercatoribus dare nobis locum ab ipsis temere occupatum, qui illico surgentes nec non murmurantes inferius descenderunt et nos sedimus prope Gubernatorem ut iustum erat. Post multa verba dixit Gubernator ; ostendant mihi Capitulationes quas illis donavit Calil Bascia, cui responderunt, quod illae servabantur in Archivio Goensi, sed solum copiam secum detulerant, qua lecta Bascia dixit, quidquid egit Calil Bascia nobis non est licitum servare, fuit enim rebellis cum nostro Imperatore, igitur, inquit, oportet ut ostendatis nobis Capitulationes a nostro Imperatore aprobatas, vel saltem a Cara Mustafa Bascia subscriptas, qui habebat Imperialem autoritatem. Responderunt Lusitani dicentes : quare igitur isti mercatores per tot annos dederunt nobis tot peccunias, quibus mercatores dixerunt dedimus quidem, sed vi coacti. Lusitani dixerunt, nonne quotidie dabatis pro nostro agente et pro nostra Ecclesia duos zechinos, quibus responsum est negative, nec vidimus vestram Ecclesiam nec vos in Bassora degentes, et hoc temere negabant quia per tot annos Lusitani permanserunt in Bassora et de facto quotidie solvebantur illis duo zechini, et propterea cum audierim tantam mercatorum perfidiam gubernatori locutus sum dicens : Domine mi si hi mercatores hoc negant aperte negant veritatem sole clariorem, si hoc firmiter asseverant, negant et suum Prophetam. Ad hec verba omnes murmurantes fecerunt professionem suae falsae legis, et Bascia Turcice locutus est mihi : Pater mi verum quidem est, quod dederunt alias tantam summam et denuo dabunt, si deferant Mousonem ex Indiis sicuti antea fecerunt, sed a quot annis ipsi non comparuerunt ? igitur quare mercatores dabunt istam summam ? Lusitani dixerunt, sicuti vos vultis facite. Nos referemus Domino Nostro qui misit nos determinationes vestras, et si ipse acceptaverit illas, ita et nos : hoc dicto omnes discesserunt et nos soli remansimus cum Bascia qui deosculans me dixit : Pater doctor, de facto mercatores nimis temere negaverunt notam omnibus veritatem, sed et tu nimis fortiter locutus es eiis et posthea convertens se ad Lusitanos cum illis dulcia verba loquens obligavit eos, et exibitis [*sic*] nobis dulcibus et Caffete cum multa pace discessimus. Et cum ipsimet Lusitani scirent esse vanam et sine fundamento ipsorum praetensionem, hoc audientes siluerunt, putabant enim Turcas mente captos, et ideo paucos post dies discesserunt. Attamen Bascia misit unam perpulcram callatam pro Capitaneo Maiori Petro de Souza Attaiide, et alteram pro Generali in Congo moranti.

Quapropter die 18 eiusdem mensis Augusti summo mane cum nostro Torcimano detuli ad dictum Capitaneum Petrum de Souza Attaiide omnes peccunias deffuncti Dominici Paschalis qui dedit mihi in scriptis attestationem proprio sigillo munitam, quin imo duplicatas dedit mihi attestationes quarum unam misi cum dicta peccunia, et alteram apud me servavi et servabo sicuti adnotavi in Libro ad hoc negotium deputato qui servatur in Archivio nostrae huius Residentiae ut alias dixi et illico discesserunt Congum versus. Dum apud me erant Lusitani et Angli, quando vix supererat mihi tempus recitandi Divinum Offitium propter continuas occupationes, nescio quo ductus motivo, Caddi huius Civitatis accersivit nostrum Torcimanum Abdelkerimum, et dixit ei : Saluta Patrem Francum et dic ei ut ostendat mihi autenticas licentias, quibus fundata est haec vestra Ecclesia in hac nostra Civitate. Venit igitur Abdelkerim et narravit mihi hanc Judicis vanam praetensionem, cui cum essem tunc temporis, ut dixi, pluribus intentus, respondi ut diceret illi, quod nostras autenticas Alli Bascia vidit, legit, et aprobavit, et hoc mihi sufficit, et quod nemini ostendam, quia neminem preter Bascia cognosco hominem supra me : ob quam responsionem Caddi iratus est, sed pro tunc siluit usque ad aliud tempus, ut inferius narrabo in actibus anni sequentis.

Circa finem mensis Septembris ex Bagdad venerunt sex vel octo Juvenes Christiani omnes pauperes, qui locaverunt duas cameras in nostro Caravan Serai, quos omnes post octo dies in carcerem detruserunt, quia Caragg sive tributum non dabant exigentibus, dicentes quod dederant in Bagdad antequam discederunt; iam notum est omnibus quod Christiani et Judei solvunt annuum tributum Turcis, quod ascendit usque ad quinque scuta argentea, sed hic in Bassora a longo tempore quidam Bascia posuerat hoc tributum ad tria tantumodo scuta. die igitur 15 Octobris huius anni in solemniis nostrae Sanctae Matris Theresiae ivi ad Bascia cui obtuli 6 pulcras candelas ex cera alba ex Goa: a multo tempore non iveram ad ipsum, quapropter multum gavisus est, ideo post multa verba locutus sum ei pro istis Juvenibus, et oravi ipsum ut sicuti alii Bascia condonaverant duo scuta, ita ut ipse vellet alia duo condonare mihi: ipse de facto condonasset duo integra scuta, sed quia apud ipsum sedebat quidam Mulla valde zelans suarum legum dixit Gubernatori, hoc non debere fieri, attamen deosculata ipsius manu, et cum dixerim: non dimittam te Domine mi, nisi complaceas mihi; remisit unum scutum cum dimidio, ita ut iusserit, me presente tributa executori, ut imposterum non audeat exigere a Christianis pauperibus nisi unum scutum cum dimidio, a divitibus vero duo cum dimidio, et ita omnes Christiani hac die laudaverunt Dominum, et gratias egerunt Nostrae Sanctae Matri Theresiae quia in suis solemniis alleviaverat illos a tanto onere.

Die quarta Novembris huius anni venit ex Sciragio R. P. Hiiacinctus a Sancto Augustino provinciae Æquitaniae missus a R. Patre Nostro Petro de Alcantara Priori Hispahensi, et pro tunc Vicario Provinciali substituto, ut esset mihi in sotium post tam longam solitudinem, et offitium missionarii exerceret in hac nostra Residentia, de quo multum gavisus sum, quia nihil aliud a multo tempore incessanter postulabam a Deo.

Die 18 Decembris appulit huc ex Mascati quidam Michael Zaoranus natione Graecus Catholicus, sed infirmus ad mortem, cui dedi hospitium in nostro Caravan Serai, quique statim fecit suum testamentum, et reliquit nos Patres Bassorae sui testamenti executores, quique die 23 eiusdem mensis post susceptionem omnium Ecclesiae Sacramentorum mortuus est, et die sequenti sepultus in Coemeterio nostro Aissa ebben Mariam. Statimac Bascia audivit mortem huius advenae fecit perquisitionem de suis bonis, et cum audierit ad illum pertinere tredecim fardas Caffé statim misit ad me suum scabandarum qui diceret mihi quod Caffé ad illum pertinebat, et quidquid erat in potestate deffuncti. quo audito ivi statim ad mercatores mauros nostros amicos et narravi illis praetensionem Gubernatoris, qui dixerunt mihi ut irem ad Bascia et audirem sermones eius, et si quid tentasset notum facerem illis ; Ivi igitur ad Bascia, cui dixi : Venit ad me Minister vester Scabandar qui praetendit Caffé cuiusdam Christiani deffuncti, qui ante suam mortem fecit testamentum et reliquit bona [sua] suis heredibus : si tu vis Domine mi Caffé accipe, sed posthea oportebit dare rationes. Tu videris insuper dixi illi ; igitur si cras venerit una navis Gallica et suus dominus moriatur, tu accipies ne bona illius ? his verbis auditis Bascia suspensus remansit, et advocavit mercatores, qui cum venerint et audierint hos sermones omnes pro me vota dederunt quin immo subiunxerunt Domine mi quare Patres hic morantur ? Primo pro Ecclesia 2° pro his casibus occurentibus. Bascia statim dixit si ita est nihil omnino praetendo. attamen oportuit dare aliquid pro fischi procuratore ut sileret, et denuo nihil aliud tentaret, et statim post unum mensem expandi vocem quod miserim valorem huius Caffeti ad proprios haeredes in Europam.

Ad finem huius anni R. P. F. Hiiacinctus sotius meus infirmatus est, et post aliquos dies cum taliter qualiter convaluisset incepit expuere sanguinem per os et stillare per nares, sed paulatim de die in diem taliter crevit, ut multoties timuerim ne moreretur, hoc duravit ad multum tempus cum extrema corporis debilitatione et ideo die 4 Martii huius anni 1702 cum hinc discederet una navis Abdelscieki Conghensis quae Congum iret, petiit a me veniam ut cum ista occasione rediret Hispahanum cui non valui contradicere propter fraternam charitatem, et ita praedicta die quarta Martii hinc discessit Congum versus cum praedicta navi in qua erant quatuor Franchi, quibus illum sumopere comendavi [*sic*], et ibi feliciter pervenit, ut ipsemet Pater ex Congo scripsit mihi, et ab illa die denuo solus remansi usque ad praesens propter inopiam Religiosorum, nec non propter continua bella et calamitates huius civitatis miserime.

Die 20 huius mensis hinc discesserunt Babiloniam versus decem naves satis pergrandes selectis mercibus onustae, quibus obviam ivit huius civitatis antiquus hostis Mulla ferd Giulla Oezaensis cum Arabibus multis, et quidquid placuit accepit, quod fuit prope totum, ita ut multae ex illis navibus cum essent ex Bassora reddierunt vacuae totaliter.

Die sexta Aprilis huius anni appulit huc ex Bander Abbassi unus Tabellarius expressus a Domino Lituele Galicae sotietatis agente cum litteris ex Suratte per expressum mittendis Aleppum versus, sicuti feci duos post dies. Cum istis epistolis direxit unam litteram pro me ex Suratte Illustrissimus Dominus Alouiisius de Pilavoine Sotietatis Gallicae Director Generalis in qua grates agebat summas pro labore a me suscepto pro recuperanda credite deffuncti Dominici Paschalis in qua declarabat se sumopere satisfactum de Computibus ad ipsum per treplicatas epistolas transmissis, quae littera ad summum laetificavit me, nec non conturbavit maledicentes et murmurantes de hoc negotio, expenderant enim voces in Scirasio et in Hiispahano apud nostros superiores et Fratres quod ego saccos aperueram et tot peccunias surripueram, ita ut R. P. Noster Petrus de Alcantara Prior Hiispahensis scripserat mihi supra hoc negotium, sed nostri Patres nesciebant quod Lusitanorum Procurator miserat ad me duos conlatrones suos ut comederent has peccunias, et quod ego remiseram illos vacuos, et ideo hanc murmurationem suscitaverant contra me et nesciebant quod ipsemet Lusitanus ceciderat in foveam quam foderat mihi, scilicet quod ligatum detulerant in Goam quia alia similia crimina tentaverat et patraverat.

Die 16 eiusdem mensis Aprilis ex Bagdad venerunt tres mercatores Christiani, qui locaverunt partem nostri Caravan Seraii, et cum illis venit quidam Diaconus Caldaeus Catholicus ex Diarbekir, qui cum prima occasione volebat ire Congum versus et inde ad Insulam Sancti Thomae ad erudiendos suae nationis pueros, cui hospitium dedi apud me usque ad suum discessum. Die *20* propter aliquod negotium ivi ad Bascia apud quem inveni sedentem Caddi, sive Judicem huius civitatis quibus de more salutatis ivi, et sedi prope Judicem, seu supra ipsum, quia inferior locus erat occupatus ab uno mercatore. Judex, ut vidit me sedentem prope et supra ipsum sardonice ridens et mihi terga vertens dixit ghubernatori: Domine mi vides ne hunc Canem prope me sedentem? cui statim respondi, si tu dicis me Canem, cave a morsu; et si supra te sedeo non fatio tibi iniuriam, sum ettenim et ego Judex Gallorum sicut tu es Moselmeniorum, ipse statim incepit enarrare Gubernatori, quod ipse, cum voluerit videre autenticas nostrae Ecclesiae negaverim ipsi illas ostendere, et posthea dixit quod sicuti in Bagdad devastaverunt Ecclesiam Gallorum (quod acciderat anno praeterito mense Septembris) ita ipse scribsisset Constantinopolim ut illinc obtineret mandatum ad similiter fatiendum in Bassoram: et inquit Domine mi usquequo permittetur a nostris insensatis Imperatoribus, istos Canes Francos habitare nobiscum? Bascia haec omnia audiebat, subridebat et nihil omnino dicebat: cui dixit Caddi Domine mi quid dicis ad haec? cui Bascia, hic adest, inquit, competitor tuus, ipse tibi respondeat, et innuit mihi ut responderem : cui paucis verbis respondi dicens. Tu vis videre autenticas nostras ? has tibi non ostendam quia unum solum recognosco Gubernatorem huius civitatis Alli Bascia quem veneror. Tu dicis velle scribere Constantinopolim, scribe, et quidquid concesserit tibi Imperator tuus contra Ecclesiam meam ipse viderit, Tu iuras et perjuras quod scribes : hoc tamen non credo, quia tu bene scis verba tua tam a longe non audiri ; sed ego non iuro, sed coram nostro Alli Bascia dico tibi quod cras scribam, his verbis serio prolatis et ab ipso auditis, et alias videns Gubernatorem subridentem, Judex nimis iratus insalutato domino suo discessit. Sed Bascia statim mihi dixit : Pater doctor nihil timeas, stultus est enim Noster Judex, attamen congruum est ut scribas vestro Ambasciadori quin immo ne pretermittas : scribe. Statimac mercatores audierunt quod acciderat apud Bascia, venit ad me quidam Agi Cassem Semmeri ut exquireret veritatem, quam cum audisset altera die summo mane se contulit ad Judicem et locutus est ei dicens quid facis Judex, visne hunc portum Bassorensem totaliter destruere ? ignoras ne quod omnes Bascia nec non Imperator ipse Noster, non solum Patres non vituperant quin immo summo honore prosequuntur ? ignoras ne quod Patres hic sunt pro Rege Galliae Consules ? cui Judex iratus dixit et tu canis protegis Francos ? cui mercator fortiter respondens, Caddi nimis excanduit et percussit illum cum una babuggia, qui, ut prudens tacendo discessit. Quo audito ivi statim ad Bascia cui dixi, Caddi stultus estne ? qui dixit ita et iterum comendavit mihi ut scriberem et ipsemet scripsit, et omnes mercatores simul scripserunt, ut hic deponatur et puniatur ut in brevi expectatus ab omnibus. Sequenti igitur die, die scilicet 22 Aprilis scripsi et direxi litteras Illustrissimo Domino Legato in Constantinopoli moranti, cui narravi fideliter quidquid contigerat mihi cum huius civitatis Judice, et cum hoc occasione scripsi alia quae indicavi pro hac nostra Residentia proficua et reduplicavi epistolas quas separatim per diversas vias direxi.

Cum supradictis mercatoribus qui venerunt ex Bagdad die 16 huius mensis Aprilis venerat et Filius Diaconi Abdelkerimi nomine Abdelhad cum uxore et unica filia. hic cum esset malae indolis statim post suum adventum inquietavit Patrem suum et Parentes et amicos quem cum multoties corripuissem inter me et ipsum solum, ut edocemur in Evangelio, et nihil obtinuissem, tandem una die coram Patre suo humaniter ipsum admonui, habebat enim inter alias malas qualitates linguam sibi ipsi et aliis pernitiosissimam qui licet esset medicae artis, tamen non valuit retinere hanc saluberimam coreptionis medicinam, sed statim incepit evomere maledictiones contra Patrem presentem, contra matrem deffunctam, contra nativitatem suam et adventum suum ex Bagdad, cui cum dixerim Filii mi si vis Benedictionem a Domino Deo, ne maledicas proximum, exclamans respondit nolo benedictionem a Deo sed maledictionem dexterae eius peto, et haec similia, sequenti die ivit apud quosdam mercatores Christianos, qui corripientes eum de facto, ipse incepit denuo antedictam lectionem, qui non patientes talia eiecerunt eum foras. post octo dies die 20 Julii in solemniis S. Patris Nostri Eliae dum omnes assistunt Missae solemni ipse non venit ad Missam, nec permisit eius uxorem venire. Sed ivit ad quendam Hipotecarium et emit ab illo dragmam unam et Semis de Arsenico, et rediit domum, et arsenico contuso, advocavit uxorem suam, et deglutiens venenum dixit Ecce maledicta nunc morior. illico incepit evomere et torqueri, ita ut quando Pater eius qui Diaconatus exercuerat offitium in Missa solemni, quando inquam pervenit domum vidit filium suum unicum in tali statu, cui mulier narrans ei quod biberat venenum, statim exclamans cucurrit ad me, cui dixi, Abdelkerim mi, haec est manus Dei. Hoc instanti infirmus advocavit me, ad quem accurrens, ut ipsum vidi, dixi circumstantibus ut exirent, quia tempus et hora instat confiteri peccata sua, qui omnes ridentes dixerunt, Pater nimis timet, disposui illum ad contrictionis actum, confessus est peccata sua, flevit et credo penituisse. post datam absolutionem voluit bibere paululum aquae quia comburabatur, bibit et illico expiravit suffocatus. Conflictus duravit per spatium unius horae cum dimidia, cuius corpus eadem die serotinis horis sepelivi in Cemeterio nostro Aïissa ebben Mariam extra urbem.

Die ultima Septembris eiusdem anni appulit ad hunc Portum una navis Anglica ex Suratte, nomine Alma Marre, cuius Capitaneus Dominus Bius Anglus, cum Domino Josepho Chutecia Sotietatis mercatore, qui locaverunt nostrum Caravan Seraii ex Suratte habebant Epistolas pro Bascia et pro me a Domino Nicolao Vaitte Director Generali; in quibus a Bascia petebant ut deinceps omnes Angli solverent pro mercaturis tria tantum pro cento quia anthea solvebant quinque et sex, et a me pariter postulabat ut prestarem oratoris offitium apud Gubernatorem. Ut audivi hoc negotium visum est mihi pernimis difficile, quia Turcae naturaliter sunt inclinati ad augmentanda vectigalia, non vero ad diminuenda: attamen ego solus serotinis horis ivi apud Gubernatorem Alli Bascia, qui interogans me circa hospites meos dixit: quare reliquisti illos, et hac hora ad me venisti, si indigent forte aliqua re, sum promptus toto ex corde, cui explicavi Anglorum intentionem, qua audita absolute respondit, illorum intentionem esse extra possibilium confinia, cui tamen cum dedissem bonam spem quod esset accepturus bona munera, si hanc illorum intentionem ex impossibilium confiniis ad possibilia revocasset statim declinavit ab illo rigore, et post multas confabulationes promisit mihi concedere illis quantum in Epistola postulassent; quin immo ipsemet sponte spopondit dare instrumentum per modum perpetuae Capitulationis sigillo proprio munitum. His auditis laetum me dimisit, et cum omnia Capitaneo narassem nimis gavisus est et obstupuit : Quapropter sequenti die summo mane Dominus Joseph Chutecia Sotietatis Agens ivit ad navem et misit mercaturas omnes ad domum nostram et post duos dies miserunt pro Gubernatore Alli Bascia perclara munera valoris mille et quingentorum scutorum plus minusve, quae fuerunt bene accepta : insuper etiam sex vel septem aliis Regiis ministris suffitientia munera obtulerunt, ita ut omnium sussurantium linguas obstupefecerit et haec est unica aequa fortis pro Turcharum duritie emolienda.

Vigesima die Octobris accidit, quod unus ex militibus Anglis habuit aliquas questiones cum offitialibus in navi, et ideo fugit in civitatem. Hic callebat linguam Lusitanam, qui cum in via invenerit unum Lusitanum a multis annis apostatam communicavit ei habitas questiones : Hic Aposthata volens hunc miserimum decipere, conduxit illum ad domum cuiusdam Assen Agha omnium militum Ducis supremi, et dixit illi quod hic Juvenis Anglus volebat fieri Mahametanus : quo audito statim humaniter receptus est, et statim Turcharum valde bonis vestibus indutus, et perciviliter tractatus : Attamen cum Assen Agha esset bonus mei amicus, misit ad me suum secretarium, ut investigaret meum votum circa hoc negotium. quo audito cum grandi maerore locutus sum cum capitaneo, qui prima fatie dixit : quid ad me ? vadat ad diabolum. cui cum dixerim hoc esse contra honorem Dei, Religionis et sotietatis et proprium remisit negotium mihi et dixit, tu scis videas et quidquid est possibile ne pretermittas. Statim advocavi nostrum Torcimanum sive Interpretem Abdelkerimum et misi cum secretario apud Assen Agha ut sine intermissione reduceret ad me hunc iuvenem quem cum Assen Agha voluerit illum dimittere, omnes milites Turcae surexerunt et cum zelo falsae Religionis dixerunt, non licet nobis, nec tibi O Dux, hunc remittere, factus est enim Mahametanus quem Deus misericorditer ex infidelitate vocavit ad nostram veram religionem : attamen cum Interpres noster dixisset illis quod Capitaneus Anglus faceret recursum ad Alli Bascia omnes timuerunt, et media nocte extractis Turcisis indumentis detulerunt iuvenem in domum meam, et valde gavisus sum ego, et omnes mecum, quem per aliquot dies apud me retinui, quemque capitaneus misit ad navem, nec ultra permisit ex illa discedere, quia Turcae usque ad diem qua navis discessit valde murmurabant, et de facto si voluissent, potuissent nos angariare, et nimis turbare quia in materia Religionis sunt nimis fanaces.

Die nona Novembris huius anni appulit huc ex Babilone Mahamed Capitaneus Bascia cum formosa classe navali, quadraginta scilicet triremium cum totidem aliis parvioribus naviculis, quem die sequenti cum Anglis visitavi cuique post aliquos dies misi parvulum sed gratiosum munusculum ad conciliandam eius benevolentiam, quod summopere pergratum habuit : in hoc exercitu erant multi Christiani ad numerum ducentorum, sed quasi omnes Graeci, praeter duodecim captivi inter quos octo Itali, unus Melitensis et tres ex Russia, qui caeperunt frequentare Ecclesiam, precipue diebus Dominicis : cum ingenti gaudio et aedificatione, maxime quia hoc fiebat ex Consensu Mahamedi Bascia Generalis.

Ante Festa Natalitia admonui omnes captivos Europianos ut se disponerent ad Confessionem Sacramentalem fatiendam, et hac de causa in Vigilia Natalis me contuli ad campum et humiliter petii veniam a Generali Mahamede Bascia ut illa nocte omnes captivi venirent mecum in nostrum hospitium ad orationes persolvendas erat enim nox magnae Laetitiae et festivitatis apud nos, qui perhumaniter nimis concessit mihi petitionem meam, et ex tunc (me presente) advocavit omnes duodecim captivos, quibus imperavit, ut omnes simul ante solis occasum descenderent ad domum Patris, cum pacto, ut omnes simul ante solis occasum sequentis diei redirent ad castra : Ideo omnes laetantes venerunt et illa Benedicta Nocte confessi sunt et in solemni Mediae Noctis prima Missa manducaverunt Panem de Caelo datum, et ex Virgine natum, et postquam animas refecerint, illa die apud me in Christiana Charitate valde laetati sunt, et post Vesperas redierunt cum gratiarum actione, et deinceps omnibus Diebus Dominicis omnes veniebant summo mane ad Missarum Solemnia, et aliqui quotidie cum aedificatione totius populi.

Die 26 eiusdem mensis appulit ad hunc Portum una parvula navis vulgo Bott ex Bander Abbassi, quae erat gubernata a Domino Joanne Bariiera Gallo Lutterano, una cum Domino Daniele Littenten Anglo, cum mercaturis domini Brusii pro sotietate Anglorum agente in Bander Abbassi, qui locaverunt unam portionem nostri Caravan Seraii. Alli Bascia cum hac parvula navi volebat frangere pactum a duobus mensibus stabilitum cum Anglis, sed quia negotium erat parvi momenti, servavit contractum, qui inter spatium unius mensis omnia vendiderunt, et hinc discesserunt, sed in via prope Bander Boscerum naufragium fecerunt, sed omnes homines, qui erant quinque incolumes evaserunt, et peccunias piscaverunt, hoc non fuit mihi admirabile, quia et Capitaneus et sotius erant nimis Bacchi cultores.

1703. In principio Februarii anni 1703 accidit, quod unus ex captivis supradictis nomine Antonius Italus ex Bononia graviter infirmatus est, quod cum audiverim ivi ad ipsum ad Castra, et ut vidi infirmitatem eius valde periculosam Fluxus, scilicet sanguinis, ipsum consului ut se disponeret ad Confessionem fatiendam, quin imo ad mortem, qui cum de die in diem magis ac magis gravaretur, petiit a me, ut pro Christiana charitate vellem recipere in nostrum hospitium, cui promptum me exibui, cum hac tamen conditione, ut quidquid haberet, sive peccunias, sive mobilia, omnia deponeret apud suum dominum : nempe Mahamedem Bascia Generalem ; et hoc feci ne in casu mortis a Turcis angariarer : hac de causa misi nostrum Interpretem Abdalkerimum ad Generalem ut dignaretur concedere huic infirmo et captivo, ut veniret in domum meam usque dum convalesceret, vel moreretur, qui statim humaniter acquievit paetitioni meae quin immo scripsit mihi schedulam, et sigillo munivit in testimonium, quod dictus Antonius veniebat apud me in puris naturalibus, quia, quidquid habebat ipse acceperat et custodiebat : et scripsit in schedula, quod si convalesceret, et omnia sua denuo restitueret, et ex tunc libertatem illi donabat, quae schedula servatur ex tunc usque ad praesens in nostro Archivio.

Die igitur undecima eiusdem supradicti mensis Februarii Mahamed Bascia cum parvula navicula misit ad me nostrum Antonium quem cum viderim multum laborantem, die sequenti disposui ad sacramenta suscipienda, quae cum bona voluntate et Christiana devotione suscepit, et die 18 eiusdem mensis in Confessione Sanctae Matris Ecclesiae animam Deo redidit me adstante, quem die sequenti post facta suffraggia sepelivi in Caemeterio Nostro vulgo Hiissa Ebben Mariam extra urbem cum concursu omnium Christianorum, et Concaptivorum. Hic ex industria servaverat sibi centum scuta, qui antequam moreretur accersitis testibus declaravit suam ultimam voluntatem, scilicet ut in casu mortis traderem illa cuidam Antonio Caza Graeco mercatori, ut cum ex Bassora ierit Constantinopolim daret ibi uxori suae et ideo post mortem eius accersitis iisdem testibus dedi centum scuta dicto Antonio Cazae pro deffuncti uxore, accepta a praedicto testificatione quae usque adhuc servatur in Nostro Archivio.

Die 3 Martii dum totus intentus eram ad contiones componendas Turcico idiomate pro Dominicis Quadragesimae ex improviso appulit ex Babilone unus Tabellarius quem R.R. Patres Capuccini expresse expedierant ad me ad notificandum mihi, quomodo fuerant expulsi ex Civitate per mandatum Daldebani Magni Visiri, et quomodo veniebat unus extraordinarius cum eodem mandato, ut Nostra Ecclesia Bassorae a fundamentis destruatur, et nos eiitiamur foras : quo audito et Nomine Domini Benedicto surexi et accessi ad nostrum Alli Bascia cui omnia notificavi, qui cum esset valde noster Amicus nimis conturbatus est : attamen dixit mihi, quod si mandatum erit contra Patrem et Ecclesiam adhuc salvasset me sub titulo Consulis Galliae, et dixit : attendamus ut veniat mandatum, et videbimus. His tamen non obstantibus, hoc nontium turbavit me, et ideo in unum collegi meliores supellectiles Ecclesiae et Domus, et de nocte asportavi omnes in domum Koggiae Saffarris Christiani ne accideret mihi cum grandi damno, quod posthea de facto contigit cum minori, propter inconstantiam et infidelitatem Turcharum quorum proprietas est fallere.

Die igitur 14 eiusdem mensis appulit huc Tabellarius, qui erat unus Tartarus ex Babilone cum mandato Regio pro nostra destructione, quod cum Alli Bascia illud legerit, serotinis horis vocavit me et totus maestus dixit mihi Reverende Pater mandatum Regis instat, nec datur interpretationi locus. ideo praecipio tibi (et hoc ex mea benevolentia) ut hac eadem nocte evacuas domum tuam et ecclesiam, et cum prima occasione hinc et ex nostris confiniis discedas : cui cum ego instarem ; mandatum estne contra consulem Galliae, vel contra Patrem ? ipse respondit, verum est quod mandatum est contra Patres Francos et eorum Ecclesiam, et ideo est contra te, quia licet notum sit mihi te esse Patrem et Consulem, attamen vulgus agnoscit te Patrem, et ignorat te Consulem, quapropter, si ego executioni non mando non sum securus, ideo sine intermissione fiat sicuti iubeo : attamen dixit, ne te precipites, sed asporta omnia tua, et quam cito evacua domum tuam ex toto, et repone omnia apud aliquem amicum Christianum, et cum omnia bene disposueris cum tua commoditate discedes.

Ideo qua par erat confusione et lacrimarum copia discessi et redii ad domum nostram, ubi inveni nostros Christianos, et Turcas amicos, omnes in unum congregatos, expectantes exitum negotii, qui cum a longe viderint me venientem flentem et nimis maerore confectum, et cum audierint conclusionem causae ululare ceperunt ad morem Patriae cum clamore indicibile et dolor meus erat supra dolores parturientis Deus est testis. iam sol occiderat, et ideo reassumsi animum, et per duas fere horas ivi, nunc ad hunc tunc ad alium amicum, ut viderem si possibile fuisset aliquid remedium, qui omnes unanimiter dicebant Turcarum mandata esse infallibilia, et unicum remedium esse, ut quam cito executioni mandarem quidquid mihi praeceptum fuerat, quia nos incapaces sumus (dicebant) unum nequidem verbum proferre coram Bascia.

Quapropter redii domum confusus et valde debilis ; eram enim adhuc ieiunus ab altera die ; et vocato nostro diacono Abdalkerimo cum duobus vel tribus aliis devotis, ivimus in Ecclesiam ubi post diluvium lacrimarum recitavimus Littanias Beatissimae Virginis Mariae, et post sub Tuum Praesidium et alias Praeces pene Naufragium fecimus in propriis lacrimis : et Imaginem Reginae Caeli Sanctae Mariae de Remediis Patronae Nostrae ex altari extraximus, una cum aliis Imaginibus Sancti Patris Nostri Eliae Sancte Matris Nostrae Theresiae, et B. P. Nostri Joannis a Cruce cum Imaginibus Sancti Gregorii Illuminatoris et Sancti Ludovici Regis Galliae, et eadem hora nocturna asportavimus illas in domum Coggiae Saffarris, ne die sequenti viderentur et ab infidelibus blasfemarentur. Nescio utrum Rahel ita ploraverit filios suos, sicuti ego illa nocte ploravi Matrem et Patres et Sanctos Meos Deus scit ; post haec denudavimus Ecclesiam ex toto, relicta Cruce et duobus candelabris pro missa celebranda sequenti die, et omnia mobilia ecclesiastica et domestica simul illa nocte collegi ita ut nihil fatiendum remanserit, nisi illas asportare. His peractis facta est Dies.

Dies scilicet decima quinta mensis quae erat feria quinta tertiae hebdomadae Quadragesimae, qua die summo mane venerunt omnes Christiani ad audiendam ultimam, pro tunc Missam, vel potius ad disturbandam lacrimis et ululatibus, qua tandem terminata largitus sum illis Sanctam Dei et Genitricis Mariae Benedictionem, quibus etiam dedi monita salutis, et posthea dedimus locum lacrimis et suspiriis quae spero quod ascenderint usque ad tribunal Dei.

His peractis, asportare feci omnia nostra in Domum Koggiae Saffarris usque ad Portas Cellularum, quo tempore Turcharum et Christianarum aliqui condolebant mecum, et alii movebant capita sua dicentes : quid mali fatiebant hii pauperimi Religiosi, ad quid perditio hec ? alii vero dicebant, Vivat Rex Noster, qui tandem aliquando eiecit, et detruxit Ecclesiam horum Infidelium, hoc enim nomine nos proclamant et sustinemus libenter ad gloriam Nominis Dei.

Ex levante nostrae Ecclesiae est et alia domus nostra : vulgo Caravan Seraii, ubi hospitantur Europei, quando sunt et Christiani Mercatores. Tunc temporis multi Christiani ex Babilone hospitabantur ibi qui eadem nocte alibi secesserunt ; ibi nihil habebam nisi unam grandem Cellam plenam lignorum pro fabrica valoris quinquaginta circiter scutorum, sed quia Alli Bascia promiserat mihi illam nullatenus tangere, hac de causa illa die non asportavi ligna, attamen haec fuit voluntas Dei, quia alias non superasset mihi tempus ad alia magis necessaria providenda, ut videbimus infra Deo Favente : Hac eadem die hora tertia post meridiem clausi ianuam domus ab extra cum clavi ferrea, et ivi ad domum Saffarris ubi cum intrassem et viderim omnes nostras supelectiles ita confusas tali confusione correptus sum, et lacrimarum influvio, quod miror quomodo sustinuerim cum nostris devotis mulieribus et filiolis qui lacrimarum impetu proiiciebant me in profundum desolationis. Hii tamen non obstantibus usque ad vesperas ordinavi in capsis omnia ea que mecum asportare volebam et poteram, quia multa non erant portabilia.

Tunc temporis erat una parvula navis vulgo Terrada, quae proficiscebatur Congum versus, ideo summo mane sequentis diei vocavi ad me Nokadam cui imposui ne discederet absque me, qui ista promisit, et dixit quod infra octo dies infallibiliter erat discessurus. Non cessabam a labore, et omnia ita disponebam sicuti fuissem tunc discessurus ; et ideo nostri Christiani dicebant mihi, ad quid tantus labor ? Deus scit utrum post octo vel quindecim dies discedis necne : attamen interiora mea praenuntiabat mihi quod posthea de facto accidit, quia cum vix quae necessaria erant disposuissem hac eadem die decima sexta Martii post meridiem venit unus ex ministris Bascia qui vocatur Scabandar ad intimandum mihi ut illa eadem hora discederem sine mora aliqua, cui ego, nonne vides Domine mi quod supelectiles domus meae adhuc non collegi in unum ? Quomodo hoc fieri potest ? qui respondit Reverende Pater, ne replices quia ita praeceptum est mihi, qua [propter] ipsemet procuravit mihi unam naviculam pro asportandis mobilibus meis ad navim, et intra spatium unius horae cum strepitu et fletu inacessibili omnium Christianorum fui paratus ad Dei voluntatem exequendam et hoc temporis spatio, dum asportare fatiebam nostra mobilia ad parvulam navem dictus Scabandar petiit a me claves domus nostrae : quia dixit Bascia dicit domum vestram attinet ad Fiscum, cui cum respondissem, quod domum hanc Patres nostri etiam octuaginta ab hinc annis propriis peccuniis emerant :

respondit etiam si Patres vestri emerint : in tali casu omnia bona immobilia cadunt ad fiscum, et ideo fui coactus tradere illi claves domus. Hoc tamen Alli Bascia fecit, ut salvaret nostram Ecclesiam et Domum, quia Daldabanus Magnus Visir iusserat, ut a fundamentis destrueretur, et ideo noster Alli Bascia ne ab aliis ministris taxaretur, declaravit Domum et Ecclesiam pro fisco, quod bene visum et acceptum fuit ab omnibus.

Hiis peractis Scabandar sollicitabat me ut discederem, sed piae harum devotarum mulierum et Puerorum lacrimae non sinebant exequi mandatum qui urgebat, tandem quo par erat cordis dolore ab invicem separati sumus, et ita maestus discessi et serotinis horis perveni ad navem quae discedebat Congum versus octo vel decem post dies.

Sed Deus Optimus Maximus qui non vult mortem peccatoris, sed ut resipiscatur et vivat, quid fecit ? His decem diebus excitavit ex Austro pervalidissimum ventrem, ita ut in portu navis quae erat satis onusta periculum patiebatur, causa quod non potuit velam facere usque ad prefinitum tempus a Patre misericordiarum et totius nostri Populi Consolationis. Hiis igitur diebus continuo veniebant apud me Mercatores Turcae et Christiani cuiuscunque nationis qui omnes egre ferebant hanc Tirranidem, et ego tentabam omnes ut ex illis unus vel alter voluisset perorare pro me apud Alli Bascia, ut possem aliquam moram facere usque ad nova nuntia ex Porta, sed omnes dicebant, quis potest his in casibus perorare pro Patre aut pro filio proprio ? Reverende Pater, dicebant hoc ne cogites quidem ? (Attamen Deus mihi testis est quod non mentior) Hiis non obstantibus cor meum dicebat mihi, quod adhuc non discederem, et nutriebam spem vivam in hoc, quapropter illis diebus non cessavi a fletu et oratione cum ieiunio, et hac in occasione ostendit mihi Deus quantae virtutis sit assidua oratio cum ieiunio et fletu et spe viva, et ideo sit in Eternum Nomen Tuum

Domine Benedictum, iste enim confidenter speravi et non sum confusus.

Post sex dies ascensionis meae in navim die scilicet vigesima secunda Martii unus Christianus detulit mihi unam Epistolam ex Babilone a R. Patre Joanne Baptista Capuccino sequentis tenoris.

Pater Reverende.

Credo quod Redemptor meus vivit : Licet enim per illum tabellarium quem expresse misi ad vestram reverentiam mediantibus viginti scutis quique profectus est de nocte ultima Ramazani, qui erat Nox Dominicae, cum conditione, quod intra octo dies ad vos perveniret, ut defferret vobis illa tristissima nuntia de mandato dato ad destructionem vestrae Ecclesiae vestramque nostram [que] expulsionem a Bassora et Bagdad : spero tamen, quod sive ex benevolentia, sive ex aliis causis nihil vobis sinistri advenerit ex parte vestri Gubernatoris. Omnia erant disposita ad nostrum discussum, mediaque pars nostri oriens exierat foras ; cum Judex, scilicet Cadizi me fecit vocare et sive ex parte ministerii medicinae, sive ex metu dandae ocasionis discordiae inter Portam et Galliam, sive ex subito nuntio (et hoc probabilius) de morte Daldabani, prohibuit nos exire cum Carravana, quod etiam Gubernator sive Bascia confirmavit, et sic remansimus usque ad tempus quod habeamus alia nuntia, Utinam faustiora. Reverendus Pater renatus salutat Patrem vestram, et comendatos nos habeas in vestris sacrifitiis. Vale.

Ex Bagdad 12 Martii 1703.

Vester humilis et obsequens Servus,
F. Joannes Baptista Aurelianensis Cap. Indig.

Haec epistola acuit in me maiorem stimulum non discedendi, et quia nundum venerat nuntium certum de morte

Daldebani Visiri, ideo nimis periculosum erat illam propalare : interea tamen ventus Austrinus magis ac magis insolescebat, et hoc modo Deus confundebat inimicos cum amicorum laetitia innenarabili [*sic*]. Et ecce quomodo Deus Bonus non confundit sperantes in se ; eadem die 23 mensis ante solis occasum rediit in hunc portum Mahamedus Bascia cum sua classe navali quadraginta quatuor Triremium, cum qua ad nihilum reduxerat quosdam Arabes ex stirpe vulgo Mentefek huic civitati validi nocentes, et dum ipsemet transierat prope meam navem, eundem salutavi clamans Turcico idiomate Aman Sultanem, scilicet Patrocinium o Princeps mi, qui valde obstupefactus quo vadis ? ait. Cave ne discedas sed accede aput me : et ipse ivit ad campum suum qui dicitur Menavoi et ego valde nimis laetatus sum, et illico quas potui, ut par erat, gratias egi Deo Meo.

Sequenti die 24ª mensis post Vesperas misit ad me suam feluccam cum quodam Salomone Anglo-Turca medico nostro amicissimo qui detulit me ad Campum, et port solis occasum steti coram Generali nostro Mahamedo Bascia nimis aflictus et dessolatus ex fletu octo dierum continuo, valde misertus est mei et suspirando ait haec sunt Turcarum prodigiosa facta, et cum voluissem manum deosculare (ut moris est) non permisit, sed sedens prope illum narravi ei quid quid acciderat mihi, qui cum audierit omnia dixit : Vivat Deus, et nomen sanctum eius sit in Eternum Benedictum, eo quod non permisit te discedere ante adventum meum, et certo scias quod hic permanebis : Crastina enim die venturus est apud me Alli Bascia cum omnibus magnatibus, et si non concedent te mihi, quid fatiam videbis. Ego cum viderim nostrum Generalem pro me tam bene inclinatum non potui celare nuntium de morte Daldabani Visirii, quod cum audierit dixit Sile Pater (eo quod penitus hanc ignorabat), hanc ait paenitus ignoro, sed utinam verificetur ; ideo post multa colloquia humaniter nimis remisit me ad navem cum praecepto pro Capitaneo navis ne discederet absque sui venia sub poena capitis : et ego remansi cum firma spe remanendi adhuc ad laborandum in hac antiqua Vinea Christi.

Summo mane sequentis diei quae erat vigesima quinta mensis, Dominica Passionis, et in proprio loco Anuntiatio Beatissimae Virginis Mariae Patronae Nostrae Alli Bascia descendit ad Campum cum Magistratu Bassorensi, debebat enim gravia negotia tractare cum Generali Mahamedo Bascia, qui cum sui Imperatoris negotiis bene providerit, nostro etiam cum aequali calore invigilavit, et ita peroravit, ut Bascia, scilicet Alli Bascia, cum consiliariis omnibus in hoc unum convenerint, ut scilicet remanerem in uno oppido usque dum hinc discederet ille Tartarus qui mandatum detulerat ex Porta, et posthea dedisset mihi hospitium in civitate ut ibi expectarem remedium ex nostro legato et eadem die post meridiem Generalis Mahamedus Bascia misit ad me suum chiirurgum Salomonem Anglo-Turcam, cum felucca ut relicta navi cum supelectilibus irem in Baradaiiam apud quemdam Seiid Moisem et ibi residerem per 3 vel 4 dies ; igitur Dominica Passionis versa est mihi in Dominicam Resurectionis [*sic*].

Igitur illi Arabes dederunt mihi pro habitaculo unum stabulum in quo actualiter dormiebant caprae illius oppidi et ibi collocavi omnes supelectiles quas vix capiebat et ibi remansi dormiens super terram : post tres vel quatuor dies quando sperabam ingredi civitatem et ibi aliquando acquiescere, ecce Arabes Turcarum inimici, surexerunt contra Bassoram, quapropter Generalis Mahamedus Bascia illico hinc discessit cum sua classe navali et restitit inimicis, quin immo illos vicit, licet cum morte multorum Turcarum, et quia Arabes sunt (ut ita dicam) innumerabiles ; quaestio duravit a principio Aprilis usque ad finem Septembris et pari ratione, exilium meum, quod erat ad tres, vel quatuor dies, per Divinam Providentiam duravit a vigesima quinta Martii usque ad decimam Octobris ob defectum Procuratoris; quae et qualia passus sim, hoc temporis spatio, Deus scit, qui talia permisit ad sui Nominis Gloriam.

Ideo cum me viderim ab omnibus derelictum disposui animam meam ad Paschalia Festa caelebranda, et ut melius potui praeparavi sacrum altare portabile, ad sacrifitium fatiendum sperans, quod qui nasci dignatus fuerat in stabulo, in similimo etiam dignaretur sacrificari; propterea advocavi unum de filiis Koggiae Saffarris Antonium nomine, et in aurora cum ingenti laetitia sacrum feci, sed nullus de nostris Christianis tentavit accedere propter superfluum timorem, quo omnes correpti fuerant, ne dicam propter frigiditatem, vel duritiem eorum, licet non omnium.

Et secunda feria Paschalis unus noster bonus amicus, licet Mahamedanus Agi Mahamed Ipotecharius, increpavit omnes Christicolas, quia in tanta solemnitate me reliquerint solum, et summo mane colegit quot quot potuit, et secum duxit ad me, qui licet aliqui fuerint lapideo corde, tamen in hac occasione debitum lacrimarum tributum solverunt, quibus cum monita salutis dedissem, noster Amicus Turca corporalem etiam refectionem abundanter ministravit: qui omnes post Vesperas ad propria rediere, et mecum manserunt duo Filii Coggiae Saffarris Petrus, vulgo Matlub, et Antonius nomine, qui non cessabant a lacrimis diu noctuque. illos enim ego prius dilexeram in Domino quorum primus, Petrus nomine, bene callebat scribere, et legere italico idiomate, quique in hoc meo exilio valde mihi profuit. quique suae matris nomine indicavit mihi tristitiam cordis eius, quia non potuerat confiteri et comunicare, ut devote solebat; haec enim Domus Coggiae Saffarris semper fuit ab antiquo valde devota, sed in hac occasione apparuit mater Carmaeli in Arabia, et si hanc non habuissem non sustinuissem, utique ipsa enim omnibus Dominicis diebus mittebat ad me hos duos natos, et bis vel ter in hebdomada, non sine multo incomodo mittebat panem et alia necessaria ad mei, non solum sustentationem sed multoties ad recreationem propter quod laudabam Dominum, quoniam memor eram quomodo Sarephtana mulier vidua ex praecepto Dei sustentaverat Revd: Antistitem Tesbitem, et licet domestici eius (qui ut scriptum est, sunt inimici hominis) studuerint multoties illam minis et inano timore, ab hoc charitatis offitio divertere, attamen nec aquae inanis amoris, nec flumina minarum non potuerunt extinguere Charitatem eius.

Hic notandum censeo, quod cum his in regionibus Christiani sint sub terribili Turcarum iugo, in his occasionibus valde timent, quia multoties evenit quod quando missionarii eiitiuntur, et Ecclesiae destruuntur, illos etiam persequuntur : hac de causa fere omnes Christiani hinc dicesserunt praeter tota domus Coggiae Saffarris et Abdalkerim Diaconus et Abdelrahim qui est cugnatus Saffarris cum filiis et filiabus eius. Hic etiam remansit quidam Coggia nomine Abdelmessihé Babilonensis Nestorianus, Catholicorum inimicus infestissimus, qui cum viderit nostram Ecclesiam destructam et nos expulsos, gaudens gavisus est et dixit, Deo Gratias, quia tandem aliquando liberati sumus ab hac maledicta stirpe Religiosorum Francorum qui paulatim subverterunt populum nostrum, et induxerunt nos ad idolorum culturam, scilicet sacrarum Immaginum [*sic*].

Feria igitur quinta post Pascha habui instinctum a Domino sacrifitium fatiendi, quapropter sub Arabum indumentis non timui relinquere domunculam meam, et solus ire ad civitatem, ut ibi missam facerem, et nostrorum domesticorum confessiones audire, et comunicare ut iubet Sancta Mater Ecclesia. Igitur statimac pervenerim ad domum Coggiae Saffarris, et cum me cognoverint, omnes laverunt pedes meos et manus piis benevolentiae lacrimis, et cum indicaverim illis motivum mei adventus, voluerunt pro me sacrificari, et millies laudaverunt Dominum quoniam bonus quoniam in saeculum Misericordia eius: et ideo omnes probaverunt conscientias suas et post confessionem sacramentalem summo mane in Aurora Panem Caeli dedi eis, et impertita illis Benedictione ante solis ortum discessi ab eis, et redii ad tugurium meum cum innenarabili gaudio ita bonus Deus consolabatur servum suum in tot angustiis indutum.

Die sequenti 14[a] scilicet Aprilis surexerunt Arabes ex Aquilone scilicet ex Babilonis parte, et turmatim ex improviso venerunt circa Bassoram vastantes et destruentes, qua propter sequenti 15[a] mensis Generalis Mahamed Bascia cum quadraginta triremibus et ducentis equitibus obviam prestitit Arabibus. De hoc valde contristatus (?) sum, quia remanseram sine adiutorio et advocato sicuti de facto accidit —attamen quia hebdomada transacta expertus fueram protectionem Angeli Dei, ideo sabato sequentis hebdomadae ivi denuo ad civitatem ut in dominico, summo mane celebrarem et de facto cum prosperitate perveni: sed cum scriptum sit *Inimici hominis Domestici eius*, ante solis occasum nostro Diacono Abdelkerimo domum ingrediente, cum dixissent Patrem adesse, ita iratus conturbavit totam domum, et talia minatus est pauperculae viduae Coggiae Saffarris et eius filio Matlubo quod videatur impossibile creditu. Ego eram supra tectum vulgo Teraziam domus ne quis veniens me videret, et haec omnia egomet audivi, et pro tunc Abdalkerim non venit ad me invisendum et non rediit usque ad horam secundam post solis occasum. Interea Petrus, vulgo Matlub, filius Coggiae Saffarris venit ad me, cui cum dixissem; quid novi Fili mi? ore dissimulans tamen nimis mente turbatus, respondit Bene veneris Pater Mi care; quem cum denuo tentassem ipsemet omnia [mihi] narravit cum grandi cordis maerore, posthea venit miserima mater eius aflicta nimis quae flaens et dolens dicebat. Quid mihi et tibi Vir Dei ? ingressus es ad me ut rememorarentur iniquitates meae et fletu interficeres filium meum ? Abdalkerim enim dixerat, quod si adhuc Pater veniret apud eos, acusasset illos apud Alli Bascia ut nos perderet omnes et Domum. Attamen, cum eis explicuissem quomodo haec est via quae ducit ad vitam valde consolati, et confortati laudaverunt Dominum : Post tres horas venit noster Diaconus, qui nec me valuit videre, et summo mane celebrata missa discessi non amplius rediturus : post mei discessum conquaestus est cum familia Saffarris quia insalutato discesseram, et denuo illam nimis conturbavit.

Tandem aliquando ille Tartarus, qui mandatum Daldabani Visiri contra nos portaverat hinc discessit die 18 Aprilis, ideo post aliquot dies cum Abdalkerim venisset ad me rogavi illum ut vellet dicere nostro Gubernatori, ut staret promissis quia Alli Bascia coram Mahamedo Bascia Generali promiserat ut post discessum Tartari, me recepisset denuo intra menia Civitatis et assignasset mihi unum hospitium. noster Abdalkerim tepide mihi promisit, sed nimis frigide operatus est. Nam non stetit coram Alli Bascia, sed ivit ad Judicem, sive Kadzi, qui quid responderit ei nescio, hoc tantum scio, quod post duos dies noster Diaconus rediit ad me et dixit quod Bascia per secundam personam responderat quod si Pater habeat paratos mille aureos redibit, alias remanebit extra civitatem usque ad nova diplomata Regia. cui respondi huc habitabo usque compleantur dies mei. Igitur ex illa die 22[a] Aprilis dixi haec requies mea voluntas Dei. Sed cum essem solus sine famulo inter Arabes, quorum quisquis me videbat cum tot capsulis et supelectilibus praesumebat apud me multas divitias, ut evitarem peius infortunium, deliberavi illas mittere apud Familiam Coggiae Saffarris : quod consilium cum aperuissem nostro Abdalkerimo, proposuit mihi insuperabiles difficultates ad hoc exequendum, quin immo paericulum confiscationis. Hoc audito, consului ipsum ut acciperet schedulam a Scabandare (qui erat valde meus amicus) ut cum omni securitate possem haec omnia introducere, ad quod etiam respondit quod Scabandar non daret mihi hanc schedulam absque consensu Gubernatoris, ad quem cum dixissem accedere, subiunxit Nolle accedere coram Judice pro hac re, tandem ut paucis me expediam, expresse cognovi quod ipse nolebat me expedire ab hoc incomodo, quo comprehenso per aliam viam direxi negotium Domus Dei cum incredibili cordis mei gaudio, silentio et securitate : In primis enim investigavi Custodem Portae Civitatis quisnam esset ? et cum cognoverim esse quemdam meum bonum amicum, licet Turcam, vocavi illum ad me, qui cum cognoverit paetitionem meam presto se habuit ad illam exequendam, scilicet ne quis ad ianuam civitatis auderet res nostras tangere. De hoc admonui per Epistolam Petrum vulgo Matlubum, filium Coggiae Saffarris, paetens ab eo et a Matre eius, ut vellent haec nostra recipere et custodire, qui gaudentes responderunt, hanc esse illorum intentionem et inclinationem custodire supelectiles Domus Dei, quia ex hoc sperabant reedificationem illius quam sumopere expetebant. Hoc audito, Invocato Nomine Domini et Angeli Custodis Patrocinio per Arabes conrusticos meos in spatio viginti dierum paulatim omnia nostra introduxi in domum Coggiae Saffarris cuius filio Matlubo quotidie scribebam quidquid mittebam, et ipse mihi rescribebat fideliter recepisse, quae adnotata erant, et ego sic quotidie gaudebam, et hoc bello modo evasi a periculo, et omnium fallatias vel avaritias, vel secundas intentiones fefelli : Diaconus noster cum haec audierit, et simul extupuerit, laudavit opus et non ausus est, nec unum verbum solvere, nec contra Patrem nec contra Domesticos, ipse enim in tantum renuebat, quia inaniter timebat ut dictum est superius.

Die 4[a] Aprilis expedieram unum Tabellarium pro Hiispahano ad notificandum nostro Reverendo Patri Vicario Provinciali statum meum, sed cum per viam caesus et spoliatus fuerit ab Arabibus, die 28 eíusdem mensis rediit cum meis epistolis, quapropter die 2[a] Maii denuo scripsi superiori nostro nec non nostris Patribus Sirasii morantibus, et per omnem viam quinquies replicavi easdem epistolas. Interea remansi solus expectans consolationem a Domino quae contigit mihi in felici adventu ex Hiispahano Reverendi Patris Petri de Alcantara qui post Capitulum Provinciale ibi celebratum missus fuerat in sotium mihi post tres annos cum dimidio dessolatae solitudinis. Igitur dictus R. Pater venit huc die decima Julii, qui cum directo tramite ierit in domum nostram, et ingrediens Ecclesiam ibi viderit sex equos alligatos, et Turchas Baccantes obstupescens, et factum ignorans affatus est illis. Pater ubi nam est? qui ridentes et gaudentes dixerunt: quem tu quaeris a multo tempore eiecimus foras: et ita miserimus Pater confusus discessit et ivit in domum Coggiae Saffarris, et ibi cum venerit noster Diaconus Abdalkerim et notum ei fecerit omnia, et exilium meum flevit ut par erat, et cum sero factum esset, illa nocte apud illos remansit, attamen post solis occasum Abdalkerim ex comissione R. Patris Petri stetit coram Bascia, ut hac ocasione audiret quid sentiret de nobis, qui cum ei narasset alium Patrem mihi in sotium venisse ex Hiispahano; Bascia bene venerit, respondit, et dixit, ut ille pater remaneret apud ipsum, et post duo dies vocavisset et me et dedisset nobis Domum aliquam ad habitandum et praecepit Abdalkerimo, ut hanc suam voluntatem mihi notificaret ad mei solatium.

Die ergo sequenti quae erat 11[a] Julii stabam sedens [*sic*] ad ripam Eufratis, legens sacram scripturam, ecce ex improviso video nostrum Petrum, vulgo Matlubum filium Coggiae Saffarris ad me venientem precipito cursu, qui gaudens clamabat Pater mi, Pater mi laetare, venit enim Reverendus Pater Petrus de Alcantara ex Hiispahano, et hunc (!) venit ad te invisendum; et dum haec loquebatur ecce aparuit Reverendus Pater vestitus more Persarum cum nostro Abdalkerimo cui cum lautum lacrimarum tributum tribuerim vix post notabile tempus potui ei dicere Bene veneris: et statim ac audivi quomodo Alli Bascia dixerat quod Pater Petrus remaneret apud Abdalkerimum dixi: sit Nomen Domini Benedictum, hoc enim erat desiderium meum, quod scilicet mei Christiani non remanerent absque auxiliis spiritualibus, sperans hoc modo faciliorem facere nostram restahabilitionem: sed quando Abdalkerim voluit discedere, cum ei dixissem ut secum conduceret Reverendum Patrem Petrum, se excusavit, dicens quod si dictus Pater non venisset ad me invisendum, fecisset utique, sed ex quo semel exivit extra Civitatem nolebat exponere personam propriam et Domum ad aliquod infortunium, et ita decepit miserimum Patrem mecum: attamen promisit ire apud Bascia ut expiaret suam voluntatem. Ut Reverendus Pater Petrus cognovit astutiam serpentis sponte maluit aput me remanere cum famulo, quem secum conduxerat ex Hiispahano, quam convivere cum simili amico. Abdalkerim discessit et post duos dies rediit ad nos dicens, quod cum Alli Bascia interogasset Vester hospes (Abdalkerim) ubi nam est? et dixisset aput me tunc dixit bene fecit ibi ambo remaneant usque ad tempus, et hoc modo lavit manus suas et nos remansimus cantantes et laudantes Dominum et quotidie celebrantes.

Die ultima Augusti appulit huc ex Hiispahano quidam Tabellarius cum epistolis pro uno mercatore Armaeno, quique habebat litteras pro nobis a Rev. Patre Nostro Basilio Vicario Provinciali qui cum audierit nostram infortuniam, praecipiebat nobis ut venditis vendibilibus sine mora velam faceremus versus Bander Abbazzi: attamen cum ex una parte Alli Bascia daret nobis spem reintroducendi nos in brevi, et ex alia parte littera Rev. Patris Nostri Basilii admitteret Epichei[r]am quia erat in supositione totalis destructionis; et quia precipue praecipiebat nobis pro tunc impossibilia, ideo decrevimus suspendere executionem cum patientia; attamen hac data occasione tentavi oportune et importune habere audientiam ab Alli Bascia, quam perhumaniter nimis contra expectationem mihi concessit.

Igitur die 5ª Septembris accessivi Abdelkerimum, et cum ipso (licet contradicente et murmurante) ascendi parvulam quendam naviculam, et ivi ad Civitatem, et hospitatus sum aput familiam Coggiae Saffarris, cum illius benedictae domus incredibili laetitia, et serotinis horis cum nostro diacono steti coram Bascia, qui ultra modum civiliter me recepit, et post multas confabulationes exposui ei incomoditates quas passus fueram, et adhuc patiebamur extra civitatem inter Arabes et impossibilitatem nostram ultra resistendi, et ordinem habitum a nostro superiore pergendi Hiispahanum, quapropter paetebam veniam manendi in civitatem, et vendendi nostras pauperes supelectiles, quia nobis ita praeceptum fuerat. quo audito Bascia in primis absolute negavit mihi licentiam vendendi discedendique usque dum venirent aliqua nuntia ex Constantinopoli et dixit; valde nimis obstupui, quomodo usque adhuc nolueris intrare in civitatem cum multoties miserim tibi permissionem intrandi, et habitandi, sicuti (dixit) Abdalkerim vester Torcimanus est testis. deinde dixit nunc non potes hinc discedere usque dum veniant nuntia ex Porta, quia ego scripsi pro vestra restahabilitione et notificavi superioribus nostris diplomata quae vos habetis, attamen sicuti dixi mea intentio fuit ut venires et habitares in civitate ubicunque volueris extra Domum nostram: ut testis est Abdelkerim Vester. Noster Diaconus ut audivit hos sermones, et viderit me capientem et ut cognoverit me turbatum vitam suam pro nihilo reputavit, et nihil aliud timebat, nisi quod responderem pro Bascia nunquam notificavisse mihi hanc benignam nostri Principis Voluntatem, quin immo continuo contrariam mihi praedicare: sciebat enim Abdalkerim, quod si ego hoc dixissem, absque mora aliqua iustam paenam portasset, et capitalem: quapropter conabatur divertere sermones meos, cui tandem Lusitano idiomate dixi: ne timeas: condonet tibi Deus. Bascia ut audivit me loquentem cum Abdalkerimo Lusitano idiomate interogavit me quid ei dixerim (secum enim loquebar Turcice) cui respondi, Laudavi Deum pro Benignitate vestra O Princeps Mi, qui denuo reasumpsit et dixit loquens cum Abdalkerimo: ignoro qua de causa hic noster Pater maluerit habitare cum Arabibus in deserto, quam vobiscum in civitate. Fortasse non est de vobis satisfactus? cui subridens respondit Princeps haec non est causa, sed fortasse erubuit habitare extra Domum suam. Dum haec confabularemur venit unus ex familiaribus Bascia, qui anuntiavit, quomodo aparuerat una navis Angla, quae veniebat ex Bander Abbazzi, et post duos dies erat in Portum perventum. Valde gavisi sumus de hoc nuntio ad invicem ut moris est. et Bascia mihi praecepit presente Abdalkerimo, ut cum capitaneus Anglus pervenisset in Portum mitterem Torcimanum Abdalkerimum, qui nomine Capitanei in publico Consilio diceret pro Bascia quod ipse non descenderet de navi, nec asportaret mercaturas vendendas nisi concederet ut secum veniret Pater qui fuerit expulsus (et nobis dixit), hoc fatio ut neque Cadzi neque Populus habeant quid dicere contra me, nec contra Patrem et haec est, ut idem oriebat optima occasio introducendi te in civitatem, quin immo restituendi tibi et Domum et Ecclesiam absque diplomatibus Regiis, et hoc modo remisit me in bona spe. Dum descendebam Scalam Praetoriae Domus conversus ad Abdelkerimum dixi: Nunc cognovi hominem, et quare Christus Magister noster dixerit Cavete Ab Hominibus. Conduxit me usque ad Domum Saffarris, erat enim tertia hora nostri, nec unum verbum locutus est et summo mane diei sequentis celebrata missa pro gratiarum actione, redii ad sotium meum Reverendum Patrem meum, qui mecum gratias agens omnipotenti Deo nimis gavisus est de tam felici legatione peracta, et de felicissimo eventu.

Die sequenti quae erat Octava Mensis Septembris apparuit navis Angla a Conge, ad quam statim in parvula Arabum navicula cucurri, et postquam salutaverim capitaneum Dominum Henricum Wellem Anglum, cuique notificassem statum nostrum et pro nunc petitionem nostram ex nomine Gubernatoris, valde compassus est, et simul gavisus de bona occasione praestandi nobis auxilium in consimili angustia, et ideo promptum se exibuit ad nostram utilitatem, cui imposui, ut faceret quidquid noster Torcimanus diceret ei, et post meridiem redii ad opidum meum et vocavi nostrum Diaconum, et omnia narravi sicuti cum capitaneo concluseram.

Die altera quae erat nona mensis summo mane navis Angla pervenit ad portum et dedit fundum, et noster Torcimanus subito conduxit capitaneum coram Alli Bascia quem cum viderit sine Patre, quemque cum audierit absque ulla petitione, ita nobiscum iratus est, ut amplius noluerit nos auscultare, ipse enim arbitratus est propter nostram superbiam nolle intrare civitatem, et ita hac et secunda vice Judas propter sui avaritiam tradidit nos propter avaritiam dixi, quia in tantum noster diaconus non curabat de nobis, ut venientibus navibus acquireret sibi nomen grande apud Francos et Turcas, et ambos deciperet data occasione, viderat enim quod in occasione Anglorum et Lusitanorum qui meo tempore huc apulerent non permisserim illos decipi sicuti volebant Turcae et nostri Christiani mercatores : et hanc secundam et malevolam intentionem ipsemet Alli Bascia et Mahamedus Bascia explicuerunt mihi dicentes, quod noster Torcimanus et Mercatores Christiani accusaverant me de hoc crimine, nempe quod accedentibus huc Europeis, nimis invigilabam ad eorum negotia augmentanda et expedienda : sed Deo favente, ex hac accusatione ob iustitiam Gubernatorum horum lucidior evasi. Sed ecce quomodo Deus disponit omnia suaviter et mirabiliter. Die enim veniente, quae erat decima mensis ex improviso rediit noster Mahamedus Bascia ex Aquilone cum classe sua navali quia milites noluerunt amplius bellare cum Arabibus valde noxiis, et volebant stipendia sua, ut dicebant ; sed ob aliud motivum venerant ; et hoc erat, quod Mahamedus Bascia factus fuerat Gubernator Civitatis, ut paulo post vidimus. igitur die sequenti serotinis horis ivi ad visitandum illum, qui cum me viderit, et audierit me morantem adhuc extra urbem, valde opstupuit : attamen dixit : Reverende Pater. sustine adhuc modicum, et Deus alleviabit te a tantis miseriis, et nimis civiliter dimisit me cum viva spe propinquae redemptionis.

Interea die *13* huius mensis appulit huc ex Congo una navis Maura ex Suratte, sed erat gubernata a quodam Capitaneo Gallo nomine Mr Pierre Branscié, qui statim quaesivit descendere in nostra Domum, sed cum noster Turcimanus narasset ei nostra infortunia et locum nostrum, statim ad nos venit qui nobiscum flevit et adoravit Arcana Dei : et cum cognoverim esse iuvenem satis expertem et generosum statim deliberavi hoc uti medio, vel ad nostrum ingressum, vel ad nostram libertatem obtinendam : quapropter die decima quinta mensis conduxi dictum capitaneum navis ad nostrum Generalem Mahamedem Bascia, et, ut dixi, cum esset juvenis satis nobilis ; fuit mecum valde honoratus, qui post multa colloquia huiuscemodi legationem fecit nomine Illustrissimi Domini Directoris Magistri Alouisii de Pilavoine—

Serenissime Princeps : cum Illustrissimus Dominus Director Generalis Regiae Sotietatis Galliae Dominus Alouisius de Pilavoine, qui Regis nostri vices gerit in Portu Suratti audierit ab hoc viro religioso et Regis nostri Ministro, quomodo expulsus fuerit ab hac civitate ex spetiali mandato Daldabani Magni Visiri, et cum hoc visum fuerit ei impossibile propter Capitulationes factas, et iuramento confirmatas a Sultano Mahamedo Quarto inter Portam et Galliam: ideo misit me ad judicandam veritatem facti: et cum hic R. Pater scripserit, mandatum Daldabani intimatum fuisse contra Patres et Ecclesias Francorum et executioni mandatum, nequit percipere, quomodo stantibus dictis capitulationibus potuerit vigere: tamen hoc dato et non concesso: cum hic R. Pater sit simul et Consul pro nostra Natione Gallica Noster Director Generalis non potest credere hanc qualitatem vos ignorare: Sed ex alia parte, cum optime sciat Religiosos nostros non mentiri, ideo in hoc bivio, comisit mihi ut si res ita se habet (ut de facto fuit et est ;) mecum conducam Reverendum Patrem extra confinia Bassorae si ex benevolentia Gubernatoris restituere nequeam in pristinum statum nostrum consulem; quia in ordine ad offitia Ecclesiastica persolvenda ipse providebit cum Porta; et cum Reverendus hic Pater notificaverit mihi vestram in eum clementiam ad eandem tutius prudentiusque iudicavi confugere et tibi Invictissime Princeps hanc causam revelare &c.

Hoc audito: Generalis Mahamedus Bascia pergratam nimis habuit hanc nostri Generalis Directoris libertatem, et condemnavit Daldabani mandatum executionemque illius, et iussit mihi conducere hunc nostrum legatum coram Alli Bascia, ut viderem quid responderet. ideo eadem hora directo tramite me contuli in domum Koggiae Saffarris aput Dominum Capitaneum Wellem Anglum, qui nos recepit cum ingenti gaudio. Hic notandum iudico, quod tam Alli Bascia, quam Mahamedus Bascia habebant pro certo mutationem gubernii, quam expectabant de die in diem, et hac de causa Mahamedus Bascia redierat cum sua classe navali, attamen nundum advenerant legati : hac de causa cum misissem nostrum Torcimanum ad postulandam audientiam ab Alli Bascia, ab eadem negativam habuit conclusionem, dicens quod absque expressa venia Imperatoris non poterat, nec me audire, nec me recipere ad audientiam suam. Ego ut audivi hanc insolitam sed praevisam responsionem, Die sequenti ivi cum Domino Branscié ad nostrum Mahamedem Bascia cui cum notificaverim quidquid nobis acciderat subridens dixit : Alli Bascia penetravit finem gubernii sui, et ideo remisit vos ad me : igitur, dixit, R. Pater expecta adhuc modicum tempus, et non tardabit consolatio vestra ; et ita laetus redii ad Tugurium meum, ubi sotius meus Reverendus Pater Petrus de Alcantara impatienter expectabat exitum nostrae adinventae legationis, ita Dominus Mr Branscié rediit ad navem, et nos illa nocte cantavimus Domino canticum novum laudantes Dominum quoniam bonus, quoniam in saeculum misericordia eius.

Et ecce de facto misericordia eius : Die enim vigesima secunda huius mensis Septembris venerunt duo Eunuchi ex Constantinopoli cum ingenti pumpa, qui detulerunt diplomata Regia pro Alli Bascia, ut iret ad gubernium Babilonis, et pro Mahamede Bascia Generali pro gubernio Civitatis Bassorae : pro quorum adventu multas (licet exiles) egimus gratias D. O. M. quoniam bonus, quoniam in saeculum misericordia eius, et die sequenti vigesima tertia mensis Vespertinis horis ivi solus ad campum ut congratulationis offitia praestarem nostro novo Gubernatori quem cum solum et ab omni cura expeditum repererim, et de more salutaverim et felicitatem praedixerim, laetus nimis dixit : Sit Nomen Domini Benedictum. Reverende Pater adhuc ne timeas quia post discessum Alli Bascia et horum Eunuchorum exitum concedam tibi ut in civitate resideas in aliqua locata domo sub titulo Consulis Nationis Gallicae usque dum veniant nova mandata pro Ecclesia vestra : Quam ecclesiam domumque vestram non possum tibi restituere sine gravi scandalo et mei paericulo, attamen Deus Clemens concedet tibi nova diplomata a nostro Rege, et novissima erunt meliora prioribus, et sic laetum me dimisit.

Interea Alli Bascia disponebat omnia ad sui exitum, et ideo die vigesima septima huius mensis denuo steti coram nostro Mahamede Bascia, qui me presente cum audierit quod Alli Bascia voluerit suspendere suum exitum ad aliquot dies : iratus nimis Mahamedus Bascia illa eadem hora intimavit offitialibus, et militibus suis ut disponerent omnia ad publicum ingressum ; et ideo vespertinis horis, ut vidi omnia parata, replicavi instantias meas nostro Gubernatori. qui respondit Ne timeas Pater quia per caput meum promitto tibi, quod post ingressum meum vocabo te, et me praesente ascendit feluccam suam, et cum grandi pumpa intravit Civitatem ex improviso, quod cum Alli Bascia audierit, per aliam viam cum militibus suis exiit et ivit ad Mokamum, ut moris est, ad ripam fluminis et die sequenti transfretavit Eufratem cum equitibus suis, qui erant ad numerum sex millia ut proficisceretur Babiloniam versus.

Hic ad Dei Omnipotentis Gloriam, qui est Pater Luminum notandum iudico, quod accidit mihi in hoc meo exilio teste reverendo Patre Petro de Alcantara dilectissimo sotio meo. Igitur sciendum venit, quod ab exordio exilii mei in oppido Baradaiia super omnia aplicui me ad lectionem sacrae scripturae incipiens a Principio per totum ; taliter quod die decima Julii quando scilicet venit Rev. Pater Petrus de Alcantara ex Hiispahano actualiter legebam librum Patientissimi Job et a prima die, qua incepi legere librum Genesis usque ad ultimum interiora mea quodammodo dicebant, quod post lectionem totalem Sacrae Bibliae erat mihi venturum bonum nontium et liberari ab illo exilio, et ita frequens erat haec interna loquela cordis, quod si ob aliquam causam, una vel altera die negligeram sanctam lectionem sentiebam confusionem magnam : sicuti si quis [diceret] mihi culpam non esse, nisi meam : et quamvis ab initio parvi facerem hanc sanctam sugestionem, attamen post aliquos dies serius attendebam mihi ipsi, ita ut post adventum sotii mei cum per aliquot dies non incubuissem solitae lectioni, ob laetitiam adventus Patris nostri, haec laetitia semper miscebatur hoc conscientiae tintillo, et ideo revelavi hoc scrupulum nostro sotio, qui prudenter subridens, dixit ad hoc non esse scrupolose attendendum. Nihilominus cum et ipsemet diceret hac sancta lectione nil utilius esse, reasumsi lectionem meam cum ipso, et hanc quotidie, et erat nobis non tam iucundum quam utile exercitium.

Igitur quando Mahamedus Bascia intravit Civitatem remanserat nobis legendum sanctum Joannis Evangelium, cum sua Apocalipsi, quos libros duodecim dierum spatio perlegimus, et die nona Octobris hora circiter nona ante meridiem finem dedimus huic Sanctae Lectioni, et deosculato Libro, et Litaniis Beatae Mariae Virginis cum Sub tuum Praesidium recitatis diximus ad invicem ; Utinam Deus det nobis vota nostra : et dum diximus Amen eodem instanti aparuit Abdalkerim, quem postquam salutaverimus de more, interogavi [*sic*] quodnam nuntium nobis afferet, qui dixit : Mahamedus Bascia salutat R. R. vestras et simul tibi Reverende Pater imponit, ut extendere fatias petitiones vestras in formam memorialis vulgo Arzaha, scilicet ut Consul Nationis Galliae possit denuo residere in Civitate Bassorae in aliqua locata domo usque dum veniant diplomata Regia ex Porta pro vestra Ecclesia et Domo, et iubet quod hodie personaliter exibeas. Ecce finis lectionis tam sanctae et ideo sit in Eternum Nomen Domini benedictum.

Igitur statim volui assotiari cum Abdalkerimo, et secum ire ad civitatem sed ipse subiunxit. Reverende Pater verum est quod heri Mahamedus Bascia iussit mihi venire ad vos et haec anuntiare. Attamen hac nocte audita et expansa est vox, quod Alli Bascia denuo redit ad gubernium Bassorae, quapropter bonum, quin immo melius securiusque esset suspendere hoc negotium per aliquot dies. Ut audivi hanc frigiditatem nostri inexpertis Consiliarii, qui adhuc nescivit meliorem partem esse possidentis, dixi optime loqueris. tu vade, et post aliquos dies veniam et ego, interea videbimus. ille ascendit equum et ivit et ego sine mora locavi unam parvulam naviculam et citius illo perveni ad civitatem, et ut audivi hoc verbum de facto esse verum statim advocavi unum secretarium, qui Turcico idiomate extendit paetitiones meas in formam Arzaha ; interea aparuit noster Abdalkerim, qui obstupescens de meo adventu tam celeri timuit et siluit.

De facto verum erat quod Alli Bascia voluit redire, et ad hoc remiserat partem suorum militum cum suo secretario ad Mahamedem Bascia, ut renuntiaret gubernium, quia cum in Constantinopoli deposuissent Sultanum Mustaffa et in eius locum eligissent Fratrem eius Sultanum Ahamedem venerat novus legatus expressus ad hoc ut omnes Gubernatores remanerent in suum locum usque ad nova diplomata novi Regis. sed cum Mahamedus Bascia iam pugnasset, voluit suum ius defendere et ideo remisit secretarium missum ab Alli Bascia cum improperiis, et minis si adhuc tentasset venire et praeparavit se ad pugnam casu quo Alli Bascia voluisset vim facere, quo viso progressus est Babiloniam, ubi posteaquam pervenerit, ibi invenit legatum qui detulerat diplomata novi Regis pro Gubernio Babilonis. Attamen his non obstantibus signo sanctae crucis munitus steti coram nostro Mahamede Bascia, cui statim porrexi memoriale legendum, quo lecto dixit Fiat iuxta petitia. et per secretarium suum proprio munivit sigillo, traditque mihi dicens : Ora pro me, et posthea denuo te videbimus, et paucis verbis expedivit me, quia erat rugiens ut leo propter dicta, et ita deosculata eius manu redii in domum Koggiae Saffarris apud Capitaneum Anglum Dominum Henricum Wellem cum laetitia innenarabili omnium amicorum, et cum incredibili dolo [*sic*] adversariorum ad Gloriam Dei Omnipotentis qui scit confringere tela inimicorum et non confundit sperantes in se.

Suplicatio praesentata Mahamedo Bascia rehabitandi Bassoram sub titulo Consulis Galliae.

Cuius haec est interpretatio :

Ditissime et Felicissime et Clementissime Princeps Excelentia vestra sit incolumis : Nos servi vestri : Patres Nationis Gallicae nunc in Teritorio Seragiensi morantes humiliter petimus ut Excellentia Vestra O Princeps Mi nobis licentiam dones residendi in Bassoram sub titulo Consulis Galliae iuxta diplomata nostra : et hoc denuo petimus Clementiam tuam O Princeps Invictissime.

Ad hanc nostram paetitionem respondit :

Huic Praesenti Gallorum Consuli residendi in Bassoram veniam dedi, et nemo contendere praesumat, dixi : Datum die 9 Octobris 1703 ad Computum Turcharum 1115.

Locus Sigilli.

Hanc paetitionem feci, ipso annuente, et ita dictande quia cum vidisset nostra diplomata Regia ipsemet obstupuit et saluare nos voluit. Illa igitur nocte dormivi gaudens aput Capitaneum Wellem Anglum, quem cum rogaverim ut vellet nos recipere in suum hospitium per aliquot dies, perhumaniter exibuit mihi totam domum, quin immo valde gavisus est de nostra sotietate : Quapropter summo mane sequentis diei quae erat decima Octobris locavi unam parvulam naviculam et ivi Baradaiiam ubi meus sotius expectabat bona nuntia, quae cum audierit fautissima mecum laudavit Dominum et congregatis nostris rebus in unum, non sine magno nostrorum Arabum flaetu discessimus et ante solis occasum pervenimus cum ingenti gaudio ad domum Koggiae Saffarris aput nostrum Dominum Capitaneum Wellem Anglum qui comodiorem nobilioremque partem domus ab ipso locatae nobis preparaverat.

Illico post meum adventum non neglexi assistere negotiis nostri Benefactoris Angli, quae erant valde intricata propter inexperientiam loci, et ut ipsemet confessus est millies, vidit necessitatem assistentiae meae et ideo quotidie magis ac magis nobis favebat. Post paucos dies, ut vidi capitaneum expeditum a suis negotiis nos ambo, scilicet R. P. Petrus de Alcanthara et ego consilium fecimus quid esset agendum, quia ex una parte R. P. Noster Basilius Vicarius Provincialis scripserat nobis ut absolute iremus in Bander Abbazzi, et ex alia habebamus non solum indulgentiam a nostro Bascia residendi quin immo expressam prohibitionem discedendi; ideo determinavimus ut unus iret, et alter remaneret, sed pro maiori securitate decrevimus cum progrediente mittere omnes supelectiles asportabiles huius residentiae in Bander Abbazzi cum hac comoditate huius boni Capitanei Angli: ideo post aliquot dies aperui hoc secretum nostro Mahamedo Bascia, sine cuius licentia nihil poteramus resolvere. Qui ut audivit resolutionem nostram dixit: si vis sotium mittere, non contradico, est enim prudens praecautio, attamen volo ut tu resideas usque ad nova nuntia, et in hoc Mahamedus Bascia confregit consilium meum, volebam enim ego abire et sumopere cupiebam Arabiam relinquere; attamen ex alia parte cognoscebam sotium meum, qui ignorabat linguam Turcicam, impotentem ad hoc grave negotium, ideo cognita voluntate Dei dixi haec requies mea, et determinavi mittere R. Patrem, et solus remanere ad perfitiendum opus, ad quod praedestinavit me Deus per piissimam misericordiam suam.

Igitur R. P. Petrus de Alcanthara die 12 Novembris huius anni hinc discessit cum Capitaneo Anglo et secum asportavit omnes supelectiles huius nostrae Residentiae sicuti patet ab inventario ab eodem mecum supscripto quod servatur in Archivio nostro cum aliis libris computuum et scripturis, et secessit in Bander Abazzi, sicuti scripserat nobis Rev. Noster Pater Vicarius Provincialis: aput me remanserunt aliqua mobilia inutilia scilicet omnes ianuae nostrae domus, scamna, et his similia, quae occupabant cum aliis rebus inutilibus totam unam Domum quam ideo locavi ut ibi habitarem: quae domus attinebat ad uxorem deffuncti Coggiae Saffarris: sed post octo dies cum surexisset quidam Turca mercator creditor dicti Coggiae Saffarris et pro sua peccunia voluerit occupare Domum grandem Saffarris. Haec domus parvula fuit suae Dominae necessaria; ideo nimio tedio affectus propter aliam Domum inveniendam, et locandam et propter expensas inutiles, pro asportandis nostris rebus inutilibus steti coram Mahamedo Bascia cui petii nostrum Caravan Seraii, ut ibi habitarem, qui respondit mihi, prudenterque dixit: Reverende Pater altera die intrasti civitatem post octo menses, et nunc non potes sustinere adhuc modicum? Patientiam habe in me, et quidquid potero dabo tibi. ex hac responsione concepi meliorem spem rehabitandi nostram domum quam tunc occupabat quidam offitialis Turcha, qui Deo ita disponente cum post paucos dies vinum bibisset contra legem Mahametanorum, et rixas suscitasset cum quodam alio capitaneo, captus est et incarceratus cum omnibus servis suis, quod statim ac audierim cucurri et clausi ianuam nostri Caravan Seraii et sequenti die, quae erat vigesima quinta mensis consecrata Divae Catharinae denuo steti coram Mahamedo Bascia cui cum exposuissem quomodo ille mercator Turca urgeret supra domum Coggiae Saffarris, ut vidit angustias meas, tandem dixit: In nomine Domini do tibi licentiam ut eas, et habites tuum Caravan Seraii cum conditione tamen ut claudas omnes vias et portas quae corespondent [*sic*] ecclesiae, ita ut nullus poenitus auditus sit ad ecclesiam et ibi habita usque dum Deus aliud provideat, et ita deosculata eius manu laetus discessi. sed statim feci reflexionem ad instabilitatem Turcharum, qui de facili mutantur, ideo iudicavi prius obtinendam esse licentiam in scriptis, quapropter ut cito me expedirem emi unum vulgo Attlas ex serico, et praesentavi illud Divan Affendi scilicet Secretario in munusculum, ut mihi extenderet in scripto unum memoriale Mahamedo Bascia praesentandum, ut scilicet Gallorum

Consul possit habitare Gallorum Domum Ecclesiae adiacentem absque eo quod aliquis possit illum molestare. Secretarius, ut vidit foliam viridem (ut ipsi dicunt, scilicet munusculum) statim extendit mihi unum memoriale, et propria manu conscripsit, mecumque eadem hora detulit ad Mahamedem Bascia, qui ut me vidit stupens dixit. Quid novi accidit tibi Reverende Pater, cui cum praesentaverim memoriale legendum ipsumque legerit, subridens dixit : Pater Mi hoc sigillum non est tibi necessarium ; quis enim nocebit tibi ? ne timeas, cui ego ; Princeps mi mortales sumus, et varietati subiecti dixi. Deus det tibi prosperitatem dixit, non enim dormis ad tua negotia et ita oportet esse, et iussit secretario ut suo nomine subscriberet, deinde ipsemet suo proprio sigillo munivit et tradidit illud mihi dicens Vade in pace, et ora pro me.

Suplicatio praesentata Mahamedo Bascia
pro licentia rehabitandi nostrum
Caravan Seraii sub nomine
Consulis Galliae.

Concessio

Locus sigilli

172

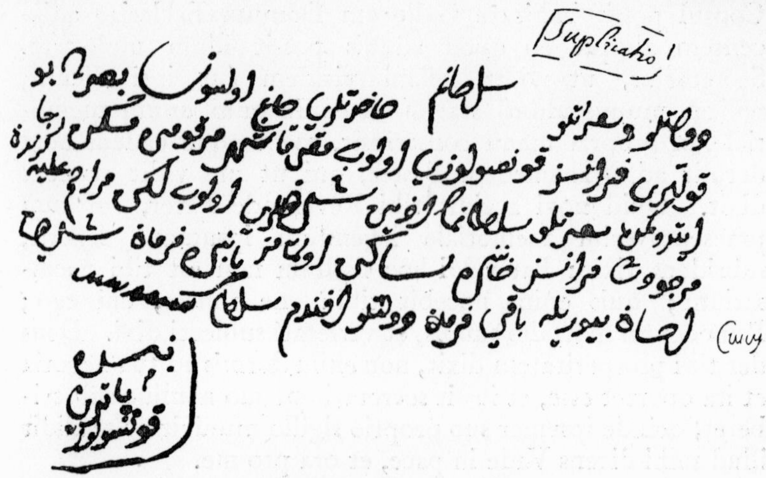

Cuius haec est interpretatio :

Ditissime ac Felicissime Princeps Mi Excelentia vestra sit incolumis ; Gallorum Consul et servus tuus cum petierit et a Clementia Vestra obtinuerit rehabitandi Bassoram iuxta Capitulationes nostras nunc Generose Princeps denuo a te petit, ut possit habitare suum Karavan Seraii, absque eo quod aliquis perturbare valeat et haec liberalitas erit magnificentiae tuae signum &c.

Ad hanc paetitionem ipse respondit concedendo dicens Igitur Gallorum Consul ut habitet suum Karavan Seraii, et nemo audeat perturbare iussi. Datum die 25 Novembris 1703 et iuxta Turcharum computum 1115.

Locus Sigilli.

Ideo die sequenti quae erat Vigesima sexta Novembris intravi nostram domum, et per quindecim dierum circulem cum multis operariis mundare curavi ab immunditiis et reparare ab imminentibus ruuinis, ut possem pro interim habitare. Post haec confidenter et absque ullo timore incepi denuo celebrare, et licet ab initio nostri Christiani timerent, tamen caeperunt venire omnibus diebus Dominicis summo mane, ita ut ante solis ortum discederent, ne daremus murmurationi locum.

Die quinta Decembris apulit huc una navis Maura ex Congo nomine Salamatras, cuius capitaneus erat Anglus nomine Joannes Semikins, qui eadem nocte mortuus est, et die sequenti sepelivi in nostro Caemeterio Aiissa Ebben Mariam prope alios Anglos et Armaenos. Hoc tempore noster Mahamedus Bascia, nescio quomodo, corruptus a suis ministris terribilis nimium evaserat contra cives, et ideo omnes, precipue pauperes plorabant sub tali iugo, et paetebant a Domino Deo vindictam, et ideo de decima octava eiusdem mensis hora noctis quarta terra tremuit terribiliter per tres vices ita ut credebamus absolvi omnes, attamen Deo favente, et miserente stetit absque laesione notabili ; et cum die sequenti steterim coram Mahamede Bascia vidi illum valde turbatum, et cum quaesivit a me quid vellet hic terrae motus indicare : cum Christiana libertate, dixi, Princeps Mi. Clamores et flaetus Pauperum pervenerunt ad Tribunal Dei. quo audito convertit se ad quemdam Kassem Agha qui erat Auctor et Minister Tirranidis, et dixit : Infidele audis ne quid dicit hic R. Pater, profecto verum dicit, et ideo satis est. humaniterque procede, et si quid iniuste acepisti redde quam cito ne Deus irascatur nobiscum ; sed minister subridens dixit : Hic Pater ita loquitur, quia et ipse timet ; cur ? si timerem non ita locutus essem. ab hac die Mahamedus Bascia incidit in quandam malenconiam ob quandam in somnio habitam visionem, quam mihi narravit sic. Visum est mihi vidisse quemdam senem terribilis aspectus ad me venisse et a somno excitasse, quem cum viderim tremui et expavi, et dixit mihi : Mahamed Bascia, quod facis ? et ego tremens volebam vocare meos, sed non poteram pre nimio timore ; et ecce venerunt duo

Juvenes, veluti gigantes cum fustibus et pugionibus quibus ille senex dixit, percutite hunc Tirannum ; cui cum dixissem Aman, Juba, scilicet Misericordia, Paenitentia, dixit mihi, misericordiam habebis, si vere paenitentiam egeris, Videbo te, et disparuerunt omnes, et statim e somno surexi absque viribus, et maestus usque nunc. Quid sibi velint haec indica mihi doctissime Pater, dixit. Cui ego cum sincera claritate et Christiana libertate, explicui, ut potui, erant enim manifesta opera eius vere Tiranica. Ipse ut audivit explicationem meam, placuit ei, vel saltem dixit placuisse, sed ait volo et alios expositores audire et humaniter me remisit.

Ideo vocavit ad se quemdam magum Adulatorem, qui ut sibi acquireret gratiam Principis nec non praemium pingue omnimodo contrariam dedit lectionem, scilicet quod inimici eius hoc facere potuerint per artem magicam, ut diverterent eum ad iustitiam exequendam, et ideo hanc sententiam secutus evasit peior priore ; hac data ocasione, Kassem Agha primus minister et executor Iniustitiarum altera die ut vidit Mariam coniugem Koggiae Saffarris cum filia eius, et cum Filia Dominici Tiglii nostri Abdelkerimi Diaconi euntes ad Balneum dixit Mahamedo Bascia : Princeps mi habebis coronam Justitiae in Caelo, si tu accipies unam ex his filiabus et alteram mihi dabis in uxorem, immo subiunxit Carnifex, haec mulier Saffarri habet et unum filium Juvenem sicuti Angelum nomine Matlub scilicet optatus, quem si accipies in usum Sodomiae ? quid pulcrius ? Mahamedus Bascia sicuti omnes Turcae erat valde datus et inclinatus huic nefando peccato, et ideo ut audivit juvenis nomen gavisus est et dixit : Hic juvenis ubinam est, cui minister respondit est ad usum Patris, quia hic Turcae ut vident iuvenes ad nos venientes iudicant temere Nos illis abuti, sed praecipue hoc dixit ad vindicandam reprehensionem supradictam in mei causam habitam. Ideo Mahamedus Bascia utrum consenserit necne Deus scit, attamen dixit, nunc transeat nostrum ieiunium (quia tunc temporis erat in Ramazan) et post festivitates inquiram filias et filium. Unus dives mercator Turca meus amicus haec omnia naravit mihi sub titulo amicitiae ut praeviderem spectaculum et praecaverem simul, quo audito, Deus scit dolorem et confusionem meam, sed post aliquos dies idem mercator narravit eadem diacono Abdelkerimo, et ille Mariae Mulieri Saffarris, et Deus audivit ploratus Rahel et exaudivit praeces pauperum, et contusit ora leonum, Die enim vigesima secunda Februarii anni sequentis 1704 Mahamedus Bascia infirmatus est fluxu sanguinis qui ut vidit animam agere vocavit me, et iussit ut bis vel ter in die visitarem eum. Quid faciam, ibam, et redibam domum et invocabam Deum meum, ut liberaret me, et meos Charissimos Christianos a simili Porco et Deus noster exaudivit praeces servorum suorum tollens de medio hunc aspidem, qui per spatium viginti duorum dierum evacuatis visceribus crepuit medius die decima quarta Martii eiusdem anni, et sepultus est cum laetitia magna pauperum Cantantium Deo canticum novum quia in saeculum misericordia eius, et sic evasimus in Nomine Domini. Statim post mortem Mahamedi Bascia, omnium magnatorum nec non civium consensu electus fuit in eius locum Mahamedus Begh, scilicet Princeps, qui erat deffuncti nepos et Generalus supra quadraginta quatuor Galeras usque dum veniret alius Bascia missus a Rege, et interea scripserunt et petiere dictum Mahamedem Principem in Gubernatorem erat enim optimae indolis, et bonae expectationi igitur de 16 eiusdem mensis Martii suscepit Gubernium cum comuni aplausu Die sequenti Populus petiit a novo Gubernatore quatuor ministros deffuncti Bascia ut illos morti traderet propter patratas tirranides, inter quos principalis erat supradictus Kassem Agha, et ideo Princeps Mahamedus inito Consilio Generali, et publico illos quatuor Patriecidas trudit in carcerem et post duos dies fulminavit sententiam ut ex illis duos palo suspenderent, aliosque servaret usque ad novum gubernium. Crimina enim illorum denuntianda erant supremo Tribunali et ita factum est.

Et cum Reverendus Pater Basilius a Sancto Carolo Vicarius Provincialis in Perside et Arabia scripsisset mihi, ut relicta domo absque ullo mora irem in Persidem, et cum usque adhuc Mahamedus Bascia discedendi veniam positive negasset, hac de causa, data ocasione unius navis Maurae quae ibat Congum versus, die decima octava huius mensis steti coram Mahamedo Principe novo Gubernatore, ut congratulationis offitia praestarem, et simul veniam obtinerem obediendi nostro superiori, qui cum esset valde amicus meus amicitiae pretextu negavit mihi paetitam discedendi facultatem, et cum post duos dies denuo tentassem, quia navis abibat, nimis iratus dixit nihil velle mutare usque ad novum gubernium, et ideo cum minis prohibuit ultra procedere, et ut repararet damnum ex negata licentia, tribuit mihi plenam facultatem celebrandi, et contiones fatiendi ad Populum meum, propter quod laudavi Dominum quoniam in saeculum misericordia eius, et ideo in solemnitate Paschali ob concursum Populi et [loci] incapacitatem coactus fui bis caelebrare, ad saturandam sanctam sitim utriusque sexus et cum hoc tempore multi Graeci essent ad servitium exercitus, cum incredibili gaudio exultaverunt in Domino cantantes Alleluia. Et ecce quomodo Bonus Deus complevit laetitiam meam, post paucos enim dies accepi unam Epistolam a nostro R. Patre Vicario Provinciali in qua invitabat, provocabatque me ad patientiam habendam substendandamque persecutionem his verbis. Circa le cose occorenti io credo che V. R. deve temporizare il piú che potrá. Io hó scritto á Parigi alla Corte, e spero che col tempo verrá alcuna risposta favorevole. V. R. non habbia paura e si fida á Dio, perche questa missione fondata da 90 anni non cossí sarrá distrutta et io spero che ne haveró un stabilimento sodo, ed in caso d'alcune disgratie irremediabili, e che assolutamente non possa stare ne in casa nostra, ne in casa altrui, all' hora se ne potrá venire in Sciras ó á Hiispahan, má che Dio l'aiuti. In queste occorenze ci vuole dell' animo e della Prudenza &. Igitur die sequenti accepta occasionis (!) unius navis quae discedebat Congum versus, scripsi Rev. Patri nostro Basilio statum praesentem nostrae missionis ut et ipse laudaret mecum Dominum quoniam bonus, quoniam in saeculum misericordia eius, et denuo aplicui ad missionem resarciendam pro viribus meis, et pro ut mihi erat concessum: A tempore nostrae destructionis, scilicet a decima quarta Martii anni praeteriti usque ad praesens iam multoties scripseram Eccelentissimo Legato pro Rege Galliae in Constantinopolim, ut invigilaret nostrae Ecclesiae restahabilitioni, nec non nostri Regis honori ex hoc provenienti, et nostris superioribus Romae degentibus, attamen usque ad hanc diem a nemine habueram aliquam responsionem, quin immo die *18* Decembris 1703 miseram nostro Legato unam copiam legitimam et Sigillo Kadi, sive Judicis munitam nostri diplomatis, per quemdam extraordinarium Turca legatum nomine Mahamud Begh, et de 24 eiusdem mensis eandem repetieram et per aliam viam direxeram nostro Consuli Aleppi moranti, et 29 eiusdem mensis per quemdam extraordinariam vulgo Stafetta nomine Ahamed Giukadar similiter repetieram, quia Mahamedus Bascia tunc temporis vivus continuo increpabat negligentiam nostri legati in negotio tam gravi; ideo nunc Abrahim Affendi qui pro Rege Turcharum erat supremus secretarius supra exercitum Mahamedi Bascia deffuncti cum iret Constantinopolim ad rationem redendam administrationis, quique cum esset intrinsecus mei amicus, alteram similem copiam nostri diplomatis ei exibui, cum Epistola Religiosa, et efficavi pro nostro legato, ut sollicitaret novum mandatum, et hinc discessit die 18 Maii huius anni 1704, et cum hac felici ocasione renovavi instantias meas nostris superioribus, et Sacrae Congregationis Propagandae Fidei Praelatis.

Die tertia Julii venit nuntium certum ex Bagdad, quomodo Imperator Turcharum (habita notitia mortis Mahamedi Bascia) dederat pro secunda vice Gubernium Bassorae pro Alli Bascia qui tunc gubernabat Babilonem, quapropter ex Bagdad misit unum ex suis offitialibus nomine Mustaffa Agha et constituit, vel confirmavit Mahamedem Principem sui Vice Bascia usque ad sui adventum, attamen quia Alli Bascia semper fuit inimicus expensarum exorbitantium, ex Bagdad iussit Mahamedo Principi, ut reformaret *30* triginta galleras, et solum quindecim remanerent ad custodiam Bassorae, quod statim factum est, cum ingenti militum Vai, quia remanebant absque stipendio in terra aliena, erant enim fere omnes ex Constantinopoli.

Die *27* Julii huius anni *1704* venit ex Bander Abbazzi una navis Sotietatis Olandiae ex Pattavia nomine Kau, cuius capitaneus Dominus Derk Hollaman, et cum illa venerunt Dominus Petrus Makarré cum titulo Capitanei Sotietatis, et Dominus Abraham Vuan de Putt cum titulo secundi, scilicet Visiri, et Mr Joannes Aidfeltt Secretarius cum intentione residendi in Bassoram, sicuti fecerant per multos annos, sed quia haec civitas erat viduata legitimo Gubernio ideo expectaverunt adventum Alli Bascia ex Babilone, interea locaverunt Capacem Domum Koggiae Saffarris Christiani sed ex navi nihil penitus asportaverunt praeter pauca necessaria utensilia.

Die *2* Augusti ex vehementi et subitaneo vento urenti mortui sunt duo Olandi in navi, et illico evaserunt sicuti carbones extincti, quos sepelierunt ad ripam Euphratis, et die undecima eiusdem mensis pariter ex eodem morbo mortuus est Coquus Capitanei, qui ut dicunt erat Catholicus Romanus, quem me inconsulto noster diaconus Abdelkerim fecit sepelire in nostro caemeterio vulgo Aiissa ebben Mariam, in principio enim nolebant nec audire nomen Patris Romani, sed Deus confregit superbiam illorum ; permisit enim quod die *13* eiusdem mensis ex Navi fugerunt quinque Milites Juvenes Olandi, et iverunt ad quemdam Josephum Alemanum Renegatum, qui erat Antianus (?) famulorum Mahamedi Principis, qui cum bene caleret linguam Olandorum ab illo petierunt fieri Mahametanos. Hic Apostata valde gavisus est de bono nuntio, et statim significavit hanc illorum voluntatem Principi Mahamedo, qui statim fecit congregare consilium doctorum Legis Mahameticae ut audiret quid esset fatiendum. Igitur die sequenti congregaverunt totum consilium, et cognita causa omnes una voce dixerunt hoc esse Donum Dei, quod quinque Infideles D. O. M. ex Europa traxisset ad verae fidei cognitionem, et vocaverunt hos quinque Infideles quibus Joseph Apostata faciebat interpretis offitium, quos cum Muphti (scilicet aput Turchas Episcopus) interogasset, quid peterent, Infelices detecti capitibus, et elevato pollice omnes simul una voce dicerunt La e la e l'Allá, ve Mahamed Ressul Allá. scilicet non est alius Deus praeter Deum et Mahamedus Dei Propheto. quo audito omnes surexerunt, et Deo gratias egerunt illosque pro tunc dimiserunt aput dictum Josephum Apostatam ut illos custodiret et bene tractaret. Post haec surexit Mahamedus Princeps et dixit omnibus circumstantibus omnia bene fecistis, attamen vocemus Patrem, et videamus utrum habeat aliquam difficultatem de facto ne posthea adveniente Alli Bascii corripiat nos, cui omnes annuerunt. Igitur Mahamedus Princeps misit ad me duos vulgo giukadar, et unum Ceiaus, quos cum viderim, et audierim quod me vocabant ad consilium, statim cogitavi venisse bonum nuntium ex Constantinopoli pro nostra Ecclesia reparanda. Et cum actualiter facerem hostias pro sacrifitio Missae volebam paulisper tardare, sed illi gaudentes mihi dixerunt, cito venias, est enim bonum nuntium, et volumus a te praemium pingue, ut haec audivi statim surexi, et cum illis steti in Consilio. Princeps Mahamedus, ut me vidit, dixit bene veneris Doctor Pater ; vade et affer tecum Regium diploma scilicet capitulationes, quae aput te sunt, et cito veni ad nos. Statimac detuli quod aput nos est Sultani Mahamedi diploma omnes surexerunt et Secretarius Regius Cancellariae Bassorae caepit legere alta et clara voce, post quam legit dimidium Mahamedus Princeps fecit pausam et dixit mihi, usque adhuc nihil est in hoc diplomate pro vobis. et ego usque tunc ignorabam quid quaereret, et quid vellet, et dixi. Princeps mi quaenam est quae[s]tio vestra et narravit mihi causam, ideo dixit Princeps nunc quaerimus utrum in vestris capitulationibus adinveniatur aliqua contra factum praesens, cui confusus respondi, Legito et videte, attamen utique ego sciebam nihil esse pro nobis favorabile. Ideo prosecuti sunt, et legerunt per totum et nihil invenerunt contra se et lectio duravit per tres horas continuas cum admiratione circumstantium audientium tales Capitulationes quas paenitus ignorabant. His peractis dixi Princeps Mi, et litterati astantes Christianus Populus non extinguetur ob infidelitatem horum quinque rusticorum, neque Mahametanus exaltabitur ab his quinque plebeis homunculis : fortasse dixi aliquod grave crimen comiserunt ; et propter metum fugerunt ? Ad haec Princeps Mahamedus respondit, bene et prudenter locutus es Pater mi et ideo praecepit mihi ut irem aput illos quinque Apostatas et examinarem. ivi et mecum venerunt plus quam quinquaginta Mahametani, inter quos erant saltem decem qui optime callebant linguam Italicam, et Lusitanam ; Igitur ut me viderunt hi excomunicati surexerunt, et me salutaverunt, quos cum interogaverim de facto et de motivo et cum verba salutis dictaverim, omnes simul concorditer coram adstantibus dixerunt, Nos nihil fecimus mali neque Capitaneus nobis, sed inspirati a Deo et illuminati volumus sequi Veram Fidem, quae est Mahamedana, et gratias agimus Deo Nostro qui tandem aliquando pepercit peccatis nostris, et aperuit oculos nostros ut ingrediremur Viam Salutis.

His prolatis coram tot testibus quid respondere potui: attamen dixi, quomodo abrenuntiatis Christo et adheretis Mahamedo vobis paenitus ignoto? responderunt abrenuntiamus Christo et toto ex corde Mahamedem volumus. Quibus dixi perditio vestra vobiscum sit, et flens exivi ex illorum praesentia, et testes denuntiavere omnia Consilio: attamen quia (sicuti Pilatus Christum) ita Princeps Mahamedus hos salvare volebat imperavit mihi, ut irem ad eorum Dominum Capitaneum et viderem utrum aliquod furtum vel simile crimen comiserint, ad quos cum pervenissem et naraverim omnia dixerunt, quid ad nos? pereant hi Canes, et miserunt Abdelkerimum Interpretem ut diceret Consilio, quod sicuti voluerint faceret et determinaret, quapropter declarati sunt novelli Mahamedani, attamen noluerunt hos circumcidere usque ad adventum Alli Bascia. Post meridiem Princeps Mahamedus vocavit me, et obstupuit de capitanei frigiditate in tam gravi negotio, attamen dixit, Nunc non est dare remedium quia Mufiti dederat sententiam ante consumationem Consilii, quod cum retulissem Capitaneo caepit penetrare errorem comissum, sed in vanum, et silentio comiserunt hanc causam, usque ad proximum adventum Alli Bascia, sed et hoc frustra ut videbimus infra.

Post quinque dies, scilicet 19 mensis, appulit huc ex Bagdad Mahamedus Agha Scabandar, scilicet Gabellarius Regius ex comissione Alli Bascia et annuntiavit nobis quod Bascia remanserat aput Suebum, qui distat a Bassora *24* horas itineris, et ibi debebat aliquam moram facere ad concordandas discordias inter Arabes, et cum Alli Bascia audierit quod Capitaneus Holandus non exonerabat navem, eò quod voluerit prius aliquas Capitulationes secum statuere, ideo comiserat Scabandaro dicere dicto capitaneo, ut se conferret ad capitaneum una cum Principalibus mercatoribus Bassorae, ideo ut Capitaneus Olandus ivit ad visitandum Scabandarum, qui est et Judex Mercatorum post multa colloquia habita, ut audivit quod capitaneus aegre ferebat tantam moram, indicavit ei ut se conferret ad Bascia, quod acceptavit libenter et rediit domum et vocavit me ad Consilium de quid agendum. Ego ut audivi intentionem suam inter alia dixi ei, quod cum iret ad Alli Bascia pro negotio gravi, indigebat interprete, qui bene calleret linguam, quia alias facile erat aliquem errorem substantialem comittere, et hoc valde ei placuit, sed adhuc non me invitavit ad hoc munus praestandum neque me ipsum exibui, attamen valde optabam hanc bonam ocasionem, ignorabam enim voluntatem Alli Bascia erga me, bonam vel malam.

Hic sciendum est, quod aliqui ex nostris Christianis nobis male affectis, ut audierunt quod Alli Bascia redibat ad Gubernium Bassorae, valde gavisi sunt, et ut me videbant per plateas, manibus plaudentes dicebant, Cantantes. Venit Alli Bascia, venit Alli Bascia amicus nostri Patris et volebant dicere, quod me fugere oportebat, quia cum idem Alli Bascia in virtute praecepti Daldabani Visiri me eiecisset, et Ecclesiam et Domum a me abstulisset, et fisco dicasset, et e contra ob benevolentiam Mahamedi Bascia hic remansissem et nostrum Caravan Serai denuo obtinuissem, Alli Bascia nunc de hoc vindictam faceret contra me. Attamen de facto nihil timebam, nihil enim feceram contra praeceptum Alli Bascia, quin immo ad amussim executioni mandaveram, et quando Mahamedus Bascia revocavit me cum consensu eiusdem Alli Bascia et ipsemet fecit, immo suo ex genio. Interea Dominus Petrus Macharré Capitaneus Holandus extendere fecit longum memoriale, includens multas Capitulationes pro negotio stabiliendo, et per nostrum diaconum Abdalkerimum Interpretem fecit illud rescribere Turcico et pollito idiomate, et die sequenti accersivit me, ut audirem quid extendere fecerat, et ut viderem utrum concordaret cum originali Italice mihi explicato. Ideo secretarius Turca qui hoc scripserat de periodo in periodum legebat et ego similiter de verbo ad verbum renuntiabam Capitaneo qui ut audivit parafrasim tam ridiculam, et nugis plenam increpavit ignorantiam Abdelkerimi, incapacitatem, stirpem, et incensatam senectam, et humiliter a me petiit ut dictarem Turcae secretario legitimum memoriale, quod illico feci, et ut vidit incapacitatem sui interpretis in negotio tam gravi petiit a me Capitaneus, ut secum irem aput Alli Bascia, cui cum dixerim non posse hoc facere absque mei paericulo propter causas superius allatas, dixit neque ego ibo et sic remansit, quod cum pervenerit ad notitiam Scabandari statim vocavit me, et iussit, ut cum capitaneo pergerem aput Alli Bascia, quod ego post multas instantias acceptavi cum pacto tamen ut Scabandar scriberet pro Alli Bascia quod acciderat, nempe, quod Capitaneus absque Patre nullo modo voluit ad ipsum accedere, quod Scabandar (cum esset multum mei amicus) fecit, et ut maiorem aparentiam daret negotio nobiscum misit quatuor ex nobilioribus huius civitatis mercatores, qui de facto testimonium fuerunt, quin immo coram Bascia in Consilio ponderarent necessitatem Patris in hac civitate, propter comoditatem Comertii cum Europeis, et cum hi mercatores essent etiam mei amici promptos se exibuere ad hoc offitium explendum, sicuti de facto posthea superabundanter fecere.

Ideo die *28* mensis, scilicet Augusti, omnes cum Capitaneo hinc discessimus per Euphratem Suebum versus, et de *30* ibi pervenimus, et statim descendimus sub Papilione Kiaia, qui est primus Minister Bascia, qui cum et ipse esset antiquus amicus meus nos recepit cum ingenti gaudio, et perlaute nos tractavit.

Interea Mercatores, qui nobiscum venerant steterunt

coram Alli Bascia, et in primis, ut audivit, quod cum Capitaneo venerat etiam Pater, aliquantulum alteratus dixit, quisnam Patrem vocavit? cui cum mercatores narassent omnia, et litteram Scabandari praesentassent, legissetque valde gavisus est de meo adventu et cum mercatores inculcassent necessitatem mei, scilicet Patris ad hoc ut Franchi frequentent hunc Portum, statim vocavit nos ad audientiam Publicam Magno cum honore, et statimac me vidit interogavit me de meo statu et mihi promisit restahabilitionem Ecclesiae pro interim usque ad nova diplomata Regia, sicuti fecit, ut videbimus infra, posthea venit ad negotia stabilienda pro sotietate Holandorum, cui cum Capitaneus, vel ego ut melius dicam, suo nomine praesentaverim paetitiones in modum memorialis, nos remisit comendatos suo Tesaurario, qui nos superlaute tractavit.

Holandi inter alia petebant nullam solvere gabellam, quo audito, et considerato Alli Bascia me solum accersivit, et increpavit stultitiam illorum, et nolebat amplius illos ad audientiam admittere, quique cum interogaverit me de facto dixi. Princeps Mi, ad quid irasceris? vel conturbaris? Hi querunt proprium interesse, omnes hoc fatiunt. Tu Princeps Mi pones si vis respondere, quod condonare eis gabellam, non est in vestra manu, sed Regis, et ideo per suum legatum hoc petant, et accipiant a Rege, et tu gaudebis de illorum profictu. Deus voluit, quod hoc polliticum medium ita placuerit Principi Alli Bascia, quod obstupuit de promptitudine, et statim accersitis Bassorae Mercatoribus eis narravit paetitionem Hollandorum et argutiam, ut ipse dixit, Patris, qui omnes plaudentes dixerunt Vivat Pater et utinam semper nobiscum maneat, scimus enim praetium horum Religiosorum. Ideo sequenti die summo mane, quae erat ultima Augusti trigesima prima congregato consilio vocavit et nos, et Alli Bascia coram omnibus promisit Domino Capitaneo Holandorum Domino Petro Macharreio concessurum omnes paetitiones, quas paetebat, praeter supra dictam de non solvendo gabellam propter causas allatas, et praeter aliam, in qua paetebant ut Bascia eis restitueret quinque supradictos Holandos Apostatas, quia ut dicebat haec causa non est mei Tribunalis, sed spectat ad Muphti et ideo hanc suspen(di)dit usque ad suum adventum quam examinare facere promisit iuxta suas leges et iuxta illas iudicanda remansit. Haec omnia italico idiomate indicavi Capitaneo et volens et nolens acquiescere feci, sicque denuo nos remisit ad preparatum lautum prandium, post quod denuo nos vocavit Bascia, deditque nobis Epistolam Scabandaro tradendam ut navem quam cito exonerare faceret, ut secundum voluntatem capitanei cito expediret, et ita discessimus ex Suebo et prima Septembris post meridiem per excessivum calorem Bassoram pervenimus, ubi mei Christiani, et praecipue nostri devoti, ut audierunt benevolentiam Alli Bascia erga Patrem, cantaverunt Domino canticum novum, laudantes Dominum quoniam in saeculum misericordia eius. Et qui volebant mala mihi locuti sunt blasphemias, et dolos tota die meditabantur. Ego autem tanquam surdus non audiebam et sicut mutus non aperui os meum.

Die undecima huius mensis Septembris noster Alli Bascia cum suo commitatu intravit civitatem, et post duos dies unacum Domino Holandorum Capitaneo ivi ad congratulationis offitium praestandum, qui nos recepit cum benevolentiae signis sincerae Et die sequenti ego solus petii audientiam quam mihi libentissime concessit, quique voluit me induere una, vulgo habba lanea praetiosa, quam humiliter recusavi ad vitandas fabulas sindicorum nostrorum, hoc tamen fuit mihi in motivum sperandi indulgentiam circa nostram Domum recuperandam, Ecclesiamque reconciliandam; Quapropter die decima quarta mensis extendere feci unum memoriale nostro Alli Bascia praesentandum ut sequitur.

Locus Sigilli

Concessio

Suplicatio

attestatio Scabandan

Concessionis Explicatio hec est
Reverentis Suplicationis intentio est
quod in destructa Ecclesia posit
unam Cellulam restahabilire ad
habitandum, et Caravan Seraij locare
posit Concessio datum die 14 7bris:
1704: secundum nostrum Computum.

Suplicationisq: interpretatio hec est.

Ditiss:me ac Felicis:me Princeps Mi. Excelentia
Vra: sit incolumis, suplicatio mea intendit, quod
scilicet ex tempore precedentis Vre gubernationis, quo
venit Regium diploma ex mandato Daldabani Visiri
ut Ecclesia Nra: suspenderetur, sicuti factum est

Concessionis Explicatio haec est Reverentis suplicationis intentio est quod in destructa Ecclesia possit unam cellulam restahabilire ad habitandum et Caravan Seraii locare possit concessio datum (!) die 14 Septembris 1704 secundum nostrum computum. Suplicationisque interpretatio haec est.

Ditissime ac Felicissime Princeps Mi : Excelentia Vestra sit incolumis, suplicatio mea intendit, quod scilicet ex tempore praecedentis vestrae gubernationis, quo venit Regium diploma ex mandato Daldabani Visiri ut Ecclesia nostra suspenderetur, sicuti factum est, Mihi servo tuo nihil paenitus remansit ad subsistendum, ideo a Mahamedo Bascia petiit nostrum Caravan Seraii ad habitandum clementerque concessit, et usque ad praesens habito, sed nunc cum adhuc subsistere nequeam, praecor clementiam vestram, ut concessa mihi venia, in suspensa Ecclesia possim reparare unam cellulam ad habitandum, et ita Caravan Seraii locare aleam ad mei substentationem, ita ut Ecclesia sic remaneat usque ad ventura diplomata Regia et haec liberalitas erit magnificentiae vestrae signum etc. : A Patre etc.

Benigne lector ne mireris si non petii in hoc memoriale restahabilitionem Ecclesiae quia ita docuerunt me periti oratores quia Turcae in materia Religionis sunt valde scrupolosi, et de facto, ut Alli Bascia legit hoc memoriale diligenter investigavit utrum Ecclesia nunc a nemine habitaretur nec ne, cui cum dixissem, quod nec dabatur additus ad illam, statim vocavit suum Scabandarum et Secretarium Regium Alli Ccelibi, et misit illos ad Ecclesiam visitandam, qui cum venerint et invenerint sicuti dixeram, attestationem fecerunt in scriptis ex parte sinistra memorialis ut videri potest. cuius haec est transversio.

Praesentis memorialis gratia nos fidem fatimus quod in hac civitate Christianorum degentium Ecclesiae januas, tam ex parte plateae, quam ex parte Caravan Seraii muratas invenimus, Patremque in suo Caravan Seraii morantem cognovimus ut dixit, ideo beneficentia erit Eccelentie vestrae etc. . . .

Post haec omnes simul ivimus coram Alli Bascia, quem cum hi duo ministri singulariter informaverint, iussit ut mecum denuo venirent et accersitis muratoribus aperire facerent januam Domus nostrae et Ecclesiae ut nunquam (?) susurare praesumeret, quod illico fecerunt cum ingenti populi concursu et comuni Jubilo, ita ut per tres dies continuos, venerunt Turcae et Christiani divites et Plebei, ad congratulationis offitia. igitur nostrae Domus et Ecclesiae (licet adhuc suspense) restitutio fuit die decima sexta Septembris huius anni 1704, in quo de tribulatione invocavi Dominum :

et exaudivit me in latitudine Dominus. A Domino factum est illud : et est mirabile in oculis nostris. Haec est dies quam fecit Dominus : exultemus et laetemur in ea. Haec confitemini Domino quoniam bonus, quoniam in saeculum misericordia eius. Hoc enim a Domino factum est contra expectationem omnium Christianorum et Turcharum.

Post haec eadem die serotinis horis accersito nostro Abdelkerimo, ut mecum veniret ad deosculandas manus Alli Bascia in gratitudinis signum audacter recusavit, egre enim senserat, quam ipso inscio hoc tentassem, obtinuissemque. ideo solus cum nostro famulo steti coram Alli Bascia cui praesentavi sex numero candelas cereas albi coloris, quas a duobus diebus quaerebat aput Hiipotecharios et non invenerat, quas acceptavit humaniter civiliterque Nimis, quem cum viderim erga me benevolum petii ab eodem veniam ut Christiani possent venire aput me ad orationes persolvendas, quod mihi clementer concessit, cum pacto tamen ut fieret sine tumultu, ut usque adhuc fit, posthea petii ut sigillo muniret supradictam suplicationem, propriaque Zifaro insigniret, quod absolute recusavit, attamen mihi promisit hanc signaturum, in casu quo hinc discedere deberet, et sic me remisit cum suae protectionis inditiis. ob hanc causam die sequenti acessi ad Muphti huius civitatis, qui cum sit iudex, ut ita dicam, Ecclesiasticus aput Turchas debet ipse similes causas decidere, vel saltem decisas aprobare, et cum Baschia noluerit mihi dare in scriptis licentiam praescriptam ideo securius iudicavi hanc manifestare huic legis magistro, quod ut audivit valde mecum gavisus est, fuit enim semper bonus amicus, et ipsemet mihi promisit accessurum aput Bascia in testimonium facti, ut data ocasione posset testificare apud venturos Bascia, ut de facto eadem die humaniter fecit ad mei securitatem. Hoc negotium, ut iam dixi non fuit parvi momenti, quia usque ad praesens fuit inauditum Turcas restituisse Ecclesias, Domosque semel fisco dicatas, attamen, ut dixi, a Domino factum est istud, verum quidem est quod ad captivandos Ministros, parvula munuscula praesentavi eis, valoris triginta tria scutorum plus minusve. Post haec procuravi mandare domum, et reparare a ruinis imminentibus, ut mihi possibile fuit, et in quantum satis erat ad habitandum, statimque erexi altare portabile supra januam Ecclesiae ubi est satis perpulcra, vulgo loggia ubi alias mulieres audiebant Sacrum, illamque benedixi pro celebranda Missa, quae loggia, licet sit parvula, est tamen sufficienter capax pro populo nostro ad laudandum Dominum eique sacrificandum quotidie, ut dignum et iustum est.

Domini Holandi tantam prosperitatem non habuerunt in negotiis suis, quia neque gabellam diminuerunt, ut paetebant, nec quinque apostatas recuperaverunt, ut conati sunt, et ideo remanserunt nimis confusi.

In principio mensis Octobris, ob suprabundantiam acquarum fluminis Euphratis, vicinia civitatis ex parte deserti submersa sunt, et ob hanc causam ffisice loquendo, aer paestilens evasit et omnes fere cives caeperunt dolere, et cito mori evidenti paestilentiae morbo, Nostri Christiani quasi omnes egrotabant, et in nostro Caravan Seraii decem habebam egrotos, quibus ego solus inserviebam cibum, potumque praebebam, nullum enim habebant adiutorem, tandem et ego die 22 mensis in Octava Sanctae Matris Nostrae Theresiae eodem morbo tactus caecidi, ita ut post tres dies fuerim ad portas mortis ab omnibus derelictus, solus attamen Domini Holandi bis vel ter in hebdomada civiliter Charitatesque invisebant pulmentumque quotidie mittebant. Hoc tempore tam cives quam Extranei Turcae Mauri Christiani Judaei et Gentiles caeperunt mori, ita ut quotidie quatuor centum et plus sepeliebantur et Alli Bascia omnium morientium facultates, tam Turcarum quam Christianorum, sibi metipsi dicabat dicavitque. Ego ut haec audivi, licet nihil habens, attamen vocavi Dominum Capitaneum Holandum, illumque constitui nostrae Domus procuratorem vel tutorem, ipse enim optima fruebatur salute: ego autem per sexaginta quatuor continuos dies laboravi uno bubone pestilenti sub brachio sinistro, cum ingenti dolore, sine medico et medicina, noster enim medicus Abdalkerim invigilabat infidelium infirmitates curandas, et ad crumenam implendam, ita ut cum in propria domo haberet uxorem viduam filii sui, cum una filia ambas graviter infirmas summo mane clausa porta, usque ad vesperas percurebat civitatem, relinquens illas mori ex necessitate ut de facto evenit, Vidua enim filii sui Adiia nomine post septem dies infirmitatis mortua est ex miseria et fame, et ex nostris Christianis in quindecim dierum circulo novem mortui sunt. Haec mortalitas duravit usque ad finem Novembris, et factus est computus quod mortui sunt octo milia hominum. Ego miserimus non bene convalui usque ad Pascha Resurectionis, et licet infinities scripserim per Hiispahanum et Sorasium nostris Patribus attamen neminem vidi, et haec erat maxima mea infirmitas. Attamen Deus exaudivit praeces meas, quia dum graviter infirmarer die nona Februarii anni sequentis 1705 sicuti duo Angeli ex improviso aparuerunt ex Bagdad due Patres Reverendi Capucini: Rev. scilicet Pater Franciscus Maria de Tuorre et Rev. Pater Joseph Ascolensis, qui ex Europa transibant hinc ituri ad Missionem Novam in Regno Tibet quod est supra Bengalam.

Isti duo boni Patres summo mane ad me venerunt et ut me viderunt pleuritide laborantem, statim fleverunt, et ut agnoverunt me solum cum uno Turco famulo inviderunt statum meum, et ideo corroboraverunt me verbis salutis, ita ut prae laetitia desiderabam tunc mori. Postquam suas pauperculas supelectiles asportaverunt, in Charitate Christi panem manducaverunt, et gratias egerunt et cum Rev. Pater Franciscus Maria medicina caleret, statim dedit mihi oportuna medicamenta, ita ut in octo dierum circulo a lecto surexerim. Haec mea laetitia parum duravit quia sic benedicti Patres inventa ocasione discedendi noluerunt tardare neque prorogare suum iter, et ideo die 22ª eiusdem mensis unam vulgo Terradam ascenderunt, et iterum me solum reliquerunt versus Bander Congum.

Interea paulatim convalui et ecce die 17ª Martii item ex Bagdad apulit huc Rev. Pater Felix a Montuhio item Capucinus supranominatorum sotius et superior, qui propter infirmitatem remanserat in Ninive, qui impatiens adinveniendi sotios cum prima ocasione hinc discessit die 28ª eiusdem Martii et denuo solus remansi expectans consolationem alicuius sotii, quem Deus usque adhuc non concessit mihi.

Dum expectabam consolationem a Domino ecce die 25ª Aprilis accepi unam Epistolam a Rev. Patre Nostro Vicario Provinciali Patri Basilio a Sancto Carolo sequentis tenoris a verbo ad verbum hic rescriptam.

J. M.

Aspahan li 15 Agosto 1704.

Magistro Reverendo Padre Illustrissimo.

Due Giorni sono che Mr di Fariol nostro Ambasciatore di Francia in Constantinopoli mi fece l' honore di scrivermi una compitissima lettera, promettendomi in breve di havere in breve il nostro restabilimento di Bassora, eche mi mandera per li nostri Padri di Bassora una Patente di Consul di Francia per essere piu apogiati ; sin che possa ottenerne una dal Ré medemo, e che indirizerá il tutto a Bassora : all hora V.R. faccia con prudenza le cose, e non lo palesi che in buon modo per non exporsi a spese, e si degnera d' havisarmi del tutto prego Deo d' aiutarla e consolarla giá che le cose sono prossime, resti a Bassora, se non ui e qualche violenza la riverisco di Cuore e sono suo carissimo e buon amico e Sre.

F. Basilio d. S. Carlo C. S. Indgre.

Hac Epistola valde gavisus sum, audieram enim per alias Rev. Patris nostri Basilii epistolas parum, nihilumque gratam habuisse mei moram in Bassora, hac de causa centies laudavi Dominum, benedixique mea enim intentio semper fuit voluntas Dei per meos superiores mihi nota.

Cum Reverendus Pater noster Basilius a Sancto Carolo Vicarius Provincialis audisset me contraxisse aliqua debita ad mei sustentationem domusque reparationem, ex penuria nostrorum subsidiorum ad meos manus non pervenientium, hac ideo de causa die 25[a] Maii huius anni 1705 accepi sequentes epistolas Rev. Patris nostri Basilii a verbo ad verbum fideliter rescriptas quarum originalia, cum sint triplicata in arca trium clavium cum aliis scripturis servantur.

J. M.

Pax Christi. Giulfa Aspahan 10 Feb[r] 1705.

R[de] Ad[v] Pater,

Non fuit auditum quod in Religione subditi Religiosi habuerint aliquam prosperitatem in negotiis suis, quando illa dirigunt contra obedientiam. Jam scripsi Vestrae Reverentiae multoties ad nos redire, et non adherere cogitatibus suis, et si venisset non esset intrigata cum debitis suis excessivis sicuti nunc est et quando ego in statu, ubi sumus absque subsidiis et post naufragationem subsidiorum non possum illa restituere. Ego non aprobo illa, nec volo illa solvere. Igitur remedium aliud non est, nisi quod Vestra Reverentia quamcitius veniat, et ut solvat debita, vendat domum iuxta cartam inclusam : ac deprecor Vestra Reverentia obedire et facere omnia eo modo quo praescribo et ut Vestra Reverentia ad haec omnia teneatur satisfacere in hac praesenti Carta iubeo ac praecipio Vestrae Reverentiae in virtute sanctae obedientiae haec omnia descripta a me et a Reverendo Patre Priore Aspahensi supscripta exequi absque ulla excusatione nisi voluerit incurere paenas Religiosi inobedientis, sed exhortor Vestra Reverentia illa omnia benigno et cum bono animo facere. de cetero sciat quod sum amicus suus ac de corde.

Vestra Reverentia

Servus Humilis,

F. Basilius a Sancto Carolo Vicarius Provincialis,

F. Raymundus a Sancto Michaele Prior,

In praescripta Epistola erat inclusa subsequens directa

All' Illustrissimo Signore Capitano della Compagnia d' Holandia et al Sig. Abdelkerim medico et al R[d] Patre Carmelitarum discalceatorum.

Bassora.

Cum audierim quod Potentissimus Turcarum Rex demandaverit mandato suo expresso Patribus Carmelitis exire de civitate Bassorensi Ego F. Basilius a Sancto Carolo Carmelitarum discalceatorum per Persidem, et Arabiam Vicarius Provincialis volens tali mandato obtemperare, cum ad me attineat gubernium domorum nostrarum in locis praedictis, et Bassora ut superior praecipio et iubeo tibi Reverendo Patri Fratri Joanni Athanasio a Sancto Antonio Religioso nostro nunc Bassorae degenti, sive quibuscumque aliis Patribus et Fratribus nostris ibidem existentibus praesidentibusque litteris acceptis Bassora exire, et ad nos venire via breviori ac securiori, et res domus, quas habebat secum deferre, deinde quia tale mandatum Potentissimi Turcarum Regis est, quod exeamus et non amplius ibi demoremur: do authoritatem praedicto Reverendo Patri, vel praedictis simul cum Illustrissimo Domino Capitaneo Sotietatis Holandiae et Domino Abdelkerim medico, casu quo praedictus Pater Joannes Athanasius non sit amplius Bassorae vel (quod Deus avertat) mortuus fuerit, nec etiam aliquis alius de nostris Pater inveniatur, tunc Illustrissimus Dominus Capitaneus cum Domino Abdalkerim medico, vel uno nolente alter voluerit vendere Domum nostram et Caravan Seraii, et omnia terrena ad nos pertinentia meliori quo poterunt praetio iuxta estimationem more Patriae. Contractus autem praedictae domus debent ibidem inveniri, vel in deposito asservari aput amicos nostros, casu quo illinc non inveniantur suplico quod scribant mihi, et informent de omnibus. de praetio autem venditae domus Praedicti Domini uti procuratores debita omnia a Patre contracta solvant et cartas solutionis ab illis Personis recipiant, quas mittent Aspahanum cum reliquo paeccuniarum, et aliarum rerum, dirigendo haec omnia ad manus Adu: Reverendi Patris Vicarii in Bander Congo vel Illustrissimi Domini Factoris pro Rege Portugaliae, in quorum fidem et valorem manu propria subscripsimus et sigillo ofitii nostri munivimus Aspahani Julfae domibus nostris propriis die decima Februarii anni Millesimi septingentesimi quinti F. Basilius a Sancto Carolo Carm. Discal[tus] Vicarius Provincialis Persidis ac Arabiae

F. Raiimundus a Sancto Michaele,
Prior Aspahensis et primus consultus.

Locus Sigilli Vicarii Provincialis.
Locus Sigilli Prioris Aspahensis.

Statimac legi has Epistolas Deus scit quantam Confusionem passus sim, attamen statim praesentavi supradictam litteram Domino Petro de Makaré Capitaneo Holando illamque explicavi Italico idiomate, qui statim recusavit hanc procurationem. Domino Abdelkerimo pariter praesentavi suam epistolam Persico idiomate scriptam, quam ut legit obstupuit ignorans causam talis deliberationis, in negotio tam gravi, et a Turcis metipsis oblivioni tradito clementerque sepulto; attamen ne incurerem paenas Religiosi inobedientis (quod Deus avertat), locutus sum cum nostrae Domus vicino, qui est Agi Kassem Semerri Turca noster bonus amicus, ut inclinarem eum ad Domum nostrum emendam, vel aliis vendendi dandam licentiam. His enim in Regionibus nemo potest Domum suam vendere nisi suo Vicino vel cui ille voluerit, qui ut in primis audivit propositionem meam arbitratus est me ludere, sed ut audivit ab Abdelkerimo, eiusque epistolam procurationis legerit ita obstupuit iratusque est, quod mihi dixerit. Pater ne loquaris de hoc negotio, quia si Alli Bascia hoc audierit merito te puniet. et hic numeravit mihi qualia et quanta benefitia Alli Bascia fecerat mihi, ita ut contra mandatum Regis nec Ecclesiam dextruserat quin immo illam Domusque nostras fisco dicatas mihi restituerat gratis; licentiamque gratuitam tribuerat celebrandi ofitiandique ut primo meaeque praesentavit memoriae quid quid ipsemet Agi Kassem cum Agi Mahamedo Attar, et alii mercatores nostri amici fecerunt locutique sunt in nostrum favorem aput Alli Bascia, quando cum illis ivi ad Suebum ut supra notavi, ad reconciliandam augmentandamque benevolentiam Alli Bascia erga nos Patres, ut denuo restahabiliremur in hac civitate usque in perpetuum; tandem serio animo dixit mihi coram Abdalkerimo et Agi Mahamedo Attari sive Hiipotechario nostro bono et antiquo amico, quod absolute desisterem ab hoc cogitatu, quia alias succederet in mei, et omnium misionariorum ruinam, quia Turcae hoc audientes, multas et graves suspitiones polliticas haberent de nobis. Insuper quisquis hanc meam determinationem audivit obstupuit, audiendo quod Ecclesiam vendere tentabam, quia aput Mahametanos iniquum reputatur Domus Deo dicatas vendere, et cum nostrae Domus nomen sit, Ecclesia Francorum, ob hoc titulum, est invendibilis; insuper cum sive aput [*sic*] Turcas, sive aput [*sic*] Arabes, huiusque civitatis cives, nostra Domus et Ecclesia sit sub protectione Regis Galiae nullus est, neque ipsemet Bascia qui velit hanc emere, quin immo donatam acceptare, dicunt enim, quod post mille annos Franci litem fatient irreparabilem et hac de causa (licet venerit mandatum a Rege) tamen Alli Bascia qui multam habet cognitionem Europeorum, ablatam Domum Ecclesiamque restituit ob timorem futurorum contingentium, semper enim ad mei Domusque nostrae defensionem clamavi, dicens quod mandatum missum a Rege non erat contra nos directe, nos enim sumus et Patres et Consules Regis Galliae et haec fuit unica salutaris Tabula, quae valuit nos salvare in simili tempestate, et in pristinum portum feliciter restituere, ut Dei Gratia sumus restituti ; a Domino tamen factum est istud, ideo exultemus et laetemur in eo.

Attamen omnes istae rationes non erant suffitientes ad sedandam meam conscientiam contra prae[c]eptum mihi impositum, et cum essem in tali pugna, solus sine sotio, et ideo absque consiliario exactam reflexionem feci ad suprascriptas Epistolas, et in primis adinveni quod secundum nostras constitutiones Tertia parte, Cap. v. num. 2 praeceptum ad me directum non esse in *forma*, ex *deficientia horum verborum* et *sub praecepto, vel sub poena excomunicationis latae sententiae.* ideo ex hac parte mea conscientia aliquantulum quievit Suponens Reverendum Patrem nostrum Vicarium Provincialem optime calere nostras Constitutiones, sed ideo ita scripsisse ut daretur Epichirae [*sic*] locus, quae in simili contingenti est virtus valde utilis ad bonum comune spectans. Et ex alia parte gravem *reflexionem feci* ad *subsequentia verba eiusdem Epistolae* scilicet. *Igitur remedium aliud*, non est *nisi* quod Vestra Reverentia *quamcitius veniat, et ut solvat debita vendat Domum* iuxta *cartam inclusam.* Ex his enim particulis suponebat Reverendus Pater Noster Basilius contracta mea debita esse tam exorbitantia, ut nullum aliud remedium esset ad ea solvenda nisi vendere domum, sed cum hoc esset falsum, ideo bene mihi visum fuit veritatem facti ei notificare, antequam veniremus ad scandala. Insuper, ut in memoriam mihi venit quod hac in Regione non potest alienari fundum per emptionem et venditionem absque instrumentis antiquis Emptionis Juridicae, quae instrumenta aput nos non sunt, nec inveniuntur in Archivio Civitatis, quae a quadraginta annis propter Incendium pene totius civitatis consumpta fuere, et cum in inclusa carta Reverendus Pater Noster Vicarius Provincialis scribat Domino *Capitaneo* Holando, et *Abdelkerimo mihique quod contractus autem praedictae Domus debent ibidem inveniri, vel in deposito asservari aput amicos nostros, Casu quo illinc* non *inveniantur, suplico quod scribant mihi* et *informent* de *omnibus*; et cum de facto hic non inveniantur quia hac de causa, quando venit mandatum a Rege Alli Bascia nostras Domus fisco dicavit, ex deficientia huius instrumenti ideo et in hac ocasione absque scrupolo iudicavi de his omnibus nostrum superiorem certum facere, ne in re tam gravi, post factum licet impossibile levitatis notam darem. Et cum hic adinveniretur unus tabellarius sotietatis Holandiae qui per viam Sirasii ibat ad Bander Abbassi, in Nomine Domini absque scrupolo, cum bona conscientia rescripsi Reverendo Patri nostro Basilio, et hic cum sim solus sine sotio eque iudicavi hic rescribere meam Epistolam, quam misi a verbo ad verbum, fideliterque, ut sequitur.

Jesus Maria.

Magistro Reverende Padre nostro Illustris^{mo},

Alli 21 d'Aprile passato ricevei una lettera di V. R. per la via di Bagdad, data sotto li quindici d' Agosto dell' anno passato quale mi rese grande consolatione, per vedermi nella memoria sua, come per le buone nuove che in essa mi dava, in ordine al nostro ristahabilimento, come mi scrive, che lo avisava l' Eccelentissimo nostro Signore Ambasciatore in Constantinopoli.—Con treplicato mie lettere accusai a V. R. la ricevuta della ottanta piastre da Bagdad da Rev. P̃ri Capucini, e gli mandai il confesso in forma come si stila, e ne inviai a Roma un' altra duplicata per il nostro sindico delle

Missioni. Alli *25* di Maggio di quest' anno *1705* per la via di Congo con una Terrada d' Abdelsciek ricevei un' altra sua lettera data alli dieci di Febraro di quest' anno dá Giulfa Spahano, con due incluse, una comune al Sig. Capitano della Compagnia d' Holandia, al nostro Diacono, e Medico Sig. Abdelkerim, et á me, et un' altra diretta per Abdelkerim, le quali io subito in persona ricapitai. Il Sig̃ Cap. Pietro Macharré lesse la lettera má vedendo, che a lui era diretta, fatta la supositione, che niuno de nostri Padri si ritrouassero in Bassora per questa causa m' impone di Riverire V. R. et esebirgli di servirla ovonque potria. Adunque a me resta di rispondere alla per me indirizata sua lettera, con la quale V. R. non risponde alle mie importanti scrittegli, una al primo d' Ottobre mandata per la via di Congo con il ser[re] del R. P. Antonio Augustiniano d' Hispahan che venne quá dá Congo per prender tam̃ari; Un' altra scrittagli alli *6* d' Ottobre medemo mandata con una fregata per Bagdad, et altra scrita alli *13* del medesimo mandata con una Terrada a Congo, et un' altra scritta alli *29* di Novembre per la via di Bander Rik, e Sciras, nelle prime tré quali gli davo raguaglio, come che, essendo ritornato Alli Bascia al' governo di Bassora, et havendogli proposto, che, ó mi dasse licenza d'andiarmene in Persia, o che mi restituisse la nostra Casa; esso havendo fatto conseglio sopra di questo, haveva concluso di concedermi la nostra casa, con patto perro che la porta della Chiesa restasse chiusa, e Murata sino a nuovi ordini della Corte, e che alli *16* di Settembre esso medesimo mando il suo Scabandar e Gran Gabelliere, con altri offitiali publici ad aprirme la porta della casa, e consegnarmela di nuovo in mani con farmi prohibitione di partire senza suo espresso ordine, havendomi perro concessa licenza d'offitiare secretamente, e che li Christiani possino venire alla messa, come (gratia a Dio) si fá sino al presente. E nell' ultima data Alli *29* di Novembre gli partecipavo, come la Citta di

Bassora era travagliata da una arrabiata peste, e come io stavo in letto morendo, e che pertio lo avisavo acció provedesse la casa di sogietti, e come havevo consegnata la casa in mano del nostro buon' amico Sig[r] Capitano Pietro Macharré Holandese, e di Scemas Abdelkerim; parimente gli davo raguaglio, come in queste mutatione havevo fatte qualche spese straordinarie, che perró lo pregavo a Soccorermi— Essendo le cose in questa conformita e la Missione essendo nel suo pristino stato per la benevolenza del governo; V. R. mi scrive *per il primo periodo che non fuit auditum, quod in Religione subditi Religiosi habuerint aliquam prosperitatem in negotiis suis, quando illa dirigunt contra obedientiam.* Non so qual magiore prosperita Iddio Benedetto mi potesse haver dato a sua Gloria e della nostra Sancta Religione, che havermi dato animo di sofrire otto mesi d'Esilio, e doppo di questo di havermi restituita la nostra missione, che ci era stata mal tolta. fondata da Ottanta tre anni in quá con tanto stento, e con tanto profitto del prossimo, et avantaggio di Chiesa Santa. da questo io supongo che V. R. non habbia ricevute le mie lettere, da me inviategli con tanta singolar diligenza. Cerca poi quelle particole; *Quando illa dirigunt contra obedientiam* Dio mio liberi da simil Eccesso; perro m'imagino che V. R. voglia aplicare il suo detto sopra due sue lettere scrittemi da Sciras tutte due alli *28* d'Ottobre del 1703, della quali una ricevei alli *25* di Feb. e l'altra alli *19* di giugno dell *1704* nelle quali pregava me, et il Rev. P. Pietro d'Alcantara a lasciare Bassora, e venire in Bander Abbazzi, ó pure sopra un' altra sua scrittami da Sciras alli *28* di Novembre del *1703* nella quale mi dice *Ecce ut credo vigesima mea Epistola in qua dico V. R. venire huc Scirasiam cum R. Patre Petro de Alcantara*; la qual lettera ricevei alli *19* di luglio del *1704*, havendone prima ricevuta un' altra alli sette d'Aprile data in Sciras alli *21* di Novembre del 1703. nella quale V. R. mi scriveva *Per omnes vias ego multiplico meas Epistolas ex desiderio, quod V. R.* cum *R. Patre Petro de Alcantara quanto citius huc veniant, et per viam breviorem.* Queste quatro ricevute e dá me cittate sue lettere, credo che siano il mottivo di quel *quando illa dirigunt contra obedientiam.* Caro Padre nostro non pensi tale inobedienza da questo suo fidel sudito, che ha per suo genio, et honore l'obedirla, e creda che se fosse stato in mia mano l'eseguire li suoi comandi, sano stato di mio particolar avantaggio. Ma V. R. sá pure, che in quel tempo governava quel Famoso Tiranno Mahamed Bascia, quale abenche fosse mio stretto amico, quando che sentiva che io trattavo di partire subito si adirava e per questa causa il principio mi diede licenza d'entrare in Bassora, ma perche vedevo, che il stare in Casa locata mi era incomodo tentai la seconda volta di voler partire per Persia et esso mi concesse il nostro Caravan Seraglio. Doppo la sua morte, che fu alli *14* di Marzo del 1704 dovendo partire da qui una nave d'Abdelsciek io havevo tentata la licenza di partire da Mahamed Begh suo nipote che sucesse nel governo sino alla venuta d'Alli Bascia ; esso mi minaccio di pormi in Carcere se piu parlavo di partire ; trattandomi d'ingrato verso li benefitii ricevuti da suo zio. Alla fine venuto Alli Bascia, piu tosto mi ha ridata la casa, che la licenza di partire ; adunque per questa parte non hó scrupolo d'haver operato *contra obedientiam* anzi pretendo d'haver fatto secundo li suoi ordini expressi ; perche alli *19* di giugno del *1704* recevei una sua lettera data da Haspahan alli *22* di giugno del 1703 nella quale V. R. dice *Circa le cose occorenti io credo che V. R. deve temporizare* il piu che potrá. E piu a basso dice V. R. non habbia paura, e si fidi *di Dio, che questa Missione fondata* da *Novanta* anni *non cossi sarra distrutta,* et *in caso di qualche disgratia irremedibile,* e *che assolutamente non possa stare, ne in casa nostra, ne in casa d'altri all' hora se ne potra venire* in Sciras *ó Haspahan ma che Dio l'aiuti : in queste occorenze si vuole dell' animo*, e *della Prudenza*. Queste sono parole rescritte da verbo ad verbum dalla detta sua lettera ; et alli cinque di Decembre del *1703* ne ricevei un' altra sua data in Giulfa alli *otto di luglio del 1703* nella quale me dice li *Padri* di *Bagdad restano, e tornano a fabricare* ; e cossi veda V. R. *con le buone a* tratenersi sino che io habbia alcuna risposta da Europa per questo. Et alli sette del medesimo Decembre del medesimo anno in un' altra sua data da Hispahan sotto li nove di luglio del *1703* parimente mi esorta a mantenere il posto con dirmi che li Padri di Bagdad restano, e fabricano et in un' altra sua data sotto li *30* di Decembre del *1703* che ricevei alli *19* di giugno del *1704* V. R. mi scrive . gia che la providenza ritiene V. R. in Bassora *mi rimetto alla sua Prudenza, perro se V. R.* non *potesse stare con honore*, e *con possitivo avantaggio se ne venga anche lei*. Padre nostro qual piu grande honore potevo mai havere, che ricuperare una cossi antica, e buona missione, senza forza d'armi, ne violenza alcuna, má solamente con la patienza ? e qual magior avantaggio potevo desiderare, che il travagliare nella vigna del Signore con tanti miei stenti, e con si bel frutto di tante confessioni, e comunioni che (gratie a Dio) si fanno nella sollenita di Santa Chiesa ? In questa Citta abenche distrutta vi sono bastanti anime Christiane, qual senza scrupolo gravissimo non posso abandonarle, perche non vi e altro ministro di Christo che io, abenche indegno di si bel nome. non che di tal offitio. Qui vi é la casa di Koggia Saffar con sette anime, la casa di Abdelrahim con sei anime : la casa di Saiin con tre anime, la casa d'Abdalla Thor con due anime, la casa della Nagidia con tre anime, e la casa di Koggia Anna e di Joseph con sei anime, con altri trenta, o quaranta qui stabili ma senza moglie ; nel tempo della Monsoni passano sempre le cento cinquanta, e ducento, nell' armata vi sono da otto in dieci Schiavi Europiani, e piu di trenta Greci, e gratie a Dio vengono alla Messa tutte le Domeniche, e feste, come prima in Somma parlando senza detrimento d'ogn' altra Missione, al mio parere, questa é la piú bella, e fiorita che habiamo Noi Carmelitani in tutto il levante; perche in tutti li altri luoghi vi sono multiplicati li operarii: Má dá qui andando noi; veranno i lupi a divorare le nostre pecore che costano la vita di tanti nostri Religiosi: Adunque, Padre nostro, queste dá me cittate sue lettere, confesso, hanno dato spirito alla mia fiachezza per resistere a questa opera alla mia insufitienza bastantemente difficile; e mi dichiaro che mai mi e venuto scrupolo di operare *contra obedientiam* e per questo credo, che Dio Benedetto mi há prosperato in impresa tanto ardua. V. R. sogionge nella sua lettera che, iam *scripsi multoties Reverentiae* Vestrae *ad nos redire, et non adherere cogitationibus suis.* a questo Padre nostro gia ho risposto che il venire non é mai stato in mia mano, et il Rev. Padre Pietro d'Alcantara lui medesimo essendo qui presente ha veduto, che Mahamed Bascia, non solamente non mi ha permesso di venire, má mi ha vietato di scambiarmi, quando volevo lasciar qui il detto Padre, et io venirmi a godere la Presenza di V. R.; e di questo V. R. in una sua data da Sciras alli cinque di Feb. del *1704* ricevuta alli *19* di giugno del medesimo anno confessa di saperlo perche mi scrive. Doppo *l'arivo felice del R. P. Pietro d'Alcantara, il quale mi há informato del stato nostro di Bassora, e come veramente la il Bascia lo riteneva nella speranza d'un prossimo ristahabilimento, Dio lo faccia, e per questo mi rimetto alla sua Prudenza per la sua dimora.* Ne punto mi rimorde la conscienza d'haver adherito a miei pensieri, perche li miei pensieri sono sempre stati di vincere tutto con la patienza, alla quale V. R. come buon Padre mi esorta in un' altra sua data da Hispahan al primo di luglio dell' anno 1704, che ricevei alli *16* di Settembre del *1704* *nella quale mi dice come il R. Padre Colombano dal principio di Febraro stava al Santo Monte Carmelo, e che s'imbarcava* per la Francia per vedere *Cosa Dio faceva per il nostro negotio di* Bassora *che perro esorto V. R. alla patienza con la quale si farra il tutto. V. R. sogionge che, et si venisset non esset intrigata cum debitis suis, et miseriis sicuti nunc est.* E vero Padre nostro che se io fossi venuto, quando mi scacciarono de Bassora, non haverei quei debiti, che hora tengo: Má e vero anchora, che non haverei ne meno il posesso delle nostre Case, e Chiesa come hora tengo; e per questo non mi rincresce, ne mi turbo d'haver fatto debiti, perche il guadagno mi pare superiore: Má se V. R. volesse dire che dovevo venire subito ricevuti li suoi ordini; e se cossi havessi fatto, hora non mi troverei intrigato in questi debiti, e miserie nelle quali sono: a questo parimente rispondo, che le prime lettere con le quali V. R. m' imponeva, che partissi, le ricevei, una alli *25* di Febraro del *1704* la quale era data alli *28* d'Ottobre del *1703* dá Sciras, et l'altra la ricevei alli sette d'Aprile del *1704* che era data parimente da Sciras alli *21* di Novembre del *1703*: nella prima delle quali mi scrive: *Io prego V. R. assolutamente senza* niun *riguardo* alle propositioni, *che il Turchi gli possino fare*, di *venirsene* in Sciras per la via *piú breve che potranno tutte due*; le cose che *comodamente possono portar seco*, le *portino, e la Casa* con *altre cose, che fossi restaranno*, le consegnano ad alcun amico in buon' ordine, e ben serrate, dal quali piglieranno una cosa e nella secunda lettera dice. *Res omnes nostras consignet alicui securo amico, et absolute veniat.* sì che la prima di queste lettere giusto mi capito in buon tempo per eseguirla, perche quel tempo era la furia della tirrannide di Mahamed Bascia, quale giusto in quel tempo haveva fatto imprigionare Agi Assen, Fratello d'Agi Agi, uno de primi mercantidi Bassora, perche essendo questo Vikile d'Agi ebben Kerri mercante ricco voleva pigliargli tutto il loro havere, et in questo tempo tutta la citta, et io medesimo tremando temeva ogn' uno sopra di se medesimo;

onde all' hora quando io parlai per vedere se Agi Kassem Semmerri primo Mercante di Bassora volesse darmi due camere a fitto nel suo Caravan Seraglio, che é contiguo alla nostra Casa : Come una larva mi rispose : he Padre non vedete, che la citta abruggia : e voi cercate anchora fuoco ? All' hora li Nostri poveri Christiani morivano di Spavento, massime che il Bascia haveva intentione di prendere con forza Matlub figlio di Koggia Saffar nel Seraglio per farlo Turcho e servissene per Sodomia, e di piú voleva prendere per forza la figlia del figlio d'Abdelkerim, che hora hó sposata con Matlub figlio di Koggia Saffarre, per darla ad un suo favorito di Corte Turcho in moglie : onde V. R. s'immagini in che travaglii io ero, et il povero Abdelkerim, con la povera madre di Matlub e tutti li altri ; e la verita del fatto e si certa, che Dio Benedetto sfoderando la sua spada, fece con un terribile terrae moto sentissi adirato, et alli *14* di Marzo vibró il colpo contra il Tiranno, e lo occise. la seconda lettera che ricevei alli sette d'Aprile Mahamed Bascia gia era morto, et io prima di ricevere questa sua havendo veduti li passati travaglii e dubitando, che il nuovo Bascia potesse essere peggiore del primo, volendomi disimbaracciare, me ne andai all' udienza di Mahamed Begh nipote del morto Bascia per dimandargli licenza di partire con una nave d'Abdelsciek, che andava per Congo, quale havendo intesa la mia intentione, come gia ho detto di sopra, mi scaccio dalla sua presenza, con trattarmi d'ingrato alli servitii ricevuti dal suo zio, e mi disse, che sentassi, sino all' arrivo di nuovo Bascia dá Constantinopoli, e che non parlassi piú di questo che bastava : si che V. R. consideri, come io potevo consegnare le robbe in mano d'alcun amico, e la casa, la quale teneva anchora confiscata il Bascia, e venire in tempo impossibile ? Si che io per all' hora sforzato mi tratenni, et alli *19* di giugno del medesimo anno, nel medesimo giorno mi Capitano da Bagdad cinque lettere di

V. R. una da Spahano data sotto li *22* di giugno del *1703* e l'altre due da Sciras, una sotto li *30* di Decembre : e l'altra sotto li *5* di febraro del *1704* nelle quali mi scrive che mi fermi e stii sodo nel posto per quanto mi e permesso, e due altre parimente da Sciras, una data alli *28* d'Ottobre del *1703* e l'altra dell *25* di novembre del medesimo anno, nelle quali m'ingiongie di venire. nel legere le dette lettere confesso, che mi trovei in un tal qual labirinta, ma quando riflettei al caso di essermi capitate tutte in un medesimo giorno da Bagdad, non dispersai (? *sic*) il caso e credei la dispositione da Dio, onde mi prefigurai d'essere in un' Capitolo per decidere un dubio, e trovando tre voti uniti contra due contrarii stimato che la volonta di Dio, e di V. R. il seguire la parte piú forte, che erano le tre lettere che mi dicevano di stare. Secondariamente respondo Padre Nostro : Non e vero che se fossi partito all' hora, non haver.. tanti debiti come hora tengo, perche all' hora ne havevo ducento piastre, come gli scrissi in una mia alli *26* di febraro del *1704* la onde ero piú incapace di partire, che hora, che non tengo debito piú di cento cinquanta. E vero che erano [ ] a cinque cento : Ma Iddio Benedetto e grande, e con l'Ecconomia [*sic*] e speranza nella Padrona di Nostra Casa sono arivato ad haverne cento cinquante, e vero che *sono alle strette*. V. R. di poi *sogionge nella sua gratissima Et quando ego in statu ubi sumus absque subsidiis et cum naufragatione subsidiorum non possum illa restituere, et ideo ego non aprobo illa* nec volo illa solvere. a questo Padre nostro rispondo, che non gli ho mai cercato che V. R. paghi li miei debiti, solamente l'hó pregato a non scordarsi di me, per la giusta parte, che tocca a questa Residenza de primi sussidii che capitassero nelle sue mani o da Suratte ó da Roma ; é ben vero, che lo pregai di qualche socorso straordinario, stando che nella Cassa comune ogni anno vi si mettano le decime delle Residenze, per li straordinarii bisogni, e non sapendo, se sii anchora sucesso piu straordinario caso del mio da che siamo in Persia, e nell Arabia, non ho havuto rossore di cercare Charita, ne io ho mai scritto, che V. R. accetti li miei debiti, a benche se V. R. non li accettasse sariano sempre accettati dalla Religione perche per la Religione si sono contratti, et si quidquid acquirit monachus acquirit monasterio ita etiam quidquid perit monacho perit monasterio, e per questo ho fatto il voto di Poverta. Seguita nella sua lettera *Igitur credimus aliud non esse nisi quod V. R. quantocitius veniat*, et *ut solvat debita*, *vendat domum iuxta Cartam inclusam.* Padre Nostro se V. R. crede, che per pagare li miei debiti non vi sia altro rimedio se non che io vendo E che per questo sia bisogno di vender la Casa, come ha scritto nella Carta inclusa ; a questo rispondo come giá hó detto di sopra, che li miei debiti non sono in tanta somma, che non vi possi essere altro mezzo per pagarli ; poiche a me basteria d'havere un' annata intiera ben pagata tutta in una volta per potermene *liberare* del tutto . . . Sogionge V. R. et *praecor V. R. obedire*, *et facere omnino eo modo quo praescribo* : a questo non posso risponder altro, se non assicurarlo, che per quanto sarrá in me li eseguiró a puntino. *Et ut V. R. ad haec omnia incont[in]enter satisfatiat hac praesenti carta iubeo et praecipio Vestrae Reverentiae In Virtute Sanctae Obedientiae haec omnia descripta et a R. Patre Priore Aspahensi subscripta exequi absque ulla excusatione*, nisi voluerit *incurere paenas Religiosi inobedientis*, sed *hortor* Vestram Reverentiam *illa omnia benigne*, *ac cum bono animo* facere &c. Padre nostro ho exeguito nel medesimo giorno che mi arivó la lettera li suoi ordini in quanto stava in me cioe ho cercato compratori della Casa, má tutti si burlano di me, dicendomi, se non so anchora, che le Chiese e case di Chiesa non si puonno vendere ? in somma non hó havuto riguardo apresso Christiani e Turchi in palisare la mia intentione di voler vendere la casa. Io voluo metterla all'incanto, porró prima havendo cercati l'instromenti della Compra, et havendo trovato notato del R. P. Aghatangelo di felice memoria, che mentre li Religiosi nostri in occasione di guerra per tre volte fugirono a Sciras, a Bander Rik, e Bander Aboscer [*sic*] perderono molte scritture di Casa, et in fatti non havendole trovate sono stato imposibilitato a cercar piú avanti di vender la casa, perche so di certo, che senza le scritture niuno le purle comprare, e questa e la causa, per la quale Alli Bascia confisco la nostra casa quando venne il firmaria da Daldabane Visire, perche havendomi cercati li scritte, e non [ ] lui disse che il Re haveva donato questo [firmáno] per noi sino alla rivocatione, che all' hora haveva fatta ; ne nella defterkana della citta si trovano perche dell' anno 1636 in qua quando bruggio la metta di Bassora all' hora tutte le scritture dell' Archivio si abrugiorono, la onde per questa parte e impossibile ; di poi stante che la lettera di V. R. *dice vendat domum iuxta Cartam inclusam*, *e la Carta inclusa dica* (*contractus autem praedictarum domorum nostrarum debent ibidem inveniri*, *vel in deposito asservari aput amicos nostros casu quod illinc non inveniantur*, suplico quod *scribant mihi*, et *informent de omnibus*) per questa ragione mi stimo obligato ad obedire, se non posso in totum, in tutto quello che posso, come faccio di raguagliargli quanto e successo, et aspettare novamente li suoi ordini, assicurando a V. R. il mio ramarico, per videre che V. R. suppone, che per farmi obedire habbia bisogno di precetto ; e giá che V. R. m'impone d'avisarlo del tutto Padre nostro adunque dico che gli sia noto, come nella lege de Turchi e prohibito vendere luoghi VVakf che loro dicono, e che ne meno il Bascia medesimo la compreria. Secondo, che non havendo la scrittura in mano, noi siamo sicuri nel nostro posesso per la continua habitatione fatta, má per vendere é impossibile che noi vendiamo, e che alcuno compri per la detta ragione. Terzo notifico a V. R. che é vero, che per il passato la nostra Casa poteva consegnarsi ad un amico in mancanza de Padri, Má hora essendo stata una volta allogiata dalla soldatesca de Turchi non vi é chi possa diffendela [*sic*], e per questo, ne Abdelkerim, ne il Capitano Holandese, ne altri la vogliono in deposito, e serandola é cosa certissima, che il Bascia la ripiglia, e quest' e la causa, che mi ha trattenuto qua R. Padre nostro non posso credere, che l'intentione di V. R. fosse, che si venda, e sradichi questa Missione da Bassora perche mi pare, farci torto al' suo Zelo, e per questo io credo, che habbia poste tante conditioni, accio trovandosene una inpossibile, il tutto sii sospeso : Ma credo che V. R. si era un poco spaventato per li miei debiti che havevo, Má Padre nostro le contingenze cossi hanno portato per il bene della missione, e per questo Dio Benedetto mi ha agiutato fuori dell' ordinario per potermine pian piano sgravare, in modo che in un' anno con ottanta piastre, che V. R. mi há mandato dicinquanta cento piastre, che havevo di debito sono ridotto a cento cinquanta sole, ma perche hora non ho cosa alcuna, non mi posso cossi facilmente aiutare, la onde prego V. R. quando che il suo genio fosse, che si mantegna questa missione, come giudico, a mandar subito qualche aiuto, perche il mio intento e tutto per il bene della missione a gloria di Dio, e della Religione, e consolatione de nostri Superiori, e principalmente di V. R. essendo il mio immediato, e sempre riverito. hora mando questa mia con un espresso de Signori Holandesi per Sciras V. R. si compiacerrá velocemente a darmi le ultime sue determinationi, perche dovendo il Signore Capitano Pietro Macharré passare in Bander Abbazzi nel mese d'Agosto, piglierei con lui li miei dissegni ; esso va a Bander Abbazzi per magazeniero della Compagnia porto molto avantaggioso per lui, e per qui non si sá anchora se sii destinato alcuno, perche pensano di ritirarsi per il poco trafico, che fanno, e per quest' effetto il mese che viene, verra una nave per prenderlo : si che io staro attendendo li suoi ordini, assicurandola Padre nostro della mia buona volonta di eseguirli. Supongo d'haver risposto bastantemente alla sua lettera, non giá mai per confutarla, má per palesargli la mia sincerità confrontata con li suoi ordini, si come supongo, che sii per accettare le mie ragioni adotte come Padre amorevole, e Prudentissimo Abdelkerim ha risposto alla sua lettera, e lo riverisce con tutta la casa di Koggia Saffarre, et il nostro antico, e buon amico Agi Mahamed Attar, vero amico e benefattore. Prego Padre nostro, V. R. a benedirmi et assolvermi dá ogni mio mancamento et a non scordarsi di me nelli suoi santi sacrifitii mentre humilmente e cordialmente mi dico da Bassora li *30* Maggio dell' anno di nostra salute *1705*.

Di Vestra Reverenza Padre nostro
Indegno Servo et obedientissimo
Figlio F. GIO: ATHANASIO di
S. Antonio Carmelitano Scalzo.

Hanc epistolam misi Siirasium die trigesima Maii per Tabellarium Dominorum Holandorum, et die sequenti ex Congo pervenit 2ª Copia Epistole Reverendi Patris nostri Basilii pro me et pro Domino Capitaneo et nostro Abdelkerimo, die scilicet prima Junii cui etiam quoad Substantiam identice respondi, sed laconice, et per eandem viam direxi.

Die octava huius mensis Junii aparuerunt Arabes, scilicet Sciek Moghames filius Mahané prope Civitatem, ob hanc causam statim noster Gubernator Alli Bascia scripsit novam militiam, et ob sui vigilantiam nihil accidit, quin immo ad sedendam civitatem confusam composuit pacem cum Arabum Principe Moghames, et ideo die duodecima eiusdem mensis extra portas Civitatis Arabes et Turcae ad invicem osculati sunt, et ipsemet Alli Bascia una cum militibus suis civitatisque Primatibus ivit ad tendas Arabum et ibi foedus pepigerunt ad invicem, cum incredibili civium iubilo. Eadem die venerunt certa nuntia, quomodo Kalil Bascia Gubernator VVanlensis, scilicet Monasteriensis qui alias erat Defterdar in Constantinopoli fuerat destinatus ad gubernium Bassorae, nosterque Alli Bascia ad Gubernium Civitatis Cuniae, et ideo statim Alli Bascia die sequenti ivit ad Mokamum civitatis ad ripam Euphratis. Ut superius dixi anno transacto, quando scilicet Alli Bascia rediit ex Bagdad praesentaveram ei unum memoriale, ut constat pagina *256* cum quo petii Domum nostram inhabitationem, qui de facto Domum concessit, attamen noluit dare mandatum in scriptis, promiserat tamen, in casu quo deberet hinc discedere, signaturum; ideo cum nunc resideamus absque diplomata Regis, iudicavi munire me authoritate Gubernatorum, pro tempore stantium, et ideo statim cum nostro Torcimano eadem die *23* mensis steti coram Alli Bascia ut sigillo muniret nostrum memoriale, qui post triplicatum non, ut praesentavi ei parvulam Ampullam olei sandalicum licet Turca, licet Potens, licet Infidelis; cessit importunitatibus meis, accersitoque secretario iussit, iuridice autenticare, et ipsemet propria manu supscripsit ut moris est tribuitque mihi dicens, Deus te custodiat et ora pro me statimque discessi. et dum rediremus Domum audivimus explodari Tormenta bellica, illo enim momento quo nos discessimus venerat ex Bagdad uno vulgo felucca cum nostri venturi Kalil Bascia Mutselem, scilicet loco tenenti nomine Soleiman scilicet Salamon Agha, qui post meridiem intravit civitatem hospitiumque habuit aput Abdel latif Civitatis Primatem. Sequenti die Domini Holandi cum Torcimano Abdelkerimo iverunt ad ipsum ad congratulationis offitium praestandum, et ego altera die solus idem praestavi Torcimanumque habui Sciek Abdellatifum, qui est noster bonus amicus, qui ut me cognovit Patrem, Gallorumque Consulem valde gavisus est, promisitque protectionem coram venturo Bascia pro nostra Ecclesia, et altera die quae erat 26 mensis advocavit me, iussitque mihi, ut scriberem Gallorum Anglorumque directoribus in Bander Abbassi degentibus, quod scilicet Defterdar, scilicet Secretarius Kalil Bascia veniebat ad huius Civitatis Gubernium cum intentione ut omnes nationes, et principaliter Francorum, veniant ad hunc portum resarciendum a ruinis ab aliis Gubernatoribus causatis promittens eis supra omnes alias nationes protectionem et securitatem. Igitur die 27 scripsi et sequenti die, quae erat vigesima octava detuli ei Epistolas, illasque explicui Turcico idiomate, eique tradidi ut unacum ab ipso eisdem directis Epistolis mitteret, ut fecit die 30 eiusdem mensis.

In principio mensis Augusti Alli Bascia expeditis negotiis Gubernii, praesumens quod Kalil Bascia post paucos dies esset venturus, ut par erat, divertit se cum militibus suis ad aliam ripam fluminis, et ibi remansit sub Papilionibus expectans adventum novi Gubernatoris, quia aput Turchas mos est, Praecedentem Bascia non discedere, nisi post adventum successoris, ne civitates destituantur debita custodia. Igitur Alli Bascia impatienter expectabat successorem suum, et non comparebat et ecce die octava Octobris ex mandato Magni Visiri ex Constantinopoli venit unus Cappiggi ut quamcitius defferret Alli Bascia ad Portum, scilicet Constantinopolim, sed ut dixi, cum aput Turcas fuerit inauditum Civitatis Gubernatorem discessisse ante adventum alterius, et cum ex alia parte Capiggi insisteret ut cito iter agrederetur ideo ne Civitas debita destitueret Militia ad sui custodiam Alli Bascia petiit a Kalili Bascia loco tenente sex millia scuta argentea ex proventu Civitatis a duobus mensibus, ut militiam scriberet solveretque anticipate. Sed cum Mutselem Soliman Agha noluerit dare, Alli Bascia accersitis Mufti Kadi et Primatibus Civitatis eis tradidit Civitatem, ab inimicis usque ad hanc diem defensam, aceptamque ab eis cartam resignationis, instante mandato Regis, ut quamcitius iret Constantinopolim petiit veniam, et una cum suis militibus die vigesima quinta huius mensis Octobris hinc discessit Oezam versus. Noster Mutselem totus intentus ad crumenam implendam reliquit Civitatem civesque omnes ad discretionem inimicorum et cum magnates civitatis sugerissent ei, quod aequum foret aliquas militias scribere, ut diu noctuque vigilarent subsidendo neglexit, cui sumopere providendum erat.

Interea die secunda Novembris ex Bander Abbassi venit una parvula navis vulgo Buott Holandorum sotietatis cum parva quantitate Zachari albi, Piperis, Zachari canditi, et stanei, cum qua venerunt Epistolae Rev. Patris Nostri Basilii ex Hispahano datae sub *15* Julii huius anni 1705 in responsionem ad meam Epistolam ei directam supra descriptam, paucisque verbis scripsit mihi quod pro nunc remittebat se prudentiae meae mihique condonabat omnes paenas quas potuerim mereri ex praedictis praeceptis ne in scrupolis me retineret, in casu quo scrupulem habuissem ob non patratis delictis, a quibus Deus semper me liberet.

Die sequenti, quae erat tertia mensis ; Civitatis Bassorae antiquus hostis Arabs filius Mahané nomine Sciek scilicet Princeps Moghames, cum audierit certeque sciverit Civitatem destitutam esse militibus venit prope Civitatem per viam deserti, et per exploratores suos proditoresque Civitatis disseminavit famam, quod cum pluviae imminerent, ut erat de facto, Arabes ibant ad desertum altum ne submergerentur ab aquis ; attamen non defuerunt prudentes qui hoc denuntiaverunt pro tunc Gubernatis vicegerenti Solimani Agha, ut invigilaret ad paericulem quibus ille Turcica superbia respondit, quid ad vos ? ideo eadem die ex Civitate discesserunt exploratores Arabum denuntiaveruntque eorum Principi Moghameso torpensem Civitatis Gubernium, qui hoc audito statim surexit cum equitatu suo ad numerum duorum milium et una nocte fecerunt iter trium dierum, ita ut post mediam noctem quartae feriae quae erat quarta mensis ex improviso aparuerunt ad portas Civitatis quae vocatae Robbat prope nostram Domum cui igne aplicato accensoque omnes Arabes accurrerunt, et per portam destructaque moenia de repente intraverunt, quibus obviam ocurerunt pauci milites et cives, unacum Mutselem, qui per duas horas restiterunt, sed oriente sole, occurentes Primates Civitatis videntesque quod Arabes incipiebant depredari domus civium desperati tradiderunt civitatem Arabibus cum pacto iurato Clementiae: Statimque Praecones Arabum ex mandato Principis Moghames anuntiantes Clementiam civibus praecurrebant clamantes Aman Alla; Aman Alla, id est misericordia Dei eiusque Clementia, et ita victor intravit Filius Mahané Arabs, docuitque Turcas, Osmanliosque vigilare. In hac pugna ceciderunt ex Arabibus, ut dictum est, unus, sed ex Turcis civibusque decem, in duodecim mortui sunt, et supra viginti vulnerati, venerant enim Arabes resoluti vel vincere, vel mori, vel saltem depredari, sed ab hoc flagitio non praeviso liberavit nos Salvator Noster.

Ad Menavoi inveniebantur tres fregatae quarum Capitaneos Princeps Moghames statim vocavit promittens eis duplum salarium, qui viriliter renuerunt, quin immo pugnare voluerunt, sed sequenti die discesserunt et inire ad Kornam expectantes Kalil Bascia, qui post tres dies comparuit. Interea civitas civesque hospitesque timebant quod posthea evenit, et ideo Dominus Holandorum Capitaneus misit honestum munusculum Arabum Principi et die septima mensis ivimus ad eius praesentiam; qui nos civilissime recepit. Dominus dictus Holandorum Capitaneus post congratulationis offitia, petiit cartam foederis inter Arabes et Holando, humaniterque respondit quid quid petiissent concessurum, quapropter Holandi suum explicaverunt memoriale in ordine ad negotium sotietatis, et ego cum eadem ocasione eque iudicavi memoriale meum praesentare ad nostrae Ecclesiae, domusque, custodiam, et die nona eiusdem mensis per manus Abdellatif praesentata sunt Principi Moghameso, qui statim remisit ea ad suum Kadi nomine Sciek Soliman ut iuridice firmaret.

Die duodecima eiusdem mensis Princeps Moghames misit Patentes Foederis Dominis Holandis mihique Protectionis, quae est sequentis tenoris.

توكلت على الله

Locus Sigilli

نعلمون به الواقفون على كتابنا هذا من كافة خدامنا
وعمالنا وظباطنا بانا اعطينا حامل الورقة البادري جنا على موجب
ما بيده من فرمانات اولياء الدولة القاهرة ومن اوامر الوزرا
العظام والامرا الكرام وله منا فوق زيادة الحشمه والرعاية
وقد اسقطنا عن خدامه وترجمانه الجزية والخراج وكتبنا له هذا
الكتاب سندا بيده يتمسك به لذي الحاجة اليه وعلى
كتابنا هذا غاية الاعتماد والله تعالى شانه ولي العباد
وبه تحرر في ثاني وعشرين من شهر رجب الفرد
سنة سبعة عشر ومايه والف
سنة ١١١٧

الفقير
مغامس
ال مانع
م

Cuius interpretatio haec est.

Spes nostra in Deo est.

Notum sit omnibus quibuscunque praesentata fuerit haec nostra autentica scriptura : omnibus scilicet subditis nostris offitialibusque cuiuscunque gradus, nos hanc dedisse R. Patri Joanni, cum qua confirmare intendimus omnia privilegia eis concessa a nostro serenissimo Turcarum Imperatore iuxta diplomata Regia quae in manibus eius sunt, quin immo volumus, promitimusque maiorem honorem, protectionemque ei praestare nationique eius, declaramusque quod neque eius Interpres, neque eius famuli subiecti sint, ideoque immunes a quacunque mulcta, sive onerosa impositione, et hanc scripturam subscripsimus propria manu eique dedimus pro ocasionibus fortasse venturis praecipimusque omnibus subditis nostris et ofitialibus cuiuscunque gradus ut prestent fidem huic nostro scripto executioneque honore afitiant et Deus O. M. custodiat nos omnes, datum Bassorae die 22 Mensis Regieb el ferd anni Mahamedi 1117 et ad nostrum computum die 12 Novembris anni salutis 1705.

Pauper Moghames el Mahané.

Hanc protectionis Patentem procuravi, obtinuique absque paenitus expensis, quae Deo adiuvante in simili eventu erit semper nobis nostraeque Domui valde proficua. Eadem die post Vesperas Sciek Moghames, qui tunc sedebat ad Mokam accersivit Capitaneum Holandorum qui tunc erat Dominus Petrus Makarré ex Zelandia, qui causam ignorans rennuebat accedere, cui cum dixerim oportere, ne diffidentiae notam daret voluit omnino secum me conducere, ad quod paratum me exibui ; Igitur omnes ivimus cum Torcimano, qui nos civiliter recepit, praecatusque est Capitaneum ut advenientibus Turcis, vellet cum sua navi dimicari. ad hanc propositionem Capitaneus respondit suam navim in medio fluminis non posse resistere contra Turcarum Galeras subditque non posse pugnare contra

Turcas absque magistratus imperio; ideoque non posse huic paetitioni ullo modo asentiri—ibi adinveniebatur Sciek Abd el Latif qui valde instabat, cui cum Capitaneus per Torcimanum respondisset, quod si vim faceret, omnes Holandos descendere faceret, et posthea ipse viderit. Sciek, sive Princeps Moghames, ut audivit hanc resolutionem quievit nec ultra processit, dixitque nemini vim fatiam, precipueque vobis, attamen petiit a Capitaneo unum, VVulgo Conte stabilem, ut tormenta bellica exploderet contra Turcas. Capitaneus noluit contraire Principi Moghameso in omnibus, promisitque. attamen ut Solon nos docuit semper respicere finem revelavi Capitaneo periculum eminens in casu quo Turcae venissent urbemque captassent, quo audito valde poenituit concessisse timuitque nimis. Interea ex navi venit vocatus Conte Stabil statimque Princeps Moghames voluit induere illum veste honoris, sicuti mos est aput illos, sed statim admonui Capitaneum ne absolute hoc permitteret, recusavitque, quod si acceptasset Deus avertat, ut videbimus infra.

Post haec Princeps Moghames ostendit ei Bombas, granatasque et alia Tormenta, voluitque experientiam videre recreationis gratia. Aput Principem Arabum inveniebatur quidam exploditor Turca, qui ut vidit Holandum, statim Zelotipia factus murmurare coepit, quod mihi valde placuit, volebam enim Holandos liberare a tam pernitioso praecipitio, statimque Lusitano idiomate docui offitialem Holandum ut in omnibus ignorantem se ostenderet excusaretque se dicens quod haec tormenta militaria non sunt ad modum Europeum; Hunc sermonem explicui Principi Moghameso, nec non Sciek Abdel Latifo quem in bonam partem habuerunt, remiseruntque. Nos omnes cum gratitudinis inditiis Deoque O. M. gratias agentes redivimus Domum laetantes.

Die decimo octava mensis Princeps Moghames audivit,

quod Turcae ex Castello Gorna veniebant cum suffitienti aparatu ideo timens, accersivit omnes Mercatores civitatis petiitque ab eis sexaginta milia scuta, et a Christianis Judeis Sabeisis quingenta. Quid fatiendum ubi non datur expellationis locus ? ideo eadem nocte numerata detulerunt, post mediam noctem Turcae descenderunt ex Castello Gorna cum sex vulgo fregatis volebantque agredi civitatem, sed vi ventorum expulsi sunt ad aliam fluminis partem vulgo Gordolan, quod videntes Arabes vociferati sunt paraveruntur que se vel ad pugnam vel ad fugam.

Sequenti die decima nona mensis Turcae miserunt unam legationem ad Principem Moghames, ut restitueret eis civitatem, qui post initum consilium decrevit eis dare civitatem petens quinquaginta millia scuta, quo audito Abdel latif qui volebat Arabes illis enim per proditionem tradiderat urbem, increpavit Arabum timiditatem parvipendens Turcarum valorem, et ideo Arabes de novo pacem amplius noluerunt, et dimitentes Legatum Turcarum illos invitarunt ad Pugnam. Turcae erant ad numerum duorum millium ad levantem civitatis distantes duabus horis itineris. Kalil Bascia remanserat ad Gornam egrotus miseratque suum Kekua cum dicta militia, qui ut audivit resistentiam Arabum timuit, volebatque per aliquot dies suspendere pugnam. Sed Deo ita permittente (volebat enim nos eripere ab Arabum capitivitate, et ab imminenti flagitio) die sequenti quae erat vigesima mensis Arabes succenderent quatuor fregatas Turcarum quae erant ad ripam fluminis alligatae confractaeque intendentes, quod Turcae hoc intuentes fugere, vel timere deberent. Sed triremium Capitanei a longe hoc inspitientes, renuente Kekua Generali surexerunt velamque fecerunt ad Castellum Menavoi dictum ad quod Arabes accurentes Turcae incessanter Tormenta explodentes fugaverunt castellumque absque detrimento obtinuerunt. Statim Turcae deposuerunt quingentos milites miseruntque illos ad portam civitatis occupandam, quae vocata Miserek, reliqui vero cum fregatis incessanter velam fecerunt ad Mokam ubi Princeps Moghames morabatur ibi cum exquisita audatia. Turcae descendentes fugaverunt omnes Arabes, qui omnes venerunt in civitatem depredantes et Turcae persequentes. E contra nostrae Domus Princeps Moghames eiusque Frater Mahamedus ibi fortes facti sunt cum militibus suis expectantes Turcas insequentes. Interea cives ut cognoverunt de facto quod Turcae venerant omnes surexerunt contra Arabes per vicos et plateas curentes et ocidentes, tandem Turcae duas partes civitatis obtinuerunt et Palatium, ideo Arabes timentes tenebras noctis imminentis praecipitanter fugere satagerunt, sed fugendo multi ceciderunt vulnerati et occisi. Haec pugna duravit a meridie usque ad ocasum solis die vigesima Novembris vigilia Praesentationis B. V. Mariae cuius praecibus liberati sumus a tali spectaculo, ex Turcis nec unus quidem mortuus est, sed aliquot vulnerati, ex Arabibus inventi fuere mortui ducentum quinquaginta sex, quia peculiare Arabum ingenium est, intra urbium menia nihil prestare ad pugnam.

Sero facto statim currerunt ad nostram Domum viginti milites Graeci Christiani anthea nostri amici, ut me domumque defenderent qui post parvulam cenam eis exhibitam abierunt. Illa nocte Turcae disposuerunt custodes multos per circuitum, quia multi Arabes remanserant hinc inde, sed media nocte ipsimet depredati sunt civium bona, percutientes et occidentes; Domumque Sciek Abd el Latifi igni succenderunt, et fuit confusio peior priore, quia nemo se defendere audebat. Attamen Patrona nostrae Domus ab hoc etiam periculo nos sua pietate servavit incolumes omniumque nostrorum Christianorum Domus, non sine Turcarum stupore, qui fere omnes notabilia damna senserunt.

Hic adnotandum venit quod Turcae audierant quod

Scek Moghames petierat navem Holandorum in auxilium et falso intelexerant quod Capitaneus consenserat, quin immo quantitatem munitionis nec non instrumentorum militarium ex Arsenali Bassorae introduxisse in navem cum militia Arabica ad praeliandum contra illos audiere, ideo iuraverant succendere Hospitium Holandorum illosque occidere, ut proditores eorumque bona omnia diripere, ideo eadem nocte tentare decreverant, sed Graeci cum fuerint semper nostri Boni Amici statim hoc denuntiaverunt Abrahimo Kekua Gubernatori qui exploratores custodesque vulgo Patuliam (?) mittens prohibuit hanc hostilitatem et summo mane Gubernator sedavit militum insolentiam, tam minis, tam praecibus, et sic aliquantulum respiravimus. Et ideo altera die scilicet vigesima secunda mensis ivimus cum Capitaneo Holandorum ad congratulationis offitia praestanda coram Brahima Kekua sive novo Gubernatore, qui Turcico splendore et civilitate nos recepit, indicavitque nobis adventum Kalili Bascia post duos dies, asicuravitque [*sic*] nos de omni protectione, perciviliterque nos dimisit cum grandi honore. Eadem die venit quidam Sciek Serahan Arabs ex stirpe vulgo Ccihab dictus, secum conduxit duo milia Arabes, qui cum sit antiquus hostis Arabum Mahané Mentefek nominatorum venerat in auxilium Turcarum et hoc modo cives totaliter quieverunt ex suffitienti Praesidio. Statimq. Gubernator se aplicuit ad reparanda menia destructa usque ad adventum Pascia, qui cum ex Gorna audierit Bassoram captam Arabesque fugatos (licet infirmus) non tardavit venire, et ideo die vigesima quinta mensis ante meridiem solemniter intravit cum duobus Filiis suis equitibusque cum innenarabili totius Populi laetitia. Qui cum ex Castello Gorna audiisset hoc verbum (scilicet) quod Holandi acceptaverant milites et arma ab Arabibus ad pugnandum contra ipsos, sine mora fecit iuridicam inquisitionem de facto, mittensque duos offitiales et secretarios ex parte

Judicis sive Kadi scrutati sunt navem eorum, qui cum nihil invenerint testimoniumque fecerint de illorum integritate, iussit ut Judex sive Kadi autenticam scripturam daret Holandis in qua declararentur illibati ab his fabulosis adinventionibus : in hac ocasione Holandi valde timuerunt a furore Turcarum, et recordati sunt Consilii quod dederam eis coram Principe Moghames Deoque Gratias agentes evaserunt ab hoc non parvo paericulo cum maiori honore, licet non sine aliquibus expensis, quia Turcae, quos nequeunt occidere, feriunt.

Pascia causa suae indispositionis remanserat in Babilone aliquot diebus cui RR. Patres Capucini medicamenta ministraverant, cuique nos valde comendaverunt, naraveruntque tribulationem nostram pro Ecclesia nostra destructa vel interdicta, quibus promisit multa in nostrum favorem praestiturum, ideoque per epistolam me admonuerunt de eius erga nos bona voluntate, qua propter eadem sui adventus die post vesperas steti solus coram nostro Kalil Pascia, qui (licet nimis occupatus, nec non a febre prostratus) benevole me recepit, significavitque mihi suam lungam indispositionem, quae erat febris quartana simplex ab octo mensibus inveterata, cui cum ex benefitio aeris et quietis, nec non ex devictis hostibus bonam spem dederim gaudens gavisus est, et placidis verbis urbaniter me remisit.

Interea omnibus viribus incubuit ad fortificandam urbem statimque coegit omnes cives, nobiles et Plebeos asportare terram et arenam, quae vi ventorum ex Parte deserti supercreverant sumitatem murorum, et post duos dies coegit omnes rusticos Bassorae subiectos, qui spatio quindecim dierum reduxerunt muros civitatis fortificationesque eius ad pristinum statum, quod Alli Bascia eius Praedecessor non potuit obtinere spatio quatuor annorum, et cum hac providentia omnium civium corda demulsit et ad sui amorem, timoremque inclinavit.

Cum in circulo trium annorum usque ad praesentem diem, a superioribus nostris Romae degentibus, neque ex Constantinopoli a nostro legato unquam accepissem aliquod responsum in ordine ad nostram interdictam a Turcis Ecclesiam; et cum adveniente novo Gubernio, semper novae lites suscitarentur ex deffitientia diplomatis Regalis, non sine nostro et Christianorum evidenti paericulo; et cum ex alia parte R. P. N. F. Basilius a Sancto Carolo Vicarius Provincialis, ut supra notavi pag. 299 dedisset mihi aliquam libertatem fatiendi quid quid secundum Regulas Prudentiae in Domino expedire iudicavissem. ideo stante erga nos Gubernatoris bona intentione, praesumsi tentare in Nomine Domini opus humanae fragilitati nimis arduum, sed Divinae Providentiae facilimum, quotiescunque ei clementer placuerit: Et cum sit tritum proverbium aput Osmannos sive Turcas, quod scilicet ex viridi: sterilitas parturit. ideo die trigesima, quae est ultima mensis Novembris hanc viriditatem propinavi nostro Kalili Bascia, scilicet parvulum munusculum misi per nostrum Diaconum Abdelkerimum quod ex sua liberalitate praesentaverat mihi Dominus Petrus Macharré Capitaneus Holandorum antequam hinc discederet in gratitudinis signum, nempe unam libram foliorum Thé, a Turcis Cciai noncupati, cum viginti vulgo fingian scilicet urceolis ex terra cinae, quibus Turcae utuntur pro Caffé et uno parvulo vase ex eadem terra vulgo gulabdun, scilicet pro aqua rosacea, nec non duabus parvulis ampullis olei gariofali et sandalorum, quod munusculum Pascia propter suam benignitatem nimis gratum habuit et sumopere magnificavit ostenditque signa summae gratitudinis. Deus enim permisit ut fuerim ex primis, quia cum ex una parte esset infirmus, et ex alia valde ocupatus, omnes cives et mercatores suspenderant haec amoris signa praestare, ideoque cum eadem die steterim coram illo erubescere me fecit coram circumstantibus extollens super omnes nationes Francorum, et praecipue Religiosorum amoris civilitatisque insignes demonstrationes, et hoc modo Deus V. M. Captivam fecit eius erga me voluntatem, ita ut exibuerit mihi in omnibus fore favorabilem, quod cum viderim, invocato mentaliter, confidenterque Potentissimo Nomine Jesu, declaravi ei statum nostrae Ecclesiae, paetitionemque meam ad hoc direxi ut novum diploma mihi dare dignaretur. Statim ut audivit hanc ponderosam causam valde gavisus est, ostenditque signa optimae voluntatis, voluitque a me scire principium, medium et finem huius tragediae, et quid quid Alli Pascia et Mahamedus Cap[itane]us Pascia operati fuerint contra vel pro me, cui cum adamuscim explicuerim, similiter respondit audivisse de me a RR. Patribus Babiloniae degentibus, quapropter iussit mihi ut in scriptis memoriale paetitionemque meam extendere curarem, et altera die ad suum tribunale defferrem. Igitur sine mora die altera, quae erat prima Decembris accersivi quemdam Peritum secretarium, cui sequens memoriale paetitionemque meam sequenti metodo scribenti dictavi.

Suplicatio praesentata Kalili Pascia
Bassorensi pro licentia reaperiendi
Eclesiam die prima Decembris
Anni nostrae salutis 1705.

پاکیزه‌لر اولان بویوردم افندم وزیر اعظم اولدقده مصطفی پاشا حضرتلرینک وزارتنده

افرنج طایفه‌لرینک کلیسالری هدم اولنوب دیگرلری روملره اولمق اوزره فرمان

شریف صدور اولدقده علی پاشا حضرتلری روم کلیسالرینی قپودن دیوب قوتلرینی حقیقت

ایتمک مراد ایدوم علی پاشا حضرتلری بو قوتلرینی لکله قویدیمسه خود اولدقده فرمانه کلیسا در

لیچون دوربلینو [illegible] کلدور کتدی نه قوجیلری بو قاپی اوچ طرفه قرینه‌دن کلدوکی وقت

بونو درینی خلیل پاشا توجیه اولنوب بو قوتلری کلیسایه وقف اولدقده فاینه نزول

ایدوب دوبینه علی پاشا حضرتلری بر دولتیه کلیسا [illegible] ضمنده کلدکده علی پاشا

حضرتلری کلدکده کلیسایی آچمق و ینه آکیلی قنغی اونور [illegible] ایچون اوده طلب

ایدوم کلیسایی آچمق اوده ویرمیوب کلیسا ایچنه اولدقده قنغی اوتور [illegible]

اوده ویرمیوب بوده [illegible] کلدکده [illegible] افندی بو دولتیه قدیم صاحب فتح قدس شریف

میری ولایت [illegible] مراد [illegible] ایرو [illegible] افندیلر دولتی [illegible] نهایه قریه

مرحوم [illegible] اولدوغی عهدنامه و فرمان همایون موجبنجه عادت قدیم اوزره کلیسایی

آچوب ایچنده [illegible] عالم پناه حضرتلرینه و [illegible] افندی حضرتلرینه دعا

Cuius interpretatio haec est. Felicissime Clementissime et Virtuosissime Princeps Mi, Excellentia Vestra sit incolumis. Suplicatio humilis servi tui haec est: quod scilicet Patres natione Galli servi sui ab immemorabili in hac custodita civitate Bassorae morantes, qui ex mandato nostri Regis, nec non Aughustissimo Imperatore Vestro annuente supra nationem Gallicam, consulatus locum tenentes pacifice residebant; sed Mustaffa Pascia serenissimi visiratus offitium gerente, plenaria sui offitii autoritate mandavit ut omnes Ecclesiae Francorum sive Gallorum destruerentur nec non Patres eiusdem nationis expellerentur. Hoc mandato instante Serenissimus Alli Pascia, Ecclesiam nostram interdixit clausitque et hic humilis servus tuus hinc discedere destinavit; sed Serenissimus Alli Pascia (causa bene prudenterque perspecta) Prudentum more mutavit consilium, et prohibuit me ultra procedere adducens quod mandatum Excelentissimi vice Regis urgebat contra Ecclesias Francorum, non vero contra consules nationis, hac propterea de causa me retinuit, et per octo menses delituit hic servus tuus in uno opidorum Bassorae subiecto: quo tempore cum Strenuissimus Capitaneus Mahamedus Pascia ex Benignitate Aughustissimi Sultani Mustaffa assumptus fuerit ad Regimen Bassorae concessit mihi in hospitium nostrum Caravan Seraii, quid adiacet ecclesiae nostrae, ubi remansi usque ad reditum Alli Pascia ex Babilone. et Redeunte Serenissimo Alli Bascia ad Gubernium Bassorae: ab eodem ut petierim suplicanter, ut domum nostram mihi reddere dignaretur. congenita liberalitate donavit Ecclesiamque aperire suspendit, et ita remansit usque ad praesens: Sed nunc Invictissime Princeps mi, qui in tuo nobili adventu Deo adiuvante inimicorum tuorum, rebelliumque feliciter victor fuisti, absque ulla esitatione confido ex naturali liberalitate vestra intentum meum obtinere, (scilicet) ut Ecclesiam nostram reaperire, et restabilire concedas, in qua Evangelium, orationesque nostras persolvere valeamus iuxta Aughustissimorum Imperatorum vestrorum antiqua diplomata ab immemorabili nobis gratuito concessa, et ut incessanter Deum laudare, et pro Aughustissimo Imperatore vestro, nec non pro Serenissima Dominatione vestram Divinam Clementiam exorare possimus a magnifica Liberalitate vestra sine diffidentia obtinere confidit quid quid petiit hic addictissimus obsequentissimus servus suus, eritque magnificentiae et benevolentiae Serenissimae Dominationis Vestrae signale perenne a me

PATRE JOANNE.

Hanc suplicationem praesentavi Kalili Pascia prima die Decembris quam postquam viderit et iterate legerit petiit videre nostrum Regium diploma in suplicatione cittatum, quod mecum detuleram, quod, licet sit admirabilis extensionis, tamen cum singulari attentione examinavit, accersitoque secretario Regio Alli Ccelibi Gin Gumrati filio, hanc causam examinandam comisit, iussitque ut ex Cancellaria extraeret ex mandato Mustaffa Pascia Magni Visiris, vulgo Daldabani motivum, propter quod Ecclesiam et Patres Francorum eiicere voluerit examinaretque utrum de facto haec Ecclesia esset antiquitus descripta, nec ne, et de his omnibus rationem reddere mandavit. Ideo eadem die Alli

Ccelibi Secretarius Regius qui Primatum tenet inter meos Amicos valde gavisus est, et causa rite examinata, ut mandatum ei fuerat propria manu scripsit sequentem informationem ad dexteram maeae [*sic*] suplicationis ad marginem quae informatio Turcico idiomate Der Kenar vocatur et est huiusmodi.

Informatio facta a Secretario Regio
Alli Ccelibi ex Mandato Kalili
Pascia ad marginem nostrae
Suplicationis, ✠

Cuius Interpretatio haec est.
Ab Antiquo Patrum Ecclesiam
in hac Civitate Bassorae extitisse,
atque eiusdem antiqui Patres nobiles,
et Imperiales Litterae conspiciunt.
Et cum dicta Ecclesia Antiquitatis
Causa dirueret, circa annum Mahumedi
Millesimum Nonagesimum sub initio Mensis
Jemadi el euuel, nrae: vero Salutis 1679
mense maij: feliciter huius Civitatis Gubernio
regente Excel:mo Principe Principe Hassen
Pascia obtinuerunt a: liberalitate tanti
Principis favorabile Mandatum ad dictam
Ecclesiam a fundamentis refabricandam,
a Judice, sive Kadi illius temporis extracta
iuridica permissione, sed anno Mahumedi
Millesimo Centesimo decimo quarto, nrae
Salutis 1703 sub initio Mensis Regieb

✠
بصره ده فرنجه طائفه سنك قديمدن كليسالري
اولوب وموجبنجه يدلرنده فرمان عاليشان اولمغين
مذكور كليسا خراب ومشرف اولدوغي حسبيله بيك
طقسان سنه سي ماه جمادى الاولى غره سنده والى ولايت
مرحومه امير الامراء الكرام سعادتلو حسن پاشا
حضرتلرينك بيورلديء شريفلري ايله مجددا تعمير وترميم
اولنمق سنه بناء يدلرنده حجت شرعيه ويريلوب تعمير
وترميم ومعبدخانه لري ايكن بيك يوز اون دورت
سنه سي ماه رجب المرجبك غره سنده دينى ايجون خط
همايون شوكت مقرون ايله فرمان عاليشان صادر
اولوب مضمون شريفلرنده مندرج سوريلان عادت
قديمه مخالف وعهدنامه همايونه مغاير وكندو خاطرنه
اولميوب نامعقول حركتلري استماع اولنمغين دفع

el Muregieb, ad nrum: Computum Martij
exijt Imperiale Nobile decretum contra
dictam Ecclesiam, Vi cuius expressis termi:nis
dictam Ecclesiam suspendi decernitur
et antiquas favorabiles permissiones abrog:
:ari conspiciuntur, Nec non supradictae Nationis
Patres, Ut Seditiosi et inquieti a Bassorae districtu expelluntur et hoc Imperiale
Nobile decretum in Protectae nrae: Civitatis Bassorae nobili Cancellaria sinceriter
insertum inveni. Nunc hoc est Serenissimae Principis mei Clementiae et Magnificentiae Vrae:
signa dare. die 16 Schaban anni Mahamedi 1117 ad nrum: Computum prima: Nov:
1705
Pauper
Alli Celebi Secretarius. quam

شوکت مقرون صادر
اولنمسی بابنده خط همایون
اولوب محکمهٔ علیهٔ مطهرده مقیددر باقی فرمان عنایتلو
ولی النعم افندم سلطانم حضرتلرینکدر ١١١٧ ١٦٢

Cuius Interpretatio haec est.

Ab Antiquo Gallorum Ecclesiam in hac Civitate Bassorae extitisse apud eiusdem nationis Patres nobiles, et Imperiales litterae conspiciuntur. Et cum dicta Ecclesia Antiquitatis causa dirueret, circa annum Mahamedi Milesimum Nonagesimum sub initio mensis Gemadziel euuel, nostrae vero salutis 1679 mense Maii feliciter huius Civitatis Gubernium regente Excelentissimo Principum Principe Allen Pascia obtinuerunt a liberalitate tanti Principis favorabile mandatum ad dictam Ecclesiam a fundamentis refabricandam a Judice, sive Kadi illius temporis extracta iuridica permissione, sed anno Mahamedi Milesimo Centesimo Decimo quarto, nostraeque salutis 1703 sub initio mensis Regiebb el Muregieb, ad nostrum computum Martii, exiit Imperiale nobile Decretum contra dictam Ecclesiam, vi cuius expressis terminis dictam Ecclesiam suspendi decernitur et antiquas favorabiles permissiones abrogari conspiciuntur, Nec non supradictae nationis Patres, ut seditiosi et inquieti a Bassorae districtu expelluntur et hoc Imperiale nobile Decretum in Protectae nostrae Civitatis Bassorae nobili

Cancellaria sinceriter insertum inveni. Nunc tuum est Serenissime Princeps mi Clementiae et Magnificentiae Vestrae Signa dare die 16 Schaban anni Mahamedi 1117 ad nostrum Computum prima Decembris 1705.

Pauper

Alli Ccelibi Secretarius.

Quam informationem eadem die praesentavi nostro Benevolo Pascia, cui cum illa die vinctum detulerint proditorem Sciek Abdel latifum, placidis verbis me remisit dicens R. Pater debeo aliqua gravia negotia expedire, post quae recordabor tui, et supra dictam Suplicationem meam Secretariique informationem tradidit cuidam Ussen Agha custodiendam et sic negotium nostrum per aliquod tempus remansit informe.

Interea Pascia (licet febricitans) examinavit proditionis quaerelas latas contra Abdel Latifum, quas cum refutare nequierit declaratus est proditor Civitatis et Regis, ideo die quarta mensis summo mane, prolata mortis sententia, laqueo vel ligno suspenderunt in Palatio Gubernatores cadaverumque eius coram populo proiecerunt, (ut par erat) ad exemplum aliorum et cum hoc mense acciderit Jeiunium Mahamedanorum Ramazan dictum, in quo omnes causae litesque suspenduntur, hac de causa impatienter expectavi finem, quo terminato altera die, quae erat 23 Januarii anni 1706 steti coram nostro Pascia, praesentavique ei novum, sed breve memoriale, statimque accersito quondam supradicto Ussen Agha eius camerario, et ab eodem accepta tradita primae suplicationis carta, supra eandem scripsit propria manu, mandans Judici, sive Kadi, ut iuditiariam informationem faceret, tam supra antiquitatem Ecclesiae, quam circa Patrum procedendi modum, quod mandatum est huiusmodi.

Mandatum Kalili Pascia quo imperat

Judici sive Kadi ut iuridicam informationem
Accipiat supra Ecclesiae nostrae statum.

Cuius interpretatio haec est.

Virtuosissime Bassorae Judex: Augeat Deus vestram virtutem, diligenter scrutari te oportet cuinam Mahamedanorum domui horum Ecclesia coniunctionem habeat, et utrum nunc diruta sit, vel stabilis, et utrum apud hos Patres, nobis cittatum Imperiale nobile Diploma inveniatur, nec ne? et utrum haec ecclesia coniunctis Mahamedanorum Domibus unquam pernitiosa fuerit usque ad presens [nec] ne? et quomodocunque inveneris post diligentes inquisitiones iuridice factas, oportet ut sinceriter notum fatias nobis: Datum die 8 Mensis Scaval anni 1117 ad nostrum computum 23 Januarii anni 1706.

Hoc mandatum supra dictus Ussen Agha in persona mecum detulit ad Judicem sive Kadi, cui ex nomine Pascia valde comendavit hoc negotium cito expedire, et licet his diebus multae pluviae essent, attamen Judex promisit sequenti die mandato Eccelentissimi Pascia adamussim obtemperaturum. Hic benedicenda est Providentia Divina, persuaviter enim omnia disponit ad sui maiorem Gloriam ostendendam; quia cum huius Ecclesiae nostrae causa in longum protraheretur videbatur aliquibus signum funebre; sed ad confutandam ignorantem hominum scientiam Deus O. M. disposuit ut in praeteriti mensis circulo ex Constantinopoli huc veniret novus Judex sive Kadi, tam singulari urbanitate et amore erga Francos praeditus, propter lungam cum illis habitam cohabitationem in portu Smirnensi, et alibi, ut post vesperas accersito nostro Torcimano Diacono Abdelkerimo, ab eodem scissitaverit, utrum pergratum mihi fuisset, ut crastina ipsemet veniret, vel suum secretarium mitteret ad Ecclesiam visitandam informationemque fatiendam? quo audito obstupui, non ego solus, sed quot quot Turcae amici nostri hoc audiere, erat enim haec propositio contra horum Judicum naturalem gravitatem, qua superbe pollent, et praecipue erga Christianos: Ideo cum quodam gratitudinis signo remisi nostrum Diaconum Abdelkerimum ut nuntiaret ei qualiter me obligaverit cum tali dignatione Personalis sui adventus.

Qua propter sequenti die quae erat vigesima quarta mensis venit apud nos dictus Judex cum numeroso Civium mercatorumque comitatu, quos ipsemet vocaverat ad informationem in forma fatiendam, inter quos erant Agi Kassen Semmerri, Agi Mahamed Attar, Agi Agi, Agi Abdrahaman Theresavoi, et Agi Assen Alli cum multis aliis. Ipsemet Judex aperuit Ecclesiam, quam ut desolatam compererit ad [me] conversus mecum condoluit; ibique sedit pro tribunali, detectoque motivo huius visitationis omnes circumstantes una voce dixerunt dignum et iustum esse; inde ab iisdem diligentissime perscrutata huius Ecclesiae antiquitate, nec non praecedentium Patrum, et praesentis erga Mahamedanos procedendi modo, nec non eius longitudine et latitudine altitudineque perspecta; ut vidit cum antiquis huius Ecclesiae instrumentis conformari praecepit omnibus adstantibus, ut si aliquod comune, vel particulare damnum ab hac Ecclesia, vel Patribus ortum, vel oriri cognoverint, cum omni sinceritate denuntiarent: cui cum singuli respondissent non quidem nocumenta unquam ab hac Ecclesia et Patribus provenisse, quin immo maximam utilitatem huic civitati provenisse semper cognoverint, et a Patribus exempla virtutum adnotaverint. Tunc Judex ad circumstantes satis pereruditam habuit supra Francos, et praecipue Religiosos Patres perorationem, decrevitque testari Excellentissimo Kalili Pascia nullas poenitus reperiisse a Mahamedanis contra Ecclesiam quaerelas neque contra Patres lamentationes: ideoque aequum esse licentiam dare restahabiliendi suspensam illorum Ecclesiam; ad quod, omnes circumstantes laetantes responderunt Amen.

Post haec omnes ab Ecclesia discedentes, sederunt in una nostrarum cellularum ibique exibito Caffé biberunt de more orientalium et humanissimus Judex dixit mihi R. Pater ad huc ne formides, explanatum est hoc non leve tuum negotium, et discessit.

Die vero 28ª mensis Ussen Agha cui Pascia dederat huius causae curam ivit apud Judicem ut informationem acciperet, qua obtenta detulit mihi legendam quae est huiusmodi.

Informatio Judicis sive Kadi.

معروض داعیلریدر که

صاحب عرضحال فرنجه پاتریکی حنا طلبیله فرمان عالیلری موجبنجه مباشر تعیین اولان حسین
آغا معرفتیله بو فقیر معبد خانه اتخاذ ایلدکلری موضعه واریلوب مسن واختیارلردن بی غرض کسنه لره
سئوال اولندقده ذکر اولنان معبدخانه نك بر طرفی الحاج قاسم سامی خانی وایکی طرفی طریق عام بر طرفی خرابه
ایله محدود بودیا دکمیجی [illegible] ایل [illegible] ذراعی ایله طولی یکرمی یدی ذراع وعرضی اون ذراع ایکی طرفندن کندن
خارج طولی عرضی ایکشر بچق ذراع ایکی اوطه وقپوسی ودخی [illegible] انلره مخصوص بر طارمه واردر ومعموردر
تعمیره محتاج دکلدر انجق بو موضعده نونه بنانك ایکی طرفی اوچ ذراع مقداری یاندنه محتاج بو موضع قدیمی
کلیسا در رهبان اولنلر انده ساکن وانجیل قراءة ایلدکلری المرفنده کسنه یه ضرری یوقدر ومسلم
اوی جوارنده یوقدر ومرور ایدن مسلمه بر وجهله ضرری یوقدر وناسیقاده دخی بر کسنه یه ضرری اولمدیغی
وقدیمی کلیسا اولدیغنه جمع غفیر بی غرض کسنه لر خبر ویردکلری حضوری عالیه عرض واعلام اولندی
باقی فرمان سلطانم حضرتلرینکدر

Cuius haec est interpretatio.

Cum omni Benedictione sit haec humilis suplicatio quae est Patris Joannis Francorum Rectoris, qui una cum Ussen Agha comissario vestro detulit mihi Excelentiae Vestrae nobile mandatum, pro illorum Ecclesia suspensa iuridice visitanda, quam de facto visitavimus, et adhibitis viris tanta testatione dignis, illisque diligenter nominatimque interogatis [*sic*], ita invenimus : scilicet quod praedicta illorum adorationis Domus, ex una parte habet contiguum Karavan

Seraii Domini Agi Kassem Semmeri, et ex duabus sunt viae publicae, et ex alia Domus quaedam diruta et derelicta, terminosque eius examinavimus, invenimusque quod longitudo eius sunt 27 dico viginti septem cubiti, et latitudo decem cubiti, ad cuius lateres [*l.* latera] sunt duae cellulae quarum longitudo, et latitudo sunt duo cubiti et semi, et supra Januam extat una Tribuna pro solis mulieribus apta, et dicta Ecclesia non est diruta, parietes tamen eius indigent repositione, scilicet novo gipso ad tres circumcirca altitudinis cubitos, et dicta Ecclesia est antiquitus praescripta, cuius Rectorum, sive Religiosorum munus est Evangelium legere, orationesque suas persolvere, ex quo nullum damnum sive fastidium contiguis Mahamedanorum Domibus neque euntibus et redeuntibus ullum prorsus inconveniens exultat.

Et quod ab immemorabili huius Ecclesiae Rectores in minimo quidem Mahamedanis nostris molesti fuerint, et quod haec Ecclesia sit antiquae praescriptionis Prudentum virorum copiosa multitudo una voce concordat; quapropter Clemens Princeps mi hanc sinceram, in scriptis, informationem fatio, fidemque praestare digneris, praecor tuumque erit Magnificentiae Vestrae signa prebere.

Supradictus Ussen Agha voluit hanc informationem praesentare die sequenti, quae erat vigesima nona mensis Januarii, sed ita permittende Deo ad resignationis experientiam eadem die ex Constantinopoli appulit huc quidam Turcarum legatus ad anuntiandam subditis, primogeniti Regis, sive Sultani Ahamedi nunc Regnantis nativitatem, quapropter eadem die Kalil Pascia per Praecones suos, ferias, ludos et Triumphos publicare fecit, ita ut per decem continuos dies, diu noctuque invito Populum iucundare fecerit, propterea commissarius causae nostrae iudicavit hanc suspendere, usque ad exitum legati; quod tandem aliquando die 14[a] Martii Kalil Pascia honorificentissime remisit unde venerat et die sequenti Ussen Agha supra dictam informationem praesentavit, ob cuius incuriam Pascia excandescens, statim scripsit propria manu ad sinistram marginem maeae suplicationis Judici sequens Mandatum.

Mandatum Kalili Pascia ad Judicem, sive Kadi Civitatis Bassorae, in quo iubet ut det nobis in scriptis Juridicum Instrumentum ad nostram Ecclesiam reaperiendam.

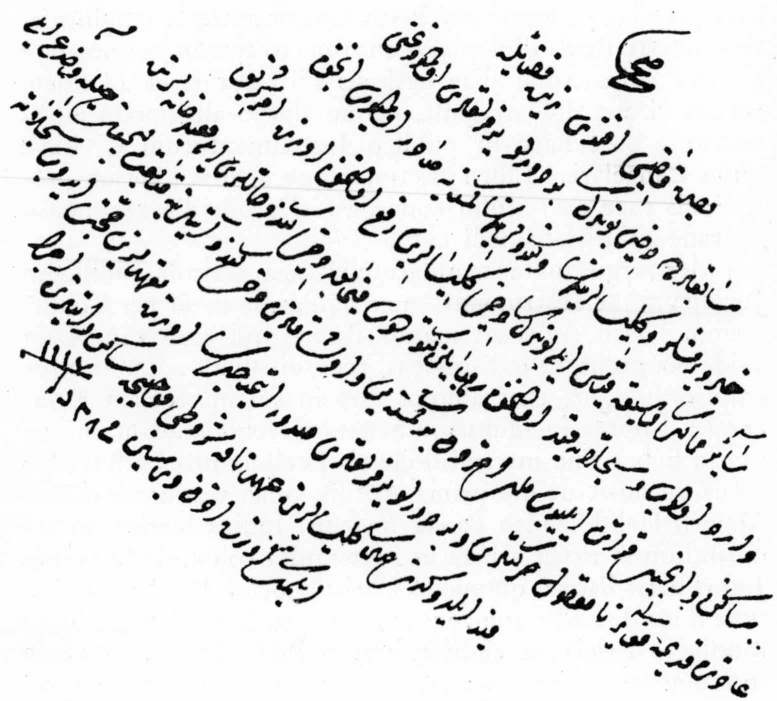

Cuius haec est Interpretatio.

Illustrissime Bassorae Judex : Deus augeat Vestram Virtutem. Etiam audivimus quod isti Patres unquam nemini offensionem dederunt, et eorum Ecclesia eiusque Rectores unquam nobis molesti fuerunt ; attamen ob connexionem cum aliis Ecclesiis, sicuti illae per nobile Regium mandatum suspensae et dirutae fuerunt, ita et haec Patresque eius expulsi, ideo eorum innocentia recognita decernimus, et mandamus tibi, ut instrumentum autenticum Juridicumque tribuas huius Ecclesiae Rectori, ad hoc ut Ecclesiam suam reaperiant, rehestabiliantque et Evangelium, orationesque suas persolvant, legantque iuxta eorum antiqua Aughustissimi nostri Regis diplomata, cum pacto tamen, ne nostram gentem cuiusvisque aliae nationis subvertant, et ad fidem eorum vi aut dolo trahant, neque aliquo alio modo alicui noceant, post haec in publico Instrumentorum Civitatis huius Canzelariae Libro inseres, eisque ut dixi liberum professionis suae exercitium concedes. Datum die 28ª mensis Zelkadé anni Mahamedi 1117.

Judex ergo iuxta mandatum Pascia scripsit publicum Juridicumque Instrumentum et sigillatum misit per Comissarium Ussen Agha ad manus Pascia, qui cum tunc esset valde ocupatus, et indispositus, reposuit illud, admonuitque comissarium, ut post aliquos dies in sui memoriam reduceret : Interea incidimus in Sanctam Hebdomadam, in qua oratio fiebat sine intermissione ab Ecclesia pro Cadi : ideo Deus permisit ut die prima Aprilis, quae erat feria quinta Maioris Hebdomadae Pascia unacum Judice iverint ad recreandum se extra urbem et post multa colloquia Dominus Judex dixit Pascia, quomodo Christianorum Pascha instabat post duos dies ideoque aequum esse pro hac solemnitate eis indulgere Pascia ut audivit, statim iussit Judici, ut aliam instrumenti copiam faceret, quia quam primo miserat apud se servare volebat : ideo eadem hora ex Recreationis loco Judex misit unum ex famulis suis ad suum secretarium ut sine mora rescriberet Ecclesiae Instrumentum, et die tertia mensis in Vigilia Paschalis per manus Secretarii Regii Alli Ccelibi praesentatum fuit Pascia, qui statim me vocavit ante missarum solemnia tribuitque mihi Benedictum Instrumentum munitum Judicis sigillo, ut moris est, quod tamen acceptare renui. Pascia tunc dixit mihi quare optatum Instrumentum nunc renuis acceptare. quia, dixi, non est vestro Benedicto sigillo, vel subscriptione firmatum, qua praecautionis responsione in bonam partem accepta[ta], ipsemet propria manu firmavit deditque mihi dicens. Orate pro me filiisque meis, et gaudete laetantes, et est huiusmodi.

Sigillum, seu Instrumentum Authenticum Kadi sive Judicis Civitatis Bassorae reaperiendi, sive restahabiliendi suspensam nostram Ecclesiam, in quo etiam declarat huius Ecclesiae Antiqua praescriptio et nostra Antiqua diplomata confirmantur.

دائما اولان دولتلو وعنايتلو وعطوفتلو دستور روشن ضمير خليل پاشا يسر الله ما يريد وما يشاء
حضرتلرينك ديوان عاليلرينه عرضحال ايدوب سابقا مالك وبيعة الاكنافده اولان كليسالرمز
قياس ايله بزم كليسامزده خي فتح اولنمق اوزره صادر اولان فرمان موجبنجه ممنوع اولمشيدم حالا
كليسامزده انجيل قرائت وساكن اولمق اوزره يالپوز يينه احسان اولنان عهدنامه همايون موجبنجه
اذن واجازت رجا ايلدكده شريعت محمديه طرفندن خطابا كشف وطرز شريفلرينه حقيقي اوزره عرض
اعلام اولنمق ايجون [illegible] صادر اولان امر شريفلري اوزره بعد الكشف قديمي كليسا اولوب
تعميره محتاج اولمديغي واطرافنده مسلمان خانه سي اولميوب مكتنه [illegible] ضرري وبر فرده تعدي اولمديغي
اعلام اولندقده نصكره ثانيا احسان اولنان فرمان عاليلري ومؤكد تنبيه شريفلري اوزره فيما بعد
ديركنده [illegible] معبدخانه مزده ساكن وانجيل قرائت ايليوب [illegible] بر كسنه يي [illegible] كندو
دينمز متابعت ايجون عادت قديمه مغاير نامعقول حركت ايتميوب وبر فرلق صدور ايتمك اوزره تعهد
ايلدم بعد اليوم كندو اينم اوزره كليساده انجيل قرائت وساكن اولمغه دولتلو سلطانم
پاشا حضرتلرينك

پاشا حضرتلرينك امر وتنبيه لرينه مخالف وضع صدور ايدر ايسه باكه اشتي جزا ايله جزا نديده
بيورسونلر ديدكده نصكره بر نوع او اذن عهدنامه همايون مضمونجه وشروط وقيودك خلافي واليمن
اوزره كليساي مزبورده وساكن وايتلر يني مخفي اجرا ايلدكده تعرض اولنمق ايجون [illegible] وثيقه
كتب وتحرير اولندى تحريرا في اواخر ذي القعدة الحرام من شهور سنة سبع عشر وثمانية والف من هجرة من له
النبي بعده صلى الله عليه وعلى اله واصحابه وسلم تسليما دائما

شهود

معمارباشي حسين اغا بن [illegible]	الحاجي قاسم ابن الحاجي محمد [illegible]	محمد بن خلف العطار	الحاجي حاجي بن محمد علي

Cuius haec est aequa interpretatio.

Ratio causae huius datae inscriptionis, sive sigilli autentici, et ratio lineationis huius patentis est, quod Pater in hac custodita Civitate Bassorae pro natione Gallica residens repetite venit ad nobile Justitiae tribunal, ibique fecit repetitas instantias ad causam Ecclesiae suae expediendam, anthea tamen praesentaverat memoriale Domino Dominorum Venerabili Magnatuum Maximo, Excelentissimo Omnium, Illustrissimo Domino Nostro Kalili Pascia, quem Deus dirigat in omni bono quod desiderat de praesenti, Civitatis Bassorae protectae Vigilantissimo Gubernatori, quam protegat Deus ab omni flagitio et malo; in quo notificaverat scilicet, quod sicuti pro aliis Francorum Ecclesiis destruendis fulminatum fuerat Regium decretum, ita similiter huic suae Ecclesiae acciderat, ideo petebat, ut iuxta Imperiales et Benedictas Capitulationes, nec non Antiqua Regia diplomata quae in eius manibus sunt custodita, eius Ecclesiam rehabitare, et cum pristina libertate Evangelium legere et explicare orationesque suas persolvere licentiam, benevole donaret. Ideo Excelentia sua remisit hanc causam ad Nobilis Justitiae tribunal, primo ut visitaretur causa praedicta, ut factum est : Secundo mandavit Alta Dominatio, ut Informatio autentica fieret de Antiquitate praedictae Ecclesiae quod adamuscim perscrutatum fuit, et notum fecimus quomodo non indigebat formali restauratione, et quomodo haec Ecclesia nunquam molesta fuerit genti nostrae. ideo postquam Excelentia sua haec omnia audierit deliberate mandavit, ut hanc autenticam patentem in scriptis delinearem, in cuius virtute datur libera facultas dicto Patri ut Ecclesiam suam adaperiat, orationesque persolvat, et Evangelium legat, explicetque Christianis omnibus iuxta antiqua sua Privilegia in Nostri Imperatoris diplomate concessa ; cum pacto tamen, ne Mahamedanorum, aut Hebreorum, et cuiuscunque alterius sectae pueros et adultos ad suam sectam trahere praesumant, aut tentent, neque quovis alio modo molesti sint, quod si aliter fecerint, et cum omnibus pacem non servaverint, sciant de certo, quod cum omni rigore punientur et a nostris Confiniis eiicientur. Solutis mulctis imponendis ad arbitrium Gubernantis : ideo nunc in pacifica posessione resideant, et nemo audeat hos Patres perturbare, et Christianos in sua Religione ambulantes, et hac de causa scripsimus, et sigillo nostri offitii munivimus hanc autenticam Patentem, et dicto Patri tradi[di]mus mense Zdelkadá.

+ J. M. J.

1707. Et post haec decidit in lectum, et ne aliam peiorem videret tragediam, raptus est in caelum die circiter prima Martii 1707, post cuius obitum accessit huc unus tatar ex ordine regio ut destruatur ecclesia et patres eiiciantur sicuti alicubi factum fuit ubi non fuerunt consules seculares sicuti Bagdat Dierbecher &c ad cuius praeceptum implendum (Deo sic disponendo) ipsemet Kalil Bascia ad nostram se contulit residentiam (ad) Domino Abdelcherimo, qui direxit

Bascia ad Ecclesiam, et post pauca dixit Bascia ad dictum Dominum eia eamus ad ecclesiam, cui respondit Dominus Abdel: ecce ista est ecclesia, dixit Bascia, quomodo ista? Ego audivi in Ecclesia Christianorum esse idola &c, et hic non video, unde neque credo istam esse eorum ecclesiam; cui dixit Abdelcherim, si in ista domo excellentius cubiculum invenitur ego sim mendax, quo audito, dixit Bascia, nonne ergo est absurdum sic pulcrum domicilium destruere? non destruatur, et sic observatum fuit.

Ab isto ergo tempore, id est ab anno Domini 1707 usque ad 1714 residentia nostra locata fuit vel anglis vel turcis navium capitaneis, et excepto uno anno vel duobus, in quibus poecunia a rege recepta fuit, de cetero semper Bascia manducabat illam, propter quam rationem multum fuit difficile eius recuperatio.

Anno autem Domini 1709 die 26 Septembris pervenit Aspahan Pater Paulus Augustinus cum eius socio qui fuit R. Pater Hieronimus Franciscus a S. Joseph cum sex mensibus antecedentibus pervenerint R. Pater Joseph Maria Burgundius in qualitate Visitatoris Generalis et Vicarii Provincialis et Pater Victorinus Flamingus qui post duos annos Aspahani obiit, accepta infirmitate Banderabassi. Igitur supradicti Patres id est Rev. Pater Joseph Maria a Jesu Burgundius et Pater Paulus Augustinus a S. Stephano Genuensis die 21ª Novembris anni Domini 1710 discesserunt Aspahan Sciraschium versus, et post quindecim dierum stationis Sciraschio discesserunt Banderrich versus, nullis habentibus auxiliis, neque humanis in scriptis, neque corporalibus pro corpore, sed tantum gratia et misericordia Dei freti, post 9 dies ex Sciraschio, in Vigilia Nativitatis Domini Nostri Jesu Christi Banderrich pervenerunt, in quo loco miserissimam [*sic*] duxerunt vitam saltem temporaliter. Eorum intentio erat cum isto libro tentare si haberi potuisset nostra residentia Bassorensis, sed cum non fuerit occasio

Bassoram versus discedendi, immo periculum erat in mora, proiiciendi in mari a nautis, ut potuimus conoscere, sicuti 8 circiter anni antea uno Patri nostro factum fuit, post 25 dierum morae Scirascium redivimus, et fuimus in illo itinere 6 diebus.

Oblitus fui dicere post obitum R. Patris Joannis Athanasii casualiter pervenit huc Illustrissimus Dominus noster Mauritius Anastasiopolitanus Episcopus, et Magni Mogoli Vic: Apostolicus, qui inscius erat eius dignitatis, cum illo tempore fuerit electus, et neminem reperiendo, institit apud Bascia si liberaliter concederetur hic nostra abitatio, de cetero discessurus erat. Sed cum inimici hominis domestici eius, qui erat suus amicus et interpretator, id est Dominus supradictus Abdelcherim, non solum respondit negative, immo subiunxit si post triduum non discessisset, eius caput discessurum fuisset a corpore, propter quod responsum omnia vendidit excepta parvula capsula, in qua res ordinarias pro uno sacrificio faciendo reliquit, et haec ad instantiam nostri dilectissimi et optimi amici Domini Petri Matlub Filii Domini Safar. Supradictae res maximis praetii venditae sunt et omnia mobilia quae secundum aliquorum dicta erat ad plus quam 6 centa scuta, pro centum tantum empta sunt a supradicto Domino Abdelcherim, qui post emptionem decidit in lectum ut moreretur sicut contigit, et eius frater qui fuit heres istorum bonorum in dementiam decidit, ita ut demens mendicaret, alia bona Ecclesiae, quae fuerunt levia Scira [*sic*] delata sunt, cum coclearibus et similibus domi rebus, alia magni ponderis sicuti candelabra lampa tabernaculum et icones relicta sunt Bandercongo ubi combusta fuerunt a Maschattinis propter bellum cum lusitanis habitum.

Anno autem Domini 1712 die 2 Novembris Pater Paulus Augustinus discessit Aspahano Amadam versus, Domum id est residentiam Illustrissimi Domini Pidic(?) Babilonensis

Episcopi gubernaturus ; quo tempore pervenerunt ad nos Scripturae autenticae, id est copia unius firman Generalis, et unum firman expresse positivum pro nostra bassorensi residentia ; propter quas scripturas post unius anni gubernii illius Domus discessit Amadam et pervenit Bassoram anno Domini 1714 die 3 Februarii et adiit ad Capitan Bascia, a quo benigne fuit acceptus, immo responsum fuit, ne dubites, vel dabit, vel non, si non ego tibi dabo, vel per me vel per alium, et hoc dicebat quia se sperabat futurum Bassorensem Bascia. et quia usque ad sanguinem inimicus erat cum Bassorensae Bascia, qui Osman Bascia vocabatur, propter hoc tunc temporis non poterat disponere sicuti voluisset. Igitur post octo circiter dies dictus Pater Paulus Augustinus praesentavit se ad Osman Basciam qui post dulcia dedit cauvé bibendum et interrogavit dictum Patrem, quare venit, qui respondit ad presentandam ipsı epistolam (erat haec una epistola racomandatitia et notifficans quomodo eram Consul pro natione Gallica ab Excellentissimo legato Gallico nomine M. d'Ezalur, qui multa fecit pro ista nostra residentia, et cui multum debet haec domus), qua lecta dixit iterum bascia quare venisti et ostendi ipsi unum Catscerif, id est Capitulationes regis Gallici cum Turcis factae, quibus tantisper lectis, erant valde diffusae, dixit sunt antiquae, erant enim ex avunculo regis iuventis, ostendi(t) ipsi novas autenticas dicendo, per istas novas peto observationes antiquarum, id est restituet nostram domum cum ecclesia et carvanserai ; sed quia oleum defecit in nostra lampade, deffecerunt et bona responsa, nam dixit non dabo ; hoc fuit valde admiratione dignum in conspectu omnium, sed praecipue Patris, quia nunquam responsum hoc futurum sibi credebat ; attamen instavit dicendo. si non vis ecclesiam dare (non dixerat tantum ecclesiam sed ut esset motivum instantiae, accepit Bascia verba, quasi dixisset tantum non dabo ecclesiam), saltem concedes Domum cum carvanserai, cui respondit Bascia, Non: iterum instavit Pater, saltem domum, et responsum fuit tertio negative. hoc audito quasi extra se pre tristitia dixit Pater; bene, reddam has autenticas cui mihi dedit, ut et ipse restituat cuius erant, ad hoc responsum non fuit verbum, et ideo altiori modo repetiit dicta verba, et Bascia dixit Vade. Discessit Pater et Capitaneo Bascia notum fecit totum successum, et cum tunc temporis haberet unum famulum prae ceteris dilectum et hunc infirmum, fuit causa quod stetisset promissis, unde invitavit ipsum ut veniret domum suam, in qua bene et optime receptum fuit, et cum, favente Deo, et Patrocinante Beatissima Virgine Maria sanus effectus fuisset post duos dies supradictus famulus, accinxit se in componendo horologium unum quod antea erat Patribus, cum ista differentia quod semper vel dormiebat, vel vigilans insolescebat, unde hoc viso a Capitaneo Bascia quod iste(r) Pater et medicinam et horologii compositionem callebat signavit ipsi annonam, id est panem butirrum risa caffé, et serotinis horis candelam et haec omnia quia non manducabat carnes. circa cubiculum adeo verum est quod erat pulcrius, quod vidente semel Mufti, dixit Capitaneo Bascia, hoc est multum, ponere Patrem in cubiculo in quo fuit Osman Bascia, et Respondit Capitaneus Bascia ideo hoc facio ut iniuria sit Osman Bascia. Vigilia Feriae 4^{ae} quadragesimae fuit, quando dictus Pater receptus fuit in Domo Cap: Bascia sperans in novo anno (apud Turcas novus annus est vigesima prima Martii in Equinoctio, item apud Persas) mutationem Gubernii: sic promiserat ipsi Capitaneus Bascia unde se futurum credebat non amplius morari in illa domo nisi 40 dies, immo minus; attamen post 40 dies, et alii et alii ter 40 fuerunt usque dum venerit Capa, in quo adventu fuit confirmatio per alium annum unde dictus Pater nesciebat quo se vertere, stare per unum annum durum erat, redire ignominiosum, eo vel magis quod eo tempore erant tres pregnantes, propter quas accepi verba consilii remanendi, propter spem quam cito mutationis propter accusationes factas et sigillatas a maioribus civitatis, et a Capitaneo Bascia Constantinopolim missas contra Osman Bascia. Tandem in initio Mensis Decembris venit Mutsellem Assan Bascia qui cum moraretur vespertinis horis Meinavi in Domo Capitanei Bascia, dictus Pater se praesentavit ad Cap: Bascia dicendo ecce nunc tempus acceptabile, ecce nunc dies desiderata, vel modo vel numquam, cui Bascia benigne respondens favente Deo crastina die tuum faciam negotium, die sequenti oblitus fuit, et Pater dixit ipsi, si non modo numquam fiet, et ratio est, quia Mutsellem Daftardar et alii civitatis maiores sunt unanimiter, quando unquam alio tempore erunt unanimiter? cui respondit Cap: Bascia non dubites, et cras omnes hic erunt, et faciam, die sequenti, et per se et per alios, dicendo, promittendo, informando, et orando disposuit animos circumstantium licet seorsim. vespertinis horis (omnibus discumbentibus et sermocinantibus non tamen de nostro negotio, admonitus fuit Pater ab Agi Mahmetto Attar eius amico et consiliario, et vere talis quia multum habet iudicium, omnes esse a negotiis liberos unanimiter sedentes, et praemonitos; tantum requiri unum, qui hoc incipiat, unde sicuti Pater fecit sic fuit eius consilium id est; ivit Pater ante istos Scribas et Pharisaeos dicendo tantum Capitaneo Bascia; Domine, iam prope est annus a quo hic in domo tua tuum panem manduco, pro quo Deus millies tibi reddat, in spe alterius gubernii recipiendi nostram domum modo est; vel decidat cui spectat, vel det mihi veniam redeundi, amplius expectare nequeo: unus ex illis iurisconsultis respondit, non vadas, sed sede, et expecta, et Capit: Bascia reassumpsit verba favorabilia ostendendo necessitatem Patrum ut veniant mercatores, fingendo sibi hoc quod publice dixit, id est Dominus Bacher (est Capitaneus Anglus unius navis) dixit mihi, quomodo possum huc venire, cum non sint Patres qui post mortem meam defferant meum cadaver? (ad nota quod si eveniret mors alicuius infidelis id est hereticus Europaeus Patres debent ipsum sociare sepulcrum, non in orationibus cum non prosint ipsi sed et ad evitandum scandalum, et ut Turcae intelligant nos propter hoc hic esse et esse necessarios) quibus prolatis respondit diabolus ille vere ex illis antiquis pseudo scribis Daftardar, habes firmanum? Responsum fuit affirmative, ostende dixit ille nequam, et post lectionem dixit Ecclesiam cum domo habebis, sed carvanserai non poteris, quia res faciendae sunt cum debitis informationibus, et testibus, respondit Capitaneus Bascia est hic Agi Mahmet Attar qui omnia bene callet, et interogato ipso Agi, in hoc defecit non scrutando set tacendo, unde res fuit sic, et Pater respondit vel Cesar, vel nihil, vel totum, vel nihil, et sic cum nihilo discessit, et in eius cubiculum venerunt multi, qui dixerunt, accipe hoc modo, et paulisper paulisper carvanserai habebis, et hoc dixit Capitaneus Bascia, unde stabilivit accipere dictum, sed pro hoc dictu nunquam scripturam a Daftardar haberi potuit, et cum pluries Cap: Bas: miserit suos servitores, semper se honeste excusabat, (dederat Pater uno magno Domino triginta tria scuta cum tertia unius parte ut daret, sic dicebant ipsi, viginti pro Mutsellem, decem pro Daftardar, et alia pro servitoribus, et scivit postea, multa illorum scuta ab illo domino posita fuisse in eius corbonam, et hoc erat motium [*sic*] non habendi a Daftardar scripturam) unde Cap: Bascia accepit illam a Mutsellem, et cum illa scriptura ingressus fuit domum in qua habitabat unus capitaneus indicus et moratus est in uno cubiculo carvanserai usque dum exiret ille capitaneus, qui triginta post dies discessit et posito uno muro arundinum dividente domum a carvanserai purificavit domum, sed in primis Ecclesiam quam die 23 Januarii festum Desponsationis Beatissimae [V.] Mariae despondit

Beatissimae [V.] Mariae et benedicendo et primum sacrificium faciendo.

Die 11 Decembris anni 1714 venerat huc ante solis ortum R. Pater Joseph Maria a Jesu Borgondus ex Vicarius Provincialis cum titulo Visitatoris Provincialis, et postea cum obligatione manendi in socium; non est credibilis et explicabilis consolatio, laetitia, et gaudium Patris Paul Augustini in tali adventu, quia ab uno anno quo erat solus, et illo tempore quo adiutore, sive socio magis opus habebat, fuit exauditus licet non pro sua reverentia, sed pro magis domus tutela; Iste(r) Pater Joseph Maria post novem menses die 8 Septembris 1715 per desertum non visitata domo ivit Aleppum Aleppo Tripolim et Tripolis quo Deus ipsum ducebat.

Non est silentio comittendi unus casus, sucessus tempore quo Pater Paulus Augustinus Meinavi morabatur et est. Die 29 Julii 1714 pervenit huc una navis Anglica dicta Bleniim et eius capitaneus vocabatur M. Parochet, homo maestissimus, et omnes alii Angli, dempto uno qui occulte erat catolicus, erant infamissimi, et certe ipsammet natura(m) anglica(m) relicta(m), infirmatus fuit capitaneus, et eius chirurgus dederat ipsi vomitorium; casu summo mane undecimae diei Augusti ivit illuc Pater Paulus Augustinus qui interogato Capitaneo qua infirmitate laboraret, et audita disenteria, et pro medicina vomitorium bibisse, admiratus est, et dixit omnibus et confirmavit pluries a chirurgis occisum fuisse capitaneum, et ratio erat quia propter vomitum acceperat febrim et febrim vehementem, unde die sequenti duabus horis post mediam noctem dedit diabolo animam eius. hac die quae fuit 12 Augusti duabus circiter horis post meridiem posuerunt in navicula cadaver eius, et cum ipso Pater Paulus cum multis Anglis qui delaturi erant cadaver Bassoram, et Bassora ad cemiterium, post 2 minuta ceperunt tormentum bellicum explodere; (Adnota quod erat ventus occidentalis vehementissimus) et in 2ª explosione ventus detulit ignem in inferiori cubiculo sub Puppi, in quo erat una lagena pulvere plena discooperta, in qua cecidit ignis ille a vento delatus, et unico instanti tota navis in die Sanctae Clarae clarificata fuit ; et quot erant dies mensis tot erant qui fuerunt deperditi cum ista distinctione quod capitaneus morte naturali, alii transierant per ignem et aquam et ducti sunt in refrigerium, quinq [*sic*] angli et sex indiani inter quos unus catolicus qui 8 (?) ab istinc diebus dederat Patri unum par calceorum ex veluto, pro quo illa die casu summo mane applicavit sacrificium. est res notabilis, quod quando viderunt ignem, qui se habebat pro capitaneo ordinavit aproximare naviculam ut accederent qui erant in navi, et Pater qui non intelligebat illam anglicam linguam nesciebat misterium, tantum videbat calefieri ab illo igne, et comendabat se Beatissimae V. Mariae, quae illuminavit unum qui dixit vicegerenti, eamus prius nos in terram, ne accedente igne ad pulverem, et nos non accedamus ad mortem, et cum liberati fuerimus, mittetur ut salventur salvandi, sicuti factum fuit, et quando erant prope terram omnes descenderunt in aqua, et post 5 horas ignis ostendit se pulveri, quae cum magno strepitu salutavit absentes et astantes inter quos duos occidit.

Et sic supradictus Pater Paulus Augustinus solus sine comite et sine teste mediante novo Daftardar quem habebat ut amicum, quia sanaverat eum pluries apud Assan Bascia obtinuit unam scripturam autenticam per quam concedebatur nobis et Domus et carvanserai ; sed quia iste Bascia fuit totalliter depositus, et quia Capci [*sic*] per quem deponebatur iste Bascia erat Patris amicissimus noluit ocasionem perdere, et aliam novam cartam a novo Bascia qui nominabatur Reggiab Bascia obtinuit, semper ungendo manus illas per quas transiebat, ut bene currendo feliciter in nostris manibus perveniret, sicuti in prima etiam hoc idem factum fuit, quia apud Turcas amicitia in tantum servit in quantum possit accedere, ut post accessum das oleum ut habeas lucem.

Anno Domini 1716 post festum Paschae incepit renovare Sancta alia a fundamentis alia faciendo et alia cum ponendo, quae talia fuerunt ut non dici potest parvulus murus vel domi vel carvanserai qui non fuerit opus restaurationis, et cum tanta fuerit eius industria ut multa emenda non emerit, attamen ad quatuor centum scuta consumpsit, ex quibus centum et viginti tantum acceperat a Vicario Provinciali.

Isto tempore idest 2[a] die Junii anni Domini 1716 R. Pater Urbanus a Sancto Eliseo Pedemontanus, qui tantae fidei erat ut non montes transferret, sed cum se a montibus transtulerit, et semper inter Syllam et Caribdim istorum Turcarum transiens, tandem omnibus suis parvulis deperditis utensiliis ad usque breviarium in flumina Babilonis, supra quae non quae non habebat, nec non sui populi peccata, sed suum infortunium deplorans huc feliciter pervenit et urbaniter a Patre Paulo Augustino receptus, indicibilis fuit eius laetitia exquo invenerat istum Sanctum Urbanum, qui vere Urbanus erat et post novem mensium stationem ex venia R. Patris Nostri Faustini a S. Carolo Vicarii Provincialis ivit Scirassium cum Rev. Patre Cyrillo a Visitatione similiter Pedemontano.

Mense Decembri anni Domini 1716 Bagdat pervenerunt R. Pater Noster Faustinus a S. Carolo cum duobus aliis sociis idest R. Patre Alexandro a Sancto Sigismondo Germano, et R. Patre Philippo Maria a Sancto Augustino Longobardo, qui duo recta via Haspahanum perrexerunt, et R. Pater Noster Faustinus cum Rev. Patre Ciirillo, qui pluribus ab illinc mensibus erat Bagdat huc feliciter pervenerunt die 5[a] Februarii anni Domini 1717. non est silendum R. Patrem Nostrum fuisse multum hic a nostris

Patribus desideratum, a Patre Urbano ut veniam haberet Scirasium petendi, et a Vicario Domus, qui tunc temporis erat Pater Paulus Augustinus a S. Stephano Genuensis et ex illa provincia, ut saltem periclitantem ecclesiam videret. re visa et viso periculo ecclesiae periclitantis benigne sponte absque ulla extortione et difficultate quinquaginta scuta hic currentia donavit quia tot a Vicario intellexit esse necessaria. Periculum erat in sacrestia in qua duo muri unus in facie, et alter a sinistris post ingressum, erant casuri et si cecidissent certum erat et ecclesiam casuram vel saltem multum damnum habituram.

R. Pater Antonius Franciscus a S. Joseph ex provincia Longobardiae, olim missionarius in Siria, qui post multos labores in sua erat reversus, fuit tertius socius R. Patris Nostri Faustini, qui Melitae semivivus relictus fuit, sed habita sanitate iter suum est agressus et huc die 17 anni Domini 1717 feliciter pervenit, sed aer fuit illi valde contrarius, quia deficiente vino, ipse parum et illud parum non valde bonum comedebat, unde maximam habuit infirmitatem sicut et ceteri, qui per aliquod tempus hic morantur.

Hoc eodem tempore horrendum quid accidit ad Christianorum exemplum quo edocerentur, inanes malignantium minas minime formidare sed Dei Potentiam cui Fides nostra firmissime innititur, unice revereri, ipsique ex toto corde et anima fidentissime famulari.

Christianus quidam patria Babilonensis, professione Mercator, nomine Abdala, primum specie tenus huius Patris Vicarii amicissimus, postea repente et palam [*sic*] infensissimus hostis, sub huius anni 1717, initium caepit contra praedictum Patrem maledicta plura congerere, et publice evomere. Adductis non paucis in suas partes acatolicis, seductisque nonnullorum simplicium Catholicorum animis, universalem contra praedictum Vicarium, reliquosque Catholicos, qui sibi minime adherebant. ruinam publice et pervicaciter molliebatur. Cunctis fere diebus et maxime festivis summo mane, et horis serotinis in capite viae, quae ad nostram Residentiam ducit constitutus, ut erat elatae, et furentis indolis homo, vi, fraude, et minis ab ingressu Ecclesiae, a qua iam ipse defecerat, prohibebat: ita quod diebus festis, vix tres aut quatuor Christiani Sacro nullusque vespertinis praecibus assistebat. Talis fuit rerum status ab anni huius exordio usque ad mei adventum huc enim die quinta Februarii cum munere Vicarii Provincialis apuleram.

Elapsis aliquot a meo adventu diebus, dictus Abdala me ad propriam domum accivit, ubi congregatis suae defectionis sociis non minus ac falsis contra P. Vicarium acusationibus, iisdemque mihi usque ad nauseam exaggeratis, petiit, ut eodem ammoto, alium Vicarium substituerem: quod ni fecissem, et, ennixis(sis) eorum precibus non acquievissem, totalem Christianorum pernitiem potius minabatur, quam mendaci omine praedicebat.

Querelis pacifice exceptis, et ut par erat, fortiter quoque repulsis, renui, ut reis sati[s]facerem, insontem damnare, testatus nec me, nec meos hominum potentiam, aut potentium minus, qui solum corruptile corpus queunt occidere, formidare; sed Deum Omnipotentem qui corpus et animam potest perdere in gehennam, unice vereri; adieci spectare ad Deiparam, Nostrae Ecclesiae Patronam, et hanc, et Christi fideles ad ipsam sincero corde convenientes contra infideles haereticos, et male viventes Catholicos propugnare, pro ut, nec sine miraculo paucis ab hinc mensibus, et pluries cum ingenti omnium admiratione vidimus contingisse. Post haec cunctos fortiter et suaviter ad Christianam pacem hortatus; et ne propter vana et frivola cum Patre Vicario dissidia demonis astu excitata aeternae salutis iacturam facere vellent, denique exoratis, ad propria me recepi.

Compositis hoc modo aliquantulum huius saevientis procellae fluctibus, sensim caeperunt, qui oberrarant Catholici ad salutis portum, ecclesiam videlicet festis praecipue diebus convenire, reliquis vero dura cervice, et incircumcisis cordibus cum nefario eorum Principe Abdala incepta defectione pertinaciter persistentibus.

Horum conversione peior factus praefatus Abdala, Christiano iam rubore dimisso, et facta sibi meretricis fronte, Paschali praecepto etiam caeterisque Ecclesiae legibus sacrilege pessundatis, publice diebus prohibitis carnibus vescebatur ; virus, quod contra Patrem Vicarium reliquosque vere Catholicos abunde hauserat, fortius evomebat, et omnium ruinam quam iampridem minatus fuerat, exequi meditabatur. Interim fervidis praecibus Spiritum nostrum coram Deo pro eiusdem conversione efundebamus ; et Inclitae Caelorum Reginae patrocinium super nos ennixe deprecabamur, ter in publicis Litaniis repetendo Auxilium Christianorum Ora pro nobis.

In ipsam ergo speravimus, et confusi non fuimus, sed piissima Mater natos exaudivit clamantes ad se, et Saulum hunc impium in Paulum minime convertendum, adhuc spirantem minarum, et caedis in pusillum Christi gregem Bassorensem, subita febri prostravit. Vindex hoc Divinae Justitiae miraculum non contemnendum contigit eadem die, quo apud Sciabander, cuius amicitia perfidus Abdala fruebatur, Patrem acusaverat quasi vellet Christianos omnes Bassorae degentes Francos facere, quod a Turcis veluti laesae Maiestatis piaculum solo sanguine expiandum, aut ingenti pecunia solvendum censetur. De vere si acusationi probatio aliqua et si levissima accessisset, pro ut accessura Abdala superstite timebatur, communis ruinae, et ad minimum expulsionis nostrae causa certissime extitisset. Tantum igitur exitium suspendit malignantis acusatoris [*sic*] infirmitas, et denique mors pessima citissimo temporis tractu precidit.

Interim febris ardore plus nimio incalescente vicinae

mortis metu domitus salutem, quam a Mahometanis Medicis habere non poterat a Patre Vicaris humiliter eflagitavit. Festine accurrit charitativus Pater Pastor et Medicus, sperans deperditam, et morbidam ovem, corporis reddita sanitate, lucrari et paenitentem cum reliquis desertoribus ad Christe Ovile, pro ut semper optarat, adducere primum obtinuit, et decumbentem triduana curatione sanavit, Deo sic disponente, ne, si ad mortem addictus fuisset, sui furfuris homines forte dicerent, Patrem, ut hostem sibi infensum perderet, infirmum occidisse. Vix febri efugata, debilis ut erat, contra Patris iussa Meinavim concessit, ubi nimia balnei frequentia, nullaque habita ciborum discretione, seu (ut verius dicam) mortali animae languore neglecto, iustissimo Dei iudicio iterum lapsus, et epilepsia correptus, sensuum usu privatus Bassoram in domum sui Fratris Aslan adducitur: statim a Patre Vicario invisitur, ut extremo Animae periculo pro sui officii munere provideret; verum cum nec minimum a semimortuo potuisset paenitentiae signum extorquere ad propriam domum reversus est; et infelix Abdala paulo post inter frequentes totius corporis convulsiones, et in guture (ut aiunt) a daemone suffocatus miserimam animam, medio mane diei Sanctissimae Paenitentis sacri, die scilicet 22 Julii huius anni 1717 impaenitens eflavit, facto edocens, mortem peccatorum, nisi paenitentia accesserit, semper pessimam esse.

Deformatum cadaver gehennae incendiis resservatum a paucis sine cruce, sine lumine, sine comitatu aliquo sacro in caemeterium Haissah ben Mariam dictum eodem mane deportatum, ibique extremum iudicii diem horribilem cunctis horribiliorem sibi inglorie humatum expectat.

Caemeterium praedictum circumhabitantes Arabes noctu frequentabant lignandi causa; ibi enim cespites, vepresque plurimos humus inculta producit, quos nocte colligebant, summo mane in Urbem deportaturi: data vero praedicto cadaveri sepultura iidem Arabes Domino Petro Matlub retulerunt, nusquam noctis tempore potuisse lignare ob nimium timorem, quem ipsis incutiebat ingens clamor, et stridor, qui passim ab omnibus audiebatur, et continuo adhuc auditur.

Unde hoc oriatur aut quid indicet, Deus scit, Ipse tamen si quid sentiam aperire auderem, forte divinans dicerem, timores hos nocturnos non nisi ex praedicti cadaveris tumulo provenire cum solumodo post ipsum contingerint, ut fientur: innuere autem partialem ipsius anime infernum in eodem tumulo Dei serventia assignatum, et quidem iustissime. Patiatur in loco sacro, qui sacra sepultura est indignus. Patiatur in loco sacro, qui a loco sacro scilicet ab Ecclesia se suaeque perfidie socios se exules fecerit. Patiatur in loco sacro qui sacra omnia feda profanatione concaminaverat et cunctis fidelibus sit in portentum, qui cunctis fuit in scandalum.

Post haec per certissimos nuntios accepimus saicam unam Bassorensem pretiosis mercibus onustam valoris ducentorum et quinquaginta mille scutorum fuisse prope Bagdat ab Arabibus expoliatam caesis fere omnibus, qui in ipsa erant. Merces omnes ad Mahometanos Mercatores spectabant, nonnullis exceptis, ad Christianum quemdam Safar nomine pertinentibus valoris bis mille quingentorum scutorum, vulgo piastre, in quibus omnia sua bona consistebant.

Casus iste causas secundas unice spectantibus fortuitum fortasse videbitur infortunium ; ego autem, et quae casum hunc praecessere et ad primam causam respiciens, non procul a veritate abberravero [*sic*], si dixero vindicem fuisse laesi numinis ictum, Safar delicta non ad damnationem, sed ad correptionem punientis. Hic enim optimus licet Catolicus, tamen in persecutione ab Abdala excitata, ne ab ipso tamquam Francus acusaretur, pro ut fuerat cominatus, et propterea potiori suorum bonorum parte expoliaretur ab

Ecclesia nostra se abduxerat, valde perraro et in oculto ad ipsam diebus festis sacrum auditurus conveniens. Tunc timuit inaniter ubi non erat timor. Timuit pruinam, et irruit super eum nix. Ne suorum bonorum partem amitteret ; Ecclesiae praecepta omittebat, et ideo omnia amisit, quia quod Deo debebat omisit, amittens sine merito quod tunc fortasse non amisisset, vel cum ingenti merito et gloria amisisset, nisi omisisset.

Haec omnia, cum contigerint tempore, quo Bassorae commoratus sum, propria manu in hoc volumine exarata operae praetium duxi posterorum memoriae tradere ut missionarii nostri possint ab exemplo fideles hortari, et fideles ipsi ediscant debitum suis Pastoribus obsequium et subiectionem, Divinae et Ecclesiasticae legis observantiam, suorum delictorum citissimam poenitentiam, denique perfectam charitatem conentur acquirere quae foras mittit timorem, quo efugato Christum apud Barbaros fateri non erubescant, et terrena parvipendentes, aeterna bona veris christicolis promissa faeliciter lucrifaciant ; uti ex corde Christianis omnibus Bassorae degentibus ominor. F. Faustinus a S. Carolo Vicarius Provincialis Persidis et Bassorae.

April ye 18th: 1718 William Keble Comdr of Ship Joseph &cr in Compn wth Mr James Nevill.

Mirabitur absque dubio quicunque insertas has duas lineas alieno et Nomine et Charactere inspexerit, quae res, sicuti a nobis evitari non potuit, quin fieret, ita a legentibus excusari debebit, quod facta sit praecipue, si novitatis huius causa veritatis narratione perspicua reddatur, quod iam exequor. Dominus Guglielmus Chiible navis Anglicae Dux, de quo infra suo loco, vir Religiosorum amantissimus, cuius amoris ad nos plura signa et pignora devenere, cum quadam die librum hunc annalium nostrorum prae manibus haberet veniam petiit sui in eo nominis inscribendi, cui cum responderetur, nos ipsos id libentissime suo loco, et ordine ut moris est praestituros, respondit ipse propria ipsius manu et idiomata id melius gerendum quod illi negari non potuit. Itaque accepto calamo suum suique socii, qui erat praedictae navis mercator, nomen inscripsit, ut constat.

Anno Domini 1717 aliquibus expensis quae aderant causis et non sine debita consideratione discussis per Rev. admodum Patrem Nostrum Faustinum a Sancto Carolo Vicarium Provincialem hic tunc commorantem et Rev. admodum Patrem Fratrem Paulum Augustinum a Sancto Stephano huius Residentiae Vicarium novo, hoc est Gregoriano dimisso Calendario reassumptum est vetus, quod in more est apud Orientalium Ecclesias et sic post diem 11[am] Decembris, cui succedere debebat 12[a] undecim adiectis atque repetitis diebus successit 1[a] (!) Decembris. Itaque, cum antea nos inter Christianosque nostros in Festorum celebratione Jeiuniorum observantia, et sacrarum caeremoniarum functionibus, esset quoad tempus undecim dierum perpetua dissentio, hac peracta mutatione facta est omnimodo consensio, quod actum est in gratiam Christianorum nostrorum, spe lucrifaciendi ipsos si fieremus et nos in hac re tanquam aliqui ex ipsis, et cum sub hac suorum temporum lege non essemus, facti sumus tanquam essemus sub lege, ut eos qui sub hac lege sunt lucracemur, eorumque fuimus secuti morem, ut in nostram sequerentur Fidem, ac ut uno verbo concludam : Ut Populus fient sicut sacerdos in opere, factus est sicut Populus sic sacerdos in tempore Quae res, ut legitimius perseveraret et probatius observaretur transmissa est Romam eius notitia ad Eminentissimum Cardinalem Praefectum Sacrae Congregationis de Propaganda Fide. renulla tamen post elapsos iam quattuor annos apparuit responsio quod tamen turbare non debet, cum sciatur hoc idem alibi ab aliis Missionariis legitime observari, quod non nisi licite ac prudenter ab ipsis fieri, et profecto etiam sub alicuius Romani diplomatis concessione sit omnino iudicandi, quod si scitum et perpensum non fuisset a supradictis nostris Patribus nunquam talis fuisset suscepta mutatio. A praefata itaque die iuxta hunc assumpti Calendarii ordinem omnis disposita est nostrarum Institutionum ratio sive intra sive extra Ecclesiam videlicet, cum ubi de spiritualibus cum ubi de temporalibus agitur scilicet Annorum Mensium et Dierum supputatione in Libri[s] tum ecclesiasticis tum domesticis, quam et ego sequar seriem in istis brevibus descriptionibus.

Die 26 Decembris Anni 1717 discessit Bassora Reverendus Admodum P. N. Vicarius Provincialis una cum Rev. admodum Patre Antonio Francisco a Sancto Joseph eiusdem Provinciae videlicet Longobardiae quocum Primus undecim mensium spatio hanc Residentiam sua decorarat Praesentia gravibusque hic fuerat probatus infirmitatibus, Secundus vero hic septem exegerat menses hosque etiam multis aegritudinibus refectos. Discedentium itaque ipsorum erat intentio in Portum dictum Bander Abassis appellendi ut inde per Scirasium Aspahanum pervenirent, sed vix ut mare ingressi sunt gravissima hacque triduana procella iactati ad quandam insulam prope Congum apellere coacti sunt, unde post aliquantum navigationis terrestri de inde itinere Congum advenientes a Domino Factore Lusitano Domino Joanne Leiitan benevolentissime tractati sunt, itaque inde arripientes Scirasium faeliciter pervenerunt, unde Rev. admodum P. N. Vicarius Provincialis Patrem Fratrem Urbanum a Sancto Eliseo ibi tunc commorantem misit Bassoram, ubi ab eorum discessu solus remanserat. Rev. admodum P. Vicarius, hucque incolumis advenit per viam Bander Rik die 2ª Maii post triginta sex dies itineris, seu ut verius dicam patientiae in tam tardo et prolixo itinere tam brevis semitae iuxta Persicae regionis morem ne dicam pigritiam.

Bassoram tunc gubernabat Mahamed Bascia Filius Assan Bascia Babiilonensis Gubernatoris, de quo nullae quidem erant inter sive cives sive exteros querellae quibus tamen non carebat avidissimus atque tiirannicus pecuniarum Amator et Exactor Hahamed Chiaia eius locum tenens, qui non mediocria suae rapacitatis portenta monstravit quam et in nos exercere conatus est, conatuum tamen suorum Gloriosissima Virgine Maria eiusque Beatissima Matre Anna nos protegentibus confractum impetum atque retusam aciem invitus intuere coactus est. Accersito itaque quadam die quae erat 22ª Februarii anni 1716 huius domus Reverendo Patre Vicario eo tempore quo ut iam dixi hic solus remanserat, pretium locationis sive conductionis nostrae domus atque attinentis nostri Carvanseraii ab eo patebat, et exigere satagebat, ac si Domum Nostram non tanquam Domini sed tanquam hospites habitaremus, idque non pro currenti solummodo anno, sed etiam pro multorum praeteritorum decursu annorum accipere volebat, quam rem nisi ea repulsa fuisset gravissimo nobis dispendio atque incommodo futuram fuisse nemo non videt ; non defuerunt Patri Vicario, nec animus nec ingenium ad se successoresque suos defendendos, ab insolita et adeo tiirannica postulatione, et vexatione, ideoque nostris iuribus et rationibus illi audacter et vivide propositis atque diplomatibus tum magni Turcae tum etiam Bassorentium Gubernatorum commonstratis quibus nostra pondebantur Privilegia et exemptiones se ac Residentiam nostram, ab insatiabili Harpiae illius voracitate vindicavit.

Die 25ª Martii huius anni Babiilone huc advenerunt R.R. admod. P.P. Petrus de Alcantara a Sanctissima Trinitate Pedemontanae Provinciae et Thomas a Jesu Hungarus Provinciae Austriae qui ex Seminario nostro Sancti Pancratii ad Mogolense Regnum destinati Missionarii huiusque felicissimo undequaque itinere fruiti fuerant ubi ad motionis usque Finem commorantes, insignes ingenii ipsorum reliquere memorias. Flores enim ex serico quibus nostra ornatur Ecclesia, ipsis laborantibus et praecipue P. Petro dirigente fuere compositi cuius item arte et opere fere omnes quae apud nos cernuntur super telas picturae prodierunt in quibus quamvis magis fuerit laboris quam excellentiae, cum praedictus Pater nunquam antea ad huiusmodi incubuisset opera et consequenter fuerint haec prima suae artis rudimenta, Bassorensibus tamen oculis etiam admirationi possunt esse nedum voluptati.

Die 18ª Aprilis anchoram hic fixit ex Benghala adveniens Navis una Anglica dicta Scip. Joseph, hoc est: Navis Josephi cuius Dux et Mercator erant praefati Domini quorum nomina superius inscripta cernuntur scilicet Dominus Guglielmus Cheble Dux, et Dominus Jacobus Nevill Mercator in quibus plures admirati necnon expertissimus, cum urbanitatis tum liberalitatis dotes, quae in nostram utilitatem, atque honorem se se abunde, atque generose expanderunt.

Inter reliqua munera, quibus Domum Ecclesiamque nostram auxerunt silere non possum tria Horologia solaria, quibus aedes nostras non tam ornavere, quam ditavere, quae utpote ad nostrarum institutionum exactiorem observantiam valde necessaria plurimum desiderabantur. Sequenti Maii 18ª die Bassoram ex Indiis pervenit Reverendus Admod. Pater Joannes a Christo Lusitanus ex Ordine Sancti Francisci qui Aleppum et inde in Europam perrecturus huc se contulerat, ut per viam deserti Aleppum commigranti Cafilae sese comitem adiungeret, sed cum aliquot diebus post illius discessum huc advenisset camelum conscendens ductoremque Arabem data mercede accipiens illam tardice insecutus est, quoadusque invenibit cum qua iter suum Aleppum usque feliciter prosecutus est. Labente iam Octobre, eiusque 25ª currente die huc Babiilone appulit Frater

Michael de Chatal Roii Laicus Cappuccinus, qui Aleppo Aspahanum pergens discessu iam iam Anglicae navi opportunus advenit, quam conscendens die Novembris 11ª (? 2ª) hinc Congum versus iter arripuit ut inde Aspahanum concederet. Discedentes item in eadem navi duo praedicti nostri Patres Banderabbassim usque navigaverunt, unde post aliquot dies eandem iterum conscendentes navim Bombaiim versus iter instituere. Sed unus ex ipsis, scilicet P. Fr. Thomas a Jesu septima post discessum die fatalissimo Europeis aeri Banderrabbassis, licet iam multum absens tributum persolvit et prope Mascattem in eadem navi diem ultimum clausit cuius cadaver in die universalis Ressurrectionis cum caeteris mortuis mare restituet. Sic Bonus Operarius antequam vineam ingrederetur, mercedem accepit bonae voluntatis, sic desiderium eius exaudiente Domino et praeparationem cordis eius audiente aure Domini Miles emeritus ante certamen coronam accepit, sic Dispensator fidelis et Villicus optimus ante inchoatam villicationem ad reddendam rationem vocatus est, quam bonam reddidisse et propterea mercedem bonam confertam coagmentatam in sinu suo a Deo recepisse ex optima eius vivendi consuetudine, morum suavitate cum devotionis ardore quae hic per septem menses cum dimidio contemplati fuimus, non immerito arbitramur.

Praetereundum hic non est nulloque modo silentio involvendum quod accidit in discessu praefatae navis, ut et nobis cautelae et exterorum sit instructioni. Dominus Cheble eiusdem navis Dux ancillam unam Georgianam iuvenem isthinc ad Indias asportare desiderans considerabili pecuniae summa hanc emptam ancillam iam super navim explicandis mox velis conscendere fecerat, qua in re cum debitae cautelae ad hoc celandum adhibitae non fuissent ad aures Haamed Chiaia intentati, immo iam quasi peracti operis notitia devenit qui statim homines suos misit, qui visitata navi atque diligenter inspecta repertam ibi mulierem in urbem reducerent quod et contigit. Dominus ipse Cheble tunc vel infirmus vel convalescens iam sese in navim receperat, sed socius Dominus Nevill a civitate necdum exierat secumque ingentem pecuniae summam habebat quod nisi impedimento fuisset potuisset equidem Dux non solum mulierem non reddere sed etiam homines illuc ad explorandum missos expansis velis secum abducere, ut merito dicendum tunc fuisset. Vae qui praedans nonne et ipse praedaberis? Abstractis itaque a navi viva illa mercatura ideoque deperdita pecunia quae in eius pretium erogato fuerat coactus est insuper Dux ipse emptor scutorum magnum numerum in poenam tradere. Necdum hic terminata est huius tragediae series. Siquid Haamed Chiaia considerans huiusmodi emptionem a Duce Anglo utpote linguae ignaro fieri non potuisse absque interventu eius Interpretis, in ipsum etiam irae suae seu verius voracitatis spicula intorsit. Interpres ista erat Noster Amicissimus Dominus Petrus Matlub, qui nisi in eadem navi discessisset vel etiam fugisset absque dubio vel ingentis pecuniae vel ut etiam dicunt capitis mulctam non effugisset ut revera evenit illarum mercium venditori Nomine Osman, qui quamvis esset Mahometanus Apostata tamen multis ab annis a Christiana Religione omnibus expoliatus suis bonis in exilium fuit detrusus. Ita saevit insana crudelissimorum hominum superstitio, qui titulo Religionis suam tiirannidam honestase praesumunt maximum autumantes scelus quod insignis Charitatis opus est infelicissima mancipia ex eorum manibus educere, quae sic educta certissime in meliorem corporum et etiam animarum apud Christianos sortem assererentur.

Nec hoc solum eventu funestatus est discessus tam nobis utilis atque iucundae Navis, sed alio etiam tristiori successu. Duo enim iuvenes professione Nautae natione Indi et

Madras Patan quibus cum niger esset vultus nigrior tamen animus atque tenebrosior erat voluntas, relicta Ortodoxa Fide ad Mahometicas partes transierunt, post quorum Praevaricationem quodam die, quae erat octava post discessum Navis per totam urbem equitantes solemniter ducti sunt triumphalibus insignibus, atque pomposo apparatu defectionis iniquissimae turpitudinem publicantes. Verum aliquot post menses cum se ad multam miseriam redactos viderent atque infamissimae Apostasiae successum quam faelicem speraverant deceptae spei non correspondere experirentur, uti omnibus Apostatis solet contingere Deo sic disponente cuius aequissimo Judicio sicuti promittitur et confertur centuplum sua relinquentibus, ut Christum sequantur ita Christum relinquentibus ut sua quaerant vel etiam aliena possideant extrema paratur etiam in hoc saeculo miseria, et hac regione sese fuga proripuere. Utinam a praevaricatione redeant ad cor.

Eidem navi sese transvehendum commiserat quidam Romanus Chirurgus a pluribus annis Apostata, qui nostrorum Religiosorum opportunis precibus et importunis suasionibus tandem eiectus ad Sanctae Matris Ecclesiae uterum a quo iam dudum obalienatus erraverat redire decreverat, sed cum timeretur ne eo hinc absente Uxor ipsius natione Georgiana Apostatrix . . . a Christiana Fide eius discessionis ac fugae a nobis rationem peteret vidensque eum aufugisse occasione Anglicae navis duorumque nostrorum Religiosorum in ea discedentium nos strepitosis et etiam periculosis apud Gubernatorem, et alios vexationibus exagitaret deliberato et non imprudenti consilio actum fuit, ut ipse ad maturius tempus fugam suam differret ut esset et eius transmigratio secretior et nostra hic permanentia securior, sicut de facto, Deo favente, elapsis quinquaginta diebus evenit. Die itaque decembris 31ª inscia uxore unius Armeni Catholici nomine Alexandri vulgo Scandar auxilio fretus sumptibus sustentatus et societate munitus, accepta item a nobis aliqua Eleemosina nec non commendatitia ad Dominum Factorem Lusitanum Joannem Leitan Congum versus navigavit, quem illuc pervenientem Dominus Ipse Factor humanissime excaepit in suisque bonis intentionibus, et adiuvit et direxit ita ut Bander Abbassim ac deinde Bombaiim ubi suam sibi constituit Patriam pervenerit, ibique ipsum quod in Mahometica secta amiserat tempus bonis ac conversioni suae congruis operibus redimere, dignosque Penitentiae fructus facere existimamus. Vexationes quae nobis ab uxore eius venturae timebantur post mariti discessionem de facto non defuere, cum enim sciret ipsa illum apud nos fere quotidie versari solitum, videns iam ipsum domo sua abesse apud nos importune quaesivit, multisque nos impetiit molestiis divinans ipsa quod re vera fuerat, nos videlicet tam sibi ingratae et nocivae fugae, vel Auctores fuisse vel saltem adiutores, et quamvis furibunda comminaretur, se apud Gubernatorem urbis a nobis de suo coniuge rationem, vel notitiam exacturam, nihil tamen opere praestitit sic nos adiuvante Gloriosissima huius Domus et Ecclesiae Patrona, cuius erga suos est super omnem Gloriam Protectio. Immo postea nobis facta est amica illa Mulier, quam duos post annos ad indicas regiones direximus ubi Ortodoxae Fidei cultricem ex verbis quae ab ipsa audiveramus et signis quae in ipsa videramus antequam hinc discederat, hoc opus consummante Deo, cuius perfecta sunt opera, nec temere speramus nec frustra deprecamur, nec falso auspicamur. Haec enim spes nostra recipiendae ab ipsa Sacrosanctae Fidei principalior causa fuit ob quam illam consilio, suasu et opere ad Indias direximus. Quamvis enim ipse pergeret ad maritum suum conquirendum, quia tamen pluries hic dixerat se libentissime ad Christianam Religionem redituram muneris nostri fuit eam in tali statu ponere in quo et maritum recuperaret et Fidem et consequenter vel per

Virum vel saltem cum Viro iam Fideli salvaretur Mulier infidelis.

Currenti iam sequenti anno 1719 die prima Aprilis inchoata est aedificatio eius partis nostri Caravanseraii quae occidentalem plagam respicit et in formam satis honestam, domuique valde proficuam redacta est, cum prius satis exigua esset et despicabilis, et sic aedificato ex integro magno cubiculo quod a pluribus annis corruerat eique contiguis et attinentibus renovatis noviter erecta porticu quae est ante ipsa cubicula nec non elevata Janua et altiori facta quae cum antea nimium demissa, ne dicam profunda esset imbrium tempore publicarum trium viarum inundationibus totum Caravanseraii reddebat obnoxium ingentibus sumptibus et non exigua sollicitudine in eam formam qua cernitur fabrica surrexit. Fabricatus est etiam eadem occasione valde necessarius ideoque peraltus murus, qui ab orientali parte nostri Caravanseraii domum usque Aslam dictam pertingit.

Die 26 Augusti eiusdem anni Portum hunc salutavit Anglica Navis nomine Scip Catherina id est Navis Catherinae Bander Abbassi adveniens, cuius Dux Nicolaus Gamon mercator vero Ludovicus Graii sive Gre vocabantur. Nihil huc attulerat mercium praeter modicam saccari quantitatem et aliquot Sinensia Vasa, quorum primo hinc reportato ob sufficientis lucri in venditione carentiam, secundis vero divenditis discessit die 2ª Novembris onusta Dactilis, propter quos emendos solum advenerat. Non multum placuit Gubernatori eiusque hominibus vacuae navis adventus cum enim Nebulones isti nulla habita ratione publici boni a maximo usque ad minimum omnes avaritiae studeant, si nullus ipsis proventus ex eorum vectigalibus accrescat quidquid quantumvis in publici commodi incrementum tendat equi bonique non faciunt, et quamvis ob eam iam non abstinuerint ab exibendo praedictis Dominis debito honore et solito munere unius vestis vulgo Kalata, non tamen se continuerunt ab aliquibus secretis murmurationibus ex quibus suorum animorum cognoscebantur occulti sensus et eorum avaritiae insensata pondebatur absurditas.

Sequentis anni 1720. die Prima Maii appulit huc navis altera Anglica ex Bengalensi Regno dicta Scip Merigold, cuius Mercator erat Dominus Michael Emerson, Dux vero Dominus Guglielmus Ghill.

Modicas nobis a principio eorum adventus exibuere urbanitates, in fine vero eorum commorationis in hac civitate, immo in progressu nullas quin immo apertas inimicitias propter causas, quas iam subnecto. Et quidem usquedum nostri operis et auxilii, apud ipsos perduravit indigentia, ad nos eorum perduravit amicitia, quae fuit ad duos fere menses extensa ; id est usque ad id temporis quo pene omnes eorum merces vendiderunt, qua in re Reverendi huius Patris Vicarii aliquali consilio et advertentia indigebant, nec non designatione alicuius Fidelis Procuratoris vulgo Dalal aliorumque ministrorum, qui ipsorum servitia et mercaturas cito proficue et fideliter peragerent, quod et idem Pater humaniter valde praestiterat. Ut vero a nobis cessavit servitium, defecit et ab ipsis obsequium. Sic se res habuere a fine mensis Junii ad usque decimam sextam Julii, cum enim ea die mandaretur sepulturae cadaver Domini Aux scribae navis pridie defuncti, illud equidem comitati fuimus civili comitatu ad caemeterium nostrum Issuah Eben Mariam nullas tamen ullo pacto exercuimus caeremonias nullamque aut lectionem aut orationem adhibuimus, quod a superstite immo praesente Duce Navis Domino Ghill non tamen desiderabatur, quam expectabatur. Nihil tamen de hac eius voluntate et desiderio nobis innotuit, usque ad elapsum aliquod temporis spatium, quando ut videbimus sese prodidit in corde concepta malitia, et se monstravit in opere suscepta nequitia. Frigescebat itaque paulatim in dies superstitis Ducis erga nos, quae nunquam fuerat valde fervida Gratia usque ad eiusdem mensis vigesimam diem, qua die cum terrae item traderetur cadaver Domini Emerson Mercatoris Navis, eadem eodemque modo quo antea feceramus iteravimus. Nec tamen usque adhuc sese prodebat ingens ille iracundiae ignis qui in dies et praecipue in hac secunda sepultura creverat, cumque ipse Dux semper fovebat sub cinere dissimulationis in amaro corde et sic usque adeo nesciebamus quid esset in homine. Qui aliquot post Hebdomades arrepta occasione a quibusdem erroribus, qui nos inter ipsosque videlicet ipsummet et defunctum Dominum Emerson in emptione aliquarum rerum, quas Domui nostrae necessarios atque utiles emeramus ab ipsis innocenter intercesserant in medium apertus Hostis prosiliit pluresque adversum nos calumnias quas mendaciter confixerat impudentius disseminavit. Sic tandem prodiit dolor ille quem ob negata a nobis suffragia et exequias Haereticis hominibus indebita in corde conceperat. Concepit dolorem et peperit inquitatem. Sic ingratus accepta recompensavit beneficia nostrosque edocuit non nisi cum delectu huius nationis confidere in hominibus et ab aliquibus eorum satis prudenter cavere, quia licet saepe amicitiam faciliter profiteantur facilius tamen, ut alias compertum est, qualibet accepta occasione in immanissima odia prorumpunt et iram atque iniurias in humanis inique inchoata, deinde etiam ad Divina Fidei nostrae miisteria contemnenda sacrilege extendunt. Venerat eodem Anno die 27[a] Junii Surratte altera navis Anglica, cuius erat Dominus et Mercator Dominus Martin Anglus natione Anglicanus Religione, Dux vero Dominus Ragouz natione Gallus Religione Catholicus. Horum primus post transactos duos in nostra amicitia menses propter aliquas aequivocationes inter nos et ipsum ex loquendi modo exortas, ad partes Ducis Ghill accessit et communibus cum eo sensibus et vocibus loquens adversus nos impiis debachabatur iniuriis.

In eorum etiam sententiam alter descendit Anglus nomine Dominus Stuart Dux tertiae Navis Anglicae ex Calicut huc directae atque adductae die 21[a] Augusti, qui quamvis duobus aliis humanior esset et modestior, tamen sicut eorum fruebatur societate, sic contra nos et nostra eorum iungebatur clamoribus.

Fiebat quotidie conventus ista malignantium trium hominum, quia licet diversis id est duabus habitarent in domibus, in unam tamen eorum conveniebant ad prandia, et caenas, et sicut spinae se invicem complectuntur, sic erat convivium eorum pariter potentium in quo convivio, seu verius in quibus conviviis et caenis Sancta nostra, id est sacrosancta Fidei nostrae Mysteria, et nos ipsos insano ore mordebant et ingrato dente lacerabant. Et in nos psallebant qui bibebant vinum.

Circa Finem mensis Junii amoto hinc Haamed Bascia post tres cum dimidio, quibus hanc civitatem gubernaverat annos constitutus fuit eius Gubernator Mustafa Bascia de quo nihil singulare notandum venit, nisi quod cum valde pauper huc pervenisset, hic abunde dives evasit. Cum enim hoc Anno circiter undecim naves ex Indiis advenissent ex consuetorum munerum receptione, et pinguium vectigalium exactione tam bene locupletatus est, ut facile non discerneres utrum citius an copiosius. Praedictus hic Mustaffa Bascia arcem Belgradi gubernabat eo tempore quo invictissimus semperque Augustus Imperator Carolus Sextus eius bella, quae vere erant bella Domini, praeliante admirabili semperque triumphante Principe Eugenio a Subaudia illam expugnavit et recuperavit, unde iste captivos aliquot Christianos secum abduxerat, inter quos Juvenis unus Polonus Catholicus nostram adventabat Domum et Ecclesiam, quem saepe in Sancta Fide roboravimus et ad tolerantiam earum passionum quibus summopere abundat commoratio Christianorum inter Turcas hortati sumus. Ad fugam e Turcarum manibus quam iam ipse meditabatur ardenter excitavimus promisimusque optimo hanc eventuram successu si ipse aliquo Beatissimam Virginem Mariam speciali veneraretur obsequio quae cum viatorum sit stella, sicut ipsa propitia aliquid timere mali improba est, diffidentia ita ipsa adversa aliquid sperare boni est extrema temeritas. Et revera nostra haec erga ipsum non fuit promissio, sed Prophetia. Die enim sexta Novembris quae cum esset Sabbati erat specialiter Beatissimae Virgini sacra ad unam ex duabas proxime discessuris Navibus Anglicis se contulit, quae cum subito discaessura non esset ac proinde pateret periculo ne visitata a Turcis navi compertus ibi ipse ad tiirannicam et ob hanc causam duriorem reduceretur captivitatem Dominus ipse Navis citissime in aliam item Anglicam navim transferri fecit, quae illico ventis commissa ipsum ab omni periculo emtum in libertatem asservit indicaque littora advexit. Et profecto optima haec est messis Evangelicisque hominibus digna cultura, atque occupatio captivorum apud Turcas Christianorum invigilare fugae eamque omnimodo procurare, et quamvis ipsi vel nolint vel non cogitent aut quia torpent, aut quia timent, illos excitare animare, et provocare ad fugam. Si vero velint ipsos adiuvare, et promovere et dirigere ne in continuo abnegandae fidei periculo, et tentatione versentur. Non enim minoris est excellentiae et meriti, nisi forte non sit et maioris Christianum Hominem ne a recta Fide pervertatur avertere, quam iam perversum ad ipsam iterato convertere.

Hoc eodem tempore circa dimidium mensis Julii non modicam nobis turbationem intulit Christiani cuiusdam insolentia ne dicam insania, qui adversus Ecclesiasticas leges improbum quid intentare ausus est, et quidem tanta vi atque conatu ut absque dubio voti compos fuisset effectus si vel cum Orientalibus Presbiiteris sibi res agenda fuisset vel minus in Ecclesiae nostrae Ministris (quod ad maiorem

Dei Gloriam dictum sit) constantiae reperisset. Rem iam propono.

Juvenis quidam Franciscus Nomine Ritu Sorianus Religione Catholicus, Patria Bassorensis Filius Coggia Abd Rahim uxorem ducere volens Puellam quandam ritu Armenam Patrem huius Residentiae Vicarium et Ecclesiae Parochum admonuit, ut Parochi in hac re officium praestaret, qui libentissime illud se praestiturum respondit si praescriptae ab Ecclesia institutiones exacte servarentur. Duas itaque et ambos indispensabiles illi proposuit quarum prima erat quod puella saltem 12 annum aetatis explevisset annum, de qua re prudenter dubitabatur. Altera vero, quod Sacrosanctae nostrae Fidei Miisteria doctrinaeque Christianae rudimenta calleret orationesque debitas non ignoraret. Adhibitis igitur quantum ad primam conditionem exactis diligentiis, et ea qua par erat sedulitate testibus examinatis, siquidem de eius aetate nihil paenitus in nostris libris constabat, compertum fuit ipsam decimum quartum aetatis annum iam delibasse. Ut vero ventum est ad secundae conditionis examen quae erat de Christianae fidei rudimentis, Ecce iam hic initia dolorum? inventa est Puella minus habens et ea quae ab Ecclesiasticis Legibus sanctissime sanciuntur ut necessaria ad huius Sacramenti susceptionem satis ignorare. Promisit statim Pater Vicarius illam docturum et paucorum dierum spatio satis superque instructam adeoque ad hoc, et caetera Sacramenta habilem omnino, et egregie paratam redditurum. Hoc audito infremuit Juvenis nullumque ad haec temporis intervallum sed daturum respondit sed vi executurum quod a nobis cito non praestaretur insanis vocibus comminabatur arbitrabatur siquidem ipse non aliqua vel passione commotos vel partialitate ductos suis nolle assentiri desideriis. Addebant eius furori stimulos Parentum Puellae solliciti conatus, atque importunae instantiae quibus et aliqui eiusdem inscitiae

Christiani adhaerebant, qui metuentes ne ab eorum manibus hac interposita mora collocandae Puellae dilaberetur occasio matrimonium hoc non bene factum sed cito factum ardenter desiderabant. Accedebant ad nos huius rei deprecatores aliqui humana sapientes, quorum prudentia inimica erat Deo, promittentes fore ut Puella post matrimonium celebratum necessaria Fidei et Orationum Documenta addisceret interim vero sine mora Matrimonium celebrandum esse ne ingentia aevanirent absurda et incommoda quae Juvenis seipso semper insanior a se perpetranda proclamabat, videlicet accaessurum se ad Judicem Turcam et apud ipsum Turcarum more matrimonium contracturum et insuper accusationibus falsis et Praetextibus adinventis acturum apud Urbis Gubernatorem ut nostra destrueretur Ecclesia (quae sunt ordinariae eque ac daementes istorum Christianorum minae quando adversus nos invehuntur, vel potius delirant). Ad primum horum respondebamus matrimonium illud sic apud Judicem Turcam contractum apud nos nunquam acceptum ac licitum habendum, immo utrumque praesumptum coniugem a nobis usque ad mortem ut Fornicarium et Excommunicatum semper tenendum, utpote qui in facie Ecclesiae non contraxisset, quin et illos publica mulctandos Paenitentia. Ad secundum vero (licet interius hanc eius desideremus stultitiam) respondebamus nos nedum Ecclesiam sed Domum libertatem vitam et omnia nostra pro intemerata Ecclesiasticarum Legum custodia libentissime tradituros. Hei mihi qualia deliramenta? quales clamores huic adversae parti adhaerentium Hominum sine ratione, sine causa, sine intellectu, et quod peius erat etiam sine fructu. Eorum tota haec insolentia erat nostra Doctrina nullis nec labefactanda favoribus, nec partem facienda furoribus adversae praetendentis Partis quae erat Divinarum rerum nescio utrum Ignorantior an Inobservantior.

Dominus ipse Martin Anglus cuius adhuc fruebamur tunc amicitia et Dominus Ragouz Gallus Catholicus ut Adolescenti fierent in salutem ipsum hortantes ut Romanae Ecclesiae cuius se Filium profitebatur mandatis acquiesceret, illi proponebant sicut rite initi coniugii laudabilem honestatem, sic illegitime contracti, seu verius intentati abominandam turpitudinem ante oculos obiiciebant. At Ille, ut erat dura ponte et indomabili corde nihil seipso placatior factus, eisdem semper comminationibus insistebat arbitratus se in hac causa, vel posse vincere, vel saltem non vinci. Hoc idem nobis adversae ei faventes partes sicuti desiderabant sic existimabant, nos scilicet aliquo timore penitos a nostra sententia vel posse vel debere recedere. Verum: Haec cogitaverunt et erraverunt et excaecavit eos si non malitia saltem inscitia eorum donec placuit tandem Patri luminum errantium horum illustrare corda, suisque legibus et Gratiae supra et contra humanam duritiem attribuere victoriam. Aquievit igitur consiliis nostris et Ecclesiae institutis post aliquot dies turbatissimae sollicitudinis praetendens Juvenis, seu, ut verius loquar, non aquievit ipse sed potius a durissimo suae praesumptionis rigore aliquantulum deflexit, et usque ad diem quamdam Dominicum a seipso designatum, et non longius se expectaturum promisit sub pervicaci semper comminatione eorundem malorum, quae antea a se patranda declamaverat cui cum eadem semper responsa daremus, id est nos nullius diei praefixione velle alligari, sed sola sufficienti Puellae instructione duci posse ad eius votis satisfaciendum, iterum ipse insaniebat et tamdiu desaevit quoadusque Deus totius consolationis qui bonum hoc opus incaeperat perfaecit, faciendo scilicet, ut Ipse totaliter divinis mandatis a nobis illi propositis obtemperaret.

Unum solum, et hoc noviter exortum Punctum discutiendum remanebat, de quo cum Juvenis ipse aliquid audisset nesciens adhuc quale illud esset arbitratu est esse, quod pecuniam ab eo pro nostri Officii Parochialis perfunctione peteremus quod omnino aberat, ut infra patebit. Non igitur de pecunia erat quaestio, sed de Paenitentia, cum enim ipse sua in resistendo pertinacia, et in obsistendo pervicacia necnon impia illa loquendi libertate, et agendi praesumptione publico scandalo Christianos nostros laesisset, aequum immo penitus necessarium aliqua publica Paenitentia illud expiare putabatur. Et ecce iam novi nec mediocres turbines. Ipse enim nullo se pacto adduci volebat ad hoc, ut illum exequeretur sicuti et nos nullo debebamus adduci modo ut absque illa ipsius votis consentiremur. Praescriptum ei a nobis fuerat ut extra fores Ecclesiae genuflexus die festivo ab exeunte post sacri celebrationem Populo veniam peteret, quod ipse nullatenus acceptare volebat. Et fortasse ob hanc sui duritiem totum tam bene incaeptum, et ad tam faelicem usque terminum deductum corruisset negotium, nisi aliquo laenimento temperata illi fuisset talis praescriptio, quo et Populi scandalo et eius succurreretur conscientia, et iubentis Ecclesiae tum satisfieret offensae tum obediretur imperio. Feriali itaque ad hoc destinata die qua non tantus Christianorum solebat convenire numerus, non extra sed intra Ecclesiam prope fores genibus flexis constitutus veniam ab exeuntibus petiit quam etiam a Deo obtinuisse pie confidimus et fraterne gratulamur. Citissime igitur instructa Puella, quae faciliter immo illico didicit praevia utriusque confessione necnon Sacra Communione, celebratum est Matrimonium cum omnibus Caeremoniis et Benedictionibus in Ecclesia nostra die 24ª Julii huius anni 1720, quod certissime ante octo dies celebratum fuisset, nisi ipsimet praetendentes obstitissent qui cum nimis cito negotium hoc praetendissent eo ipso quo citius voluerant, tardius obtinuerunt. Interpositis enim eorum importunis minis insaniis, et clamoribus rebusque sic in incertum sine ulla deliberatione pendentibus Rev[dus] Pater Vicarius, qui statim a primis diebus Puellam docere exorsus fuerat desistere coactus est, nec prosequi potuerat donec furiosae illius procellae impetus conquiesceret, quo cessante statim opus suum prosecutus est, donec compleverit. Sic igitur eorum Praecipitationis paenos ipsi maiore cunctatione dederunt, et nos sufferentiae nostrae gloriam in ecclesiasticarum Legum observantia, atque custodia iucundis oculis conspeximus.

Que hactenus de hoc Juvene est hic a me digesta narratio nollem ab aliquo successorum nostrorum in deteriorem partem accipi et in eum sensum, ut minori existimatione vel honore cum dignum duceret, secumque vel alicuius diffidentiae, vel saltem minoris amoris actibus tractaret, eo quod hactenus narrata fecerit. Quod fiet si intelligat haec omnia nulli alteri causae aut radici tribuenda esse, quam iuvenili ardori atque tum humanarum tum Divinarum rerum imperitiae. Constitit enim nobis totam huius attentati seriem considerantibus ipsum tenuissima malitia, ingenti ignorantia et valde excusabili passiones ad haec perpetranda adactum fecisse. Cum enim teneris ab annis extra domum suam adeoque a Parentum suorum et a nostrorum Religiosorum qui ipsum instruere in bene morata educatione potuissent, vera atque disciplina remotus, apud Anglos tum in Perside tum in Indiis ad plures annos fuerit cum iisque et vixerit et creverit non mirum si scienda nesciverit, et consequenter hac in re facienda non fecerit. Caeterum ex eo tempore cum valde bonum nobisque obedientem et Amicum vidimus, cumque in dies semper meliorem evasurum, non tam speramus quam experimur qua in re magis etiam perficietur si nostrorum benevolentia atque consuetudine foveatur, sic enim eorum imbuetur moribus quorum utetur conversatione, quae omnia sibi tantum non proderunt sed toti illi Familiae, cuius ipsum caput et stipitem fore in Domino confidimus. Obtulit ipse post celebratum Matrimonium decem huius regionis scuta vulgo piastre, quae cum a nobis respuerentur, instititit ipse et aliis aliisque motivis cogere voluit ut acceptarentur, sed nostra praevalente resistentia, et sua sibi remanente pecunia eius bona et tum laude tum actione gratiarum digna apparuit voluntas in eo quod faciebat, sicut et nostra recta, atque ab omni utilitatis labe aliena comprobata est intentio in eo quod faeceramus.

Non abs re erit hac nobis sese offerente opportunitate aliquas hic notitias subnectere ad nostram missionem spectantes, quae successorum esse queant vel advertentiae in operando vel saltem curiositati in legendo quarum prima sit.

Potuissemus equidem quando adversa Pars a nobis tam enixe petebat ut cito praedicto matrimonio ecclesiastica de more adhiberetur a nobis Benedictio, serio promittens Puellam diligenter et certo operam daturam, ut post initum coniugium ea omnia addisceret quae ante ineundum nesciebat, Potuissemus inquam gravibus hoc est narratis causis urgentibus eius indulgere petitioni tot turbationum evitandarum gratia, totque sedandorum strepituum, prudenter tamen iudicatum fuit in ea nostra resistentia persistere, tum quia postea nec tam facile, nec tam cito nec tam bene didicisset, quia quae nupta est cogitat quae sunt mundi quomodo placeat viro ideoque in varias divisa curas libera iam ab illa vexatione, quae antea illam ad discendum urgebat et nos in mille scrupulos et seipsam in mille negligentias adegisset. Tum et praecipue quia nostrorum Christianorum qui in huiusmodi addiscendis rebus negligentes valde sunt oscitantiae et torpori hoc exemplo atque terrore consulendum erat, cum enim intuerentur tam rigida in hoc casu praedictam exigi scientiam facile erat, immo consequens ut aliquo purgerentur conscientiae remorsu ad examinandum utrum scirent et aliquo urgerentur saltem honoris stimulo ad addiscendum si nescirent, caventes ne in ipsis cum magno dedecore facienda evenirent quae in aliis cum tanto rigore facta conspicerent. et de facto sic contigit, Rescitum enim a nobis fecit aliquem ex eis hoc terrore perculsum ad huiusmodi capessendam scientiam instructionemque sibi procurandam fuisse commotum, quod aliter fortasse suo nunquam praestitisset opere nisi alieno timuisset exemplo.

Secundum, quod hic notandum venit est extrema plurium Christianorum impudentia qui vix ut aliqua aut passione aut praetextu adversus Religiosos Missionarios commoventur protinus Ecclesiae nostrae destructionem Domus exterminium ac Religiosorum comminantur exilium ac si vel hic profugi more latronum degeremus nullumque esset, ac et in Divina Providentia consilium aut in humana sorte patrocinium vel eo inter Turcas panico percelleremur timore in quem ipsos eorum vetus ab Ecclesia rebellio constituit, et in quo miris et extremis modis eos detinent ipsorum nova, et in dies continuata peccata ob quae posuit Deus Firmamentum eorum Formidinem. Ipsi siquidem nos eadem qua seipsos mensura metientes ignorant veros ac legitimos Fortissime Theresiae Filios nedum Ecclesiam et Domum sed vitam ipsam pro minima non solum lege sed caeremonia Ecclesiastica debere, posse, immo ardenter optare profundere. Nec advertunt ipsi quam sublimi et amabili Dei Providentia Nos hic exteri et ignoti, sine auxiliis sine pecunia sine Turcarum Protectione, cum tanta securitate ac Libertate vivamus quibus eorum Episcopi et Presbiiteri ingentibus etiam pecuniarum summis datis, et aliis mediis atque diligentiis adhibitis in propria eorum Patria, in medio suorum et Amicorum et Parentum usquemodo non quidem frui sed nec ea videre potuere. Nihil igitur nobis eorum clamoribus et minis curandum minusque timendum est, sed magis eorum est deflenda miseria et charitative orandum ne super eas Divinae Ultionis vibuntur [*sic*] fulmina, ne fiat in paenis

Populus hic sicut hi qui contradicunt Sacerdoti. Nec ob haec ab ullo suscipiendo opere abstinendum est, si nos urgeat promovendae Religionis Intentio nec ab ullo suscepto cessandum si ne moveat Divinae causae defensio.

Tertium, quod adnotamus est ille ingens aeque ac frequens scopulus qui nobis semper fit obviam, quando Christianis istis vel in eorum vanis praetentionibus resistimus vel in Ecclesiae sacrosanctis sustinendis iuribus eo quo par est robore insistimus. Respondent illico ab aliis Patribus Missionariis hic et alibi aliis temporibus ita secum ipsis actum non fuisse, haec et haec quae nos ipsis concedere nolumus ab illis sibi permissa fuisse, Nos tandem strictius iusto eorum obligare conscientias et graviora eorum humeris onera imponere quae nec ipsi, nec eorum Patres portare potuerunt. Rem clarius proponam, quam ad unum particulare exemplum reducam ut ab eo caetera dignoscantur iuxta illud Poetae : Ex uno disce omnes : Conqueruntur ipsi nos nolle illos ad Sacramenta Sacrae Eucharistiae et Paenitentiae admittere nisi serio protestentur, et promittant, se ad eorum nationales haereticas Ecclesias sub ullo ratione causa aut praetextu nunquam ituros, et huiusmodi caetera dicentes se rigores istas nunquam vidisse ab aliis Missionariis, proprias eorum frequentandi Ecclesias datam illis fuisse licentiam adeoque velut novum Portentum hos a nobis intimatas illis obligationes negatasque licentias admirantur nisi forte admirari se fingant. Oh ingens inquam scopulus ? Quid eis respondendum ? Ea quae ab aliis Missionariis secum acta allegant negare non expedit, quia fortassis (et utinam non) aliquorum simplicitas tales illis concessit licentias. Religiosos Missionarios alicuius erroris vel ignorantiae vel etiam simplicitatis condemnare coram ipsis non licet, quia nec Romanae Ecclesiae honor id permittit, nec eius Ministrorum in docendo, et operando Conformitas patitur. Hae sunt profecto angustiae in quas nos redigunt Inveterati isti Dierum malorum homines, qui in erroribus et schismatibus Heterodoxorum nati atque educati nolunt ad veritatis tramitem reduci et magnum aliquid boni faecisse se putant, si una cum eorum Haeresibus Ortodoxae Ecclesiae veritates profiteantur, ut iam liberum eis et impune fiat a nobis Sacramenta sumere, cum apud nos vel hic Bassorae vel alibi versantur advenae et a suis similiter Presbiiteris cum inter eos morantur cives et incolae. Quid ab aliis Missionariis in aliis vel locis vel temporibus actum in hac re fuerit ut nobis isti obiiciunt nescimus quid vero faciendum fuerit Scriptura Sacra Ratio Divina et saepe repetita super hoc Decreta proclamant. Prudentum igitur virorum erit sana aliqua interpretatione ac tergiversatione reperta illis ita respondere ut Religiosorum integer servetur honor et Ortodoxae veritatis illibata custodiatur sinceritas. Quantum vero ad hanc Nostram Missionem attinet sciant Successores, ex illo tempore quo reaquisita fuit e manibus Turcarum haec nostra Residentia quod contigit huius saeculi anno decimo quarto. Sciant inquam hic Ecclesiastica Jura, Sacramentorum honorem, Doctrinae Integritatem, Sacrarum Caeremoniarum Rituumque nitorem intemerata et quo tenebamur rigore nullaque unquam in contrarium data licentia custodita et propugnata semper fuisse ut nihil iam quoad hoc ab ipsis obiici nobis posse sit formidandum et si fortassis obiiciant ei, qua ipsi asser[er]ent, temeritati aequali nobis est libertate negandum quia tam in hoc puncto tenaces sumus, ut cum non tam modicus sit Christianorum Bassorae degentium numerus, parvus tamen eorum est qui hanc ob causam a nobis Sacramenta recipiunt cum alioquin multi ac frequentes essent, qui illa sumerent, si tales illis concederentur licentiae.

Omnia illa quae usque adhuc dixi observata in hac Residentia fuisse ab huius saeculi anno decimo quarto ad hunc usque diem nollem ab aliquo in eum sensum accipi ut putaret me exclusive loqui adeoque praedecessores ad hoc tempus Patres et Religiosos nostros aliqua nota vel notae saltem alicuius suspicione inurere velle ac si non fuissent ii in his rebus observantissimi, Protestor enim me in hunc sensum nullatenus scribere haec, immo nullo unquam pacto adduci posse ut credam ex nostro Ordine aliquos a tam laudabili immo debito ac prorsus necessario vel modicum deflexisse rigore. Sed ideo ego hoc determinatum tempus adnotavi quia ab eo Testimonium de visu et auditu habeo, haec ita fuisse, praescindendo interim ab iis quae antea fuerint observantiis, Omnesque in sui honoris atque virtutis iustissima ac totali possessione relinquendo. Debui enim unum mihi omnino notum designare tempus a quo usque nunc haec certissime observata sunt, ut totaliter his nostris adversariis vel omnino mentientia vel saltem perperam opponentia ora observantur.

Ne mireris carissime lector, si videris annum 1722 ante annum 1721 quia, cum vacuae relictae fuerint paginae aliquae ad aliquos praeteritos casus ponendos, hoc est quod subscripti Angli.*

Bussere the 17th September 1722 Mr Thomas Belasyse, Capt Titus Oates & Paul Larwood Supracargo Captain & Purser of the ship Marigold received the Livery of the Bashaw.

* in errorem inciderunt, cum voluissent se subscribere; non adverterunt neque occurentiam temporum, nec paginae locum.

Quarto ignorandum non est adventantes huc Europeos homines, quos ad haec littora et regiones vel Mercaturae occupatio vel itinerandi studium perquirendarum Raritarum gratia ac observandarum Terrarum vel etiam vagandi curiosa libido terrestri maritimoque itinere advehit multigenos Missionariis nostris creare posse molestias. Saepe enim contingit ipsos vel non eam educationem sortitos esse quae vitam ipsorum possit commendabilem reddere vel piae Christianeque educationis oblitos se vitiis et vivendi licentiae tradidisse vel saltem indevotos avidiosos vanitatum amatores, paecuniis inhiantes eam vitam hic degere quae Christianum Fervorem et Evangelicas observantias parum, aut nihil omnino redoleant. Prudentiam carnis quae inimica est Deo paenitus sapiunt, quapropter quemlibet captant Praetextum ab Ecclesiasticorum Praeceptorum se obligatione eximendi. Absit enim ab ipsis ut si ad Sacramenta Paenitentiae et Eucharistiae accedunt excedant in hoc quantitatem illam quae est Principium numeri, quin et Ipsorum Plurimi longissimos Navigationes suscipiunt sua secum Peccata deferentes, nec ullo urgentur Conscientiae stimulo, ea ad Pedes Confessorii dimissa relinquendi, qua in re nec minus delinquunt alii qui terrestrium itinerum sese periculis eadem negligentia et Temeritate committunt, quamvis funesto experimento nobis probatum sit plures et ipsis in itinere cum terrestri cum maritimo nullo Sacramentorum adiutorio munitos decessisse.

Quantum vero ad Abstinentiae et Jeiuniorum observantiam atque custodiam tali se gerunt torpore Ipsorum aliqui, ut non parvo officiant scandalo Christianos Nostros, nec modica aliquando offensione Conscientias Missionariorum a quibus Licentias petunt, quae nullo honestari Titulo Nulla possunt ratione concedi. Accedit ad haec negligentia maxima in frequentanda Ecclesia in qua vix Diebus Dominicis atque Festivis Eos videre contingit ut Sacro assistant qua in re ita se desides, ac irreverentes exhibent, ut Ipsorum quibusdam multo consultius esset Domi manere quam Tremendis Misteriis tali adesse indevotione quae Deum offendat et Homines, et Orientalium Christifidelium qui quotidiano unius vel etiam plurium Sacrorum auditione sese commendabiles reddunt Pietatem offendunt, et fervorem exasperunt, Qui dum in Europeis Christianis talem Religionis et Religiosarum rerum contemptum vel saltem parvi pensionem intuentur Nescio qua possint erga Nostram Sanctam Fidem Veneratione affici affectione devinci, Quo enim fiet ut Eorum sectentur Fidem quorum mores detestantur, quorum vivendi licentiae scandalo percelluntur.

Enim vero quis non videat? Quis non deploret? per huiusmodi Hominum irreligiosam socordiam, Vitaeque libertatem fervidam evacuari Missionariorum Praedicationem. Qualis enim Zelus, aut Eloquentia Orientalibus hisce Christianis aliis documentis instructis alia educationis praeventione devinctis, aliorum Exemplorum vehementia convictis, alia suorum Doctorum ac Pastorum Praedicatione, ac Persuasione directis, Qualis, inquam Zelus, qualis Eloquentia, quale Miraculum Eis persuadere poterit veram esse Latinorum Religionem tenendam esse Europeorum Doctrinam cum videant eius Religionis Sectatores, eius Doctrinae Professores talia eis praebere Exempla, talem eis Conversationem ostendere, talem eis Observantiam exhibere quae eorum aversionem merea(n)tur non imitationem, Eorum detestationem non laudem, Eorum Fugam non Sequellam. Destruunt Profecto hi homines quod Missionarii aedificant et si unus aedificat, alter destruit, quomodo consurget Domus Dei, Quomodo vera Christi Ecclesia in his Regionibus adunabitur, cum tanti reprobati Lapides eius aedificationi obsistant. Quis enim credere poterit Eorum rectam esse Fidem quorum non probata sunt opera et non potius credat Fidem Eorum operibus concordare, et consequenter Vosque sibi nullatenus probari, adeoque in suo Schismate, et Secta obfirmatos sibi consultius esse persistendum.

Quod ne eveniat Missionariorum curae erit servatis Charitatis et Urbanitatis legibus Primum quidem ipsos Europeos privatis collocutionibus et publicis etiam exhortationibus, si opportunitas aut exegerit aut permiserit, ad meliorem Frugem reducere ut sic et ipsorum consulatur Conscientiae et Aliorum provideatur Offensioni. Secundo vero, si huiusmodi e suis exhortationibus et colloquiis fructum non reportaverint, non abs re erit debita servata cautela Orientales Christianos monere non ita rem se habere in Europa aut ubicunque Ecclesiastici Rigoris regnat Potestas et Christianae Disciplinae viget Auctoritas, ubi quos Virtutis ardor ad Perfectionem morum et Fidelis Vitae laudabilem Observantiam non proceluit, Eos Penarum timor a vivendi licentia et vitiorum sequella compescat. Vel etiam proderit si aliud remedium non suppetat Eis dicere, huc adventantes ex Europa Christianos non e melioribus Christi Fidelibus esse, immo nec de bonis quos e suo utero eduxit quos in suo sinu fovet Intemerata Mater Ecclesia, et haec quidem quantum ad Christianos Catholicae Fidei Professores, Quantum vero ad Protestantes aliis procedendum est mensuris ne aliquem incurrant in Eorum Conversatione scopulum missionarii nostri, qui summa cum eis agere debent discretione et Prudentia, Non solum ut vereantur nihil habentes malum dicere de nobis, sed etiam quia ex eorum amicitia aliquot Missioni Nostre atque Animarum saluti possunt commoda accedere. Primo quidem quia e Servis et Nautis Eorum plurimi sunt Catholicae Fidei cultores, quorum spiritualem salutem curare non poterunt Patres Missionarii nisi Eorum Dominis libuerit vel nos ad Eorum Domos et Naves accedere vel eis concessum fuerit apud nos adventare et fortasse etiam morari ad aliquod tempus ut in via salutis eis debita proponatur instructio et conveniens adhibeatur directio. Secundo vero quia Frequenter contingit Pueros et Mancipia apud ipsos reperiri qui libentissime Christianam Fidem amplectuntur quos ideo ad nos mittent eorum Domini, ut doceantur et baptizentur si Patres Missionarii ab eorum consuetudine et Benevolentia non se subduxerint, seque Urbanos in eis visitandis, et si quae se obtulerint servitia praestando iuxta status et vocationis propriae honestatem et decus.

Et quoniam hisce hominibus, praecipue si fuerint, ut saepe evenit, aliqua Eruditionis Praerogativa prediti Nostrorum Praedicatio parum, aut nihil profutura speratur, non suo tamen Praemio carebunt, si quando eis ostium sermonis aperuerit Dominus, illis verba Vitae eructare curaverint. Eam tamen Praedicationem quam semper ingens fructus comitatur, et sequitur illis subtrahere nullatenus negligent quae est Boni exhibitio Exempli Gravitatis, Modestiae, hec militatis [*sic*] characteribus insignita, nulla avaritiae macula, nulla intemperantiae labe, nulla Familiaritatis assiduitate contaminata. Mirum enim est quantum huiusmodi Domini talium virtutum odore delectentur, quas etsi a nobis eorum Sectae Falsitas dividit exhibitae tamen Probitatis, et spectate integritatis illectio Eos Nobis summopere devincit. Non enim, ut quidem fortasse opinantur, civilem Nostram debemus eis negare conversationem, si nullum Fidei Nostrae, Domesticisque Fidei ex ea sequatur Praeiudicium. Neque enim video qualiter eis spiritualiter prodesse possimus si ab eis meditata fuga elongemur nec usquam credam talia nos elongatione posse fieri Perfectos, sicut Pater Noster Caelestis Perfectus est, Pater inquam ille qui solem suam oriri facit super Bonos et malos.

Praecipue ergo Praedicationis Nostrae erga Ipsos exhibitio in bono constituenda est exemplo, non in Disputationum acie quae saepe eorum animos magis exasperat quam instruat, magis exacerbat quam aedificet. Si enim prudens non suppetat spes eos huiusmodi disceptationibus iuvandi, ab eis penitus abstinendum sanior clamat Theologia aperte docens, Nihil aliud esse cum eis in aciem Disputationum descendere quam Eos ad blasphemandum invitare, et si acrior evaserit Disputatio, etiam et cogere Orationibus magis pacificisque exhortationibus commiserandum est eorum statui, non disceptationum subtilitate, quae ut plurimum nihil omnino prodest, quin et magis obest veritatis cognitioni contingit enim, ut propriae confirmandae Sententiae Zelus eos tenacius in suo errore obfirmet, et Adversarium vincendi ardor, ad aspiciendam propositam veritatem eis intellectus oculos claudat iuxta illud, supercecidit ignis et non viderunt Solem.

Quantum charitatis et Prudentiae exercendum est erga utrosque supradictos advenas Catholicas scilicet et Protestantes Tantundem adhibendum est cautele circa Quosdam utriusque predictae Religionis Viatores et Hospites, qui orbem terra marique perlustrent ut notitias (de) rerum Regionum Nationum Raritatum Eventuum Climatum, Terrae Marisque vastitatum Montium Fluminumque Qualitatum, Animalium, Florum, Fructuumque notitiam colligant quam in Europam deferant, et impressis libris vulgo Itinerariis toto orbi evulgent. Et quoniam non ad sola irrationabilia eorum investigatio extenditur sed etiam ad Homines, ut eorum vestes, officia Exercitia eorum corporum colorem staturam complexionem animarum vero inclinationes Mores Vitia, et Virtutes examinent ut pinguior evadat eorum cognitio, et in ampliorem mollem Eorum liber excrescat quem ut iucundiorem reddant legentium curiositati, et Novitatum Amatoribus acceptiorem exhibeant, particularibus eventibus Eum adornare satagunt et singularibus Factis cumulare quibus plerumque nihil lapidi, nihil venusti, nihil grati inest quam quaedam mordacitas contra Homines, contra proximos, ac praecipue Religiosos acriori stilo digesta pungentique calamo exarata eo dicendi, scribendique ab usu ut decidere nequeas utrum tanto labore compositum eorum opus Itineraribus liber dicendus sit an Unfamatorius (!) Libellus. Esto eorum studium sit alienis factis operibusque suos farcire libros iuxta illud : Quidquid agunt Homines Nostri farrago libelli. Esto Eorum conatus sit ab uno ad alterum Polum corrasas, Terra marique notitias congestas veritate mendacioque observationes scripto volumine complecti. Esto eruditis Europeorum oculis curiosarum rerum extraneorum factorum, inauditatum raritatum intendant ipsi in suis libris praeclarum aperire Theatrum. sed quid ad haec mordacitas? quid ad haec detractio? quid ad haec impostura? Nunquid minus in eorum libris ipsorum fulgebit acumen ingenii si eorum appareat voluntatis rectitudo? Nunquid minori in Europa fruitur acceptatione liber, si maiori sit praeditus veritate? Nunquid tenuiori approbatione excipietur apud Lectores, si observantiori niteat modestia erga Religiosos? Ut quid a calumniis mendicare laudem. Ut quid in imposturis expiscari plausus? Experimento mihi compertum est huiusmodi scriptores ipsamet sibi collata Beneficia et Obsequia aliquando contra ipsos obsequiosos Benefactores in argumenta dedecoris convertisse, si contigerit ut de facto Patribus Nostris Scirasii evenit Missionarios Mensam, ad quam Ipsi admittuntur sic dictante Paupertate frugaliter instruere ab ipsis avaritia insimulabuntur. Si ut eos, et honorent, et satient profusioribus delicatioribusque epulis ornaverint atque oneraverint excessus fortasse et crapulae accusabuntur, et utinam hoc verbo tantum fieret, nec scripto mandaretur, et quae Urbanitatis causa virtutes sunt, et raro exercentur, ut decet, tanquam quotidiana vitia ab ipsis non publicarentur ut libet nulla habita nec urbanitatis nec gratitudinis ratione, nulla servata nec Religiosis nec Religioni Ordinique veneratione, tanta eis est obloquendi cupido, tanta est eorum libros calumniis inspergendi libertas, Tanta est se instructos doctos sapientes ostendendi libido apud ipsos vel immemores vel inscios, sapere in aliorum perniciem aperte desipere est. Quapropter Religiosis nostris summopere cordi esse debet nullam eis dare occasionem defectum quempiam in se observandi quam deinde toto orbi legendum proponant non sine ingenti ipsorum ordinisque dedecore, Qui enim virtutes ipsas aliquando vitiorum nota inurunt et tali contaminatas macula Lectoribus inspiciendas exhibent, quid non fecerint si in aliquo e nostris vel umbras ipsas vitiorum animadverterint ? Quid si avaritie, Quid si edacitatis, Quid si scurrilitatis alteriusque cuius piam levitatis in eis labem detexerint ? Quam securius, quam liberius, Quam fructuosius agent Missionarii Nostri cum Pauperibus, cum ignorantibus, cum simplicibus Christi fidelibus vel harum Regionum vel etiam ex Indiis huc advenientibus quam cum Huiusmodi Viatoribus seu Itinerantibus qui plerumque nec tam nesciunt ut discant, nec tam sciunt ut doceant, nec tam sapiunt ut sileant.

Securius ut aiebam ac Faelicius agent Missionarii Nostri cum Christianis Orientalibus, tum hic habitantibus tum huc ex alienis regionibus advenientibus vel mercaturae vel navigationis gratia, sive eis quos in Turcide et Perside dealbavit origo, sive eis quos in Indiis sol decoloravit et Primorum quidem Conversatio simplex modesta et humilis Patribus Nostris facilem praebebit viam Catholicas eis veritates demonstrandi, secundorum vero Paupertas et Obedientia facillimum praebebit modum insignis erga eos exercendae Charitatis et Misericordiae Spiritualis et Corporalis Christianam Doctrinam, Eos docendo, Sacramenta administrando, Eosque adiuvando si valeant, Eisque assistando si aegrotent. Haec revera sunt vocationis nostrae principaliora exercitia, Haec sunt vitae nostrae praestantiora ornamenta. Nec novum est aut extraneum scire quantae possit esse utilitati Proximis Nostris Familiaris cum eis conversatio, et praecipue hisce Orientis Christi fidelibus cuiuscunque sint Nationis et Sectae sive Graecae sive Armenae, sive Siriacae sive Caldaicae sive Nestorianae, sive alterius cuiuscunque quas ad hanc Civitatem quaecunque Causa, aut casus adducit.

Ibi praebetur nobis occasio Eas in Fidei Nostrae Puritate instruendi, ibi eorum errores eis ostendendi, ibi obiectis respondendi, ibi veritates Evangelicas confirmandi, morales disciplinas proponendi, et tum ad Dogmata tum ad Praecepta pertinentia dubia solvendi. Qua in re ignorandum non est quod sermoni nostro maximum splendorem ac mirabilem Energiam conferet Gravitas quaedam Amoenitate potius quam affectatione exornata, cui Profecto gravitati plurimum oberit si Nostri Missionarii Tabachi Fumum degustaverint aut aliterquae (!) in Europa nobis per Nostras Leges interdictum est Esculenta et Paculenta degustaverint Domibus Saecularium Ipsi in Christianorum istorum domibus admiserint. Dabebunt itaque Missionarii aliquo distinctiori ac praecellentiori gradu dividi a Saecularibus quorum vel Conversioni vel Instructioni invigilant seque in altiori conservare ac considerare Ordine ne fiat sicut Populus sic Sacerdos. Eorum vero Christi fidelium quos, ut aiebam decoloravit Sol, id est Nigrorum, Servitium et Conversatio laudabilem Patribus Nostris occupationem multipliciter tribuet, in qua poterunt Vocationis sue nitere exercitiis, et pretiosos Animabus suis meritorum cumulare Thesauros, qui tanto selectiores erunt ac securiores quanto sunt ab omni temporalis commodi aut lucri labe puriores, et quanto etiam sunt aliquibus difficultatibus ac molestiis comparandi. Pauperculi hi homines omni prorsus auxilio in hoc mundo destituti nullum omnino habent refugium nisi Missionariorum Domos et Ecclesias, non solum quia advenae sunt et his regionibus extranei, sed etiam quia ut ın plurimum sunt Pauperes ignoti in his regionibus idiomatis, Religionis, et Sanguinis, cui considerationi addendum etiam est quod cum eorum multi sint Filii Gentilium Parentum, postquam Christianae Religioni nomen dederunt nullam prorsus habent apud Parentes suos acceptationem hospitium aut auxilium, qua propter necesse est ut eos in sinu suo tamquam dilectos Filios complectatur pia Mater Ecclesia, ideo nihil omnino censendus est sapere de Missionibus quicunque Religiosus aut Missionarius in hac materia aliter sentit, infaelices et miserrimi Nautae nihil aliud in hoc mundo habent in quo habitent quam duas Naves, una laboribus, aerumnis, iniuriis, verberibus, periculis plena eos excipit ut ibi corporaliter vivant, et haec est Mercatorum ; altera Charitate, Urbanitate, Doctrina Christiana, Sacramentorum Administratione, corporali et spirituali assistentia refecta ut ibi vel vivant, vel moriantur prout Providentia disposuerit, et haec est Petri Navis, id est Ecclesia Patrum Missionariorum, quae Ipsis pro Domo est si vivunt ut spiritualiter instruantur, Hospitale seu Nosocomium est, si moriantur ut Christiani decedant. Unde satis laudare non possum piissimum morem qui in hac Residentia nunc viget, et quam nullo casu unquam dimittendum spero, aliquod pro eis destinandi cubiculum ad eos hospitio colligendos ut supradicta Vocationis Nostrae exercitia ergo eos executioni mandentur.

Veruntamen quia Praestantium Vaenatorum est Praedas quibus capiendis desudant non solum attente expecta re, sed etiam sollicite quaerere, et diligenter insequi Missionarii Nostri qui quemadmodum Vaenatoris Animarum titulo decorantur ita et obligationibus adstringuntur, curabunt Naves personaliter invisere et inita cum Eorum Ducibus, et Naucleris sive Pilotis aliisque officialibus amicitia, percunctari si qui ibi sin[t] infirmi et Egroti Christiani ut eis spiritualiter, et etiam corporaliter assistant, si qui Proseliti, praecipue pueri qui ad Baptismum adspirarent ut pro utrisque a Ducibus et Officialibus veniam petant eis vel in Navi spiritualiter succurrendi Baptismi, et aliorum Sacramentorum administratione vel Eos domum nostram adducendi, ut eadem Divina Subsidia eis conferantur, qua in re nulla erit a Religiosis Nostris omittenda Diligentia, Experimento enim non raro probatum est aliquot huiusmodi Pauperculos Nautas Servos et Mancipia et Pueros sine Sacramentis vel decessuros, vel discessuros fuisse eo quod quodam timore, et reverentia seu pusillanimitate prohiberentur Missionaris ad se vocare vel ad eos accedendi veniam, et Permissionem a Navis Officialibus petere, Nisi Missionariorum ipsorum zelus et charitativa attentio pro ipsis praedictam Permissionem postulassent, et obtinuissent, qua obtenta alios quandoque ad Sacramenta alios ad mortem disposuerunt, aliosque debita instructione praemissa ad Baptismum vel Domi Nostrae, vel in ipsismet navibus faeliciter promoverunt. Cui rei maximo adiumento est cum Ipsis ut dicebant Pilotis, et Officialibus Navium praecipue si sint Protestantes inita amicitia quae bonis hisce Patrum Nostrorum exercendis intentionibus cum summa laude et Excellenti merito viam aperiet et pauperculis etiam nautis, et servis hoc utilitatis conferet ut a suis Ducibus aliisque superioribus, et in spiritualibus aequius et in corporalibus humanius mitiusque tractentur. Quo quid augustius, quid utilius pro Missionariis, qui uno opere semetipsos et alios salvos facient?

Superest iam ut Charitas illa quae erga diversae conditionis Personas exhibita magnum Religiosis Nostris conferet meritum et Laudem ad altiorem gradum ascendat, Religiosos videlicet qui huc advenerint exquisitioribus modis complectendo et praestantiori famulatu excipiendo nec Christiane solummodo sed etiam Fraterne eis inserviendo. Speciosi siquidem ipsorum Pedes cum Evangelizantium Pacem et Bona sint, si ad Aedes Nostras gressus suos direxerint cum Nobis praecipuum honorem conferant, non absimili a Nobis sunt honore et Benevolentia tractandi quia Angeli Domini exercituum sunt. Veruntamen quia et ipsi Religiosi sunt et Religiosi Hospitii iura non ignorant ac Regularis Paupertatis angustias non erubescunt, non erit cur pudeat Missionarios Nostros si post aliquot dies ab eorum adventu in quibus selectioris mensae eis praebebuntur apparatus atque abundantioris ac lautioris victus et potus eis exhibebuntur obsequia ad communis vitae Nostrae cibos admittantur nec ullo in hoc inurbanitatis nota inurentur Religiosi Nostri cum ab ea vindicandis illis Nostrarum Legum Observantia sufficiat. Nemo enim prudenter conqueri potest quod Leges Nostrae a Nostris custodiantur. Nemo illos accusare potest de eo cuius immo contrario accusari iure deberet si ab ipso praestaretur. Multo minus a Nostris praecipue Residentiae Superioribus verendum erit si a talibus Reverendis Hospitibus Patentes Litteras suorum Superiorum exigent quibus pateat utrum Religiosi sint, utrum Sacerdotes. Quid enim vitii nobis aut Nostris est Pontificia Decreta et quidem severissima observare? Quid iniuriae illis est observata Evangelii lege ostendere ac probare se in Ovina pelle Agnas esse, non Lupos? Nunquid pudebit Eos se Oves Dominici Ovilis immo et Pastores monstrare eo quod aliquando vestimentis ovium rapaces aliquando Lupi se contegant?

Non erit spero extra chorum saltare in hoc Bassorentium eventuum historico volumine aliquid inserere, quod quamvis hic non evenerit, quia tamen ad hoc de quo loquor Propositum spectat hic illud adnotare non erit reor nec extrarem nec extra locum nec extra tempus.

Ante duos vel tres annos me in Nostra Scirascensi Residentia commorante Aspahano venit una cum Domino Illustrissimo Min Her Cattelar qui a Societate Hollandica destinatus fuerat Commissarius apud Regem Persidis Scia Sultan Hossein, unaque cum Reverendo Admodum Patre Fratre Alexandro a Sancto Sigismundo e Nostro Ordine qui ex licentia Patris Nostri Generalis, e Missionibus Nostris Persidis ad Nostras Malabaricas Missiones se conferebat. Cum hisce inquam venit quidam Gregorius Toscana (ita se appellabat) qui se Religiosum dicebat, ex Ordine Sancti Dominici sub Nomine *di Padre Gregorio*. Dixit mihi se studuisse Vallisoletti in Collegio sui Ordinis, deinde cum Romam pergeret ad visitandum Sanctum Pium Quintum, se a Barbaris Piratis abductum esse in Captivitatem Constantinopolim, sed prior Ni male memini in Egiptum venditus deinde Constantinopoli Edessam fuerat asportatus, ubi suam moram in captivitate ad quinquennium protraxerat deinde Babilonis et Hamadani via Aspahanum pervenerat, ubi a Religiosis sui Ordinis Reformatis suspicantibus se id quod erat esse frigide exceptus se in publicum Hospitium vulgo Caravan Serai recepit; Illustrissimus praedictus Dominus Christianae charitatis titulo permotus ipsam suam Domum adduxit, et insignis benevolentiae effectus ei praestitit, cumque post breve tempus Banderabbassim versus discederet eum secum adduxit per viam Scirasii usque ad Banderabbassis vicinia, cumque ab eo Portu per aliquod adhuc distant itineris dies Gregorius iste ab eo recessit ab eoque Domino munere, ut audivi, unius Tomani uniusque Equi donatus in alium locum iter direxit. Huius separationis causam bifariam audivi, alterutra hic silentio commissa innocentiorem referam veramque eam credo ex mihi relatis a praedicto Religioso Nostro Patre Alexandro sibi videlicet Aspahani demandatum fuisse, ut prima data occasione Illum alicui Navi impositum Goam, vel alias Lusitanici in India Dominii terras asportandum curaret, Quod utinam evenisset, ut tot scelerum ac scandalorum quibus plures Orientis Oras infaecit cursus praecederetur, cumque eo tempore una Batavorum Navis in Indias iter arreptura esset per eam fortasse paratam sibi capturam effectui mandandam in Portu Banderabbassi praevidens a sucepto itinere destitit, Hinc ut Scirasii audivi, Laram Civitatem adveniens Mahometanus factus est, seu ut verius dicam id quod erat apparuit. Inde Congum perveniens Domi Patrum Lusitanorum ex Ordine Sancti Augustini ad aliquod tempus hospitio receptus plures portendit Personas, quandoque Religiosi, quandoque Christiani Georgiani, quandoque Mahometani speciem ac Nomen ementitus. Inde Scirasium rediens tam faeliciter scelestus iste mentitus est ut Vicarium illius Residentiae P. Fratrem Cirillum a Visitatione ab eis quae de ipso audierat credendis recedere coegerit in eiusque Domo ad tres menses hospitio honorifice et benevolenter fuerit exceptus donec illuc Congo adveniens Pater ille Lusitanus qui illic cum cognoverat eius Fraude Patri illi Vicario detecta Verberibus ac improperiis a Lusitano Patre affectus, Deceptor ille vociferimus Domo Nostra abscessit iterumque Mahometanus apparuit. Perfidus hic Apostata tam perite mentiebatur ut de eius Persona statu Religione ac Patria vix aliquid sciri potuerit. Multiplici linguarum genere exornatus omnibus eis ad mentiendum utebatur. Creditus a nobis fuit prout audivimus aliquando Hispanus esse aliquando Siculus aliquando Peloponnensis, id est de Morea. Pluries se Mahometanum declaravit Pluries Christianum Pluries Religiosum, et aliquando etiam Judeum, et forte etiam pluries, sed quid et qualis fuerit quis divinare sciat? Ingruens eius Necessitas, vel Occasio novam sibi comparabat Religionem, quam suis votis servire eius docuerat malitia Hinc dubium est utrum unquam fuerit ex Ordine Praedicatorum non Reformatorum sicuti nec ex alio quocunque Ordine, Dubium utrum Romam iter arripuerit ad videndam Sancti Pii Quinti Canonizationem, Dubium utrum unquam captivus fuerit. Hoc unum indubium est Eum solemnem fuisse Impostorem, Insignem a Fide Apostatam deplorendum Perditionis Filium, de cuius vita et Moribus Prudentissime suspicati Patres Dominicani Aspahenses quia, ut credo, Patentes Litteras Professionis Ordinationis Missionis non habebat sacrorum ei administrationem interdixerunt. Utinam aliquando resipiscat, et pro commissorum enormitate scelerum tot quorum exitus deducant oculi eius ut velut more plenissimum sit eius contritio.

Hoc anno mense Septembri ad Mahometicam Perfidiam declinavit Nauta quidam Indus Nomine Joannes, qui antea fuerat Gentilis deinde Christianus, et cum in veritate non steterit factus est Mahometanus, quem ut e manibus Capitanei Bascia cui se ille tradiderat in infidelitate initiandum abstraheret suoque Duci Anglo restitueret sollicite accurrit Reverendus Admodum P. Vicarius, sed ipsomet novello Apostata renuente ac coram multis testibus in conspectu ipsiusmet Patris Vicarii infamem illam Sectam impudentissime profitente domum rediit idem Pater suae bonae voluntatis merito decoratus atque ditatus.

Die 28ª Januarii anni 1721 appulit huc ex Portu Congensis Rev. Admodum Pater Frater Simon a Spiritu Sancto ex Ordine Reformatorum Sancti Francisci Provinciae Goensis Matris Dei, qui ut tempus pergentis Aleppum Cafilae expectaret hic nobiscum tres menses aliquotque diebus commoratus est, ac deinde octava die Maii una cum Domino Joanne Baptista Genuensi qui domi nostrae per integrum annum idem tempus expectaverat ut se ex Indiis suae Domui et Patriae restitueret discessit per viam deserti, et utrumque Aleppum usque faeliciter pervenisse certo comperimus.

Succedentis Februarii die 7ª per viam Babiilonis huc advenere R.R.di Admod. Patres Placidus a Sancto Nicolao Patria et Provincia Neapolitanus, et Ferdinandus a Sancto Antonio Germanus Viennensis, qui Romae ex Seminario nostro Sancti Pancratii ad Sacras Missiones destinati, ad eas iter arripuerunt, quod faeliciter hucusque peregerunt, et quidem primus eorum complevit utpote huc missus, ut et nos amabile eius frueremur praesentia, et alii charitativa eius adiuvarentur assistentia. Secundus vero post exactam hic trium mensium stationem iter suum Bombaiim versus prosecutus est, hinc discedens super unam vulgo terradam

Bander abbassim navigantem die sexta Maii postquam hic laudabilia tum ingenii sui tum laboris in ornanda Ecclesia nostra reliquisset insignia. Utinam Bravium, ad quod fervide currit gloriose accipiat.

Hoc tempore Gubernatori Civitatis cui nomen Mustaffa Bascia substitutus est Sirke Osman Bascia, cuius iniquissima rapacitas et sordidissima avaritia in pluribus eventibus apparuit, quae si per singula adnotarentur sicuti a me sine horrore scribi ita ab aliis sine abominatione legi non possent. Hic enim ingentia debita quibus onustus advenerat volens extinguere cum proprio non posset aere alieno id agere conatus est, adeoque Populum quem regendum susceperat variis modis agressus est deglubere, et solitae Turcarum immanitati particularem sui genii addens barbariem miseram hanc Urbem suaque confinia ita vexavit et gravavit praecipue initio sui Gubernii, ut non ad Gubernandum sed ad spoliandum ad rapiendum ad praedandum venisse videretur.

Augusti iam octava currente die anchoram hic defixit Navis quaedam Surratensis dicta Fariscan cuius Dux erat Dominus Ragouz, Gallus, secum habens Europeos aliquot Homines in eiusdem Navis servitio occupatos. Vexillum tamen non erat Gallicum sed Domini Navis, qui erat quidam Mahometanus Surratensis cuius nomine navis ipsa vocabatur, quae dactilis onusta hinc abiit die 22ª Novembris. Post viginti dies, 28ª scilicet eiusdem mensis, hunc consecuta est Portum Navis una Anglica ex Portu Bander Abbassis adveniens cuius Dux vocabatur Dominus Alexander Hamiilton, Natione Scotus et Religione Acatholicus qui suis pro maiori parte divenditis mercibus, aliis autem propter non repertum pretium competens secum reportatis post oneratam dactilis suam Navim ante omnes alias naves Surratenses die 16 Octobris hinc discessit.

Adventu huius Navis eiusque in hoc portu, quamvis modica commoratione, non mediocris nobis data est lucri spiritualis occasio hoc pacto. Quinque Juvenes Lusitani Natione Professione Nautae egerrime ferentes illius Navis servitium suamque illa moram et operam nullo omnino pacto protrahere volentes, quia ibi (si fidem eorum dictis adhibemus) frequentibus lacessebantur iniuriis verborum, et non paucioribus impetebantur ictibus verberum hic Bassorae ex ea se liberare decreverunt. Prima itaque die qua descenderunt in terram duo ex illis arbitrantes hic apud Turcas se, ut contingit inter Christianos, Justitiam et Judicium invenire posse ad Sciabandar convenerunt ab ipso petentes, ut aliquod ipsis servitium vel militiae vel alterius huiusmodi occupationis assignaret, quo ab illa tam illis exosa Navi educerentur. Respondit Sciabandar se illis hac in re non defuturum, si abnegata Ortodoxa Fide ad Perfidiam Mahometicam dilaberentur, caeteroquin moris non esse ut apud ipsos quispiam in aliquod servitium praecipue militare adsciscatur qui praedictae Superstitionis professor non existat. Hoc audito duo Juvenes conditionibus non acceptarunt, et sic in ipsorum tribulatione remanserunt. Eadem die unus ex aliis tribus hoc audito, nescio utrum ob hanc an ob aliam causam ira et furore concitus unum ex illis duobus graviter gladio percussit, qui nostra assistentia atque sumptibus optime curatus evasit. Percussor tamen in manus Sciabandar ad nutum Angli Ducis custodiendus traditus, ab eo in telonio vulgo Dugana detentus fuit per duos aut tres dies usquedum a Duce Navis repetitus illi omnino incolumis fuit resignatus. Die igitur sequenti quae erat Septembris 4[a] dum duo ex illis quinque detinebantur, unus in lecto vulneratus alter vero in telonio asservatus, tres alii desperatione vel acti vel coacti sese Capitaneo Bascia praesentaverunt ut illud idem ab ipso impetrarent, quod a duobus aliis apud Sciabandar pridie obtineri non potuerat. Per duos itaque apud ipsum remansere dies non sine tentationibus caelestis deserendae Fidei, et Semitae Christianae tartareique Praecipitii admittendi opera praecipue et suasu cuiusdam Apostatae praecedentis anni, de quo paulo ante notatum est, qui ad decipiendos tres hos infaelices iuvenes diabolicas in eos tentationes acriter exercebat et ut iam antea ipse se Diaboli captivum constituerat abnegando fidem, sic nunc alios contra Fidem tentando eiusdem Procuratorem faciebat.

Perditissimus itaque hic Procurator iniquitatis, ut apud omnes Apostatas moris est sceleris et Apostasiae suae turpitudinem obvelare et honestare cupiens scelus ipsum augebat quod ad alios quoque extendere moliebatur, aliosque in foveam in quam iam ipse inciderat quamvis videntes caecus ipse ducere satagebat cogitans impiissime suum se posse temperare atque laenire pudorem si impudentius ageret, quod fiebat dum admissi iam a se facinoris abominandam maculam ferre solus non valens alios qui secum ferrent sacrilege conquirebat. Et heu de facto invenit? Unus siquidem ex illis tribus perditionis Libro nomen detestabilissime dedit. Juvenis ille percussor qui per duos aut tres dies in custodia manserat vix ut dimissus est ad conquirendos tres suos socios se contulit, cumque illos reperisset omnes tres animavit promittens illis aliquod auxilium, tum a nobis tum a quodam Gallo cuius nomen Dominus Armellinus: non defuturum quibus a servitio illius tam ipsis horridae Navis se possent extrahere. Et quidem duo ex iis consenserunt, alter vero vel nimio timore, vel etiam aliqua impulsus malitia declinavit a semita veritatis et Domum Mufti adveniens, inde ad Seraii Chiaia deductus duarum vel trium horarum spatio proprio sanguine inverecunde dato suam sibi damnationis scripsit sententiam una cum alio quodam Italo, qui cum iam per quattuor annos inter Turcas viveret vileque equorum Servitium exerceret nunquam tamen Catholicam Fidem abnegaverat usque ad hanc diem quae erat 6ª Septembris. Eadem igitur die duo hi perdueles ut illis nihil amplius prodesset Christus ambo in Seraii Chiaia, ubi tunc Italus ille inserviebat et morabatur, circoncisi sunt. Alii duo cum suo conductore atque hortatore venerunt domum praefati Domini Armellini Galli, quos cum ibi convenissemus consolati sumus eosque ad confidentiam in Divina Bonitate fuimus adhortati. Tristitia tamen magna nobis erat, et continuus cordi nostro dolor super eorum socium quem a Fide defecisse necdum certo sciebamus, suspicabamur tamen, quia ipse se in via qua ad urbem veniebant ab aliis sociis seiunxerat, ut aliquibus Mahometatis inter quos erat praefatus Satanae Procurator, sese comitem adderat adeoque diligenti investigatione et repetitis explorationibus aliquam de eo procurabamus notitiam ut errantem ovem iam iam perituram a voracium luporum faucibus possemus abripere. Fefellit tamen sollicitudinem nostram accelerata nimis eius praevaricatio et superstitiosae circoncisionis citissime ut iam notatum est peracta susceptio. Muneris itaque nostri erat reliquos tres ita fovere adiuvare et avertere ne aliqua non dico malitia sed famis et egestatis necessitate coacti (Siquidem mortem sibi potius optabant quam reditum ad illam Navim) faedissimam Sectam profiterentur. Cum ergo nos aliquid in hanc rem contulissemus aeleemosinae aliquamque pecuniae summam a quibusdam Christianis Mercatoribus collegissemus et ipse etiam laude dignissimus Dominus Armellinus sociique eius aliquid elargiti essent, tantum paecuniae congregatum est quantum suffecit ad illos per integrum mensem hic nutriendos, Provisiones pro itinere, Naulique expensas faciendas, quibus peractis eos Congum usque valde secreto dreximus, quo super unam vulgo terradam illos faeliciter Deo gressus eorum dirigente in viam pacis pervenisse arbitramur.

Vix ut auditum est a Domino Hamiiltum Duce illius navis eos hinc discessisse nullamque proinde remanere spem eos recuperandi fortiter ipse iratus est nosque et

Gallum illum aegre videbat, quos desertorum eius navis fautores proclamabat iram suam, etiam extendens adversus Religiosos in Insula Bombaiim degentes, quos ex nostro Ordine esse non ignorabat, pluraque illis mala comminabatur, immo praedicebat, quae quidem minae et verba contemnenda non erant cum navis praedicta multum ad Dominum illius Insulae Gubernatorem praestinaret. Plures illi omnesque certas aeque ac claras rationes adduximus, quibus probaremus nulla alia causa a nobis id actum fuisse quam prudenti timore manifestoque periculo ne desertores iam ab eius navi fierent etiam ab Apostolica Petri navi a sagena missa in mari a Portu salutis, id est Christi Ecclesia, rebelles Apostatae adeoque nec ipse amplius habiturus eos esset in navi, nec in sinu illos amplius gestatura esset Mater Ecclesia, cum certissimum esset eos ad Navem sui Ducis nullo pacto reduci velle, cum ut apertissime videbamus maxima essent absorpti desperatione. Dixerat insuper Dux ipse et protestatus fuerat nobis audientibus vix ut a navi egressi fuerant, se illos amplius nolle recipere, eosque Diabolo committere ac ab eius servitio omnimodo excludere, quae eius verba valde nostrae causae favebant, et de facto eos iterum non quaesisset, nisi aliorum nautarum fuga quibus itidem eadem navis intolerabilis erat, eum ad talem necessitatem concitasset ut eos requirere, ac recipere fuisset coactus. Accedebat ad haec exemplum quod recentissimum ante oculos habebamus unius scilicet eorum socii, qui propter illius navis timorem a fide defaecerat, nosque obligabat ad cavendum ne eiusdem in timore et tribulatione consortes fierent etiam sibi et in Fidei abnegatione comites. Terruisset nos equidem, et etiam tum non modice nos affligeret Ducis huius ira et ultio nobis presignificata contra nostros Religiosos in Insula Bombaiim degentes, ubi Ipse apud illum Gubernatorem ingenti pollet authoritate nisi testimonium bonae conscientiae et in peracto consolaretur opere et ad non timenda, neque nobis neque nostris mala fortiter confirmaret. Novum enim non est Christi servos bone et utiliter operantes hominibus placere non posse. In discessu huius Ducis ad eum humanitatis ergo salutandum faelixque auspicandum iter in suam Navim usque ad flumen perreximus, quos ille humaniter valde tractatos munere ornatos tormenti bellici explosione quinquies salutatos honoratosque dimisit, et utinam eis que nobis exibuit exterius urbanitatis signis interior correspondeat animus, sed quidquid agat timendum nobis non est hortante nos Propheta Regio : Spera in Domino et fac bonitatem et pascaris in divitiis eius. Valde nobis displicuit hac in re nos displicuisse honestissimo ac liberalissimo huic Duci Hamiilton, qui pluribus nos prosecutus fuerat favoribus et Eleemosinis, sed cum ageretur de causa Dei, iustum magis fuit Deum audire quam hominem, et arctius quam istius voluntati illius obedire mandatis, quia evangelicos operarios fortius quam humani respectus urgere debet Charitas Christi.

Circa initium Septembris huius Anni implente iam mensura iniquissimarum tiirannidum quas in civitate seu verius in civitatem eiusque Oppida et confinia exercebat scelestus quidam nomine Abd Alla sese in illum iracundia Dei iustissime effudit. Inserviebat nequam hic homo Gubernatori urbis Sinhe Osman Bascia in officio vulgo dicto Chiavusler Chiaiasi, cuius muneris partes sunt Gubernatorem informare de statu Urbis, de moribus Regionis, de civium conditionibus et huiusmodi reliquis, unde malignus homo plures captabat occasiones, tum suo Domino iniuste augendi thesauri, tum sibi ipsi propriae iniustius implendae crumenae, et ut erat homo qui nec Deum timebat nec homines reverebatur, plures adinveniebat praetextus inanesque causas excogitabat, necnon falsas somniabat rationes, quibus a subditis pecunias vel crudeliter extorqueri faceret, vel etiam ipse secreto pro seipso extorqueret. Sic quotidie alienis ruinis suum Dominum ditabat et ditabatur impunis, hic quia magnus Latro et inultus Fur, quia socius furis, id est Gubernatoris. Sic inquam in dies ditabatur valde rapax homo, quem hac solum de causa rapacissimum non dico quia ipso rapacior erat Gubernator ipse cui iste inserviebat seu verius quocum Libere furabatur. Infaelicissima civitas cuius Principes non solum erant socii furum, sed fures ipsi, unde et fures socii. Fremebant interea cives et praecipue Proceres quorum aliqui eius fuerant avara crudelitate vexati et stridebant dentibus in eum cui aperte nocere, vel de eo ulcisci non poterant, quem Gubernatoris amicitia melius dicam nequitia protectum videbant. Divina vero Benignitas ad plures menses sustinuit in multa patientia hoc vas iracundiae aptum ad interitum donec quodam die ob auditum quoddam caeteris immanius eius flagitium victa iam a iustissimo furore tam prolixa Populi patientia facta est Primatum Urbis cum Kaddi et Mufti conspirata concordia ad postulandum a Gubernatore sanguinem facinorosi hominis. Omnes itaque isti multa cum Plebe ac aliquibus militibus Meinavim secesserunt et factus est eorum Dux Moiises Capitaneus Bascia, apud quem hi iam in tuto positi suas Gubernatori praetentiones significarunt multa illi mala comminantes nisi ipsis in eo quod petebant consentiretur, protestantes eorum iram non nisi sanguine illius Flagitiosi duorumque vel trium aliorum similis nequitiae hominum quos omnes ad necem postulabant extingui posse. Nec parum Gubernatori timendum erat ab adversae concitatae Partis furentibus minis, quia periculum erat ne aucto tumultu, atque excitata seditione reliquae partis civitatis vivus ipse cum suis populari furori immolaretur. Restitit tamen per dies aliquot in gratiam praecipue sui conlatronis timens profecto ne illo tam praepropere occiso adeo excellentem Benefactorem ad suam crumenam implendam postea non amplius inveniret. Instantibus tamen, et magis magisque urgentibus adversae partis postulationibus et minis coactus illum in suo Serraii quadam nocte suffocari praecepit, sequentique die in foro Seimar commotae [*sic*] vestris oculis eius cadaver exhibuit, quo opprobrio id est homine de medio sublato Populi ira quievit, nec adversus duos illos vel tres alios, qui vel fugerant vel se abdiderant, ulterius desaevit [*sic*]. Sicque omnes illi tum Primates, tum Plebs tum Milites qui ad Meinavim constiterant, victores iam in eorum praetentionibus se in suas recaepere domos cum Pace.

Nec mitiori supplicio mulctatus est hoc eodem anno circa principium Octobris Apostata quidam a Christiana Religione, qui sicut in sua perversione pluribus fuerat in scandalum, sic in sua iustissima punitione cunctis factus est in exemplum. Perfidus hic Patria Babiilonensis ritu Armenus impie iam a pluribus annis faedissimae Mahometanorum Sectae dato nomine Bassorae degebat, nec omnino dives ut sibi sufficeret ad commode vivendum, nec omnino pauper ut alios vereretur ad eis non nocendum. Dum igitur quadam die in uno ex Bassorae proximis pagis, praetextu nescio cuius officii quod ibi gerebat quodque a Gubernatore suis pecuniis sibi coemerat, ab illis incolis nummos et tributa nimio ardore exigeret hostilique aviditate illas ad solvendum impelleret ac divexaret eorum in seipsum concitavit iram furoremque commovit et eo usque progressa est illorum desperata rabies ut infesti huius Tiiranni vitam meditati fuerint extinguere. Itaque cum ipse suis cum ministris et coadiutoribus in quodam arundineo tugurio seu domo dormiret ad latera domus igne apposito custodibusque armatis inibi constitutis, qui egredi volentem vi ferro et armis cohiberent, ne inde fuga elaberetur vivus cum decem aut undecim sociis concrematus est, quorum corpora sic cremata immanibus ab illa furente plebe iniuriis plagis et mutilationibus impetita sunt et adeo horrendis tractata modis, ut nulla omnino sit in eis describendis utilitas sicut et nulla futura est lectori in iis perlegendis voluptas. Ille ergo qui ut commodius viveret infideliter vivere elegerat, postquam Fidem inique dimiserat ipsammet vitam impie amisit, Animamque suam quam in hac vita prae Fide amaverat in morte sine fide perdidit et in altera vita nimis invite perdere debuit, quam in hac vita nimis amanter custodire voluerat, quam si propter Fidem perdidisset in hoc mundo, in vitam aeternam utique illam per Fidem custodisset.

1722. Postquam ex mea autoritate haec omnia scripserit, hinc discessit Reverendus Pater Urbanus Banderabassim versus, et cum pervenisset Congum duabis horis itineris antequam pervenisset lignum illud supra quod erat tetigit fundum, et stans, impetus undarum fregit ipsum, absque tamen lesione alicuius; erant cum supradicto Patre duo Christiani, unus Europianus, qui habet fratrem in nostro ordine, et fuit usque modo supprior, iste a fide apostatavit, sed quia medicinalia cito applicata fuerunt facile nobis fuit ipsum reducere, et sicuti dixi cum Patre Urbano discessit, sciendum tamen est, istius ovis reductionem tribuendam esse Patri Urbano; post aliquos dies permanentiae Congo ivit Banderabassim ubi scripsit illuc suum adventum nostro Vicario Provinciali, petendo ab ipso quid agendum; sed quia illo tempore Rebellis quidam nomine Mahmud filius Mirvis, qui Mirvis sexdecim ab hinc annis cum fuerit Candahar Provinciae Gubernator, factus est sua auctoritate, vi et tirannide Dominus. Rex persarum ad ipsum capiendum, et provinciam reaquirendam suos misit milites, quorum generalis erat Georgianus, alias [*sic*] circumcisus; sed industria Reverendi Patris Basilii a Sancto Carolo alias antiquius Vicarii Provincialis Persidis, ambo cum militibus a supradicto rebelle occisi sunt, et quam plurimi alii terga verterunt et feliciter fugam caeperunt; his omnibus non contentus filius (Mahmud nomine) venit obsidere regiam, obsedit eam septem circiter cum dimidio mensibus, quanta obsessi passa sint non est facile dictu, sed multo minus credibilis ; revera res sic se habebant, post quam omnia comestibilia manducaverantur, licet non fuerint saturati, postquam omnes canes, feles, mures &c. magno pretio manducaverant, et mortuorum corpora consumpserant, oh res horribilis ! fortior imbecilliorem occidebat, ipsum manducaturus, nihilominus post haec necessitate compulsi, Rebelli se tradiderunt : ab initio captos humaniter tractabat, sed quia in Casbem suae gentis insidiarunt, et ipse Aspahan quos credebat inimicos, licet non fuissent, occidebat, et erat magnam videre miseriam ; nam pauci e famis morte evaserunt, et isti sub Mahmud framea ceciderunt ; erant isti fere quotidie ter vel quater centi. hoc tempore nullus egrediebatur, vel ingrediebatur Aspahensem civitatem, unde difficile nobis transmittebantur notitiae eo vel magis quod post haec omnia die 20 Februarii discessit hac mortali vita noster Vic. Provincialis R. P. Faustinus a Sancto Carolo Longobardus, quomodo, vel qua causa mortuus sit usquemodo nescimus. Propter haec omnia, et propter maximam Christianorum copiam Banderabassim degentium Pater Urbanus sexdecim ab hinc mensibus illuc moratur usque donec Deus provideat.

1722. Die 30 Maii anni Domini 1722 post ocasum solis ivi supra tectum ecclesiae, ad aliquod dicendum uni Armeno qui et ipse supra in suo loco sedebat ; erat tunc temporis totus locus occupatus, eo quod sartatecta ecclesiae resarciebantur, unde inadvertente defecit mihi pes unus, et cecidi. Oh Sanctissimae Dei Genetricis, eiusque Matris S. Annae Miraculum ; licet dolores fuerint incredibiles, multo minus narrabiles, nulla fuit ossium fractio ; et licet ego cum omnibus me videntibus me moriturum credidissem ; attamen die 17 post hanc ruinam solemniter celebravi in gratiarum actionem Beatissimae V. Mariae sacrificium : et post plures menses, perfectam reaccepi sanitatem. Haec scripsi, ut lectores videant quantum iuvat Sanctissimae Annae Patrocinium ; et hoc non est admirandum, est enim Dei Genitricis Genitrix. est enim illa arbor in Evangelio nominata quae cum sit bona, non bonos dicam, sed perfectissimos fructus fecit, et fructus iste est ille qui nobis dedit fructum vitae aeternae.

1722. Die 2 Septembris eiusdem anni summo mane ante solis ortum huc feliciter pervenit Reverendissimus Pater Joseph Maria a Jesu, provinciae Borgondiae, qui olim duodecim ab hinc annis terminarat officium Visitatoris Generalis et Vicarii Provincialis Persidis, cum titulo Vicarii Apostolici ecclesiae Babilonensis a Sanctissimo Domino Nostro Innocentio Papa xiii, cupiebat ipse suam residentiam et Amadanensem ecclesiam petere ; sed propter supradicti belli difficultates coactus fuit hic remanere.

1722. Die 17 Septembris ex Bengala pervenerunt huc Domini Angli quorum Nomina sunt ; Mercatoris Mr Bellesis, Capitanei Mr Vuods, scriba Mr Lawod (?), fere omnes aliquantulus male affecti erant propter diuturnam commorationem Banderabassim factam : et quia ab abstinendis non se abstinebant ideo vita propria poenam solverunt. Id est primarius qui non timebat mortem, mors ab illo vitam abstulit, et qui omnibus ipsum praecaventibus respondebat Bengalam pergere, vel vitam finirem eiusdem habere, mors illi adeo dominata fuit, ut nunquam in aeternam vitam videat : unde cadaver ipsius sequenti die 4 Octobris sepultum fuit in cemaeterio nostro vulgo dicto Issa Eben Mariam absque ulla fabrica. Eius navis postea hinc discessit die 14 Januarii 1723.

1722. Quis mihi tribuet ut sequentem possim enarare, nescio an dicam istoriam, sive tragediam : contremiscunt omnia viscera mea non in enarando, sed tantum ipsam cogitando ; attamen, et ut posteris sit nota, et ne talibus detur aliter a veritate sentire, sicuti in talibus ocasionibus mos est, veritatem integram perfectae deplorabilis tragediae incipiem.

Retro ecclesiam ubi sunt ligna, lapides &c est unus puteus a me factus circiter annum 1715, qui puteus bis in anno evacuabatur, sed ut evacuari possit totalliter aperiebatur: hoc anno 1722 ad maiorem nitorem loci, et ne mures tantum nobis molesti sint, eius cooperculum factum fuit in modum cupulae, vulgo volta; duo habet magna foramina, unum per quod intratur, et aliud per quod lux haberi possit in eius purgatione. Igitur die 22 Septembris, qua die casualiter erat orientalis ventus, huius putei purgationis opus inceptum fuit; aqua corrupta plenum erat, sed in fundo terra tantum sublevata, recenter posita; quia duobus praecedentibus mensibus 8 circiter palmis profundius factum fuerat ad extraendam pro fabrica aquam, et cum terra recens non bene sicuti prius resederat; hoc est et quod tantum fetebat, et quod ipsum purgendum me obligabat: post totalem aquae extractionem, extrahebatur lutum, in qua extractione defecit tantisper operarius, sed auxilio alterius exivit, et cum vim reaquisisset, denuo reingressus est, sed post pauca, ipsemet dixit alio operario foras moranti, accipe cito quod habeo prae manibus, et me ipsum adiuva ut exeam (deus scit me non mentiri) habebam in corde, si exisse, non me permissurum fuisse denuo ipsum intrare, sed quia exterus operarius tarde auxilium prestitit, intrinsecus operarius ex deficientia cordis cecidit. cito alium operarium stimulavi ut ad auxilium ferendum, seu extraendum intraret, et post pauca alius intravit, et sicuti primo ita et isti secundo evenit. Oh Deus! quae lingua dicere, vel intellectu capere potest, vel cordis mei tristitiam et animi dolorem? illo instanti quid agendum? fremebant, et stridebant, immo alta lacrimabili voce ululabant, duo alii operarii, qui morientium se parentes dicebant, volebam egomet intrare, sed quia superstites exitum viarum tentabant et tunc magis timebam, quo me vertere nesciebam ; tantum conversus sum ad servitorem nostrum Armenum, qui ad talem rumorem, quid esset, videndum venerat, et sine voce, mestissimo vultu, brachiis apertis auxilium petii : et utinam non, nam hoc viso et ipse intravit, et sicuti primis duobus, ita et huic nostro fidelissimo servitori evenit. Proh dolor, cuius viscera non contremiscent ista legendo et aures non tinnient hac audiendo ? Cuius erit calamus illo tempore meam paenam exprimere valens, et cuius erit lingua illa meas angustias explicare sufficiens ? Deus scit, et homo tantum coniecturare potest : sed nunquam satis : tres videre vel mortuos, vel morituros, et hoc in regione altera ubi eorum Deus paecunia est, et iustitia ironice hoc sibi nomen arrogat ? remedium nullum, paena multa unde bene dicere poteram cum Propheta Timor et tremor venerunt super me, et contexerunt me tenebrae : sed ad quid hae omnes amplificationes ? redeamus ad conclusionem facti : eo ipso quod vidi nullum fuisse remedium, et quot quot intrabant, remanebant, ego primus exivi ad primum ministrum gubernatoris, cui haec omnia fideliter narravi ; misit exploratorem, et redeundo domum inveni ipsam ex omni genere inundantem ; facto viso, quaerebatur qui vellet intrare ad mortuos ligandos, ut possint extrahi. erat unus inter supradictas undas, a fide Christiana apostata, nostri expirati servitoris consanguineum se dicentem ; iste solus plus clamores, et rumores fecit, quos non fecerunt alii duo, illo tempore absentes, et istius vi, et nescio qua ratione, si illo tempore compos eram, intravi, primum Christianum ligavi, et frenum prae manibus habentem exibam sed in medietate scalae, et ipsa mecum supra mortuos cecidit ; resurexi, steti, scalam firmavi, et Gratias Deo Beatissimae V. Mariae eiusque Genetrici Sanctae Annae feliciter exivi ; operarios ipsum extrahentes reliqui, et ego ivi ad nostros Patres, in cubiculo pro me orantes, refocilaturus, et post pauca, ivi ad secundum, et similiter ad tertium : interea fluctus convalescebant, et licet omnia utensilia sub clavi posita fuerint; attamen aliqua oblita perdita sunt. Visitator suae visitationis rationem reddidit; et ex ordine supremo id est Bascia, delati fuerunt illi duo Turcae ad sepulcrum: servitori nostro inserviendo egomet me exibui; sed et hic fuit non parvus scopulus: habebat ipse non paucos hereticos amicissimos, qui vi positiva, ad ipsum in nostra ecclesia sepeliendum, me cogebant: instabant, redarguebam, repetebant, repellebam, vim faciebant, et ego fortior: attamen cum eiusdem nationis catholicis Armenis, et mea industria, ipsum cumposui [*sic*], vestivi cadaver veste alba, et summo mane misi ipsum sepelliendum in nostro cemeterio extra urbem vulgo dicto Issa Eben Mariam. Post duos vel tres dies mortuorum parentes Civitatis Gubernatori memoriale praesentarunt; in quo acusabant me occidisse supradictos duos Turcas, eo quod crematum bibendum eis dederam: Gubernator respondit ad iudicem defferendam esse causam; sicuti et ipse cum memoriale misit Ossen Affendi, ille quem ego petieram a primo ministro, ut esset visitator, sicuti supra dictum fuit. Judex ergo examinavit causam, factum notum omnibus erat, tantum quaerebatur utrum crematum bibissent nec ne. negavi me dedisse, instarunt, respondentes, testes habere; dicebam ego, et si testes habeant, sunt mortuorum, et acusantium parentes, ergo respecti, ergo non liciti, ergo falsi. quid fecit Judex? interrogavit testes, an Pater vim fecisset, ut biberent, respondit interpres acusantibus, Pater fecit ne vim ipsis, id est ipsos ne prostravit, et crematum in ore ipsorum infudit ne? qui responderunt non, Tunc Judex procrastinavit causam, ut ex Mufti solutionem sequentis dubii haberet. Dubium. Utrum Turca ipsemet propriis manibus propriaque voluntate bibens nocumentum habeat; qui dedit, an sit culpabilis illius nocumenti, vel mortis, si mors fuit, nec ne. Responsum fuit, et si venenum propinasset: Eo ipso quod bibens, et scivit, et sponte bibit, propinantem nullam habere culpam, nisi tantum parvae corectioni esse dignum. unde ex hoc nobis favorabilis fuit sententia, quae infra scribetur; habita enim fuit iuridicialis, et a Gubernatore regalizata. Post haec veniendum est ad Turcarum Deum, quo omnia fiunt, et sine quo nihil fit, id est paecuniae solutio. Judici propositum fuit unum timon, id est centuum mamodii persici sed quia habita iuridiciali sententia, in ipsa nulla facta fuerat nostri servitoris mentio, triginta scuta dedi, ut perfecte trium mortuorum scripturam nobis daret, ne decursu temporis a servitoris parentibus molestemur, et ista factum fuit. sed a primo ministro alia requirebatur paecunia. Hoc opus, hic dolor haec tota mea paena; duo scienda sunt, primum quo et agnitus eram ab omnibus gubernii principalioribus et praecipue Bascia et primo ministro, et vere in reverentiam habitus; de cetero Deus avertat quemcumque turcas habere trium mortuorum occasionem, et se a maxima paecuniae quantitate abstinere, impossibile est: licet casualiter, hoc est quod petunt; quando nam iuste paecuniam accipiunt? et est apud ipsos lex; multa millia scuta pro uno mortuo, licet sicuti dixi casualiter, accipere. Secundum sciendum; Minister ille qui mecum venerat ad visitandum, recenter ex Babilone in servitium Gubernatoris venerat, et per consequens debebatur illi prima paecunia ex similibus casibus soluta, sive proventa; et quia valde indigebat hoc est quod summa pervenit ad tercenta scuta, de cetero forsan, neque centum dedisse, sed ut darem istam paecuniam fui per aliquas horas carceratus, et hoc quia petebant quingenta; et primo ministro, (qui mihi dixerat Pater, scis trium mortuorum esse culpabilis; nihil tibi contrarium, vel nocumentum aliquod factum fuit, et negas ministris parvum munus?) dixi scio talibus in ocasionibus me ad haec teneri, sed quod vobis parvum videtur, mihi multum est; fac ut munus proportionatum sit remuneratori : et ipse post haec et alia dedit signum sine verbis, ex hoc videtur fuisse prius intelligentia, ut me carcerarent, et post paucas horas consentii supra trecenta scuta, et sic liberatus fui ; sed ante haec omnia, qui dicitur Ciauceler caiasci pretendebat quatuor millia et trecenta scuta, ostendendo mihi nescioquam scripturam ex gubernatore provenientem, et hoc falsum, hoc subito cognovi, et realiter cognoscitur quando est ex Gubernatore ; in qua, dicebat ipse, continetur, vel supradictam paecuniam solvas, vel tormentis pessimis, iniuriosa morte morieris ; ad quae omnia respondi ; et nihil factum fuit nisi supra iam scriptum ; et forsitan talis paecunia ipsius fuisset, si potuisset accipere, conclusio ergo est pro tali deplorabili casu, quater centa viginti scuta pro muneribus soluta fuisse. Iterum atque iterum semper et numquam satis sit nomen Domini Benedictum ; et Deo Beatissimae V. Mariae eiusque Sanctissimae Genetrici Sanctae Annae Gratiae reddantur in infinitum ; quanta passus sim nihil est in comparatione patiendorum, si cuilibet alio talis casus accidisset.

Aprobatio Ḥamet Bascia.

Sigillum Judicis
Ita factum est ab Judice
Bassorensi Abdelcherim.

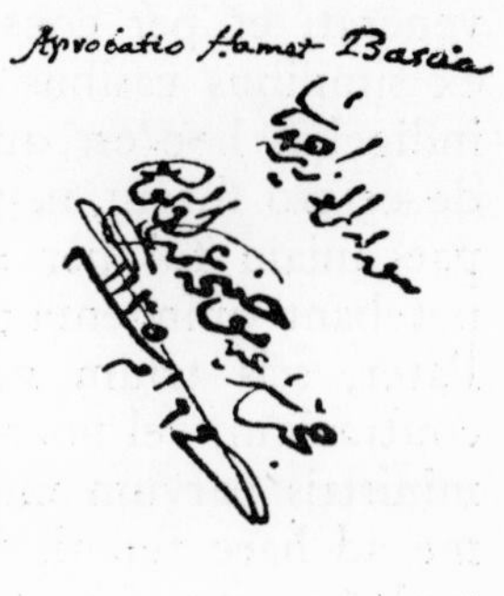

ببنکوز کتاب صحت نقصاب نودرکر

بونده اقدم محمیه بصره ده واقع لنبیده اولان کهریزی اجرت معینه ایله تنصیف ایدرکن فوت اولان عبید بن
بن متی نام کمسنه نک زوجه متروکه سی علیا بنت علی نام خاتون کندی طرفندن اصالة و صغیری اوغلی
حمد و صغیره قیزی ثریا طرفندن وصایة و رفیقی حمید بن صالح نام کمسنه نک زوجه متروکه سی نجدیه
بنت مساعد نام خاتون کندی طرفندن اصالة و صغیر اوغلی اسماعیل طرفندن وصایة وارثان
مذکورتان علیا و نجدیه طلبلریله بافرمان عالی مباشر تعیینی اولنان قدوة الاماجد والاکارم حسین اغا
موقبله فوت اولان هبیرش و حمیده کم مستاجرلری اولان باتری پلوس نام ذمّی احضار شرعی و محضرنده
او زرینه شو رسمه دعوی ایلدیلرکه بونده اقدم مورثلریمز هبیرش و حمیدی لنبیو باتری پلوص کبیسه
واقع کهریزی تنصیف ایتمک ایچون هر سنه بر ر مجیدیه اجرت ایله استیجار ایدوب کوتوروب کهریزه کیدر
بر مقداری تنصیف ایله کلرکن یولده قورایچه کریهده گنجی بابلدوب ایده رز دیدکلرنده مسفور
باتری پلوص کندو ره هر سنه بر فنجانه [illegible] ایچرسکز تعجبکوره [illegible] سویلدیکنده
ابا ایلدی

آنلره فنجانه تناول ایدوب ابتهاج بعده کهریزه کیدوب دوشدکلرنده ذمیلردن عیوض
نام ذمی حق مزبوران چیقارمق ایچون کندی ایپ ایله کهریزه کیروکده اوله فی معاینه کوردکه کهریزه
دوشوب جمیعًا هلاک اولدیلر و اولحینده جرفیا میرزاخان و جرفیا ملیک و جلیل نصور
وضا ولد جرجس نام ذمیلر حق حاضرلر ایدیلر کورملرایله سوال اولنوب موجبنجه عیسی اجری
اولنمق طلب ایدرز دیدکلرنده عقیب السؤال مسفور باتری پلوص جوابنده فی الواقع ذکر اولنان
کهریزی تنصیف ایچون مزبوران هبیرش و حمیدی بر ر مجیدیه ایله استیجار ایلدکلرینی اقرار لکن دفع

Post haec suprascriptam autenticam ex iudice ab Hamet Bascia regalizatam obtinui, ne cum nostris posteris aliquid patiamur, a mortuorum posteris cuius haec est interpretatio.

Abires filius Mehennae, Alia filia Ali eius uxor, et Hamet filius Sale socius ; uxor Abires filia Ali et eius parvulus filius Hamet, et Freia eius parvula filia, et Negdia filia Mzaad Aamet uxor et Ismael eius parvulus filius Istorum questio cum Patre Paulo. Convenit cum his supradictis duobus Abires et Hamed conventione unius mamodi pro uno quoque dummodo puteum expurgarent ; post ingressum et aliquam operationem evanuerunt et dixerunt non possumus eo quod fuimus morti proximi ; sed Pater propinavit ipsis nescimus quid, dicendo, bibite et molestiam non patiemini, unusquisque suis manibus calicem acceperunt et biberunt et denuo in puteum ingressi sunt et mortaliter ceciderunt, et voluntarie alius quem habebat (erat noster servus) ingressus est ipsos adiuturus, et ipsi sicut primis evenit, et omnes tres mortui sunt. Et illo tempore ex visu testes fuerunt Giulfalini dicti Mirzachan, Meliah Nessor Alepensis, et Joannes filius Georgii Bagdatensis et nos de hac causa iustitiam petimus. Judex, Interogavi Patrem, qui confessus est se convenisse conventione unius mamodi pro uno quoque dummodo puteum expurgarent, sed negavit se aliquid dedisse ad bibendum. Petiit Judex a supradictis mulieribus testes. testes adhibuerunt Abes filius Serugi et Calaf filius Scaviv (?) qualiter Pater dedit ipsis poculum ad bibendum, et biberunt ; post eorum testificationem nostros vidimus libros, in quibus Pater non est neque sanguine neque alio culpabilis, eo quod convenerat conventione ex quibus Negdiae et Alia petitio est in cassum, et scripturam nostram fecimus et Patri consignavimus die 27 Mensis Zel Huggie 1134, qui computus corespondet die 26 Septembris anni Domini 1722.

Hoc eodem mense Septembris huius anni 1722 : die 17 Septembris iuxta antiquum calendarium huc feliciter pervenerunt Domini Angli cum una navi ex Bengala, 4 diebus manserunt in nostra domo apud nos, et locaverunt Hemer Celibi Abdal Domum quae est prope nos ad vivum aquae 20 timones persicos. Horum Dominorum nomina sunt Mercatoris Bellesis, Scribae Mr Lors [*sic*] et Capitanei Mr Vuods : die 4 Octobris hora 11, id est una ante mediam noctem, mortuus est Mr Bellesis Mercator, et die sequenti detulimus eius cadaver ad sepulcrum Christianorum dictum Issa Eben Mariam extra urbem ; sed nulla facta fuit fabrica eo quod Capitaneus non valde diligebat ipsum. Res tamen notata digna est, in sua infirmitate eo quod nullam a nobis postularit medicinam, Reverendus Pater Placidus a S. Nicolao se exhibuit, et cum vidisset istum valde indifferentem, timore affecit, quibus verbis respondit Reverende Pater mihi idem est mori, vel Bengalam pergere, et sic eadem nocte non Bengalam perexit, sed ex hac vita discessit; eo post mercaturarum venditionem die 14 Januarii ex Bassora Banderabassim versus Navis ista velas expandit; sed sciendum est quia hic manserat 46 dies post Suratensis motionem duos timones supra viginti pro locatione domus solverat, et hoc ut lector intelligat, eo ipso quod mercatores conveniunt in locatione Domus tempore motionis; hoc tempus expirat die 1. Decembris circiter.

Die 10 supradicti Decembris 1722 pervenit huc navis quaedam valde magna factura(e) Europiana Societatis Anglicae, ex Banderabassi, Bengalensium mercibus onusta. cuius capitaneus fuit Mr Pit ipsemet et mercator erat; hic capitaneus istos mercatores decepit, eo quod dicebat parum sive nihil mercium detulisse, sed tantum venisse huc ex supremo ordine ad transportandum et mercatores, et eorum paecuniam, eo quod haec transportatio per naves Turcicas periclitabat stantibus piratis quos multos fuisse in via dicebat; et ne ipsius merces videantur reliquit in Afar eius navim et hoc modo maximi praetii multas vendidit merces, et paucos mercatores transportavit; sed quia supra modum multas habuit merces, ipse hinc discessit die 10 Decembris circiter, et hic reliquit unum Dominum Anglum dictum Mr Horns, qui post integrum annum et supra omnia terminavit.

Non est silentio omittendum quomodo supradictus Capitaneus Pit nobiscum egre tulit quod fuerim Gubernatori ipsi notificandum unam navem gallicam in proximo huc futuram, egre tulit, dico, eo quod per 8 dies post hoc nuncium nemo aliquid ab ipso emit, nesciens ipse et alii exteri Europiani mercatores Turcas in mos hoc habere, scilicet quando in mercaturis cum mercatore Europiano convenire nequeunt, subito futuram navem, immo proximam esse dicunt, et nescientes, hoc verum esse, suponentes, suspendunt per aliquos dies eorum emptionem : de cetero ipsemet Capitaneus Pit cum supradicto Capitaneo Vuods hic testificarunt gallicam navem ante Mascat naufragium fecisse, et quinque tantum nautas incolumes evasisse, sed contra, quia haec navis fuit anglica, et nostra huc feliciter pervenit die 28 Decembris iuxta antiquum calendarium huius anni 1722, cuius mercator fuit Dominus Baptista Martin, Capitaneus Dominus Ragouz et tertius Dominus Homo (l. Horns). Haec navis erat factura Indiana, et Domini Fatramani, a Dominis societatis gallicae locata, et a pluribus (h)onusta Gallorum summa erat sexaginta mille circiter rupiarum, et quia parva erat summa, cito se expedivit, ut die 5 Februarii potuit hinc discedere, sicuti fecit Banderichum versus ad equos onerandos : Sed sciendum est in hac ocasione quid fecit Pater Paulus Augustinus a Sancto Stephano huius residentiae Vicarius, antequam huc venirent isti domini obtinuerat ab Hamet Bascia ut Galli solverent sicuti mos est Constantinopolim Smirne &c ; haec petitio facile concessa fuit et quia non loquebatur de paecunia, et quia spes dabatur veniendi navis, non tantum pro hac vice sed semper imposterum. terminatis omnibus negotiis in solvendo pro Gubernio locuti sunt falsa ; id est numquam hoc fuisse Bassorae, quod mercaturae solvant tria pro centum. sed omnes Europei solvunt quinque pro mercaturis telarum vulgo Comasc, et pro mercaturis ponderis vulgo sacat sicuti sacarum ligna, plombum &c. sex, in ista questione ostenderunt diploma Hamet Bascia paucis ante actis mensibus datum ; quibus Scabandar dixit ex se nihil posse, sed omnia, cum diplomate ostensurum Caia, post quae ipsemet Caia me vocavit dicendo quid est hoc quod novum audio de vobis gallis, quando unquam haec fuerunt Bassorae?

quibus respondi et Bascia diploma dedit ; et ipse, est ne hoc diploma, ostendendo mihi ipsum met diploma, et ego, ita hoc est ; si hoc est in hoc non loquitur neque tria neque 5 ergo ad nihilum valet ultra ; quibus verbis respondi ; non loqui de paecunia, sed loqui solvendum esse sicuti superius Constantinopolim Sm: &c, sed illis in locis tria tantum solvuntur, sicuti nostrae volunt Capitulationes ; ergo et hic Bassora : et ipse ; bene haec omnia a memet ipso nequeo, loquar cum Bascia et quid respondendum erit dicam postea ; sed sciendum est multas fuisse questiones adeo ut delatae fuerunt Capitulationes et timebam ne in Capitulationibus viderent idem esse pro Anglis sicuti Gallis, et tamen Angli qui tunc hic erant solverunt quinque et sex, sed industria mea non viderunt nisi quod ipsis ostendi ; unde die sequenti Caia, id est primus minister dixit mihi pro mercaturis teleis solvetur a vobis tria in centum, sed pro aliis mercaturis quinque tunc temporis, et quia Dominus Baptista Martin reliquerat operationem in meis manibus et quia sciebam omnia volentem nihil possidet, dixi, suposita vestra benevolentia in prima parte concessa, in secunda non sit neque tria neque quinque sed quatuor, et Caia [*sic*] dixit in gratiam tuam ita sit et sic conclusum fuit et exequtum in solutione Gabellae in cuius confirmationem volui autenticam unam a Domino Baptista Martin Gallo, ut posteris meis notum sit, Gallos hoc a me habere beneficium ; Scriptura Gallo Idiomate Domini Manni Baptistae Martin :

Je certifie que le Reverend Pere Paul Augustin de St. Etienne a procuré a la nation Francoise de Hamed Bacha un firman par le quel il acord a le Royalle Compagnie de France de ne payer que trois pour 100 pour les marchandises, le quatre pour 100 pour les marchandises quon pese pour la douanne, le quel a fait executer le susdit firman, fait a Bassora le 15 Fevrier 1723 iste computus est secundum Chalendarii Emendationem. BAP[te] MARTIN.

Cuius haec est interpraetatio :

Testis sum qualiter Rev. Pater Paulus Augustinus a Sancto Stephano obtinuit natione Gallicae ab Hamed Bascia autenticam scripturam in qua concedit societati regali Gallicae ut solvat tria in centum pro mercaturis et quatuor pro mercaturis ponderis, et executione mandavit. Bassorae die 4 Februarii iuxta antiquum Chalendarium.

Die 9 Martii pervenit huc navis quaedam Anglica nomine Margarita, cuius Domini fuerunt noster antiquus Benefactor Dominus Grai et Dominus Petri. Haec navis cum Domino Petri [*sic*] hinc discessit die . . . relicto hic M[r] Grai ad mercaturas vendendas cum spe quam primum redeundi ex Bengala cum novis mercibus. Deus faciat.

Die 26 Februarii 1723 huc pervenit Reverendus Pater Joannes Joseph a Sancto Antonio natione Avenionensis ex nostra Perside provincia, eo quod a Reverendo Patre Nostro Faustino a Sancto Carolo Vicario Provinciali Aspahani habitum acceperat. Hic Rev. Pater morabatur Amadami, sed propter totius Persidis turbulentias coactus fuit illam relinquere ressidentiam ; Die 9 Maii eiusdem anni hinc discessit Babilonem versus quo Reverendissimus Vicarius Apostolicus Pater Joseph Maria miserat ad solatium illius Christianitatis :

Die 14 Augusti huius anni 1723 huc feliciter pervenit navis quaedam Sanctus Franciscus Xaverius dicta, cuius mercator erat Dominus Lagrand Gallus, et Dominus Godron item Gallus Capitaneus. Isti Domini hinc discesserunt die 16 Januarii anni Domini 1724 venditis omnibus mercibus et relicto nostrae ressidentiae magno munere quod munus quasi violenter obtinuit Pater Paulus Augustinus a Sancto Stephano propter supradictam scripturam : dixi violenter quasi, quia cum ex nomine societatis dedissent circiter 60 vulgo piastre sive in cereis candelis, sive in telis ; Pater Paulus Augustinus post multos dies, habita ab ipsis distincta notitia hoc munus fuisse ex crumena societatis ; dixit ipsis hoc supposito non sufficit, respective beneficium habitum ex supradicta scriptura ; instabat capitaneus, vel dicendo Reges alibi convenisse, vel non habere tantam summam ex qua multum fuisset proventum &c quibus Pater respondit primo, si sunt alibi Reges, quare usque nunc hic non observarunt has capitulationes ; et de facto hic et nunc Angli non utuntur hoc beneficio, in cuius probationem seu testimonium Domini Baptistae Martin scripturam ostendi ; ad secundum petebam si vere habebant centum mille vulgo piastre ex capitali (erat summa maior), responderunt se habuisse ; ergo, dicebam, solvendi essetis quinque ad sex millia, et cum non solutis ex mea industria nisi tres mille vulgo piastres ; habetis per consequens duo mille magis in vestra crumena, et cum hoc sit ex mea industria, consequens est quod et nobis maius munus faciatis ; Mercator illico prima vice consensit meo sermone, tantum capitaneus : post hos et alios plures sermones consensit ; ex quibus verbis adiuncta fuit, sicuti petebam una capsula cereae albarum candelarum quae valere potest aliquid magis trium timonum. Hoc sciat lector ut imposterum nostra ecclesia beneficium habeat ex mea industria, sicut et habent mercatores ; equum est ut et nos sentiamus tantisper ex illius magni benefici[i] aliquid, in quo multum habent mercatores ; propter hoc et hic haec scripsi ; et Domini Martini testimonium in scriptis mihi relictum volui.

Haec supradicta navis hinc discessit die 16 Januarii 1724 iuxta antiquum chalendarium Banderabassim versus, ut ex illinc Ponticerim recto tramite pergeret.

Post istam navim et ex hinc alia Anglica die 3ª Februarii 1724 discessit, in qua fuit Reverendissimus Pater Joseph Maria a Jesu Borgondus Vicarius Apostolicus Babilonensis ecclesiae : qui in suo discessu praecepit nobis novum calendarium reasumere ; unde quae futura scribentur erunt secundum morem latinorum ex emendatione calendarii: hoc praeceptum fuit quia nundum Roma responsum habuimus, adeo ut si responsum futurum erit ut observamus antiquum, denuo antiquum resumetur; propter comoditatem festorum Pastoris cum grege sibi crediti. Item in ista navi hinc discessit Petri Matlub eius uxor cum suo pignore Ablahed inventura (deus faciat) maritum; ex isto discessu tres familiae minus habebuntur in ista civitate; hoc non esset multum; sed multum est quia licet orientales, tamen sunt nobis religiosis valde multum affecti; ex antiquis scriptis ut ex quibus experimentum habui decem annis continuis, non possum explicare istius domi, sive familiae beneficia; Deus reddat ipsis, de cetero, quantum est, seu ad homines pertinet non est possibile; ex hoc coniecturari possunt eorum beneficia erga nos.

1724. Die 8 Octobris post moram decem annorum in hac Residentia R. Pater Paulus Augustinus a S. Stephano veniam a nostris superioribus petiit suam Provinciam redire cupiens, qua obtenta post tot labores in reacquirenda ecclesia a manibus Turcarum similiter et Domum utramque reparationibus, et aliqua nova fabrica sudere vultus sui stabilem reddidit tandem die supra citato iter arripuit Bagdad versus ut suam Provinciam peteret una simul cum R. Pater Joseph Maria a Jesu Vicario Apostolico, qui spatio duorum annorum nobiscum in hac Residentia permansit; quibus discessis ego Frater Placidus a Sancto Nicolao solus remansi: isto tempore ex ordine Abdraiman Bascia purgabatur canale civitatis et opus completum est die 8 Novembris, expensae fuerunt duodecim millia piastre tali summae omnes contribuerunt, et a me cum petiissent, ipsis respondi non esse morem Europeos solvere aliquid istis in occasionibus et praecipue Gallos, sicque nihil dedi.

Mense Decembris 1724 expectabam Rev. Patrem Urbanum a Sancto Eliseo advenire forsitan ex Bander Abassi, secundum quod responsum uni meae scriptae receperam, sed cum vidissem transactis Natalitiis Festis non venire Dominum Patrem intra me cogitans cogitavi, quid agendum pro fabrica Magnae Domus, cum antiqua fabrica rueret, et nos duobus antea annis cogitabamus novam aedificare, ideoque aliquibus materialibus existentibus lapideam, scilicet ; hinc cum fere mille piastrae erant in capsa resolvi potius ipsam paecuniam fabricae expendere, quam comedere mea quiete. Sicque cum nullus esset Vicarius Provincialis pro obtinenda licentia, et accessus difficilis propter imminentia bella opere praetium duxi ut Praesidens huius Residentiae et fundamentis novam fabricam incipere.

Die igitur 22 Januarii *1725* principium dedi veterem domum ad terram mittere, qua explanata, constructionem novae domus designavi, istius Regionis modo potius quam aliter, hinc ad fundamenta stabilienda surrexi, quibus diligenter completis, die 19 Februarii 1725 primum lapidem ponere cogitavi ; unde valde mane Sacra ad intentionem istam peracta, in nomine Domini, posui primum lapidem, et magistri opus prosequi inde caeperunt, magna cum laetitia omnium extantium, et elevata fuit fabrica lapidibus (vulgo Ballut) intus et foris, spatio duorum dierum ad quinque palmos, postea positis lateribus intus et foris, remansit fabrica ad decem palmis, his positis sedi, ut nova fabrica sedem faceret. Tali tempore talis fuit copia latronum in hac civitate ut ipsemet Bascia tenebatur nocturno tempore vias percurrere, et ego quatuor homines ad vigiliam posui in nova domo, remanens cum ipsis usque ad fere mediam noctem.

Die 6 Martii *1725* advenit R. Pater Urbanus a Sancto Eliseo ex Bander Abbassi cum nave Anglica Brettagna spatio sexdecim dierum, ad cuius adventum valde gavisus sum pro solitudine passa quinque mensium.

Dominus Rev. Pater per tres fere annos remansit Bander

Abbassi constanter pro illa missione laborans, cum alias conventualis erat Residentiae Nostrae Aspahensis. Aliquibus diebus laetitiae peractis, ad prosequendam Domum manus extendi usque ad diem *21* Aprilis. Isto die sistere debui ex eo quod Bascia ordinavit et iussit omnibus hominibus Bassorae existentibus, omnes inquam mane surgere, et extra civitatem ad terram extrahendam a subtus civitatis parietibus, quae valde elevata erat a ventibus et metus Arabum et latronum ; Hinc ita factum est fere per quindecim dies, ipsemet Gubernator Abdraiman Bascia suo cum Coetu et Civitatis habitatoribus laborabant per tres horas extra Portam Bab Arabat et prius Bascia parum terrae una vice extrahens sedebat usque ad laboris finem cum sonu tubarum. Tali occasione nullus Europeus ad tale opus exivit, licet aliquis e Populo mihi dixit, quare non ibam ad laborem ? cui respondi quando Vester Rex mittit aliquem Magnatem e Vestris apud Regem Galliae talis non obligatur esse Portatorem terrae, immo e contra omnem civilitatem pro more recipit sicque ; vos nobis facere debentes (?) vestris in Regionibus. Expleta transportatione terrae redii ad opus Domus, et prima die Junii *1725* completa sunt omnia, et ipsomet tempore Domus locata fuit mercatoribus perventis ex Bengalla et Surat.

E[x]pensas talis fabricae vulgo Caso, ex parte arcus Curridorii usque ad ultimam ad summam reduxi 4306 abatiarum, praeter ea, quae postea expensa sunt pro dealbandis cubiculis aliisque.

Mense Novembris 1725 Reverendissimus Pater Noster Generalis Pater Frater Bernardus a Hieronimo cum misisset mihi Patentes Vicarii huius Residentiae, supradicto mense ad meas manus advenerunt, ac sequenti die coram R. P. Urbano lectae fuerunt, sic ex illo die vicarii titulo Gubernium huius domus incaepi.

Die 19 Maii 1726 advenit ex Bengalla Navis Gallica, cuius

capitaneus erat Mr Morle, eius Mercator Mr Colino, post fere mensem cum dimidio discessa nave mercator remansit. Die 30 Junii ex Bander Abbassi adveniente uno Taramchino, venit unus Pater Franciscanus Pater Bonaventura e Roma, qui moram fecerat circa triginta annorum, moratus est nostra domo; et die *20* Augusti venerunt ex Surat cum Turcica nave duo Domini Hispani fratres ex Bescallia et cum ipsis unus Frater Franciscanus Portughensis, qui cum Caravana Aleppi discessit post tres dies, Hispani remanserunt apud nos, unus vocabatur Dominus Thoma, eius frater Minor Dominus Joseph, dictus Dominus Thoma infirmus advenerat disenteriam patiens et quamvis duo medici Angli ipsi medicamenta praestarunt, post duos fere menses infirmitatis quam admirabili patientiae exemplo sustulit pie et devote, sacro viatico et extrema unctione munitus, mortuus est die 8 Octobris, quem ex iussu et ipsius devotione nostro habito indutum in medio Nostrae Ecclesiae sepelivimus, duo centum rupias pro 200 missis donavit et alias duo centum pro Sepultura Ecclesiae; Et post duos dies eius frater Dominus Joseph discessit cum Domino Patre Bonaventura Bagdad versus relinquens nobis fere ad centum rupias mobilium et paecuniae simul pro missis, sic aliquantulum incommodum sustulimus, quod maximo gratitudinis signo solutum fuit; discentes successores non debere similes occasiones recusare, et primo proximorum et exterorum Charitatis motivo, secundo urbanitatis, tertio emolumenti, quippe quod qui non vult alterorum incommoda sufferre nec commoda sentiret et qui non dat non dabitur ei neque in hac neque in alia vita.

Anno Domini 1726 mense Decembris pervenerunt a Rev. P. Noster Generali Pater Jo: Bernardo a S. Hieronimo patentes Vicarii Provincialis R. Patre Urbano a Sancto Eliseo et post aliquot dies possessum accepit.

Anno Domini 1727 mense Januarii veniam petii a Rev. P. N. Urbano Vic. Provinciali Novam Domum fabricare coram ianua Nostre Domus in nostro situ antiquo, qua obtenta aliqua materialia praeparare caepi.

Die 14 Januarii advenientibus Epistolis ex Bagdad notitiam accepimus mortuum fuisse Patrem Martinum a S. Salvatore Provinciae Venetae quem ex nostro Seminario Romae pro ista Residentia Bassorae miserat Noster Pater Generalis P. Jo: Bernardus a S. Hieronimo ; accidit casus ut nocte Nativitatis Domini *1726* volens Missam celebrare in domo unius Christiani, nomine Angelus, convenit cum R. P. Bonaventura Franciscano supracitato, qui advenerat Bagdad aliquibus diebus antea, una simul cum Domino Joseph Hispano supradicto ; sic igitur vigilantes usque ad fere mediam noctem in laetitia, surgens dictus Pater Martinus, nescio quare, ascendit unum cubiculum illius domus per unam scalam lapideam, descendens ad duos gradus caecidit, et dato capite supra lapidem, semivivus remansit, tali casui accurrens Pater Bonaventura cum aliis subito monuit ipsum confiteri, quo peracto valde mane sanguinem extraxerunt, et cum iterum confessus fuerit, sacrum viaticum accipiens sacramque unctionem ab ipsomet P. Bonaventura, die 27 Decembris 1726 animam Deo reddidit, sepultusque fuit in Caemeterio Christianorum.

Rediens igitur ad fabricam domus mense Februarii fundamenta ponere volens, designavi constructionem domus, quo facto, et a magistris fabricae approbato explanato situ, delineata fuit domus et preparatis fundamentis, terram scilicet extrahendo et denuo reponendo modo istius loci, sic die 17 Martii primum lapidem posui prosequentibus magistris, post aliquot dies steti, ut starent et fundamenta elevata ad quatuor cubitos. Isto tempore Abrahimam Bascia iussit cum Deftardar reparationem parietum Civitatis, quod factum fuit contributione facta ab omnibus Bassorae morantibus, petierunt a me sexaginta momodi, quibus respondi non dare quin simillibus casibus nunquam dedimus, sicque evasi eorum extorsionem. Tali opere completo, post festa Paschalia ad complendam domum manus extendi, quam Deo favente die prima Junii 1727 terminavi.

Et expensam factam ad summam reducens fuerunt abatiae quinque millia trecentum viginti quinque; dico *5325* praeter alias postea factus quae perveniunt ad *400* similiter abatias, talem paecuniam non ex proventibus Romae, sed meo sudore et industria, sanguineque Benefactorum expendimus. Deo gratias Beatissimae Virginis Mariae quae tot in laboribus incolumem servavit, nullo litigio habito cum Gubernio aut aliis.

Die 2 Junii eiusdem anni 1727 completa domo advenit Navis Gallica nomine Maria Gertruda, eius Capitaneus Mr S. Hiler, Mercator Mr S. Palo, quibus domum novam locavi; transacto mense venditis mercibus Bengallam iverunt, nullus remanens Gallus. Isto tempore aquae fluminis proprium lectum exeuntes desertum inundaverunt, et usque ad portam Civitatis vulgo Bab Arabat videbantur fluere, et mare potius quam desertum demonstrabatur; hinc euntes et redeuntes aquae aliquando salsae aliquando dulces gustabantur et noctis tempora maxima pruinae copia erat; perduravit usque ad mensem Septembris eiusdem anni 1727 arginibus [*sic*] fluminis reparatis, sed quid! en incipiunt infirmitatis dolores, et febres; et ego quasi primus die 17 Septembris stomachi revolutionem sentiens caput debile ac febre oneratum, lectulum petii et post tres dies caepit caput evanescere, periculum mortis timens sacrum Viaticum accepi hora quarta diei 20 Septembris, et cum petiissem sacram extremam unctionem omnibus praeparatis R. P. N. Urbanus Vicarius Provincialis incapax evenit, superveniente ipsi tremore, partim ex febre causato, partim ex mei mortis timore, sicque responsum misit ipsum nullo modo posse ministrare tale sacramentum; his verbis auditis me componere, et ad mortem disponere animam meam cogitans, simul de succurrendo corpore non reliqui ; isto tempore Domini Angli M[r] French, M[r] Oms, et fader Engam, humane nos charitate visitabant, unde occasione habita loquendi Domino fader Engam, qui aliquid intelligebat medicinae, ipsi proposui ut unum vissicatorium [*sic*] ad meum collum applicaret, quo approbato et applicato, die sequenti aperuit et maxima aquae copia viridis coloris exivit (signum salutis), similiter proposui extractionem sanguinis, quod factum fuit die 22 Septembris, ex his duobus Deo adiuvante me liberum cognovi ab oppressione capitis, et tenuis febris remansit eodem tempore R. Pater Urbanus quotidie febrem patiebatur, et die 26 Septembris R. Patre Urbano magno cum fervore advocatur auxilium SS. Cosmae et Damiani, mihique stimulus fuit similiter faciendi, expectantes Sanctorum auxilium die festa eorum, Deus Consolator Optimus inanes non reliquit praeces servorum suorum, unde praecibus Sanctorum Martirum Cosmae et Damiani mediorum, potius quam medicamentis ex illa die paulatim reviviscere caepimus. Tali tempore, quo morituri ambo putabatur, bona ecclesiae et Domus M[r] French Anglo Catholico ex Hibernia commendavimus, et dictus M[r] French dixerat R. P. Urbano me moriturum nocte diei 24 Septembris. Evasimus igitur Dei gratia paericulum mortis, sed usque ad finem Decembris convalescentes vivebamus : istis duobus mensibus cum dimidio, scilicet ex 15 Septembris usque ad finem Novembris, ex aqua et aeris infectione mortui sunt fere octo millia homines in civitate, eiusque suburbiis, qui terror cessavit maximo adveniente frigore, quod aerem purgatam reddidit.

Mensibus Augusti et Julii Scripsimus Aleppi Vicario Provincialis Patri Hieronimo a S. Barbara, si posset unum Religiosum ex Syria, pro tempore, Residentiae Bassorae commodare, ne solus ego remanerem ex discessu faciendo P. Urbani Hispanum versus visitationis gratia, responsum affirmativum accepimus die 8 Decembris eiusdem anni 1727 :

Hinc R. P. Urbanus se praepar[ar]e caepit quamvis adhuc aegrotans, transivimus Natalitia Festa.

Die 11 Januarii 1728 advenit P. R. Jo: Toma a Cruce ex nostra Provincia Neapolis, nativus ex Leonessa in Abratio cum Caravana Deserti, quem nobis misit Vicarius Provincialis Aleppi; et die 12 discessit P. F. Urbanus a S. Eliseo Vicarius Provincialis Bagdad versus cum una scaica [*sic*].

Mense Aprilis 1728 hunc portum salutavit Navis una Anglica, cuius Mercator fuit Mr Buorrolan, natione Gallus, et cum ipso Mr Banghet Anglus, petiit a me dictus Mr Buorrolan Domum magnam vulgo Caravanserrai, quam ipsi locavi pro uno anno, conventione facta duarum mille abatiarum pro anno. Post aliquot dies residente Mr Buorrolan in nostra domo, advenit Navis Gallica nomine S. Giuseppe, eius Capitaneus Mr S. Hiler, Mercator Primus Mr Orno, secundus Mr Bunelli, qui unam Domum Agi Cassim locaverunt, post duos menses cum dimidio Naves discesserunt Bengallam, remanentibus mercatoribus cum mercibus. Isto tempore disputationem habui cum uno Christiano nomine Cherumi, qui ut Procurator Isa Ghanime ex Bagdat [*sic*], vendere tentavit Presbitero Armeno locum a latere Domus nostrae ex parte Januae Domus Ecclesiae, cum saepe audivissem talem locum donatum fuisse Nostrae Ecclesiae antiquo tempore et testes inveniens duos Turcas, qui testimonium praestabant de hoc, ad Judicem feci ut dictum locum possiderem et prima fronte advocato dicto Procuratore Cherumi videbatur Judicem pro me velle litem finire, misit pro crastina die, attamen Presbiter cum Procuratore subornare et corrumpere Judicem tentaverunt. Die sequenti cum testibus ad Judicem ivi, et simul dictus Cherumi et loquentes testes, iniquus Judex, vulgo Cadi, dixit mihi si haberem scripturas loci donationis, cui respondi si habuissem scripturas testes non adducerem, respondens Judex me nullam rationem habere, sic litem pro Cherumi favore terminata fuit ; discessi igitur non valde contentus, sed postea quam dictus Cherumi voluit autenticam scripturam a Judice cogitabat omnia satisfacere cum summa decem piastrarum seu isolettes (?) ipsam Oliussante (?) Cadi, ad carceres mittere iussit, et se excusato Procuratore dicto Cherumi, sexaginta dedit piastras, cum dictus locus vendi poterat centum viginti. Hoc posito dixi dicto Cherumi quod scriberem pro tali causa Constantinopoli pro finienda lite cum vi capitulationum non poterat Judex civitatis litem finire monens ipsum Cherumi quod ut Procurator si accedere debebat vocatus ex Constantinopoli, ne diceret talis damni me fuisse causam : et similiter praesbiterum non emendi locum terrui, interim Bagdad scripsi Anna Eben Gh—— (?), ipsumque pro tali re Procuratorem constitui apud Isa Ghanime, prima et secunda vice scriptis et rescriptis Epistolis pro finienda lite, potius muneris nomine quam emptionis caeterum viginti quinque piastris solutis scripturas loci et situs mihi transmisit noster Procurator Cogia Anna, et Presbiter Armenus nomine Jaghi Azar remansit naso oblongo, et cum sua parvula domo contigua situi, quia parvula nesciebat quid facere.

Mense Junii 1728 venit novus Gubernator Mahamed Bascia, discesso Abdraiman Bascia, et die 29 Junii cum essem in cubiculo cum medico Gallo Mr Cormasso ut ipsum aliquorum simpliciorum providerem ex Apoticariis, ingredientibus duobus Turcis ex Mussol Mercatoribus miseriarum videntes (?) parvulum intra cubiculum mihi nihil dicentes, nos salutantes intrare tentarunt, ipsos vi impedivi, unus vim faciebat, et postea exiens dixit modo veniam cum aliis, et videbis, vidi, dixit, mulieres Turcas domum intrare, quo audito ipsos praeveni et induto pallio cum Cogia Francisco Monaco ex Aleppo Turcimano gallorum Mr Orno ad Chaia perrexi lamentationes faciens de successu, ipsos miseriarum Mercatoris advenire iussit, cito unus Gioccadar secum conduxit coram Chaia, qui videntes me sedere amplius timuere, et salutantes Chaia, qui ipsos interrogavit quare vi adierunt ad Domum Patrum, qui responderunt Curiositatis gratia, non motiuntur, ego respondi cum omnes libere sunt curiositatis gratia Domum nostram visitare, ipsi insurrexerunt dicentes, mulieres Turcas vidimus domum intrare, quibus respondit Chaia, quis vos constituit visitatores Patrum et audiente Chaia quod extranei erant, ut tales dimisit, aliter iuravit dicens mille verbera sustinuissetis, et ut canibus dimissis foras abierunt, nos postea veniam petentes discessimus et dictos invenientes ad Januam Palatii clementes, et dicentes non habemus aliquid, quo audito interrogantibus nobis, responderunt, quod solvere debebant quinquaginta piastras, quas vi solverunt, et scena clausa est, non audentes in posterum nostram ianuam transire usque ad praesentem diem.

Mense Novembris *1728* cum proposuissem Dominis Gallis ipsos soluturos tantum tria pro centum pro qualibet specie mercium nec aliter secundum Capitulationes, vulgo Catscerif quod nostris manibus erat (quia isto tempore tria solvebant pro pannis et quatuor pro reliquarum mercium generibus, secundum quod retroscripta historia adnonatum [*sic*] est a R. P. Paulo Augustino), hoc audito mercatores Galli M[r] Orno et M[r] Bunelli laetati sunt, et sic consilium fecimus adire Gubernatorem Mamed Bascia pro tali petitione. Unde die 29 Novembris pro tali negotio fui ego cum M[r] Orno et Turcimano ad Bascia, qui civiliter nos pertractans, interrogavit quid esset nostrum negotium, audiente a Turcimano quod mercatores Galli ex Compagnia, seu Societate Pontigeri, petebant observantiam Capitulationum de solvendis tribus pro centum pro qualibet specie Mercium, et prius quam Capitulationes legendas a Bascia praesentarem, ipsi praesentavi Patentes nostras Consulares, quibus visis, scripturam Gallicam non intelligens dixit, quid est hoc? cui respondi esse Patentes Regias nostri Regis Galliae, quibus Pater Superior huius nostrae Ecclesiae erat Consul Gallorum, ut sic aditum et honorem invenirem apud Turcas pro aliqua necessitate futura nostrae Domus et Ecclesiae.

His peractis caepit Bascia legere Capitulationes, postea dixit quod ipse nihil poterat supra hoc relaxare et quod Reliqui Bascia acceperant pro Dugane ipsum non inferioris ordinis esse, et multiplicatis verbis noluit dictis Capitulationibus se submittere : sic discessimus, consilium facientes scribere nostro Ambasciadore Gallo Constantinopoli pro tali negotio, sic feci et simul meo consilio ipse Mercator Mr Orno.

Isto tempore revera erat Bascia Mahamed, sed Gubernium totius Civitatis erat in manibus unius Mercatoris, qui venerat cum dicto Bascia, nomine Mahamed Aga seu Messerli Oghli qui cum aliquam summam ad Creditum dedisset Bascia, valde eius amicus, et intrinsecus fuit, taliter ut deponere fecit Chaia nomine Abraim dicens Bascia, quod suum esset paecuniam acquirere suo Thesauro, si ipsi quidquid facere volebat, permissionem et protectionem daret, hic audito Bascia paecuniae avido, sicut omnes Turcae faciunt, suam protectionem promisit ; se coram omnibus declarans, quisquis auderet memoriale ipsimet Bascia praesentaturum contra Messerli Oghli, contra ipsummet Bascia tale memoriale esse iuravit. Igitur caepit opere et sermone dictus Messerli Oghli tirannicum Gubernium et primo deposito Chaia ut supra, omnia eius bona confiscavit, et officium Scabandar exercens, ad placitum quidquid melioris esset conditionis a mercatorum mercibus sumebat ; sic paulatim odio habitus ab omnibus, et omnes in timore et tremore erant dicentes Deum misisse talem hominem pro exterminio huius Civitatis.

Interim mense Maii die *16.* 1729 advenit ex Ispana F. Ferdinandus a S. Theresia noster donatus pedemstanus [*sic*], missus a R. P. Urbano Vicario Provinciali pro sussidiis aliquibusque eleemosinis petendis Bassorae: post aliquot dies advenit Navis Gallica vulgo S. Giuseppe, et cum magna nostra domus, simul cum domo Aslan nobis contigua ad locationem data a me fuisset Dominis Gallis M[r] Orno et M[r] Bunelli pro uno anno *48* tomanos, hinc Capitaneus dictae Navis cum mercibus descendit ad nos: istis diebus iterum adivi ad Bascia pro solvendis tribus pro centum, et nihil aliud, hoc audito Bascia prius civiliter, more consulis pertractante me, absolute impossibile esse dixit.

Isto tempore retroscriptus Messerli Oghli noster erat amicus, occasione qua veniebat ad merces visitandas Gallorum in nostra Magna Domo; evenit nescio qua accusatione contra Praesbiterum Armenum Jaghi Azar facta, Messerli Oghli ad Peti[ti]onem Armenorum, Exulem dictum Jaghi Azar determinavit spatio quindecim dierum. Dictus Praesbiter necessitate coactus vendere determinavit suam parvulam Domum continentem duo cubicula cum tecto, nec aliter quae contigua erat situi a me acquisito in extremitate Domus Nostrae ante Januam Ecclesiae Domus, quam emi praetio *200* piastrarum, seu 9 tomanorum, et instrumento a Judice habito, paecuniam solvi illud Praesbitero Jaghi Azar, qui contiguum situm vi et dolo emere tentavit, sic providente Deo: Postea exul factus fuit dictus Praesbiter et ego pariete uno fabricato ex duobus sitibus unam Domum constitui.

Et Messerli Oghli maximos inter honores erat, sed Populus fere totus murmurabat, et Magnates supplantare dictum Messerli Oghli die et nocte excogitabant.

Adveniente igitur Populi clamore coram Domino eius die 4 Junii *1729*. Omnes Magnates, nempe Mufti, Cadi, et Mercatores perrexerunt Siraci in Domo Eben Mane, et Sciek Annes, ibi consilium fecerunt ut dictum Messerli Ogh[l]i dolo tenerent, sic aliquos Arabes Equites miserunt ad ianuam Doganae, ut quid agerent? scribam unum ex dogana invenientibus, nescio quo verbo librum ex eius manibus sumptis cito Siraci aufugerunt: dictus scriba, ad Messerli Oghli accurrens, factum et allatam iniuriam narravit: quo audito a Messerli Oghli, ira et furore motus, nihil sciens de praeparatione facta, equum subiecit cum aliquibus militibus et servitoribus, Siraci iter arripiens, sed vix exeunte porto Siraci Populi multitudinem invenit, nec timuit suum iter prosequitur, et Populus vestigia sequens ignominiis ipsum afficiebant cui respondebat Messerli Oghli redibo civitatem et videbitis quid vobis faciam: advenit prope Januam Sciek Annes, Siraci, ut omnes Magnates congregati erant et Arabes multi, qui caeperunt ipsum verberare et descenderunt ab aequo, omnes clamantes, occidatur Canis iste, sed Sciek Annes, ipsum in carcere servavit, ut prius computus redderet Bascia, et Mercatoribus postea occisurum: sicque captus et ligatus fuit, qui prius volare cogitabat. Hoc audito Bascia, Abraim Chaia, qui verbis Messerli Oghli depositus fuerat, mensibus antea, Chaia, ipso facto, constituit, et pro tali negotio expediendo Siraci misit, ivit, et vidit suum inimicum Messerli Oghli in Carceribus, cui, quid volebas facere Canis, et me deponere fecisti, et Populum in ruinam ponere volebas, similiaque improperia dicens. Unde audito Populo clamante mortem ipsius, rediit ad Bascia, iste salvare volebat Messerli Oghli, de quo non valde suspicabatur, iussit ergo Bascia non convenire ipsum occidere non visa causa, cui Populus cum Magnatibus respondit esse dignum morte, sicque posteaquam decretum fuit a Mufti Judice et universo Populo in Siraci mori dictum Messerli Oghli, decreverunt ipsum Bassorae conducere, et dictus Chaia Abraim videret computus nolentes ut dictus Messerli Oghli accederet ad Bascia nullo praetextu, de quo contentus Bascia potius vi quam voluntate ita fieri determinavit; unde die 7 Junii conduxerunt supra unum mulum dictum Messerli Oghli in civitatem, ignominia potius indutus erat quam habitu, capite operto barbam comedente furore ducto, ad Palatiam Chaia conductus fuit, et pro carcere suum stabulum assignavit, et ligatus duabus catenis ponderis duarum *Mamnum* Bassorae in sterquilinios lectulum praepararunt. Caepit ut Judex Chaia Mercatores appellare, quid dicebant de hoc, omnes Mercatores Angli et Galli fuerunt, qui dixerunt nos nescimus, solum praetendimus responsum et paecuniam nostrarum mercium, quas emit nomine Bascia, quod omne scribebatur, praesente et attestate sua debita, dictus Messerli Oghli, quod praedico fere dies factum fuit cum aliis Mercatoribus; interim ad Januas domus Messerli Oghli quinquaginta erant milites custodiae causa. Computibus finitis, Bascia decretum subscripsit, quo constabat esse dictum Messerli Oghli dignum morte, ut sublevatorem civitatis, Tirannum, Inobservatorem legis Mahametanae, Sodomitam, Raptorem et similia, quo decreto lecto die 16 Junii 1729 hora quarta post meridiem, collo fune ligato, in ipsomet stabulo Chaia, duo trahentes et retrahentes suffocaverunt, ac ipsomet tempore, quo mortuus fuit, in medio plateae Bascia exposuerunt, irruente Populo lapidibus, et iniuriis uno die ac nocte, postea ut excommunicatum sepelierunt in Sepulcris Magnae Moschetae prope pontem.

Die 12 Julii *1729* discessit ex hoc portu Navis Gallica S. Giuseppe Bengallam versus, et cum ista Mr Buorolan, et Noster Frater Ferdinandus, a S. Theresia, habita aliqua paecunia ut Ispaan iter teneret, cum ipsa haec usque Buscer similiter abivit.

Die 7 Augusti venit ex nostro Seminario pro missionibus Persidis R. P. Thomas Aquinas a S. Francisco Xavero Neapolitanus; et eodem die advenit ex Surat unus Pater Franciscanus nomine Pater Joseph ab Assumptione, mansit apud nos ut Romam peteret; permansit usque ad diem *26* Septembris 1729, quo die discessit cum R. P. Jo. Thoma a

Cruce Bagdad versus, ex iussu R. P. Hieronimi a S. Barbara Vicario Provinciali: sicque ut ipsum denuo Vicarium Tripoli restitueret sicque cum P. F. Thoma Aquinate remansi.

Die 7 Octobris 1729 pervenerunt duo missi ex Aleppo cum litteris Legati Galli ex Constantinopoli in responsione mearum Epistolarum quas scripseram pro negotio Mercatorum Gallorum de solvendo tria pro centum nec aliter secundum Capitulationes, in litteris dicti Legati erat firmanum ex Magno Visir, et una ipsius Epistola pro Bascia, quo firmano ordinabatur Mahamed Bascia non plus quam tria pro centum sumere a Gallica natione, tale firmanum mihi transmissum Gubernatori Mahamed Bascia tertia die propriis manibus praesentavi et civiliter posteaquam me pertractavit, adimpleturum promisit dictum ordinem, sive firmanum, mihi dicens adire post aliquot dies pro responsione talis negotii: sed doctior factus a ministris mutavit sententiam, et scripsit Magno Visir qualiter nulla erat convenientia, ut ipse suo Gubernii tempore talis fieret Mutatio, sicque remansi suspensus pro responsione usque ad diem 25 Novembris, quo die adivi Gubernatorem, et mihi dixit quod novum acceperat ordinem sumendi ut prius Mos erat. Cui respondi istas esse Conventiones Regias, neque frangi posse sine bellorum rumore, et similiter quod scripsissem Legato Nostro de tali resolutione facta, et discessi. Eo tempore paulo prius pro simili praetentione exclusus fuit Mr Franc Anglus Residens pro Societate Anglica Bassorae. Hinc die 29 Novembris missos expedivi cum responsione nostro Legato Gallico, qui Mr de Villanova appellabatur: Unde toto isto anno multum laboravi pro bono Societatis Gallicae, usque dum tandem aliquando obtinuimus vi alicuius paecuniae, ut infra dicam solvendi tria pro centum, nil aliter.

Primo Decembris pervenit ex Bagdad Praesbiter Cattolicus ex Dierbecher, nomine Chasis Anna, remansit apud nos cum suo filio spatio fere duorum mensium, quotidie sacrum fecit in Nostra Ecclesia Caldaico ritu, ipsi procuravi mea industria ex eleemosina plurium fere trecentum piastras, et discessit die 22 Januarii anni Domini 1730.

Mense Februarii 1730 Gubernator Mahamed Bascia suborta lite inter ipsum et Eben Mane Principem Araborum, cum ipse Eben Mane pertractasset aliqua oppida, hinc Gubernator ut ipsum caperet versus Corna Classem cum Capitan Bascia et militibus omnibus sibi retentis octoginta hominibus sclopetis armatis ; discessa classe, dictum Eben Mane capere potuissent, sed quia Capitan Bascia valde amicus ipsius Eben Mane erat, permisit ipsi fugam, postea vero tutus erat in loco, tormenta bellica explodere caepit. Sicque quasi bellum commotum fuit cum Arabibus spatio unius mensis cum dimidio, isto tempore caro praetio fuit butirum et carnes et similia, non relinquentes Arabes aliquid intrare Civitatem et metus erat quod invaderent civitatem. Unde die 7 Martii, cum aliqui Arabes visi fuerant prope Januam Miscerak nocte Gubernator milites 80 pedestres supra suos proprios mulos, et simul fere 80 Equites valde mane fuerunt prope Zibeirum, ibi invenientes Arabes, qui potius clamore quam vi invaserunt Turcas, et trucidati sunt 80 pedestres aliique vulnerati aufugerunt, relictis mulis sclopetis, et omnibus, quae spolia Arabes acceperunt ; sed postea quam hoc audivit Gubernator valde tristis cum tempus Ramazan caeperat revocavit classem Navalem, et res sic suspensae remanserunt, Sciek Anna fugiens Bagdad et Eben Mane extra Zibeirum ; unde iter redditum est tutum, et victualia primo praetio vendi caeperunt.

Mense Maii advenit ex Bengalla Bergantinum Gallicum, nomen Capitanei M[r] de Giorden, et moratus est cum mercatore M[r] Bunelli, ut paecuniam et omnia alia bona cum ipso mercatore acciperet.

Die 12 Junii 1730 venit ex Bagdad P. F. Emmanuel a

Sancto Alberto Provicarius Apostolicus natione Gallus ex Burgundia, uno mense moram fecit apud nos, et die 7 Julii discessit cum Bergantino supracitato versus Pontigeri, pro aliquo negotio pro Missione Bagdad, seu pro stabiliendo aliquo mercatore Gallo ex Societate Indiarum in Bagdad, quod ut impossibile reputavi, ut tale, inane fuit eius iter.

Mense Julii die 18. 1730 Epistolas accepi a Nostro Vicario Provinciali P. Urbano a S. Eliseo ex Ispaan, ut transmitterem meum Socium P. F. Thomam Aquinatem Ispaan versus prima data occasione omnimodo. Et interim quod cogitaveram de hoc, enim die 4 Augusti eiusdem anni venerunt ex Ispaan F. Ferdinandus a S. Theresia, et Mr Consul de Gardan, et eius frater capitaneus quos collocavimus in nostra domo coram Janua Domus nostrae; unde advento dicto nostro fratre Ferdinando, novam Epistolam accepi, ut mitterem P. Thomam Aquinatam, propter fuit occasio aliquorum Armenorum euntium Ispaan, et sic die 9 Augusti ipsum expedivi cum aliquibus paecuniae subsidiis, quod revera aegre tuli remanendi pro secunda vice solus in hac Residentia, et non solum pro meae mortis paericulo, sed etiam pro paericulo amissionis domus et Ecclesiae sicuti ex retroactis historiis videri potest, quod duabus vicibus perdita fuit Ecclesia, ex eo quod cum unus solus Pater esset, morte praeventus, Domus, et Ecclesia, amissa est, qua pro recuperanda retroscriptae Historiae difficultatem cantant, sic videant successores non sic de facili istam domum praecipue uno solo Religioso relinquere. Verum est quia spes erat, ut adveniret Bassoram Mr Barnaba Episcopus Julfae, qui postea mortuus est Sciras post sex menses, et etiam mihi scripserat Noster Vicarius Provincialis meo arbitrio si voluissem retinere dictum F. Ferdinandum usque donec, cui voluntatem Nostri Vicarii significavi, sed primo contentus, in se postea reversus, cum Romam versus missus erat a Nostro Vicario Provinciali cum Patentibus, ut subsidia nostra inde peteret, et si fieri posset aliquas eleemosinas obtinere, hinc et F. Ferdinandus et ego opere pretio duximus, suum iter quam citius posse sequi. Unde die *29* Septembris 1730 discessit Bagdad versus via Ella cum societate Mr Consul Galli eiusque fratris, et cum ipsis Mattuk filius Aslan Bassorensis cum uno Armeno nomine Gregorio ex Julfa, optimus moribus, nosterque Benefactor, qui mihi promisit Charitatis amore conducere dictum Mattuk usque Venetias suis propriis expensis, ut sic Mattuk paecunia nihil minueretur, sed augmentur potius videret, et revera ita fecit.

Remansi igitur solus expectans beatam spem alicuius socii usque ad diem secundum Aprilis *1731*, quo die adveniente Caravana ex Aleppo pervenit cum ipsa denuo R. P. Jo: Thoma a Cruce, quem cum Vicarius Provincialis Aleppi misisset Vicarium Tripoli iussu Vicarii Nostri Generalis Bassoram redire conatus est contra suae propriae voluntatis gratiam.

Die 1 Maii 1731 advenit ex Bander Abbassi R. P. N. Vicarius Provincialis P. Urbanus a S. Eliseo Visitationis gratia pro secunda vice. Et die 25 Maii cum Navi Gallica, nomine S. Unione reversus est R. P. Emmanuel a S. Alberto Provicarius Apostolicus ex Pontigeri ; Mercator Navis erat Mr Fornier, et Capitaneus Mr S. Hiler, ipsos per octo dies honeste tractavi in nostra domo, extra Januam, et similiter in mensa expendi circiter centum piastras.

Die 4 Junii discessit Bagdad versus P. F. Emmanuel a S. Alberto : toto isto anno imminentibus bellis in Perside, non erat Cor nostrum carens timore, timebamus enim invasionem Persarum ex porte Avisa.

Mense Augusti *1731* adveniente ex Surat Turcica Nave, cum ipsa fuit unus Pater Franciscanus Henricus nomen eius, qui post fere duos menses morae in nostra domo iter petiit Bagdad.

Mense Decembris 1731 die 21. advenerunt e Roma mihi

Patentes Vicarii Provincialis a Rev. P. N. Generali P. F. Roberto a S. Anna : Mense Julii transacto laboravimus pro obtinendo ab Abdraiman Bascia, qui noviter venerat Gubernator Bassorae ut Galli solverent tria pro centum, quod factum fuit solvendo circiter duo millia piastras. Boiurdi (l. Buorrola) unum dedit quod registratum fuit in Judicio apud Cadi, ut deinceps nihil amplius solveretur a Gallis.

Sed tot inter labores, quis non cogitaret saltem verbis me remuneraturum esse, sicuti M[r] Lo . . or et consiliarii omnes Pontigeri aepistolis fecerunt, at aliqui aliis de causis nobis non bene affecti vocibus et scriptis contra fecerunt, Deus ipsis condonet, sicut et ego, attamen nihil in posterum facturum proposui, nec secularibus negotiis implicare, se caveant successores, quia mos secularium est de bonis operibus nos lapidare, et plus Deo confidere quam hominibus confidere discant.

Mense Januarii 1732 die 7 advenit ex nostro Legato Gallo ex Constantinopoli novum firmanum ex Magno Domino Rege Turcarum, ut Galli solverent secundum Capitulationes tria pro centum, nec aliter, sicque confirmatum fuit quod supra actum fuerat paecunia, et dictum firmanum registratum invenitur in Mekame seu Judicis tribunali.

Die 20 Maii venit ex Bagdad R. P. Joseph Maria a Jesu, qui cum anno antecedenti unam emisisset Domum pro nova fundatione cum permissione Hamed Bascia, postea quadam persecutione sequuta contra Bagdad Christianos, qui solverunt quatuor millia piastras ratione unius Ecclesiae, quam Armeni accidenter fabricarunt prope Moschetam (quae ab ipsis ordine Bascia ablata fuit), Chaia igitur obligavit dictum Patrem Joseph discedere e Bagdad, sic venit Bassorae, ibique relinquens duos nostros Religiosos, nempe P. Antoninum a S. Dionisio ex Lilla et P. Jo: Dominicum a S. Rosa Romanum cum fratre donato f. Augustino a Purificatione Neapolitano, et medico, qui tres missi fuerant pro missionibus Persidis, unde ex Bagdad tentarunt iter Ispaan versus, et cum fuissent prope Karmascia, redierunt metu militiae Tomas Colican Generalis Militiae Persidis, qui disponebat assedium Bagdad.

Die 22 Junii ad nos pervenit R. P. Jo: Dominicus a S. Rosa ex Bagdad, qui Breve Pontificium habebat praesentandi causa Regi Persarum pro bono Nostrarum Missionum Perside degentium : hoc ego audito scripsi nostris Patribus Persidis, qui responderunt nullius esse profectus tale Breve, immo motivum turbationis cum alias cum omni pace tunc missionariorum officium explebant, talem responsionem Romam misi, sic cum Brevi in pectore remansit R. P. Jo: Dominicus usque donec necesse erat ipsum praesentare.

Die 29 Junii eiusdem anni 1732 venit ex Bander Abbassi R. P. Jo. Joseph a S. Antonio noster missionarius cum nave Anglica, nomine Femm, sic sex Patres fuimus per aliquot menses in hac Ecclesia salve cantantes, dictus Pater meo ordine per aliquot menses moratus est Bander Abbasi pro consolatione illorum Christianorum. Hoc tempore caepit Civitas Bassorensis ex nostris et Persia venientibus pavere militiam Tomas Colican, alii dicentes venturum esse ex Avisa, alii quod capta Civitate Babilonense, Bassoram accipere facillimum erat.

Die 28 Augusti *1732* discessit R. P. Urbanus a S. Eliseo, et Reverendus P. Jo: Dominicus a S. Rosa primus ivit Residentiam Aspahensem (e Roma responsum accepi non posse Ex Vicarium Provincialem officio functum sibi eligere Residentiam, sicut ex Provincialis in sua Provincia), secundum ego misi Sciras in socium R. P. Cirilli a Visitatione eius Residentiae Vicarii : tale iter fecerunt cum nave Anglica, nomine Sechses, Capitaneus Mr Cuke, usque Bascer.

Die 23 Septembris 1732 advenit ex Bagdad f. Augustinus a Purificatione Neapolitanus, et medicus, ut ipsum pro aliqua Residentia inservienda determinarem, remansit nobiscum usque donec Bassorae.

Et die 13 Octobris iter fecit R. P. Joseph Maria a Jesu Bagdad versus via Ella, ut suam novam fundationem stabiliret. Et die 17 Decembris misi P. Jo: Joseph a S. Antonio Bander Abbassi pro fundanda illa missione, discessit cum eadem Nave Anglica, la Femm.

Anno Domini 1733 die 7 Januarii advenit R. P. Antoninus a S. Dionisio ex Lilla ex Civitate Bagdad noster missionarius pro Perside, quem conventualem constitui Bassorae Residentiae : isto eodem die Tomas Colican Generale Militiae Persidis assediare caepit Bagdad ex parte Percisae [*sic*], et mense Februarii cum auxilio Principis Arabum Benilam transportavit flumen, et Persae cum Turcis bellum habuerunt, cum quibus erant aliqui Arabes cum Eben Mane, sed Turcae perditores aufugerunt sicque Tomas colican cum suo exercitu Dominus fuit illius partis Bagdad ; unde assedium fortius evenit.

Post aliquot dies porrexit pars exercitus Persarum, et accepit Ella cum ingenti provisione tritici et ordei ; Hoc tempore non parum timore abrepti sumus, alii timebant Arabes venturos ex Ella cum Persis, aliique dicebant venturos esse Persas ex parte Maris pro capienda Bassora, hinc omnes cives ad arma porrexerunt manus, quibus accincti expectabant flagitium ac Bassorae destructionem.

Interim Ali Aga Muzellem cum Capitaneo Bascia curam civitatis habebat, simul cum Sciek Annes ; In fine Februarii advenit ex Surat Navis Anglica Cuius Capitaneus erat Giamson, aliquam laetitiam adduxit Europeis adventus istius navis : sicque per totum mensem Martii timebatur valde, et nos quotidie parati eramus abscondere bona Ecclesiae et Domus.

Die 2 Aprilis 1733 erat quinta feria maior, sera audivimus tumultum in Civitate, En, dicebant Arabes Emir Taa sunt prope civitatem, terror et tremor fuit omnibus horribilis, vidimus Muzzellem adire nocturno tempore ad portas Civitatis Bab Arabat. Mane facto sextae feriae maioris abscondimus multa vasa argentea et Ecclesiae vestimenta, et post occasum solis laboravimus abscondere reliqua bona Domus usque ad decimam horam noctis, vere talis dies Passionis fuit : hinc in partim reliquimus Ecclesiae Caeremonias.

Die Sabbati Sancti ex Ordine Muzzellem congregati sunt omnes cum armis pro Custodia Civitatis, Nostri Christiani ex Bassora Bagdad, aliique exteri habuerunt pro duce Jacob Amirgion, et Armeni ex Julfa pro duce Cogia Gaspar, ex Ordine Gubernatoris, sive Muzzellem, sicque unusquisque cum vexillo et armis se congregaverunt ante Palatium Muzzellem, quo salutato, laxatis rotis schlopetorum, ad parietes Civitatis custodiendas iverunt, quod similiter et omnes Turcae fecerunt, ascendebat numerus fere octo millia, ne improviso tempore Arabes civitatem intrarent, unde non parum cum tristitia Festa Paschalia celebravimus.

Die 17 Aprilis valde mane audivimus Arabes Emir Taa advenisse prope Januam Civitatis Bab Arabat, unde omnes qui redierunt a Vigilia noctis occurrerunt, et nihil invenientes de hoc redire conati sunt ad dormiendum.

In fine Aprilis 1733 caeperunt venire naves ex Bengalla, et Prima fuit una Anglica, postea una Gallica nomine l'unione, Capitaneus M[r] Buorrolan, tertia Anglica nomine . . . fragat, quae remanserunt cum suis mercibus, quae nec vendere nec descendere potuerunt pro timore.

Isto tempore nonnisi mendacia audiebantur. Persae dicebant cecidisse Babel, Turcae dicebant advenisse exercitum Turcarum, et prope esse libertatem Bagdad tot inter timores et angustias : ivit Capitan[eus] Bascia et Corna versus cum triremibus, ut Arabes Emir Taa cum Persis impediret, ne Corna acciperent taliter adoperatus est Capitan[eus] Bascia, fecit ut Emir Taa incideret manus Eben Mane ; ita fuit ; quippe quod die 2 Julii Emir Taa adivit locum Eben Mane cum intentione ipsum iugulandi, sed Eben Mane sollicitior fuit, et antequam responsum salutis daret, suis iussit ligari, quo executo et audito a militibus Emir Taa in fugam positi sunt, unde transmisit Eben Mane dictum Emir Taa ligatum ad triremes Capitañ Bascia, qui Corna morabatur, qui Capitañ Bascia sequenti die cum nepote Eben Mane, et aliquibus ex militibus Bassoram misit; hinc die 3[a] Julii mane magno tumultu audito vidimus supra mulum ligatum Emir Taa, ducentes ipsum ad Chaia sive Muzzellem, quem ad carceres misit, et compedes ipsi poni iussit; per quinque dies examinarunt pluries, et de complicibus rebellionis eum interrogarunt, cogitabatur paecunia posse liberari. Sed Sciek Annes sollicitabat eius mortem ex parte Eben Mane, unde die 9 Julii *1733* in meridie executa fuit sententia Muzzellem, quae iubebat mori impalatum, sic e carceribus ductus fuit die supradicto cum multitudine Populi, et militum ad Plateam Saimar, palum coram ipso Emir Taa iuvenes portantes, et loco a Carnifice designato, supra terram se poni iussit, quo facto Carnifex palum fundamento Emir Taa apposuit et verberans, exire palum viderunt sub gula, et paulo post mortuus est magna cum ignominia, quo mortuo palum elevaverunt et plantatum reliquerunt per aliquot dies. Eodem die deliberata remansit Civitas, et omnes iussu Muzzellem reliquerunt custodire civitatem, quippe quod ablato e medio Emir Taa, nullus timor remanebat: et sic omnes aliquantulum quiete vivere caeperunt, et nos aliqua supellectilia abscondita extraximus.

Die 16 Julii advenit tristis novitas ex Bander Abbassi, nempe quod mortuus fuerat R. P. Joannes Joseph a S. Antonio natione Gallus (vestitus in Perside) die 2 Aprilis *1733* febre maligna, ego ipsum miseram Bander Abbassi die 17 Decembris 1732 ut domum unam emeret, et illam missionem stabiliret, sed Dei voluntas exequta [*sic*] fuit.

Isto tempore suspensi manebamus de assedio Bagdad nihil scientes, sed aliqui dicebant exercitum Turcicum vicisse Tomas Colican exercitum et liberatam fuisse Bagdad, sed tot inter mendacia hoc etiam non credebatur. Sed verum fuit quippe quod die 16 Augusti *1733* advenit unus Aga ex Bagdad cum firmano Hamed Bascia Babilonis, qui etiam hoc tempore gubernium Bassorae habebat; igitur publice lectum fuit firmanum quo legebatur. Topal Osman Bascia exercitus Turcarum Generalem, post novem horas sanguinolentis Belli debellasse exercitum Persarum cum Generali Tomas Colican, et qui remanserunt fugam arripuerunt cum Tomas Colican Karmascia versus, et Turcae tormenta bellica Persarum cum reliquiis, et captivos multos acceperunt; Sicque apertae sunt Portae Civitatis Babilonis, et liberata fuit ab assedio Tomas Colican *17 Julii 1733*. Unde maxima laetitia facta fuit Bassorae talia notitia habita salutantes et resalutantes bellicis tormentis, ne dum civitatis, sed et Navium omnium Europeorum, quae in magno flumine anchora tenebantur.

Et die *18 Augusti* pervenit Muzzellem novus missus ab Hamed Bascia pro gubernio Bassore cum firmano alio confirmante primum, et denuo laetitia, et tormenta bellica victoriae vocem dederunt contra Persas.

Quae passa sunt Bagdad tempore assedii incomprensibilia sunt, pervenit mamna [*sic*] tritici usque ad *200* piastras, nec inveniebatur, comederunt omnes mulos, camelos asinos, et equos, solum duo equi remanserunt pro Hamed Bascia, canes et feles, mures, et similes immundas bestias, et coria simul comederunt pre fame, et alii etiam infantes aliquos comestos esse dixerunt; Hamed Bascia quidquid auri et argenti in suo Thesauro erat in paecuniam coniare curavit, ipsam militibus dispensam ne vim facerent aperiendi Januas Civitatis Persis propter angustias et famem quam patiebantur.

Habita igitur victoria paulatim caepit triticum meliori praetio vendi, sicut et caetera victualia. habita igitur certitudine victoriae supradictae, omnia quae abscondita erant, nos et reliqui omnes ex Bassora extraxerunt propriis manibus. Et mercatores, sic Europei, quam orientales mercatores e navibus ad domos transportare caeperunt, incipientes contractus facere, et iter eundi Bagdad, et redeundi apertum fecit mercatoribus.

Die *23 Septembris 1733* advenit e Moka Navis una Portughensis cum vexillo Gallico, eius Capitaneus et Mercator Mr Mascell Gallus cum cafe et zaccharo candito.

Die 2 Octobris mortuus est Ali Aga, qui tempore assedii fuerat Muzzellem Bassorae : et die *8* Octobris venit novus Muzzellem ex Bagdad, a Bascia constitutus Gubernator Bassorae.

* * * * * *

Successores sciunt me nunquam habitualem licentiam comedendi lacticinia die quartae et sextae feriae dedisse alicui, neque extraneis neque Bassorae morantibus, sed pro uniuscuiusque necessitate favere ipsis potius attendi, quam negare, misericordiam potius secutus quam Justitiam : Insuper nunquam permissionem dedi eundi Catholicos Ecclesias Schismaticorum : sic gubernium igitur animarum et Domus curam habui pro viribus, qui remanet sua unusquisque prudentia regulari potest.

Die 23 Octobris 1733 constitutus fuit a me Vicarius huius domus R. P. Antoninus a S. Dionisio Gallo Belgicus. Ego autem iter arripui die *26* Octobris Bander Abbassi versus, simul cum fratre Augustino a Purificatione, pro una domo ibi stabilienda ad Dei Gloriam, proximorumque salutem quod Deus acceptare dignetur. Amen.

TRANSLATION

JESUS MARY

List of the Religious who were Superiors in this Residence from 1623 (the year of its foundation) to the present day, February 1, 1685-1733

ON the 30th of April, in the year of our Lord 1623, Reverendus Pater Frater Basilius of St. Francis arrived here, having been sent by our Spanish congregation, who began the foundation of this our Residence of Santa Maria de Remediis at Bassora (Basra), and was its administrator to the end of January 1636.

The reverend fathers of the order of St. Augustine, on hearing that our Religious had started a mission here, also thought of doing the same, and for this purpose sent from Ispahan R. P. F. Nicolaus Lorretti. He arrived on the 3rd of July in the same year (1623), and was hospitably received by our above-named Religious, and was still staying in hired apartments until he could rent a house of his own. He did not celebrate mass there, however, but came every day to us to do so, up to the 2nd of December in the same year, when he passed to a better life. On the 4th of February in the following year of our Lord 1624, two other Religious of the order of St. Augustine, R. P. F. John a Sanctis, and R. P. F. Joseph of the Presentation, landed at this port. They had been sent from Goa in order that they might found a congregation here, without knowing that in the preceding year the above-mentioned R. P. Nicolaus had been sent from Ispahan, whom God had called to himself on the 2nd of December 1623. These two fathers were also hospitably received by us until they rented a house.

But because our father Basilius found great inconvenience in living in a hired house, at the end of March 1624 he bought the house in which we now live and celebrated the first mass in it on Easter day in the same year ; but as it was still too small, by the providence of God he also bought the adjacent house which belonged to one of the pasha's wives.

The Religious of the order of St. Augustine also built a church in a quarter of the city named Seimar, and dwelt there until the Portuguese destroyed Maskatti (Muscat), and then the Augustinian Religious who was there left Bassora and went to Goa.

At the beginning of January, in the year of our Lord 1625, R. P. F. Eugenius of St. Benedict, visitor general, arrived here. Whether he visited the Residence is not clear from the records, and after a stay of twenty days he set out for the Indies.

On the 31st of October, in the year of our Lord 1635, R. P. F. James of St. Teresa, visitor general, visited this Residence.

R. P. F. Stephen of Jesus was vicar of this house from the beginning of February 1636 to the end of July 1640.

On the 24th of September, in the year of our Lord 1636, R. P. F. James of St. Teresa, provincial vicar of Persia and the Indies, visited this Residence of Bassora.

On the 30th of March, in the year of our Lord 1639, R. P. F. Charles of Jesus Mary, visitor general, sent by our R. P. general Philip of St. James, visited this Residence.

R. P. F. Basilius of St. Francis was a second time vicar of this Residence from the beginning of August 1640 to the end of February 1641.

R. P. F. Leander of the Resurrection was vicar from the beginning of March 1641 to the end of July of the same year.

R. P. F. Ignatius of Jesus was vicar of this Residence to the end of August 1649.

On the 31st of October, in the year of our Lord 1641, R. P. F. Dominicus of Santa Maria visited this Residence, commissioned by the R. P. F. Dominicus of Christ, provincial vicar of Persia and the Indies.

On the 15th of December, in the year of our Lord 1646, R. P. F. Stephen of Jesus, visitor general for our reverend father, general P. F. Eugenius of St. Benedict, visited this Residence.

At the end of August, in the year of our Lord 1649, R. P. F. Dominicus of St. Nicolaus, vicar general, visited this Residence.

R. P. Felix of St. Anthony was vicar of this Residence from the beginning of September 1649 to the end of January 1654, when he was appointed provincial vicar of our missions in Persia and the Indies.

R. P. F. Barnabas of St. Charles was vicar of this Residence from the beginning of February 1654 to the end of 1660.

On the 10th of March, in the year of our Lord 1660, R. P. F. Remundus (Raymond) of St. Margaret, visitor general for our reverend father Dominicus of the most Holy Trinity, prior general, visited this Residence.

About the end of 1660, P. F. Barnabas of St. Charles left, and in his stead P. F. Blasius of St. Barbara remained here, whether as vicar or president I do not know; it only appears from the records that at the beginning of 1666, R. P. N. Dionisius of Jesus was here as provincial vicar, who suffered much in the time of the wars, and was twice wounded in the stomach. This made him grievously ill, and he suffered greatly from the pains in his stomach until January 1673, when he fell asleep in the Lord at Port Congo. How he was wounded is evident from his own words; for he wrote with his own hand what follows below:

On the 7th of February, in the year of our Lord 1666, owing to certain traders and also in particular to a certain

Indian Christian who had undertaken the duty of liberator in opposition to the soldiery of Hassen pasha, general-in-chief of Bassora, our house at Bassora was ravaged by the soldiers who had been sent by him from the fort of Corna to check the rebels. The house was stripped of all its ecclesiastical and domestic furniture, some money also was taken, and one of us (the same P. F. Dionisius who wrote this) was twice beaten with a cudgel and with difficulty escaped, being wounded with a spear as was threatened.

The aforesaid Dionisius left towards the end of February 1667, leaving here only P. F. Angelus of St. Joseph until July 10th. On that day P. F. Severinus of St. Maurice arrived here as vicar, having been sent by the same R. P. F. Dionisius. He was vicar until the 10th of August 1670, on which day he passed into a better life.

During that period of wars and changes of government our Religious suffered many misfortunes, as will be seen below.

On the 19th of November, in the year of our Lord 1667, R. P. F. Severinus and P. F. Angelus of St. Joseph were obliged to flee towards Scirasium (Shiraz). Owing to the arrival of the Ottomans, Hassen pasha, having first evacuated and burnt the city, fled into Persia and thence to the Indies; the country being dominated by the Ottomans, Yahya, a kinsman of the above Hassen pasha, was appointed pasha, and by the terms of peace, fathers Severinus and Angelus returned from Persia, and arrived here on the 17th of July 1668.

The above Yahya pasha, in 1669, having been accused of rebellion before the Sultan, again collected an army against Bassora, Cara Mustafa pasha being appointed commander. When Yahya pasha heard of his approach, he fled with his Arabs, and our fathers also fled towards Bander Rik on the 6th of September 1669. When peace was made by Cara Mustafa pasha on the 17th of October, they returned.

Cara Mustafa governed the city for the sultan Mohammed

II (!) for three years. On his death he was succeeded in the government by Chelebi Hassan Pasha, who arrived here in the year of our Lord 1672, and governed until the month of September 1674, and was succeeded by Hussein pasha, who was a second time succeeded by the preceding Hassan pasha in August 1677, and again Hussein Pasha succeeded him in 1680, who governed the city up to the 1st of January 1683, on which day there entered it Ottoman Agha Mutesellim, that is, the precursor of Hussein's successor 'Abdurrahman Pasha, who made a solemn entry in February.

R. P. F. Severinus of St. Maurice, of the province of Lombardy, was accordingly vicar of this Residence, as we have said above, from July 10, 1667 to August 3, 1670, on which day God desired to bestow upon him the reward of the labours which he had patiently endured for him; for he was twice obliged to flee owing to the change of government, as said above.

Also, on the 23rd of October 1670, R. P. F. Francis of Jesus, of the province of Genoa, visitor general of missions for our very reverend Philip of the most Holy Trinity, died. It does not appear that he visited the Residence before he was visited by the Lord.

Also, on the 3rd of December in the same year R. F. Candidus of the Purification died, and thus the Residence remained in the hands of servants up to the 3rd of February 1671, on which day R. P. F. Jerome of Jesus Mary arrived, and was vicar there until the 11th of January 1674, when R. F. Agathangelus of St. Teresa brought to him the patents of vicar provincial of Persia and the Indies, and he, having made a visitation on the 17th of February, set out hence for Persia on the 23rd of February, in the same year 1674.

P. F. Tussanus of Jesus remained president from the said 23rd of February to the 14th of December in the same year 1674.

P. F. Agathangelus of St. Teresa, of the province of Aquitaine, was vicar here from the said 14th of December to the 1st of March 1678.

On the 6th of March 1678, R. P. F. John Baptista of St. Joseph, of the province of Lombardy, visitor general for R. P. Emanuel of Jesus Mary, prior general, visited this Residence.

R. P. F. Aurelius of St. Augustine, of the province of Germany, was vicar of this Residence from the 2nd of March 1678 to the 15th of October in the same year.

P. F. Agathangelus of St. Teresa, having returned from Persia, was again vicar of this Residence from the 15th of October 1678 to the 1st of February 1685, from which day P. F. Charles Hyacinth of St. Teresa was vicar, and P. F. Agathangelus, vicar provincial substitutus, went to Persia.

In 1680 R. P. F. Felicianus of St. Roche, of the province of Lombardy, prior to our convent at Goa, visited this Residence on the 6th of August for R. P. N. John Baptista, vicar provincial.

On the 21st of June 1684, R. P. F. Agnellus, the visitor general of the Immaculate Conception, visited this Residence for our very reverend father Charles of St. Bruno, who was general prior.

JESUS MARY

FOR many years no record was kept of the things which happened in that Residence of Bassora, or, if it was, has been lost, owing to wars and the flight of the Religious. and also in consequence of the death of some of the latter: three of them died in the year of our Lord 1670, and thus the Residence was deserted for several months, as will appear below. By divine favour, in this Chronicle will be recorded the things worthy of record which happened during the period from my arrival at the Residence, that is to say, from the 11th of January, in the year of our Lord 1674. This is the statement of me, brother Agathangelus of St. Teresa.

But I will here first note certain things which are evident from the book in which the patent of the deceased is recorded; for I have not been able to find anything concerning the rest.

On the 3rd of August, in the year of our Lord 1670, about midnight, R. P. F. Severinus of St. Maurice from Lodi, a 'professed' of the province of Lombardy, for thirty-seven years vicar of our church of Santa Maria de Remediis, rendered up his soul to God—a man who could say 'with those who hate peace I was pacific, when I spoke to them they wilfully attacked me'; a man of singular obedience, who never murmured against remaining at Bassora, although taught by seven years' experience that the air was most unhealthy for him, for which and for his remarkable patience, which could never be overcome even to the day of his death, he deserves to be exceedingly commended; whence even then he had on his lips those words of the Lord's prayer, Thy will be done. He was buried on the same day in our cemetery, *Haissah ben Mariam*, that is, Jesus son of Mary, underneath a palm tree in the middle of the cemetery. His bones were translated to our church on the 13th of August, in the year of our Lord 1680, and interred in the chapel of the most Holy Sacrament before the altar, on the Epistle side.

On the 23rd of October 1670, R. P. our visitor general, P. F. Francis of Jesus (of Genoa), having completed his visitation of Persia and the Indies, a man of the highest virtue and singular devotion towards the most blessed Virgin, passed to a better life. He died setting a striking example of patience and resignation to the divine will, and was buried in our cemetery, commonly called *Haissah ben Mariam*, where a certain memorial was erected to him.

This structure was a monument after the manner of his country, but since a similar structure is found over the bodies of other Christians, I could not distinguish his grave from the rest, and therefore did not translate his bones to the church.

After some weeks had passed, P. F. Joachim, socius and secretary of our father visitor above mentioned, of blessed memory, undertook a journey to Babylon to cross into Europe. This P. F. Candidus of the Purification remained in this Residence alone and sick until his death on the 3rd of December in the same year, 1670. Although for a month he had not had an opportunity of seeing a priest or any one else who could give clear and accurate testimony regarding his end, his previously proved virtue is sufficient evidence ; and since as a rule a man's end is such as the course of his life has been, one must piously and not without reason believe that he died with the same resignation to the divine will as he always showed during life ; in a brief space he crowded the work of a long time, serving this mission to the best of his ability, and in the second year after his arrival completed his ministry. He was buried on the same day in our abovementioned cemetery.

From that day, that is the 3rd of December, our Residence remained bereft of Religious to the 3rd of February 1671. On that day R. P. F. Hieronimus (Jerome) of Jesus Mary, professus of the province of Poland, landed here. Several years afterwards he was appointed our vicar provincial of Persia and the Indies, as related below.

During those two months in which the Residence was without any Religious, everything remained in the hands of a servant. After much had been wasted, he remitted the remaining into the hands of P. F. Hieronimus, who for three years, with the utmost carefulness and solicitude, managed the affairs of the mission as vicar, but because nothing was set down in writing during those three years, I will only add the narrative that I have heard of what happened in the month of October 1673. It is as follows:

In the above year and month a certain Frenchman, Bartholomée Laverdicre, who had arrived at this port for business, stabbed a certain Mohammedan, the janitor of a certain captain. For this he was imprisoned and was faced with the alternative of apostasizing or suffering capital punishment for his crime. But because, alas, in our days on such occasions there are found few to prefer death to apostasy, P. F. Hieronimus, as a vigilant pastor, did not give up his efforts until he had delivered that soul from the mouth of the lion, which he did by the help of God and by means of money, partly collected from our own small means and from charity, which he offered to the infidel judges. Thus he rescued one of the faithful from their hands, who on the day he was liberated, following the good advice of the father, went on board a ship and proceeded to the Indies, where he died some years afterwards in the confession of our true faith.

On the 11th of January 1674, I, brother Agathangelus of St. Teresa, professus of our province of Aquitania, by command of our superiors landed in this city, and brought to R. P. F. Hieronimus of Jesus Mary, then the vicar of this Residence, the patents of vicar provincial of Persia and the Indies. He immediately decided to remove to Persia on business connected with our missions, but before his departure he visited this Residence, on February 17th, and on the 24th went on board a ship for Bander Rik. He left P. F. Tussanus of Jesus, professus of the province of Paris, and P. F. Agathangelus of St. Teresa, of the province of Aquitania, and commended the mission to their care, without appointing any vicar.

These two missionaries by common consent fervently and with all their power were earnest in their care for the salvation of souls, and, finding in the book in which the names of those who are baptized are entered, the names of some hundreds of the sect of the Sabaeans; and also, finding in the record of those buried that not one of the said sect was buried among us, and seeing that very few attended church, they doubted and greatly wondered. Observe that it has been said that the Sabaeans are easily converted and as easily recant, but it would have been better to say that they are by no means converted but are very ready dissemblers. There is an erroneous opinion among them that the three or four drops of water in Christian baptism do not render null the immersion of the Sabaeans, which takes place in a river and as often as is desired; our form of matrimony and burial, however, transgresses their law; and therefore, from the time when our fathers came to Bassora, although they baptized many, they joined none together in marriage, except one who repudiated his aged Sabaean wife, in order to take to wife a young and beautiful Christian, as the result clearly showed. After she had accompanied him to the Indies with her daughter, who was married to a certain English captain, the Sabaean grumbled for several years, and at length, worn out by old age and mentally and physically blind, renounced the Christian faith and was baptized a second time among the Sabaeans, as will be set out below, in June 1679.

Also, a certain Christian secretly carried off a Sabaean girl or young woman, who, having been instructed in the Christian religion, and baptized by our Religious who were there at the time, was given to him in marriage. After her husband's death, being left in danger of apostasy, she was sent by our fathers in 1678 to Surat, where she married a Christian, and from that time continued in the faith, and they are the only two of that Sabaean sect whose marriage was celebrated here in our church at Bassora. Some also in India were married according to Christian custom, but on their return rejoined their original sect. Note that it is found in the records that some, after the celebration of marriage, ratified it in church in the superstitious fashion of the Sabaeans, but dissembled the fact of having done so, that they might secure the goodwill of the Religious.

As for Burial, we have hitherto buried none of them, because, although, when sick, to please the Religious they have confessed and taken the sacrament, yet before death they put on the *seven pieces of the funeral robe*, which are the sign of their profession of faith, and order their people to bury them at once, before the news of their death reaches the Religious.

It once happened (on the 19th of March 1667) that one of the said sect of Sabaeans, who in his illness had not warned the father who was then present, died within a few days and was buried in the manner above mentioned. When P. F. Angelus of St. Joseph heard of this, he informed the pasha of the fact, and on his authority he removed the body and buried it according to Christian rites, an incident which the Sabaeans will never forget. I myself, desirous of knowing whether he died a Christian or a Sabaean, asked Sheikh Yahya ben Sheikh Sem, who put on him the seven pieces of dress above mentioned before he died, and testified to me that he had done so when the sick man was in full possession of his senses and desired to be so dressed, thereby showing that he professed the Sabaean religion and wished to die in it.

Accordingly, the two new missionary fathers above mentioned, deploring such lukewarmness, immediately strove to the utmost to bring them to devotion (for they did not yet know the hypocrisy and dissimulation of that sect), and therefore, having obtained the names of those whom they found in the book as baptized, they invited them all to attend church, and began to preach to the rest that they should abandon their infidelity and embrace the true faith. In a few days our church was full of Christians (if one may so call them) and catechumens, and there was no Sabaean who did not say that he desired to be baptized ; but when informed that it was necessary first to leave the *terminus a quo* and then go on to the *terminus ad quem*, not a single one was found willing to quit the sect of the Sabaeans.

If the mission was fruitless as regards this sect, it was fertile in regard to various Christian sects, from which large numbers came practising all forms of Christian worship. Being converted they attend church and communicate, and we have very many families established, not to mention the numbers who visit the port for business purposes, and attend mass and sermons every Lord's Day.

In November of the same year 1674 R. P. Hieronimus of Jesus Mary, vicar provincial, appointed P. F. Agathangelus of St. Teresa, vicar of this our Residence, the letters patent of which he received on the 11th of December in the same year, which were read on the 14th.

In February 1675, Dominus Emanuel Rodriguez d'Aguyar, commercial Resident for Portugal in Port Congo, wrote to us asking us to buy one of the Georgian maidens whom the infidels by stealth carry off from their parents, and take into all Turkish districts to sell them. The above Resident wished to send her to his wife, who was living in Goa in the Indies.

It must be observed that among the Mohammedans there are very severe laws and penalties against those who sell such Christian girls. These penalties are most cruelly inflicted upon both buyers and sellers, whether the girls have abandoned the Christian faith or still adhere to it.

Notwithstanding these unjust laws, we rejoiced to have an opportunity of delivering one soul from the hands of the infidels, and we eagerly and voluntarily exposed ourselves to all those penalties, in order that we might bring back a soul for whom our Lord Jesus Christ died into the way of salvation. Accordingly we made an agreement with a Mohammedan captain (procurator) of a ship, that he should receive the girl on board on his own responsibility and take her to Port Congo; and we commissioned two other Mohammedans to select and purchase a girl. One was bought for 160 *scudos* and secretly put on board, and, when I asked her whether she adhered to the Christian faith, she replied that she had been *circumcised* by force without her consent, and most heartily thanked God that he had afforded her such an opportunity of saving herself. This answer afforded me the greatest consolation and I exhorted her not to think little of so great a favour, but to make good use of it. But the divine judgements are mysterious, and the ways inscrutable of him, who, while the ship was being visited before its departure as was customary, permitted the girl to be seen. The captain, being questioned, contrary to his promise disclosed the secret and revealed that the Religious were sending her to Christian countries; he also gave the name of the man who sold her and also accused two Mohammedans by whose agency she had been bought. They were immediately thrust into prison, and P. F. Agathangelus was summoned by the trade judge (? inspector) on the 8th April 1675. Being asked whether he had purchased any such girl, he answered that it was true that he had purchased the daughter of a Christian to send her back among her co-religionists. The aforesaid judge was somewhat surprised at such an answer, and went on to ask whether he was ignorant of their laws which forbade anything of the kind; the Religious answered that he was by no means ignorant of them, but also that he was well aware that no justly instituted law could prevent any one from freeing from captivity any of his own nation or faith whom he found in such a condition, and that if such a law was in force among them, it could only be carried out by force. To this the judge replied that the matter should be referred to the pasha, the governor of the province; and because the said P. F. Agathangelus spoke with considerable familiarity to the judge, he asked him to settle the matter satisfactorily, being afraid, and not without reason, on account of the laws above mentioned.

On the next day, the 9th of the month, the father vicar was summoned before the pasha vice-gerent; he was questioned by him in the same way as on the previous day, and having given the same answer he added these words: 'Nay Lord, we live in our provinces and in the same manner as in those where you have no jurisdiction; but let it be known to you that, if to-day we are judged favourably, there is a supreme judge who will decide justly between you and us.' The vice-gerent smiled and answered: 'The Religious are dear to us and we desire to settle this business amicably; according to our laws we cannot release the girl, but we will return the money; but if any one else except a Religious had been guilty of such an offence we should neither return the girl nor the money, but should extract a larger sum from him or even put him to death.' He then immediately ordered that the whole sum should be given back to us.

Meanwhile, the two Mohammedans who had been the agents of the purchase were kept in prison, expecting nothing but sentence of death. But the father vicar, not forgetting them, begged the vice-gerent (commonly called Kakiya) not to leave his act of grace incomplete, but to pardon those imprisoned as a personal favour. He raised the greatest difficulties, but in conclusion he said, 'You know how we esteem the Christian Religious and love to oblige them.' Thus the miserable and unhappy girl remained in captivity because, if the governor restored the money, he did not lose any profit, since he both received the girl for himself and the girl compelled the seller to repay the money.

In the same year 1675, a certain soldier of the Sultan, one of the janissaries, named Rom Mahamed, a native of the island of Zante and the son of a Greek Christian, had been taken captive when a youth by the Mohammedans, and for several years during his captivity remained a Christian. But after he had miserably sold his faith for freedom at Babylon, had then entered the janissaries, and at last became rich, he thought of building a palace. For this purpose he bought an old house adjacent to ours, and erected a superb building higher than our house and put in six large windows, two of which looked into our dining-room (solarium), while the four others commanded a view of our court; so that nothing could be said or done there without its being seen or heard from those windows. Brother Agathangelus, who was then seriously ill in bed, being informed of this, sent for the janissary, and asked him to be kind enough to shut the windows, otherwise he would be obliged to have recourse to law. The janissary dissembled and promised that he would willingly shut them; and by a more crafty pretence added that he had by no means forgotten how great reverence he was bound to feel for our church and the Religious; and that for this reason he in no way desired to inconvenience us and would shut the windows as soon as possible. But the greater reverence he pretended, the worse cunning he cherished in his heart, and after he had been several times admonished by the said father to close the windows, he kept on promising and never performing. At last the Religious sent some one to find out his intention regarding the matter and report to them; and he brought back the news that he had heard the janissary say that he would rather spend 15,000 scudos than shut one of the windows. When the Religious heard this, they informed the judge of the merchants, commonly called 'Sciabandar' (shah-bandar), who immediately promised that he would free them from such insult. But having been bribed by the said janissary, he exhorted us to be patient. We then had recourse to the judge of the city (kadhi), to the captain of the janissaries, to the vice-gerent of the pasha (kakie), and at last to the pasha himself; but not one of all these, since they also had been bribed, was willing to practise justice or to judge rightly; reckoning the gifts one by one, with which the aforesaid judges had been bribed by the janissary, we find that he spent more than 700 scudos.

The Religious, however, did not entirely lose hope, and having commended the matter to God remained silent for several days. At last it happened by divine providence that dominus Petrus Tabera, admiral of the Portuguese forces in the Persian Gulf, and dominus Emanuel Rodriguez d'Aguyar of the same nation, resident in Port Congo, wrote to us and informed us that in accordance with our request they had liberated two small ships belonging to the merchants of this city of Bassora, and in fact the two said vessels were set free and arrived at this port. When the pasha was informed of this by us, he immediately ordered the windows to be shut, and this was done; but the janissary only fastened them lightly with clay, intending after the pasha's departure to reopen them; but in order to provide a suitable remedy against so obvious a future danger, directly the windows were shut we built up a wall against the other wall and cells against the windows.

When we informed the pasha of the liberation of the vessels and again asked him to give us justice, we presented him with a silver ring with *petra melitae* (a stone commonly called serpent's eye), and thus, by means of a single ring and the orations of Paul, the poor Religious deprived the janissary of what he believed he had secured for himself by large sums of money.

On September 18th of the same year P. F. Cornelius of St. Cyprian, a Roman by profession and a professus of our Belgian religion, and a former missionary, put in at this port. Having been appointed procurator of our missions, he was on his way to the chapter general at Rome, but was very indisposed when he arrived, and on the sixth day after (the 24th) he gave up his spirit to his Creator. On that day about midnight he confessed his sins, at the sixth hour in the morning after mass we brought him the holy *Viaticum*, accompanied by all our Christians carrying lighted candles in their hands, and at the ninth hour we administered to him the holy supreme unction ; after he had received it, he immediately rendered up his soul to his Creator, to our very great edification, because during those few days he left us many examples of virtue. He was buried on the same day in our cemetery (*Haissa ben Mariam*) and his bones translated into the church on the 6th of May 1680, where they were deposited in the chapel of the Most Holy Sacrament near the Altar on the Gospel side.

On the 27th of December 1675 four of our Religious put in here : Pater Frater Celestinus of Saint Ludivina, a native of Holland and formerly a missionary of Mount Lebanon, who had also taught oriental languages for several years at Rome in our seminary Sampancratium (the College of St. Pancrazio) ; Pater Frater Bartholomew of the Holy Sacrament, a professus of Lombardy, who had also held the office of professor of debating at Sampancratium for several years ; Pater Frater Agnellus of the Immaculate Conception, also a professus of the province of Lombardy ; and Pater Frater Angelus Franciscus of St. Teresa, professus of the province of Pie[d]mont (Pedemontium) ; and a certain Syrian, a pupil of the propaganda, who acted as interpreter to our above-mentioned Religious, who were all on their way to Coccinum in Terra Malavarensis (Cochin in Malabar), to which place they were being sent by the holy congregation of the propaganda, in order to undertake the office of missionaries. It was known to us that their ship, owing to contrary winds, was still detained in the river at a considerable distance from the city; and the above-mentioned Religious, that the opportunity might not be lost of proceeding by that vessel to Surat, desired to hasten after the said ship, despising the consolations of hospitality and festivities. But because P. F. Celestinus was very advanced in years and greatly fatigued with the labour of the journey, it seemed advisable to them that he and P. F. Agnellus should wait here for a fresh opportunity and that the other two with the interpreter should go on board. Accordingly, after the midday meal, the vicar of this house hired a small vessel and took them down to the ship. After sailing throughout the night, on the morrow (December 28th) at sunrise they reached the ship, and saluted the owner, who was an Armenian Christian, and the captain, who was a Dutchman; both were very friendly to the vicar, who asked about taking the missionaries on board. The owner with great politeness let them go on board, and said to the vicar, 'Look for a place for them to sit, and as for their passage I freely give it them for nothing.' The vicar promptly went to the captain, who he felt sure would be equally obliging, since he was himself a European, and had been treated with considerable respect by the said father in the congregation at Bassora. But the father vicar was greatly astonished when he heard him answer that his cabin was very confined and could not accommodate them; being informed that a free passage was not asked for, but that payment would be made such as is usually made by foreigners, he could not be persuaded, until he saw that they had hired a small cabin resembling a chest, inside which one could sit while the other rested on the top, from another official of the ship ; he then said that if they would give him 100 abbassis (30 scudos) he would accommodate them in his own cabin. They immediately paid this sum and were admitted into his cabin.

But the two other missionaries, P. F. Celestinus and P. F. Agnellus, remained here until the 25th of January 1676, on which day they went on board a ship for Bandar Abbas, but not finding means of reaching Surat they proceeded towards Shiraz, &c.

In February 1676 P. F. Tussanus of Jesus went into Persia to be present at our chapter for the election of the prior of Spain ; and so brother Agathangelus of St. Teresa remained here alone until July 16th, on which day P. F. Angelus of St. Joseph, professus of the province of Aquitania, landed here.

During that period of five months various houses were broken into by night by robbers, people were killed, and goods stolen ; it is surprising that God did not protect them.

In the said month of February three Christians were thrown into prison for murder, not that they had committed the crime, but because they were found in the neighbourhood. After some days they were released by our mediation ; one of them, an Indian named Raymond, we sent into Persia with P. F. Tussanus, and another named Arakiel, an Armenian from Babylon, we took into our service, after which he embraced the Catholic faith.

In July 1676 three English ships put into this port, three young servants belonging to which, having been insulted by some Mohammedans, in turn insulted the Mohammedans and from words they came to blows ; whereupon more than fifty Mohammedans would have slain those three foreigners with stones and clubs, but they, having pulled the clubs out of the hands of the Mohammedans, smote them so vigorously, in spite of their superiority in numbers, that two were left as if dead, and the rest hastily took to flight. In consequence, those three English youths were taken to prison, and brother Agathangelus was immediately summoned by the Shah-bandar, who, when he was acquainted with what had happened, exhorted the young men not to be alarmed, and asked the Shah-bandar by whom they had been imprisoned to hand them over to him, promising that, if he found them guilty, he would make their captain duly chastise them. The Shah-bandar made excuses, saying that, if he set them free so soon, he would incur the hatred of the other Mohammedans, and possibly sedition might be excited, but told the vicar to come at a late hour and he would send them to him.

But the English captain, when he heard of the affair, asked the father not to make any further requests, saying that he desired to take them by force out of the hands of infidels. He accordingly sent to the Shah-bandar two of his men, who boldly demanded that he should release their servants; he, being offended at the manner of the demand, flatly refused, saying that he desired to punish them according to his own laws, which lay down that if a Christian strikes a Mohammedan, he must either be put to death or turn Mussulman. The English captain, offended by this answer, went on board his ship with his men and remained absent from the city for eight days; and when we were informed that the three young men were being daily solicited by the Mohammedans to embrace Islam, at one time by promises of honours and riches, at another by tempting them with women, we again approached the Shah-bandar and secured their liberation from his prison. We sent them with brother Angelus of St. Joseph on to the ship to the captain, who then returned to the city, and carried on his business.

Let us return to the janissary Rom Mahamed of whom we spoke in recording the events of the previous year. Greatly displeased at having been defeated by a few poor Religious, he daily pondered over their destruction, especially that of P. F. Agathangelus, whom we were told he had sworn to kill; on particular occasions he endeavoured to cause us anxiety, and every day we prayed God that he might be converted. At last, one day when he had insulted us afresh at mass, the father vicar recited a prayer which is inserted to be delivered against evildoers and persecutors. After mass, when leaving the church, he heard shouts in the janissary's house. The reason of this was that, owing to the mysterious judgement of God, his servants, armed with daggers, axes, and clubs, shut the door and attempted to kill him, and in fact they would have done so, had not another janissary come down from the roof and hurried to his assistance, and delivered him from the hands of his servants, after he had received nine dagger wounds. Knowing that no one in the city was well disposed towards him, he summoned us and humbly begged us to deign to help him, protesting that he regarded us as greater friends than any he had; we did not fail to recommend medicines to him which freed him from danger, and afterwards, when appointed Agha of the janissaries, he expressed great affection for us, at least outwardly, and we were neither insulted nor treated by him with hostility. This happened on Saturday, the 19th of December 1676; and I, brother Agathangelus who write these words, was the unworthy reciter at mass of the prayer above mentioned, and thanked Almighty God who liberated me from the hands of such an enemy by his infinite mercy.

Here, I must not omit to mention an incident which happened about the end of the same month of December 1676, in regard to a Christian named Balta. Although he had lived several years at Bassora, he would never make a practice of attending church, but on the contrary continued a decided opponent of the Catholic faith.

At length he was taken ill and died without having received the sacraments ; we were called upon to bury him, but I inquired whether he had desired us to visit him during his illness, to make confession and to show that he was a Christian at least at the end of his life, and when I found that this was by no means the case, but that he had died as he had lived, I refused to bury him, and when I was asked what should be done about him, I replied 'Let him be eaten by dogs'. Nevertheless, his body or corpse was carried off by some Mohammedans into our cemetery and there buried. But it seems that God willed to confirm my sentence, for on the third day after he was buried it was found that dogs had dragged his arm and shoulder out of the grave and eaten them. This was seen by all the Christian traders, who before their departure for the Indies according to their praiseworthy custom had repaired to the cemetery in order that they might pray for the dead man, and when they saw the grave still open and his mangled body they were greatly amazed ; but they were seized with greater terror when one of them named Agazar said, 'Behold, the servants of divine justice have carried out the sentence of the Vicar, who, when I asked him what was to be done in the case of such a man as the deceased, answered "Let him be eaten by dogs".'

In the same month of December 1676 a certain Armenian goldsmith named Cerkis had been ill for several months and had been visited by me a number of times. At length, when I saw that his life was in danger, I warned him that perhaps this was a warning from God that he should look after the safety of his soul and that if he professed himself truly a Catholic he would experience the mercy of God. Touched by these and similar words, he sent me away until the next day, when he declared that he embraced the Catholic faith, and that it was his desire that all his family should do the same. After he had made confession and had been refreshed by the most holy *Viaticum*, by the mercy of God the Eucharist proved also a temporal blessing to him, and he who had lain in bed for five months, on the fifth day after he had received the Sacrament, was restored to health and returned to his workshop.

The 6th of January 1677 according to the eastern rite (but according to our rite of the Latin Church the 16th) was approaching, on which day the Armenians celebrate at one and the same time the festivals of the Nativity of our Lord and Epiphany (which festivals they combined in one at the Council of Tvin) in order to profess the single nature in Christ, which solemnity they call in their own tongue Cacciacivran, on account of the blessing of the water in which the cross is immersed, for which reason it is called the Solemnity of the Immersion or Baptism of the Cross. On the day preceding that festival it was proposed in the house of Cerkis that a ram should be sacrificed as victim, whether or not this was according to the superstitious Armenian custom. It seemed advisable to them that the father should be consulted and his opinion heard; and when I heard of the proposal, I expounded to them at length how that such a ceremony was superstitious, Jewish, and foreign to the usages of the Catholic church. All accordingly agreed that such sacrifice should not be offered, but after I had gone out a certain Sirak, a kinsman of Cerkis, rose up and said in a loud voice that the father was a *frangi*, i.e. European, but that they themselves were Armenians, and that the ancient ceremony should not be omitted on account of what he said. He brought his hearers over to his side; they immolated the victim and invited a number of different people to eat its flesh. Among them was a certain apostate who for several years had denied the Christian religion and had gone over from the Armenians to the Mohammedans; this apostate after eating the ram's flesh stabbed Sirak six times with a dagger, and thus he who persuaded the others to sacrifice the victim was himself a victim of the devil.

Observe that when I admonished them not to perform the said sacrifice I also admonished them to attend the sacrifice of the mass, and, after they had received the divine benediction, to celebrate the festival and rejoice in the Lord. They promised to do so, but as they had despised my first counsel, so they did the second, and at the time when mass was being said in the church they were occupied in eating the flesh of the sacrificed ram, which was followed, in place of the benediction, by the sacrificing of him who urged them to the sacrifice.

Observe also that I had over and over again advised the said Sirak to see to his own salvation and attend church, but he refused to listen to me.

A few days before the festival of the Nativity of our Lord according to our Roman rite, that is, about twenty-five days before he himself was put to death, I purposely sent a servant to him and in our cell spoke much with him concerning his salvation; but seeing him so lukewarm and far removed from the true faith of a Catholic, at last I said to him, 'And let this be the last time that I shall warn you, but have a care for yourself, and have a fear of neglecting God.'

On the 23rd of May 1677 R. P. N. John Baptist of St. Joseph, professus of the province of Lombardy, landed at this city, having been sent by our higher superiors as visitor general and vicar provincial of Persia and the Indies; also P. F. Elias of St. Albert of the province of Valona, and P. F. Fortunatus of the province of Cilicia, and P. F. Caetanus of St. Michael of the province of Venice. But because they did not arrive before the celebration of the general chapter, R. P. N. the visitor did not read his patents, nor although pressed to do so would he accept the position; a month later with two of his companions he proceeded on his way to Shiraz, while P. F. Fortunatus remained here until November, when he removed to Persia by leave of our reverend father vicar provincial, being unable to become accustomed to the air of the climate which he found was injurious to his discourse.

On the day of ashes (Ash Wednesday), that is, February 23rd 1678, R. P. N. John Baptist of St. Joseph, visitor general of our missions, landed here, bringing with him two Religious from Persia, to wit, P. F. Aurelius of St. Augustine, professus of the province of Germany, and P. F. Tussanus of Jesus, professus of the province of Paris; the first of them he appointed vicar of this residence on the 1st of March, and made the second his companion. He gave patents to P. F. Angelus of St. Joseph by commission of our higher superiors that he might return to his own province of Aquitania. He set out after the Paschal solemnity, and because our church threatened to tumble down owing to age, R. P. N. the visitor gave the said P. F. Angelus a letter signed by himself and the fathers of this Residence to the Marquis Charles Francis de Nointel, ambassador at Constantinople of the most Christian King of France, that he might obtain permission for the restoration of our church from the Sultan, and accordingly R. P. N. the visitor instructed P. F. Angelus to journey by way of Constantinople to attend to the matter in question, with what success I will, with God's help, describe farther on.

The reverend P. N. visitor general visited the Residence on the 6th of March 1678, and set out on the 21st to return to Persia. He took with him P. F. Agathangelus of St. Teresa, to whom he gave patents that he should transfer himself to our congregation at Ispahan. They reached Shiraz on the 27th of April, where R. P. N. the visitor wished the said P. F. Agathangelus to stop and not to continue his journey to Ispahan. But on the 10th of September he instructed him to return to Bassora and gave him letters patent to exercise his former office of vicar of this Residence; to P. F. Aurelius he wrote ordering him to go to Goa in the Indies.

About the end of July in this year a certain Indian Catholic sailor, by name . . . was killed by his captain on an English vessel and thrown into the water. The circumstances of the case were the following. The sailor above mentioned had confessed on the Lord's Day and received the most holy Eucharist in our church. He then looked for a ship, in which he found work as a carpenter. As soon as he went on board, he was asked by the captain, who was a heretic, where he came from, when he replied that he had come from church; the captain, filled with rage and fury, smote him with a sword above the shoulder and in the middle of his head and flung him into the river; this makes it probable that he killed the sailor solely from hatred of the Catholic faith, although he falsely laid to his charge that he had intended to give him poison to drink. When our Religious heard of this they sought diligently to find his body in order to give it honourable burial; but nothing else was discovered, except that for several days it had been seen in the river carried hither and thither by the tide, and that then some Mohammedans had seen it washed up on to an island.

The Religious did not wish to accuse the captain before the infidels, because they would without doubt have compelled him to become a Mohammedan. At that time there was in the city a certain French surgeon named Antoine Petit, a native of St. Bonet le Chatel in the Segusiances

(Forest), in the diocese of Lyons, who, being highly indignant that an innocent man had been so wickedly murdered, spoke too freely about it. When the murderer heard of this, he resolved to take vengeance on the surgeon or to prevent him from saying any more. A suitable opportunity occurred for carrying out the intended deed, when, on August the 24th 1678, a certain Dutch ship's captain gave a banquet, not on account of the festival of the holy apostle Bartholomew, in the celebration of which holy church rejoices on that day, but to celebrate his own birthday. He invited all the Europeans who were then at Bassora, including our Religious, who excused themselves, not wishing to attend such a banquet; for it is not the custom among Catholics to celebrate their birthday with banquets, since, according to Eccles. VII. 1–2 'the day of death is better than the day of birth, and it is better to go to the house of mourning than to the house of banqueting'. The excuse of the Religious having been accepted, they proceeded to the place of the banquet near the river Kobar, an old fortress named Gordelan. When the above Antoine Petit lay sleeping here after the meal, the English heretic, who had a grudge against him for the reason mentioned above, placed a cushion over the mouth of the sleeper and sitting upon it for some time almost suffocated him; he then got up, shouting 'Now he has gone', and the innocent man from that time appeared in agony and immediately expired. Thus, as the birthday feast of the impious Herod was an opportunity for a justly blamed and incestuous woman of avenging herself and at the same time the occasion of the death of the holy forerunner of the Lord, so also the birthday banquet of a heretic was an opportunity for a justly blamed murderer of avenging himself and at the same time the occasion of the death of an innocent Catholic.

But since both these deeds or rather murders had been

perpetrated during my absence, and on my return from Persia the said English ship had left, I did not see that captain, nor could I find any one belonging to the ship, so that I could obtain authentic evidence of the first deed; but, in regard to the second, although no Catholic was present there, we obtained testimony from the following: Simon Nega, Dutch ship's captain and Lutheran, and Meki, son of Bassorus, a Mohammedan living in this city of Bassora. Evidence was given in the presence of us—P. F. Tussanus of Jesus and brother Agathangelus of St. Teresa—that the facts were as I have written above.

About the end of December 1678 a certain woman of the sect of the Sabaeans fell sick. Her husband had embraced the Christian religion, and when the woman was grievously ill the blessed Virgin appeared to her in a dream carrying the child Jesus in her arms and with a severe countenance rebuked her, saying, why dost not thou also, my daughter, profess the religion which thy husband professes?

When she awoke she told the dream to her husband who informed me of the facts on the same day. Taking advantage of the opportunity, I admonished her of the summons of God to the Christian religion; she promised me that she would embrace the said true religion, adding that, if I were willing to baptize her, she would be ready to undergo it. But because the followers of that sect are ready dissemblers and few really embrace religion, I told her that when she had recovered I would instruct her in those things that are necessary for salvation. A few days later, her health was restored by God, but forgetting her good intention she refused to hear the doctrine of Christ; after I had admonished her several times, at length I solemnly warned her to beware of the punishment of God, and the issue showed that I was right. For about the end of January in the following year, 1679, on a certain day she went to bed late in perfect health, and on the following day she was found suffocated by an invisible power and the just judgement of God.

On the 20th of January 1679 four of our Discalced Carmelite Religious Missionaries landed at the port of Bassora, to wit, P. F. Aegidius of St. Teresa of the province of Avignon, P. F. Peter Paul of St. Francis of the province of Naples, P. F. Amandus of St. Elias of the province of Germany, and brother Cyril of St. Mary Magdalen, a professed of the Roman province; two of them, P. F. Aegidius and brother Cyril, remained here by order of our reverend father the vicar provincial, while the other two set out from here on the 4th of February to transfer themselves to Cochin in the Indies.

On the 24th of January 1679 we called the Sabaeans together to our hospice, both those already baptized and those who were not, in order to find out whether there was any hope of the true conversion both of those who dissembled although baptized and of those who were not baptized. The reason for calling them together was that, since their dissimulation in religious matters was a matter of experience and well authenticated, we had considerable scruples in regard to administering the sacraments to such a brood; even our fathers of old had such scruples, as is clear from the book containing the list of those who were baptized, in which it is found written in the year of our Lord 1624, in the following terms:

'For some time now we no longer baptize any Christians from St. John, since it appears to us a matter of evident scruple, as they remain in the power of their parents who are pagans, and know not how to observe the law of Christ, our Lord.'

Nor in the book is any one mentioned as having been baptized from that year 1624 until 1655, when they again began to baptize them. For this reason when a large number came to an hospice, on the appointed day and at the appointed hour, in the presence of P. F. Aegidius, P. F. Tussanus, P. F. Peter Paul, and P. F. Amandus, I, brother Agathangelus, asked them whether they had recognized the true Christian Catholic religion. They with one consent replied that they had, and that some of them who were present had been baptized, and that their entire sect would be baptized, on the following conditions :

(1) If the pope would send them an annual sum, to pay the tribute which the Mohammedans demand from them every year, or would obtain complete remission from such tribute from the Sultan.

(2) If, in addition to Christian baptism, they were to be at liberty to baptize and rebaptize themselves as often as they wished according to their own custom.

(3) If they were allowed to celebrate matrimony in their own fashion, and were not bound to give their daughters in marriage to Christians, nor were compelled to take wives themselves from the daughters of Christians.

(4) If they were allowed to bury their dead according to their ancient custom.

(5) If they were not obliged to eat the flesh of animals killed by Christians, Mohammedans, and others opposed to their sect, but were left free to eat only meat killed by their own ministers in their own fashion.

We answered that, as to the first condition, it was a matter that concerned the liberality of his holiness, that the last could readily be granted to them ; but as for the remaining three conditions they could by no means be granted, the reason being explained to them at length.

Those who had been baptized were then asked in particular why they by no means lived in the manner of Christians, but entirely in Sabaean fashion.

They answered that they always thought that, to be Catholics, it was enough to have been baptized in Church; and that afterwards they might be baptized and rebaptized, marry and be married, live according to their former custom, &c.

It was explained to them that by the true Divine law as it was known a man was by no means permitted to observe the ceremonies of a false rule, and that no one could become a Christian unless he first renounced the old rule.

To this the adults who had been baptized replied that they had by no means understood this and that, if they had they would never have allowed themselves to be baptized by the fathers; those who were under age and had been baptized said that they did not know what they were doing, and they absolutely desired to live and die as Sabaeans.

We were greatly amazed at these answers and greatly regretted that in previous years we had admitted many of the above-mentioned to the Sacraments of Confession and the Holy Eucharist.

However, we felt that on that account we ought not to cease from crying out and admonishing them, and teaching them the true and orthodox faith, which they seem to listen to kindly, and even if they are dissembling and their hearts are stopped up, missionaries ought not on that account to cease from doing their duty, although they ought to be cautious in the administration of the Sacraments. Therefore, from the time when we discovered such great unfaithfulness in that hard-necked sect, we baptized none except certain ones who were in danger of death, because in the last extremity it may probably be believed that they do not dissemble, although indeed experience has taught the contrary; for, as an exception, one of these whom we baptized when in the last extremity recovered and continued to live after the old fashion, and, when two years afterwards he again fell ill, before he died declared that he died a Sabaean and that he wished to be buried by Sabaeans but not by Christians.

When the 5th of June arrived, on which day or on one of the four days following, all the Sabaeans are bound to be baptized by their priest or minister (the five days being called Festum Penye), we set persons to watch to confirm whether a few of that sect who attended church were yet baptized, and found that all were baptized. They included the blind Habdelsaid who had been baptized at Rome and called Isidorus Pamphilius, who when he arrived here had repudiated an aged Sabaean woman, as we stated above, and took to wife a young Christian woman, and after she had gone to the Indies with her daughter who had married a European the blind old septuagenarian was greatly displeased that she had left him. Hearing of this I offered that, if he wished, we would bring about his wife's return that she might console him in his old age, but he refused: he was, however, led astray by his sons who promised him that, if he would again embrace the Sabaean rule, they would find him a wife. Led astray by their flatteries, on the 6th of June 1679 he was baptized by one of the Ministers or Sheikh of the Sabaeans, a foreigner, for the two ministers who usually live here refused to baptize him, saying that it was not lawful to baptize one who had repudiated a Sabaean and married a Christian with Christian rites. But the foreigner did not examine those difficulties and boldly baptized him; whereupon the other two, greatly displeased, suspended him from the office of baptizing, until an answer arrived from the *ganzebra* or higher minister, who replied that what was done was done, and that if he desired to enter his sect again he ought to be readmitted.

But his sons who perverted him (for he was thought to have been truly converted) did not remain unpunished by

God. In the same month of June the elder was captured by Mohammedans, on account of their having declared that he had tampered with the coinage; for three months he was kept in prison, and only liberated by means of an exorbitant sum in denarii, which the Mohammedans received from the Sabaeans. The second son came by a miserable death in October of the same year, and their sister, the only daughter of old Habdelsaid, died at the same time.

Since our church was in danger of falling down owing to its being very old, and the Mohammedans can only be persuaded with very great difficulty to allow Christian churches to be restored, P. F. Angelus of St. Joseph was sent to Constantinople (as said before) to endeavour to obtain from the Sultan a permit to rebuild it from the foundations, through the mediation of the most excellent Charles Francis de Nointel, the French Ambassador.

But we saw from the letters of the father that there was little hope of obtaining such a permit; indeed, father Angelus found another difficulty, namely, that we could not obtain a permit for restoring it without first having obtained one for founding it. His reason for apprehending such a difficulty was the fact that our church was founded while the city was under the rule of the Arabs, but when it had passed from the rule of the Arabs to that of the Hossemalians he thought that a new permit of foundation was necessary. Accordingly, instead of an authentic permit of restoration, he sent us an authentic instrument of foundation, I mean a special mandate from the Sultan for the foundation of this church of ours at Bassora, or for the protection of the same church already founded, thinking it for the present impossible, as is clear from his letters, to obtain a mandate or permit for the restoration of the church.

He also sent us another mandate from the Sultan, or a general privilege for all Carmelites and Capuchins living in the East under the rule of the Turks or visitors from foreign parts. Copies of both mandates and the interpretation of them are inserted below.

The mandate obtained from the Sultan, in particular for the foundation or for the protection of our church at Bassora of the Discalced Carmelites already founded, through the mediation of the most excellent Dominus Charles Francis Olier, Marquis de Nointel, ambassador of the most Christian King Louis XIII (!), to Mohammed IV, Sultan of the Turks in the year of our Lord 1679.

[*Here follows the Turkish copy of the mandate, occupying the remainder of f.* 46 *and the whole of f.* 47 *and up to the last line of f.* 48.]

The following is the interpretation of the above mandate:

Place of the noble inscription of
the name of the Sultan.

SULTAN MAHAMED
Son of Ebraim.

Venerable prince of princes, great and glorious of magnates, endowed with power and authority, well beloved and qualified by us and privileged by abundance of favours from the supreme ruler. . . . Of Bassora, our governor of governors (may his favourable fortune be perpetual!) and a model of judges and magistrates, a mine of virtue and eloquence. Our Kadhi, Judge, may his virtue be increased!

Since that excellent and noble document reached us, it will be manifest that the honourable Dominus Marquis de Nointel, a model of the princes of a most Christian nation, resident in our house of bliss, ambassador of the King of

France (and may his business be happily settled !) has presented before our sublime throne a memorial, notifying to us that certain European Religious, named Carmelites, wearing a white dress and dependants of France, have dwelt for a prescribed time at Bassora in their church and other possessions of theirs, whose occupation is the reading of the Gospel, or its interpretation to those who journey backwards and forwards to Bassora, or reside there for business, without having caused trouble to others, he therefore has asked us to give him a mandate that they be guarded and protected so that neither janissaries nor others should harass or molest them in any way nor demand anything from them ; and having examined the capitulations and found an article written and sealed in which it is said that the Churches of the French living at Smyrna, Said, Alexandria, and elsewhere should neither be molested nor prevented from reading the Gospel among themselves in their hospices ; I have ordered that it be done according to the august capitulations, and I order that this my mandate containing such orders, when it shall have arrived, be executed according to the capitulations, and that the Religious of the above order, dwelling in their church and other possessions in the city of Bassora, and reading the Gospel to merchants journeying backwards and forwards to Bassora or residing there, be protected and guarded, and that no one, whether janissary or any one else be permitted to harass or molest them, or to demand anything from them unjustly. Let whatever the blessed capitulations contain be done and let this my mandate be obeyed ; and when it has been read let it be left in their hands, and let it be faithfully observed and the noble superscription be believed. Written in the beginning of the month of Safar, in the year 1090, Adrianople.

In agreement with the original of the mandate worthy of

being followed, Sheikh Mahumed, son of Ahmed, poor in the presence of God, worthy of all praise, successor as judge in the guarded City of Galata, wrote this ; may he be forgiven !

(*Place for the seal of the Judge of Galata*)

The mandate of the Sultan in which it is ordered that all Carmelite Bishops and Capuchins dwelling in the East, or travelling, be protected, was made known by the most excellent Dominus Charles Francis, Marquis de Nointel, ambassador of the most Christian King Louis XIV to Mohammed IV, Sultan of the Turks, in the year of our Lord 1673.

[*Here follows Turkish copy of the mandate, occupying the remainder of f.* 51, *the whole of ff.* 52–4, *to the bottom of f.* 54, *on which begins the interpretation.*]

The following is the interpretation of the above mandate : Such is the sign of the illustrious family of the Ottomans rendered glorious by the acquisition of so many provinces, placed here by the most illustrious Keeper of the seals of the Sultan and his locum tenens or vizier, chosen for such an office, with the assistance of God. Since the ambassador of France, resident in our court of bliss, a model of Christian Princes the Marquis de Nointel (may his end be blessed !) transmitting a memorial to us has notified this and asked that the bishops and all the European Religious of whatever order dependant upon France, and who have dwelt from ancient times in our most vast empire, may be permitted to practise their rites, on condition that they do nothing involving any evil consequences ; and the more so because it is written in the capitulations that, in regard to the Religious of both the Capuchin and Carmelite orders, continually travelling over our empire, whether through Asia or Egypt, or other states, cities, or towns of our empire, or staying in those where they have consuls and churches—no one should have the right to oppose them or forbid them from freely practising their vain ceremonies and customs and that they should be free to preach and set forth the Christian doctrine. Already for a long time in an illustrious mandate we have forbidden any soldier or any janissary or any other person to harass the above-mentioned poor Religious, or to trouble them by demanding anything from them unjustly. Accordingly, since he has asked my Benevolence that, in conformity with the blessed capitulations, and our former illustrious mandates already given, I will communicate this illustrious mandate, that the above orders of Religious may neither be harassed nor troubled.

I have given him the present blessed sign full of glory and majesty, and I order that from this day both the above orders of Capuchins and Carmelites, in accordance with their ancient custom, whether travelling through Greece, Asia, and Egypt, or sojourning in the cities, states, and towns of our most vast empire, where they have consuls and churches, are to be permitted freely to practise their customs and the vain ceremonies of their religion, and have liberty to teach the Christian doctrine in their schools, provided they do nothing contrary to illustrious justice or likely to produce bad results; and that neither soldiers, janissaries, nor other civil law officials shall molest them or by tyranny or theft or in any other unjust manner demand or extort anything from them; and that the blessed capitulations may be executed and that our Sublime and imperial Sign may be obeyed, and any transgression of it be avoided and that it may be made clear to them that it is so, and they may not be excused on the ground of ignorance, and in order that the illustrious Sign placed above and written may be respected. In the year 1084 about the middle of the month Rebi'ul evvel at Adrianople the protected city.

This Sublime and Imperial Document is in agreement with the original; it was written by Abdallah, son of Kader, poor in the presence of God (whose name be praised!), judge in the protected city of Galata, whom God preserve!

Place for Seal
of the Judge of Galata.

Also P. F. Angelus of St. Joseph transmitted to us letters patent of the consul of France, by virtue of which Dominus Charles Francis Olier, Marquis de Nointel, ambassador of the King of France to the Sultan Mohammed, deigned to qualify him as vicar of this Residence; this appointment we did not accept but wrote to our Superiors about the matter, and we are awaiting their decision about acceptance. I have thought it expedient to insert a copy of those letters patent, which is as follows:

> Charles Francis Olier, Marquis de Nointel, Counsellor of State and parliament to the King, senator and ambassador of the same Sacred Majesty to the Ottoman Porte, greeting to all those who shall examine these presents.

The command of our most Christian King having been announced to us, in which his Sacred Majesty declared his desire that the capitulations should be mutually renewed between France and the Ottoman Porte, chiefly with the intention that the practice of the Catholic and Apostolic religion according to the ritual of the Roman church, might exist and flourish without let or hindrance, we accordingly applied and devoted ourselves to this task with the utmost zeal, not deviating a hair's breadth from the object of the royal mandate, however difficult, however hard such negotiation may at times have appeared to us, since it was absolutely suspect to the Turks and full of obscurities and trickery, so that for several years it was impossible to extort even the slightest concession; nevertheless, we overcame their resistance, or rather God, greatest and best furthered the aims of the King with effectual blessings, since they only tended to the glory of God, and we at length completed our task on the 5th of June 1673, on which day the authentic instrument (firman) of this new treaty, after all the said numerous difficulties, was handed to us signed and sealed by the hands of the supreme minister or grand vizier Ahmed Kiopruli. We most earnestly desired that the heritage of Jesus Christ our Lord, by the strength of a document of this kind, might rise again to its former splendour and recover the position of freedom which it had long and justly claimed. We further desired that the glory and beauty of Carmel, which constituted a distinguished and by no means small part of the holy places, should by no means be dimmed by the tyranny of the Arabs in the future. But if heaven did not favour our wishes we at least have this consolation that we have obtained by great efforts the insertion of certain articles concerning these precious records, especially in favour of all the most reverend ministers, to wit, the bishops, and also the missionaries of all orders serving the same holy places, and indeed, so to say, amplifying and extending them; truly these men, whose missions are spread everywhere around through all the highways and byways of this most vast empire, are striving tor estore the bloom of those decaying, as it were dead, sanctuaries, and to bring them to life again; since the heritage of Jesus Christ, watered by the blood of so great a redeemer himself, beautified by so many and so dire labours endured for the sake of the whole world, ought by no means to be confined to the regions of Judaea, Galilee, Egypt, Syria, and Palestine alone; for which reason, since alone the very reverend Discalced Carmelite fathers in a wonderful manner carry, make public, and spread the beauty and honour of Carmel to the extreme boundaries of this empire, that is to say, beyond the waste deserts of Arabia, also in its confines, namely at Bassora, and in the praefecture or principality of this city, we have considered it just and right that they also should participate and share in all the privileges and immunities, which the rest of the most reverend ministers of the Holy Land, namely the bishops, and also the reverend fathers of the order of St. Francis, of the society of Jesus, of St. Dominic, and others enjoy ; but further it was our intention and purpose that all opportunities and immunities should be bestowed upon and shared by them in the same manner as upon their Carmelite brothers residing at Aleppo or other places in Syria, so that for that reason we directed that the imperial diploma, mentioning by name the aforesaid reverend Carmelite fathers, should be conveyed to them. But since owing to the distance between the places they neither received the documents nor did our letter reach their hands, they deputed the very reverend father Angelus of St. Joseph of Toulouse to visit us. Having admirably made clear the needs of those same fathers and worthily fulfilling his mission with the greatest zeal and ability, he found us ardently desirous, under the auspices and protection of the most mighty King of France, to afford these most reverend fathers all hope and suitable assistance, and to establish them in such a position as to enable them to protect and cherish the subjects of his Sacred Majesty dwelling in the same city or prefecture, or travelling thither to and fro. But since up to the present time we had no consul to assist us in the celebrated emporium of the afore-mentioned city of Bassora, we thought it, not to say proper but even necessary to confer that dignity upon some person there. *For these reasons*, to the aforesaid reverend father Angelus of St. Joseph we have handed over, signed and sealed, the original instrument of the treaty or capitulations as between France and the

Ottoman Porte which was renewed on the 5th of June 1673, together with another authentic imperial diploma, so that, all these valid and authentic provisions having been handed over to the reverend fathers of the Discalced Carmelites at Bassora by the aforesaid P. Angelus of St. Joseph, they may freely and peacefully rejoice in them, make use of them, and enjoy them, both in regard to exemption from any taxes whatever or from other burdensome regulations of Mohammedan law, and also in regard to whatever immunities are directly or indirectly set forth and contained in the text of the same capitulations, whether they concern their dwellings, church, or their own persons, or the persons of interpreters or domestics or any subjects whatever of the most Christian King. That, further, with greater authority and facility they may receive and possess in perpetuity all these prerogatives and privileges under the favour of his aforesaid Sacred Majesty, and to the benefit of his subjects either carrying on business there or living there for any cause or reason, we appoint the very reverend father superior of the aforesaid reverend fathers of the Discalced Carmelites, of whatsoever nation he may be, or in his absence any one whom it may please them to put in his place, by the contents of these presents, to be consul for the French nation, both in the aforesaid city of Bassora and in its dependencies and possessions, and we desire that he be appointed and declare. We further enjoin that by the title and by the virtue of the said office all public instruments of the capitulations and other diplomas be inserted and inscribed in the list of the registers, and further be shown to the pasha or governor of the city, that, being deprived of the excuse of ignorance, he may be vigilant in the maintaining to the fullest extent the carrying out of all these mandates and imperial ordinances, for the sake both of the reverend Carmelite fathers and of the merchants, or for the benefit of other subjects of France, of whatever condition they may be. We further order and expressly enjoin and command all, both individual subjects of his most Christian Majesty, merchants, travellers, and any others whatsoever, that they recognize the aforesaid reverend father superior of the Carmelites as their consul, have recourse to his protection in their affairs, abide by his judgements, and in all things obey him, even though he should order them to take ship and return to their country, which indeed with his accustomed prudence when it shall seem good to him he shall order to be carried out, chiefly for quieting or taking precautions against disturbances or offences such as are often caused by certain vagabonds and indeed by certain inexperienced and hot-headed foreigners. We have therefore so decreed and ordered, with the intent that a strict and exact execution of the capitulations may be observed in places even more remote from Constantinople, both to the glory of the Christian religion, and to the glory and splendour of the King our lord, and to the benefit of the subjects of his said Majesty. And in order that full and unshaken belief may be given to these presents we have subscribed them with our own hand, confirmed by the seal of our insignia, and we have ordered them to be signed by the hand of our first secretary. Given at Constantinople and in our palace of the Vineyards at Pera, on the 27th of February 1679. Olier de Nointel ambassador of his most Christian Majesty to the Ottoman Porte . . . and, lower down, by command of the same most excellent Lord, De la Croix, Secretary.

Place for Seal.

Also the above P. F. Angelus of St. Joseph transmitted to us the capitulations agreed to between the King of France and the Ottoman Porte, by virtue of which the Religious of this Residence are entitled to enjoy all the privileges of the French consuls in the rest of the ports of Turkey. But as for the licence for restoring the church from the foundations which we were expecting, he wrote to us that he could not obtain it, as will be clear from the letter of the same father quoted below.

As for the difficulty which he apprehended, namely, in regard to the licence of the foundation of the church, it is to be noted that among the Mohammedans the prescriptive right of long possession is an inviolable law, and it is their custom that, in the provinces acquired by them, they receive a specific record of all possessions, dwellings, &c., one copy of which remains in the particular places, and another is sent to Constantinople, thus, when Bassora was acquired by the Ottomans, a record of our church was made in the book of the description of the city, and it was noted under the name of the church. Also in the seal or public instrument of the purchase of the house adjacent to our Hospice, on the western side, which Coagia Abdallah Raghiatti bought in the year of our Lord 1666, in the year 1077 of the Mohammedan era, in the description of the boundaries of the said house it is written on the east Kenisset, that is, Church. . . . There is also recorded under the name of the church in the seal the house of another person, our neighbour Dervish Hussein, in the Mohammedan year 1071, in the month El-Qa'de el Haram ; and these instruments, since they are written by the hand of the public judge, sufficiently prove that our church has really been a church from a prescribed period, and requires no licence for its foundation, but only for its restoration.

Accordingly, since we perceived that there was no hope of obtaining that licence from the curia of Constantinople, and were aware that the pasha of Bassora at the time was well disposed towards us, we thought that such an opportunity ought not to be neglected, especially as we had the licence required for the purpose from the Reverend Father

John Baptista of St. Joseph, visitor general, from whom, on my return from Persia, among other licences I asked for that particular one, in the following terms, secondly, that in case we obtain the licence from Constantinople to rebuild the church, it should be restored to its original height and constructed with a vault of baked bricks and plaster; and in case the licence does not arrive from Constantinople, or there is no hope of being able to procure it, we may risk erecting it when a favourable opportunity offers before it falls down completely, and below I grant the above licence: John Baptista of St. Joseph, visitor general. Shiraz, September 11th 1678.

Accordingly, on the 27th of March 1679, we presented to Hassan pasha the governor a petition in writing, that he would permit us to restore the church from the foundations. Further because we had no convenient place in which women could hear mass (for it was not customary for them to present themselves in the presence of men), they used to assemble in a certain chapel on the refectory side near the greater altar on the Gospel side, which is now the place where the most Holy Sacrament is kept. But this place was not large enough for them, and too inconvenient for us, because it was near the kitchen and refectory. In our petition we accordingly asked that we might be allowed to have a gallery above the door of the church. We wrote the petition in Turkish as is here set down.

Petition presented to the pasha of Bassora for a licence for the restoration of the church.

[*Here follows the supplication in Turkish.*]

The following is the interpretation:

O most liberal and blessed Lord, may your Excellency be preserved! From ancient times, and by the liberality of former pashas, a church was built in this city of Bassora; since it is now falling into ruins, we hope from your munificence that the said church may be rebuilt in agreement with its former bounds and limits, and further, that a gallery may be constructed above the door. In the Mahommedan year 1090. Your servant Frater Agathangelus.

We presented this petition on the 27th of March in the year of our Lord Jesus Christ 1679, as above said, by means of the twin brother of the said pasha and his *locum tenens*, who promised that he would be our advocate with his brother, and that he hoped to obtain the licence for restoring the church in accordance with its former limits, even though it is against his laws to grant such licences, which can only be granted by the Sultan. But as for the novel request, that is, the construction of a gallery, he could by no means allow that. To this we replied that if we had found favour in regard to our first petition, we should also find it in regard to the second; and in fact, through his mediation the pasha granted us both licences, as is evident in the subsequent document which we judged it not out of place to insert here.

> Licence granted by Hassan pasha of Bassora for rebuilding the church from the foundations and erecting a gallery above the door of the church. Place for Seal.

[*Here follows the licence in Turkish.*]

The following is the interpretation:

O most virtuous lord judge, may God increase your virtue! You must send a commissioner to examine the ancient boundaries or limits of the above church, and then you will give an authentic writing or licence for its being rebuilt in the ancient style. Let this be done quickly and thoroughly.

This licence or mandate of the pasha was granted to us on

the 3rd of May in the same year 1679; and on the same day we presented it to the judge (gadhi), that he might write for us an authentic and juridical licence, as he was ordered by the pasha, who immediately sent his *locum tenens*, who examined the limits of the old church and wrote to us saying: 'Well I will bring you the authentic licence, we have arranged workmen to pull down the old building.' However, we waited until the 7th of the month, when I went to a certain person, an influential friend of the judge, and asked him why he had not yet sent us the licence. He answered: 'I myself saw it signed and sealed, but he is only waiting for some money to be sent to him.' I was too fast in believing these words, and on the next day, that is the 8th of May, dedicated to the Miraculous Apparition of the Holy Archangel St. Michael, whom we chose as the patron Saint of our building, having celebrated mass we began the demolition of the old church, and sent some money to the judge; but we were greatly astonished when it was reported to us that the judge was unwilling to write the authentic licence, but we, thinking that, after the manner of the Mohammedans, he did this in order to get more money, offered him as much as thirty scudos. But he flatly declared that he would on no account give us such a licence. We then appealed to the pasha, who sent his friend to him, asking him not to raise such difficulties; but the judge answered that neither for the pasha nor for the whole world would he write such a licence against his own conscience and the laws of his sect. He further raised a fresh difficulty, namely, that the church was too near their mosque or place of worship; whereupon Hassan pasha, greatly angered by his answer, seeing that his licence given to us was thus treated with contempt by the gadhi and that his entreaties were a second time scorned, he greatly insulted him. He then exhorted us to wait a little while, saying, 'I have done what lay in my power; it is not expedient that I should use violence towards that impudent fellow. But I know that he will very soon be dismissed from office and I will obtain a juridical seal from the new gadhi.' But because the arrival of a new gadhi was doubtful and uncertain, and, even supposing he did come, it was doubtful whether he would be of the same mind as his predecessor or not, we took care to ask all the friends or acquaintances of the former gadhi to plead our cause with him, but he always remained inflexible.

But God, being unwilling that his house should remain pulled down, employed a remedy. He brought to us a new gadhi, who landed at this city on the 6th of June 1679, but we, being doubtful how he was disposed towards us, again asked the pasha that he would deign to send one of his friends on his behalf beforehand, who might dispose him kindly towards us. But the pasha himself desired so to dispose him, and did so. On the first day of the gadhi's arrival to salute him, the pasha thus addressed him: 'I greatly rejoice at your arrival and that the other gadhi has been dismissed; for he is an insolent and accursed dog, and is utterly unmannerly. I ordered him to write an authentic and juridical licence for rebuilding the church and further earnestly asked him to do this, but he neither attended to my orders nor requests.' The new gadhi answered: 'Whatever my lord pasha commands, I will willingly perform,' although he had already been got at and declared that, if his predecessor had refused to write the licence, he himself would do the same; but when he heard the pasha speak in such a manner of his predecessor, he said, 'What will become of me if I draw back? Let us accept the thirty scudos which were offered to the other and let us alter our laws a little.'

Having been informed of this, we sent him a statement of the measurements of the church which we drew up at his request, together with the gallery over the door; we also recorded the prescriptive right of the Church, so that there might not be any further doubt of the soundness of our claim. The gadhi himself, as we have reported, wrote an authentic licence for us and secured as witnesses six of the principal inhabitants of this city, as appears below.

> Authentic seal or licence of the gadhi or judge of the city of Bassora for rebuilding the church from the foundations, the ancient prescriptive right of the Church being also noted, &c.
>
> [*Here follows the inscription of the church in Arabic: f.* 76 *up to the last two lines of f.* 77.]

The pleading in the case according to the date of the document of the juridical licence, and the account of the measurement in this letter patent are as follows: The church was erected very long ago and when it was built, there were two cells, one on the right and the other on the left, and a gallery above the door. Its dimensions are: length 27 cubits, breadth 10 cubits, height 21 cubits; the site of the building is in the interior of the faithful city of Bassora near the bridge Elgorba, and in this church, it possesses the Carmelite fathers worship, and the European religions who go to and fro, and the rest of the Christian sects to all eternity. The building, which possesses the prescriptive right of age, since its walls were falling down, needed restoring from the foundations, and it is necessary that the restoration should be in accordance with the old model. For this reason its Religious who is now present, came to the place of our noble justice, and asked from the judge whose seal is set above this writing that licence for rebuilding. But he had before this presented a memorial concerning this to the lord of lords, venerable, greatest of magnates, most excellent of all men living, with best, perfect and manifest knowledge, director, our most illustrious lord Hassan pasha (whom may God direct in every blessing which he desires !), at present governor of the protected city of Bassora (which may God protect from all shame and harm and keep it in his hands in accordance with its former prosperity !), and may God perpetuate the continuation of the felicity of him who ordered the church to be rebuilt above the old foundations and their marks and traces and brought his mandate, that it might be inserted in the book of justice, to the present judge who on his part sent a commissioner, Hali Chelebi, to verify its limits, which he examined in the presence of several Mohammedans and verified in accordance with the dimensions indicated above, and further that the walls destroyed needed restoration. After he had borne witness he gave the document into the hands of the judge, which, as above, was as follows :

The Lord Judge has ordered the rebuilding of the above church according to the ancient plan, without addition or diminution, and wrote that juridical instrument and gave it into the hands of the rector of the church, who received it and will be able to use it and derive great assistance from it should necessity occur ; whereof the men of distinguished honour whose names are written below are witnesses. Given at Bassora in the beginning of the month *Jumad el evvel* in the year 1090 of the Mohammedan year.

<table>
<tr><td>Venerable
Hassan Agha
former
Shah-bandar</td><td>Venerable
Hajji Khalil
present
Shah-bandar</td><td>Hajji
Kassem

Semeri</td><td>Hedaie
Chelebi

Scribe</td><td>Hajji
Moussa

Surveyor.</td></tr>
</table>

The above-written authentic licence was granted to us on the 13th of June 1679, the day dedicated to the festival of St. Antony of Padua, to which saint, on the 1st of June, in the above difficulties and greatly afflicted, I hastened for help, and in particular promised him that until we were freed from those difficulties I would daily recite an antiphonic verse of his service and discourse; and it is especially worthy of note that, thanks to his prayers and merits, we joyfully celebrated his festival, since we received the long-desired licence, and on the 18th day of the same month of June we laid the first stone with the ceremonies of the church, which were solemnly performed by the reverend father John of the Trinity, of the holy order of St. Francis, who at the time was our guest.

We carried on the work of building most peacefully until the 10th of September in the same year, on which day, the blessing of the Church having been performed according to the custom of the Church, we solemnly celebrated the first mass; and on the 29th, on the dedication of the holy archangel Michael, whom as said above we had adopted as the patron Saint of the building, we placed the most holy Sacrament of the Eucharist in the ciborium (*tabernaculum*) in a little chapel unknown to the Mohammedans, in which henceforth it will be kept, with the help of God, with a lamp burning, for it is not seemly that it should be kept in the church itself owing to the multitude of Mohammedans, Sabaeans, Gentiles, and other infidels, to whom a visit to the church cannot be denied; for if the Mohammedans should see the ciborium, out of curiosity they would want to know and perhaps to see what was reserved there, and accordingly it is more seemly that it should be kept in a chapel unknown to them.

On the 23rd of July in the same year 1679, through the mercy of God we were delivered from total destruction by fire. It happened that on the said day, a certain Dutch sailor named Simon Nego came to us, and asked us to let him have a cell in the hospice in which he might be able to take medicine more conveniently, since he was in ill health. We granted his request, and at a late hour a physician administered to him some trifling medicines preparatory to the next day. At midnight the physician's servant knocked at the gate of the hospice ; and accordingly I sent a servant to see who it was and what he wanted. He brought the answer that the messenger wanted to know how the sick man was. I sent the answer that he was not so ill that it was necessary to knock at such an untimely hour as midnight, but nevertheless, said I, go yourself and see how he is, and take back the answer to the physician. A short time afterwards it appeared that the untimely knocking at the door was not due to the servant's indiscretion but was ordained by God. For, when the servant was going to visit the sick man, whose cell was above the refectory near the kitchen, he saw the latter completely on fire, and shouted out 'Fire!' We immediately rose and put it out, but if we had only delayed long enough to recite the Pater Noster twice, the flames would have reached the upper roof, and no means of extinguishing them would have remained.

Nor ought I in this place to keep silence about the following incident which happened about the end of that month of July. A certain English merchant, named Mr. Adams, had sent us some London cloth for making a dress ; but as it was not of our colour, we commissioned a certain Christian to sell it. This Christian, a few days afterwards, died, and a creditor carried off the cloth from his shop. When I came to know this, I asked him to return the cloth, but he refused. I accordingly went to the judge of merchants, who immediately sent a servant and summoned him to give an account of the matter. He refused to come, being a janissary and consequently puffed up with pride ; and when he heard of his pride and obstinacy the judge of the merchants advised me to hasten to the Kakiya or Governor's *locum tenens*, and inform him of the fact. After I had done this, he immediately summoned the janissary, who could not refuse to come, and ordered him to give us back the cloth. But when he was unwilling to do so, the Kakiya sent him to his captain to be punished, who in my presence bound him with iron chains. But the janissary appealed to a civil judge, and claimed that the dispute between us should be settled according to the laws. But before I went to the judge concerning his appeal, I informed the above-mentioned Kakiya, who said to me, 'Go to the judge, and inform us of the result.' We went to the judge, and after I had given him full information concerning the matter, he asked the janissary whether it was as I had stated; he replied that such was the case, but that he did not know whether the cloth belonged to me or another person; he only knew that the dead man owed him thirty-five scudos, as a compensation for which he took the cloth from his shop. The judge asked me whether I had any witnesses, to which I replied that when dealing with Christians we never had witnesses, and that, if that Christian were still living, there would be no litigation. Thereupon the Judge ordered me to swear that my statement was true, to which I answered that I, as a Religious, ought not to take an oath before any one but my Superior, and that no one else could oblige me to take an oath. The judex or gadhi, enraged at my reply, said: 'Rejoice in your privileges in your own country, but here, if you seek justice from me, you will take an oath before me, otherwise I will give up the cloth to your opponent.' To this I answered: 'Do what shall seem good to you; I will not take an oath before you neither for the cloth nor for the whole world.' Accordingly, he gave up the cloth to the janissary, and I, saying to him, 'The Lord hath given and the Lord hath taken away, blessed be the name of the Lord,' saluted him according to custom and departed. I then sent some one to the Kakiya to inform him of the result; and he, greatly enraged, asked whether the judge was ignorant that Christian Religious neither lie nor take an oath, but that Mohammedans are ready to take an oath and more ready to lie, and that he himself would rather believe one Religious than ten Mohammedans. 'Bring me that cloth at once,' he said; and, looking at it, he found in it the seal of him who had sent it to us and at once said, 'See whether that is the seal of the janissary,' and entrusted it to one of his friends who brought it into our Residence. This shows in what repute the Christian Religious are among the infidel Mohammedans.

On the 2nd of August 1679, P. F. Tussanus of Jesus by command of the reverend father our vicar provincial set out hence for Shiraz in Persia; and on the 17th of the same month and year Father F. Aegidius of St. Teresa passed to a better life. He had stayed in this Residence for seven months with the greatest resignation to the Divine Will and that of his Superiors; for, being in a delicate state of health, he could in no way become accustomed to the inclement weather of the city and was always ill disposed, and when the days of excessive heat arrived he daily became worse. Although the father vicar several times asked him to give up abstinence for a time and to eat meat, he was absolutely unwilling to do so; he took but a very little wine and so vigorously observed abstinence that he would not even drink water during the day except at meals. I have no doubt that this did him great harm, for the heat is so oppressive that it seems almost impossible to abstain for an hour from drinking water; although warned of this again and again, he persisted in adhering to the practice of his holy religion to the injury of his own health, until on the sacred day of the Assumption of the Virgin Mary, the sacred rite having been celebrated with the accustomed devotion, he was attacked by fever, and on the 17th day of the same month gave up his soul to God at the sixth hour of the morning and was buried in our cemetery commonly called *Haissa ben Mariam*, and from that day I the sinner, brother Agathangelus, remained alone in this Residence for two whole years.

I did not wish to bury the said father Aegidius, who had died in sanctity, in the church, because at the present moment it was being built, and if any rumour of this had arisen it might perhaps have delayed operations. I therefore buried him in the common cemetery, hoping at some time or other to remove his bones into the church, as we removed those of P. F. Severinus and P. F. Cornelius, who died here in sanctity, and buried them in the chapel of the most Holy Sacrament before the Altar in the year 1680, those of P. F. Cornelius on the 6th of May, which were buried on the Gospel side, and those of P. F. Severinus on the 13th of August, which were buried on the Epistle side.

We have said above that R. P. N. John Baptista, visitor general and vicar provincial had granted us permission to rebuild the church; but owing to the numerous occupations of the missions he had forgotten the concession of such a licence and on his return from the Indies he was greatly surprised when he heard that the church at Bassora had been rebuilt, and accordingly sent to us as visitor the reverend Father F. Felicianus of St. Roche, prior of our congregation at Goa, who at the time had arrived at port Bander Abbas for a meeting, in order to know by what licence the church had been restored. When I showed him the permit of our said reverend father, visitor general, placed above the church, in his benignity he deigned to request me to give him in writing the grant of such permit, and the reasons for which at the time we had began the restoration of the church; accordingly I wrote the declaration appended below, which was seen and examined by the reverend father prior of Goa our visitor; he approved of all we had done in the matter of the building, and deigned to subscribe the declaration by his own hand and to confirm it with his seal of office. It did not seem to me out of place to insert it here. It runs as follows :

> Declaration in which it is clear for what reasons and by what licence our church was rebuilt in the year of our Lord 1679.

Since it was doubtful whether P. F. Agathangelus of St. Teresa had rebuilt the church of our Residence at Bassora with due licence or not, which rebuilding he began on the 8th of May 1679, I, brother Felicianus of St. Roche, on behalf of our reverend P. F. John Baptista of St. Joseph, vicar provincial of the Discalced Carmelites of Persia and the Indies, visitor of this our Residence of Bassora, commissioned by the same father our vicar provincial, have carefully examined the matter, and have confirmed that the said P. F. Agathangelus of St. Teresa rebuilt the church with due permit and at a suitable time.

I found and read with my own eyes that, among other permits which the above-mentioned R. P. N. vicar provincial had granted to him at Shiraz, on the 11th of September 1678, and which the vicar provincial at that time visitor general had subscribed with his own hand, the present permit is inserted in the second place in these words : ‘ that in case we obtain the licence from Constantinople to rebuild the church, it should be restored to its original height and constructed with a vault of baked bricks and plaster ; and in case the licence does not arrive from Constantinople, or there is no hope of being able to procure it, we may risk erecting it when a favourable opportunity offers before it falls down completely.’ The subscription at the end is Frater Giovanni Batista di S. Guiseppe Visitator generalis.

Here is the permit of our reverend father visitor general.

Permission for rebuilding was not obtained at the court of Constantinople, nor was there even any hope of obtaining it, as will be clear below.

R. P. Angelus of St. Joseph wrote to the fathers of Bassora on the 13th of January 1679 from Constantinople, in the middle of his letter, in the following terms : I still hope to obtain the express mandate for our establishment in Bassora, without which there can be no talk of restoration nor of rebuilding the church from the foundations ; the ambassador has already sent a dragoman to the Porte for that, and, in fine, let your reverences be sure that all his excellency has done for us will not cost less than 4,000 or 5,000 piastres ; it rests with your excellencies to use it to the best advantage, &c.

Superscription of the letter : To the reverend Discalced Carmelite fathers, Bassora.

This letter was received at Bassora by the fathers on the 15th of March of the same year 1679, from which it is evident that our establishment was in a doubtful position and that the permission to rebuild the church was not obtained.

The said P. F. Angelus also wrote to P. F. Agathangelus from the port of Smyrna on the 25th of April 1679 in these terms : I have further obtained an authentic copy of the mandate of establishment of our fathers in all the quarters of Turkey ; I hope to find at Venice the special mandate for Bassora and for the establishment of the Consular church, without which one could not speak of the permission to restore the church, which in the case of the present vizier, who is a greedy tyrant, is a delicate request ; if, however, I had had fifty piastres I should have remained to the end to obtain it, and to make use of so worthy a Seigneur for an opportunity which in my opinion will not return. The example of the Maronites, who offer 10,000 piastres for opening a door to their church, following the example of the Capuchin fathers of Mosul, and who have not been able to do anything, notwithstanding their efforts, indeed, father Stephen still serves as physician to the captain pasha and also served him in the campaign against the Muscovites, are a clear proof of what I say. Lastly, what I have obtained is sufficient for all, but it would require a man such as your Reverence to know how to make use of it, &c.

Superscription of the letter: To the reverend father the most honoured P. F. Agathangelus of St. Teresa, Discalced Carmelite, Apostolic Missionary at Ispahan, or wherever he shall be.

Also the most excellent Dominus Francis Olier, Ambassador of the King of France to the Sultan of the Turks, wrote to the fathers at Bassora from Constantinople on the 11th of May 1679 in the following terms: R. P. Angelus departed on the 22nd of March, and I believe he is still at Tenedos because he is on board a Venetian vessel, which is waiting in this place for the escort of some republican warships. I have, however, written to this worthy father at Venice by land and my parcel will apparently wait for him some time in this city. I have addressed to him a general mandate for your mission at Bassora, ordering the pasha and gadhis to protect you, according to the capitulations of France with the Porte, and in order to show that I have forgotten nothing which might help and protect you, I have strongly recommended your interests to Ibrahim Bey, bearer of this letter, one of the equerries of the Grand Seigneur, who is now on his way to your quarters for the express purpose, and whose dead brother was pasha of Bassora.

Above the letter: To the reverend fathers of the Discalced Carmelites of the mission at Bassora.

The said ambassador also wrote to the same fathers of Bassora on the 15th of May 1679 from Constantinople in the following terms: My reverend fathers, here is the second letter that I write to you in the same way, my object being to inform you that Ibrahim Bey, bearer of these two dispatches, has assured me again that he will protect and assist you to the best of his power with the pasha, gadhis, and shah-bandar. His efforts will certainly have weight since he is going on important business, and if you make him a present, he may perhaps find means to procure for you the re-establishment of your church. The copy of the mandate which I address to you and your industry and diligence in profiting by the presence of the said Ibrahim will perhaps facilitate the carrying out of this very necessary undertaking. It is for you not to miss the opportunity, &c.

Superscription: To the R. R. PP. Discalced Carmelites of Bassora.

The above P. F. Angelus of St. Joseph also wrote from Smyrna on the 4th of June 1679 to the father vicar of Bassora in these terms: I have thought over the matter and have decided not to bring with me the documents relating to the house at Bassora from Venice; in order to avoid exposing them to the risks of the sea I am sending everything by the emir Khoja Armeno, effects of the deceased Agha Zeni, to Mr. L'Etoile in Ispahan to be all consigned to the hands of our fathers in Ispahan, who will send them from there to your reverence by safe conveyance; I only have the new express mandate obtained from the Grand Seigneur for the establishment of our church and house at Bassora, which, that is to say, the original, I will send from Venice, and in the meantime his excellency of France has already sent by the chamberlain of the Grand Seigneur named Ibrahim Agha an authentic copy of the said mandate; and with all these things and by giving notice of them to the pasha and gadhi and presenting them your reverence will easily be able to restore and rebuild the church when you think fit, &c.

Superscription of the letter: To the very reverend, most honourable father, the reverend father vicar of the Discalced Carmelites at Bassora.

From these letters which I have read, seen, and examined, it is evident that the licence for restoring the church from the foundations was by no means obtained from the court of Constantinople, but only a mandate for the foundation of the church, which was quite unnecessary, since the church had a prescriptive right and among the Turks such right is an inviolable law. It is therefore evident that the above P. F. Agathangelus of St. Teresa, vicar of this Residence of Bassora, behaved discreetly and rendered admirable service to religion as a whole, and in particular to this mission, because, as soon as he was informed that there was no hope of obtaining the licence for rebuilding the church from its foundations, he had recourse to the pasha and other officials of the city whom he found well disposed. Accordingly, he did not lose the opportunity, which perhaps would never have offered itself again, owing to the very strict laws of the Turks against the rebuilding of churches; and he in no way acted disobediently, since R. P. N. F. John Baptist, visitor general and vicar provincial, gave him permission in these words: 'and in case the licence does not arrive from Constantinople or there is no hope of being able to procure it, we may risk building it when a favourable opportunity offers, before it falls down completely.'

I also saw and found that it was necessary to rebuild from the foundations the cells which on either side of the church had fallen through owing to the intersection of the beams. He built a gallery conveniently situated in which women could hear the sacred service. Thus he did nothing superfluous or useless, but everything was done admirably with the purpose of benefiting this Residence. In proof whereof I have subscribed the present writing in my own name and have confirmed it with our seal of office. Done at Bassora this day the 6th of August 1680, and below, F. Felicianus of St. Roche, provincial visitor and prior of the congregation of Goa. Place for Seal.

The said reverend P. F. Felicianus of St. Roche, after his mission was finished, set out hence towards Congo on the 23rd of August of the said year 1680, to return to his congregation; to his own very great satisfaction and ours he visited this Residence and by a prudent regulation confirmed the practice of not giving wine to the seculars, who come to us for the sake of visiting the city. This custom had been introduced a year ago, that is, from the time when I, after the death of P. F. Aegidius F. M., remained here alone, and I hope that in future the said custom will endure to the greater peace and reverence of the Religious.

It was readily introduced because, when the Dutch are brought into association for the sake of business, they have certain customs among them, which they nowhere violate either on account of the Religious or seculars, however friendly they may be, and thus they are at once made aware that on their account we ought not to violate the laudable custom of our sacred religion, the custom of not drinking with seculars except at meals, unless necessity or politeness demands otherwise.

On the 6th of June 1680 we were summoned by the gadhi in reference to a little house which we have in another part of the street before our gate. It so happened that the brother of him who sold it to our former fathers, knowing that in time of war the authentic document of the purchase of this house would be lost or destroyed owing to the flight of the Religious, went to the gadhi on the 5th of June, requesting that he might take possession of his brother's house, saying the frangi or European fathers would unjustly take possession of it; and in order that his request might more readily be granted, he presented him with a flower after the manner of his country. To this the gadhi replied, ' We will summon the father to-morrow, and at once examine the matter.' The blessed God willed that a friend of ours at the time happened to be sitting with the gadhi, who received the flower and brought it to us informing us of what was going on, so that we had the time to inquire who were the witnesses of the purchase ; they were found to be two, an old man and an old woman, whom we informed about the matter, and admonished them, if they were summoned before the gadhi, to give true witness in accordance with what they knew to be the facts. And thus it happened ; for on the 6th being summoned by the gadhi and asked about the written document of the sale, I replied that it ought to be found among the records of the gadhi. But he replied that the old records had been lost in the flight of the Arabs when the Hossemalians seized the city. I answered that it was the same in regard to our written documents, but here (said I) there are witnesses present, who having been summoned have given evidence that the ancient fathers bought that house and fully paid for it.

Thus the claims of the other party were rejected and in order that no request of the kind might be made again, the gadhi gave us a fresh authentic document which we will here append, in order that if the document should be lost, a copy of it might be found here, &c.

> Authentic document of the gadhi of Bassora, from which it is evident that the little house on the other side of the street belongs to us. Place for Seal.

> [*Here follows copy of the deed in Arabic*, *f.* 100 *to within seven lines of foot of f.* 101.]

In that year 1680, in the month of July, a certain Armenian priest named Der Arakiel arrived here ; and seeing that the Christian Armenians were well disposed towards us, constant attendants at church, and that many of them at last Easter time had confessed and renounced their errors, he attempted to take them out of the way of orthodoxy which they had embraced. In fact, many who had not yet become sufficiently steadfast, at his instigation abandoned the faith of the church and followed him, who conducted them to his Mohammedan house and there celebrated mass, and refused to acknowledge the truth of the Catholic faith; and when he was unable to reply to their arguments he ended by saying that he would not abandon the opinions held by his forefathers, and if his predecessors went to hell for such opinions he was willing to go to hell with them. Thus our Christians were greatly perturbed and divided; for many desired to remain steadfast in the faith, while others abandoned it, being persuaded by the schismatic priest. This division lasted until January 1681, when the same schismatic priest, visiting all the houses of the Christians, tried to frighten them by declaring that the governor of the city had heard that certain Armenian Christians attended the church of the Franks, and wished them clearly to understand that they would be sent to prison and fined. But by the wise dispensation of God, who knows how to free believers from the snares of the devil, the matter turned out otherwise. For it happened that in the following night the very same priest who had predicted that our Christians ought to be arrested, was himself arrested and sent to prison by the Mohammedans, who asked him how it was that he had turned a Mohammedan house into a church. He was then set free by his followers by payment of a sum of money, but our Catholics, having experienced the protection of God, were more and more confirmed in the faith. The heretics with their priest remained without a church, and without mass, until the time of their removal, when the same priest conducted them to his Mohammedan house in the guise of merchants. Then, inflated with pride, he still endeavoured to frighten our Catholics, threatening that, if they persisted in coming to us, they would be excommunicated by their bishops. But on this occasion also the protection of God was not lacking to his faithful ones, because, before he had furnished the house, the priest himself was excommunicated by his bishop Vertabiette Agazar, who was then at Babylon and had been well informed of the actions and manner of life of his priest. The latter, however, did not come to his senses, but to the great disgust of all Christians and even of his own followers, celebrated mass, and performed the other functions of a priest.

In March–April 1681 a number of robbers were discovered and arrested whom the pasha made up his mind to exterminate. For this purpose, during those two months he executed by impaling as many as he could; among them was a Syrian Christian named 'Abdallah', a native of Merdia who had lived for some years at Bassora. He was arrested but they could not convict him of robbery, but only of having lent his boat to the robbers that they might cruise about the river. He was arrested on the 28th of March and on the 29th an offer was made to him that, if he wished to save his life, he must become a Mohammedan; if he refused, he should suffer the same punishment as many of the robbers to whom he was said to have afforded protection, that is, that he should be impaled. He replied that he would not forsake the law of God to save his life or to gain the whole world, that he was a Christian and wished to die a Christian, and that for the sake of a few years during which he might perhaps enjoy himself in this world he would not renounce eternal life. After he had twice and thrice firmly asserted this, the pasha sent the case to the gadhi, in order that, having heard the evidence, he might legally condemn him;

but nothing was proved before the gadhi, except that he had lent his boat to the men, not as if they had been robbers, but merely travellers. Wherefore the accused was not condemned to death; but when the pasha urged that he wished him to be put to death, the gadhi replied that the pasha during those days had put to death large numbers without his legal decision (for it is a custom among the Mohammedans that no one should be put to death unless the judge has previously given his assent) and that he had violated the custom of the Mohammedans; he could put Abdallah also to death, but decided that, supposing it was wished to crucify him, he should be strangled first, lest after he had been brought to the stake he should preach the Christian faith to the disgrace of the Mohammedan. On the 30th of March, Palm Sunday, after I had left the church on the conclusion of the ceremony, a certain Christian came and informed me that they were leading him away to execution; when I heard this, I hastened to the place of execution, where I arrived just at the time when they were lifting him up upon the gallows; but they had previously strangled him with a rope, and so I was unable to speak to him. But I hope that, although he was unable to confess, God bestowed mercy upon him, for he had not been convicted of any crime worthy of death, as we said above, and if he had been willing to recant, he would have saved himself from death. Hence it may be concluded that he was in a manner put to death for his faith, and I hope that in the sight of God his death will be regarded as precious.

In the month of June in this year I was so severely attacked by fever that I thought I had come to the end of my life. Being greatly distressed because, having no one to hear me, I saw myself dying without having made confession, on the 19th day of the month I asked one of our Christians to ask the chief Christians to visit me on the following day, in order that I might take the most Holy Sacrament in their presence, and that we might then shut up the more valuable goods in the sacristy and other cells, the keys of which should be kept until the arrival of the new Religious, in case I should die. But God disposed otherwise; for on the next day the fever left me and I began to recover, and to the great consolation of our Christians on the following Sunday I celebrated holy mass.

On the 5th of September 1681, P. F. Charles Hyacinthus of St. Teresa, professus of our religion, of the province of Lombardy, arrived here. He had been sent to us by our superiors that he might carry on the office of missionary. His unfortunate companion P. F. Clemens of St. John Baptist remained at Babylon, where he declared that he was a Jew and the son of a Jew, and fell back from the faith. While he was in the college of St. Pancrazio he altogether offended against religion, and when he had been sent back to his province of Cecilia, for several years under the false garb of virtue by his hypocrisy he deceived the superiors, who, thinking that he was truly converted and would win many souls for God, sent him on missions, but his intention was quite different, as the result showed.

On the 13th of the same month P. F. Philip of St. Francis Xavier, a professed Religious of ours from Goa, arrived here. He was sent to us by the reverend P. N. prior of Ispahan, and I was then greatly consoled because, after two years of loneliness, I obtained two companions from God; for on that day P. F. Clemens of the Ascension, a professed of Genoa, also arrived in order to sail hence for the Indies, which he did, going on board a French vessel, which set out for Surat on the 9th of October.

On the 22nd of December another missionary also arrived, namely, P. F. John Francis of St. Hermengild, professus of the province of Lombardy.

On the 6th of February in the year of our Lord 1682, after several days of violent south winds the waves rose to such an extent that the waters overflowed and broke in upon the city of Bassora on the desert side: all the gardens and public places round about the city were flooded, and had it not been for the numerous canals or aqueducts, which diverted the waters of the sea into the river, the whole city would have been overwhelmed; the waters of the river remained bitter (salt) for several days.

On the 14th of the same month two suns appeared in the morning, so alike that the true could only be distinguished from the false one from the place in which it appeared; this sight lasted for about two hours.

On the 17th of January 1682, Didacus Barreira, a native of Spain, who had married in the Indian island of Macao, and Antony Norrogna of Goa, both Catholic Christian merchants, arrived here, and were hospitably received by us for two days; until they hired a house adjacent to our place of assembly, we provided them with servants necessary to wait upon them. But they admitted one without our advice, and when we found this out, we advised them to dismiss him. He was a Sabaean born, but when he came to know the truth he was converted to the Christian religion, and was baptized by our Religious; but at last, having been caught stealing, he abandoned the Christian faith, and embraced Mohammedanism. His Sabaean name was Habdelseia, his Christian Joseph, his Mohammedan 'Abdallah'. They accordingly expelled him from their service in accordance with our advice, but after a short time took him back again. He attempted gradually to corrupt the other servants of those merchants, and in fact did corrupt one, and directed him into evil ways; in the end he led him to destruction by advising him to steal money from his master, and then to take refuge with the Mohammedans and divide the money. The unhappy man and wretched slave, listening to these counsels, stole a bag belonging to his master, containing money of this country to the value of about 100 Roman scudos, which he handed over to his detestable accomplice, and in the early morning of June the 22nd 1682 fled to the Governor's house, saying that he wished to become a Mohammedan. When we heard this, P. F. John Francis of St. Hermengild went with the above merchants to the shah-bandar (judge of the merchants), that with his aid he might succeed in bringing back the unhappy man from the way of evil, but in vain; for the devil had entered into his heart and blinded him with the stolen money. Being asked in the presence of the shah-bandar by the aforesaid father which religion he preferred, the Christian or Mohammedan, he replied that he was a Mohammedan. When P. F. John Francis heard this he snatched from his neck the crown of the blessed Virgin Mary which he had hitherto worn, and left that unhappy man cast back in outer darkness.

But after his master Didacus Barreira had returned home and examined his box and found that the money had been stolen, he returned to the shah-bandar. The latter, being informed of the theft, at first was wrongly of the opinion that the merchant was falsely accusing his lost servant, but changed his mind when, on the slave being asked what had become of the money he had taken from his master, he confessed that he had handed it over to his detestable director (or rather I should say perverter). The latter, having been summoned, at first asked and then demanded impunity and promised that he would restore the money. When the judge had promised him freedom from punishment, he went with the servant of the shah-bandar to his house and brought a bag with the entire sum of money dug up from the ground. Then the shah-bandar said: 'Truly the Europeans are truthful and do not know how to lie.' The shah-bandar also wished to pay Didacus Barreira the price of the servant, saying that he could not let him go, because according to their laws they cannot refuse to admit any one who desires to embrace their faith; Barreira nobly replied that he would not sell his servant to the Mohammedans, nor receive a price for him from them, but if they kept his servant, they should know that they were keeping him by force.

In June of the same year, 1682, some ships from Surat, coming to Bassora for purposes of trade, were held up in Port Congo by Portuguese troops; and because there was a danger that the Persians might take by force the tolls on the merchandise intended for Bassora, which might become an evil custom and detrimental to the city, to prevent this, the pasha of Bassora, Hussein pasha, sent for us and asked us to write to Dominus Rodriguez da Costa, commander of the Portuguese troops, that for the sake of good friendship and fellowship he would free the merchandise and merchants of Bassora from the annoyance of the Persians. Seeing that this was a difficult matter, I replied that a mere letter was not enough, but that it was necessary that some Religious should betake himself thither. I offered to go myself, if the pasha ordered; he answered that he was afraid I should be troubled by the heat and the inconveniences of the journey (for I was just recovering from a severe illness), but that it would be sufficient if I sent one of my companions with a letter. When I suggested this to the reverend P. F. John Francis of St. Hermengild he kindly undertook the task. We entrusted him with a letter to Dominus Rodriguez da Costa and the pasha sent another; a vessel was hired for him expressly and he set out for Congo on the 28th of July, where he safely arrived in a few days. He was kindly and honourably received by the commander, who from his natural goodness at once promised that he would do whatever he could for the advantage of Bassora for the sake of the Religious. On the third day after the father's arrival he sent him back, accompanied by Antonio Machiada da Beritto, who was to discuss the matter and establish certain capitulations with the Pasha of Bassora both to the honour of Christians and the benefit of the city, where they arrived on the 30th of August 1682. On the second day after their arrival (the 1st of September) we went to the pasha and presented him with the letter of Rodriguez da Costa in reply to his, in which he promised to release the ships, as soon as he had finished his business. The pasha apparently honourably received Antonio Machiada da Beritto, put a red robe upon him, and promised that he would do whatever was just, but that he desired to wait until the ships arrived, and until then he refused to see or hear the envoy. But when they did arrive, he would not listen to anything about the capitulations nor discuss them with the envoy, but only gave him a letter in answer to that of the commander, saying that whatever observations he had to make on such matters were contained in the letter. He then put a second red robe on the envoy, and sent him back on the 8th of November 1682.

On the 12th of August in the same year, a ship of a French society, by name *Le Vautour Coronné* put in here, with about sixty French Europeans on board. We went to meet them up the river, and amongst other pieces of advice which we gave the sailors, one of the most important was that none of them should stroll about the city by night. But, notwithstanding this, the ship's captain, Jacques Bordelay, born at Marena in Saintogne, on the 23rd of October, setting out somewhat late from our meeting, that is, about sunset, was unable to reach the ship before night. When night began to fall, he met some men near the river, who wounded him twice in the head, then in the shoulders, and stabbed him six times in the back with a dagger. We do not know whether they left him half-alive or dead; all we know is that on the following morning, having been informed of the murder of a Frenchman, we made our way to the scene with Charles Lamercandiere, the chief officer of the ship, and with the officials of justice. We found the body of the said Jacques Bordelay lying on his face, and holding in his right hand a towel to his face, his mouth and nose having bled a little.

The Mohammedan officials of justice at first had the effrontery to say that he had been killed in a quarrel with another Frenchman, without any proof than the fact that the wounds were seen to have been made with a European weapon. Before we referred the matter to the Governor, he had been taken up with this idea; but he changed his opinion when we pointed out to him that Europeans when quarrelling do not stab one another behind, but in front; it was concluded that he had first been smitten in the head by some Mohammedans, and thrown to the ground, where he was wounded by the daggers of the Turks as he lay prostrate. We did not find that anything had been taken from him except a European sword and an Indian stick with a silver handle; for he had in a wallet some silver coins, which they did not take. This caused considerable suspicion that the Mohammedans had purposely waited for him; for two days before, the shah-bandar had uttered threats owing to a certain lack of good feeling between himself and the captain of the ship. I heard of this, and, foreseeing some serious trouble, went to the aforesaid Lamercandiere, and earnestly begged him to put matters right; for the danger was evident and the reason of the ill feeling arose from him. But my efforts were in vain, nor would he listen to my advice; but it is greatly to be deplored that an innocent man, a really innocent man, paid the penalty; for he was a man of an excellent disposition, of few words, modest, and peacefully inclined, nor, during the two months in which I had dealings with him, did I observe any fault in him, or hear any one complaining of him. We buried him on the same day in our cemetery, commonly called *Haissa ben Mariam*, outside the city, nor could we ever discover who were his murderers.

In that year 1682, in the month of June, a certain young Frenchman, a native of Tours, put into this city. While fighting in the island of Crete for the Venetians, he had been taken prisoner by the Mohammedans and then by force and with great pain circumcised, and was at first admitted among the pasha's players of musical instruments, to which profession he belonged. Each month he received a salary; and when he heard that there were Christian Religious in the city, he came to our Residence to visit us. When we asked him whether he wished to rise again from his miserable condition, he replied that he did with all his heart; we promised him all the assistance needful to fulfil his good intention, but because he had entered the service of the pasha, and was very well liked by all, especially by a certain agha with whom he lived, we felt that there was considerable difficulty. We accordingly advised him to act cautiously and to wait until the pilgrims (hajji) set out for Mecca, when he should pretend that he wanted to go to Mecca, and on the day when the pilgrims left the city should come to us. So it was that on the 11th of November, the day dedicated to St. Martin, Bishop of Tours, on which the aforesaid hajji set out, who had been called together in very great numbers from Persia and other surrounding countries to undertake the pilgrimage, he took refuge with us and remained in hiding until the 18th of December, when we took him down at a late hour to the French ship, *Le Vautour Coronné*, in which he sailed on the 20th. During the whole time that he remained in our Residence he had leisure for spiritual exercises, and prepared himself for returning to the Christian faith by a general confession.

Nor was the divine assistance wanting in this, either as regards ourselves or the man himself. For when the agha with whom he lived found that he had suddenly joined the Cafile, he sent men to look for him and bring him back if they could find him. When they were unable to find him, the agha sent spies to French and English ships to examine them secretly. The pasha himself had no doubt that he was in hiding with us, but by divine providence would not allow our house to be visited.

It is a wonderful thing that on the very day on which that beater of drums by divine mercy went on board the ship and escaped the chains of the evil spirit, an Indian Christian, a player on the trumpet, who served the English, became intoxicated and in his drunken fit fell into the snares of the devil, saying in the presence of Mohammedans that he wished to embrace the law of Mohammed. He was at once taken to the pasha and made to profess the Mohammedan faith.

In the same year, in the month of the Mohammedan fast (Ramazan), we were informed that a certain Christian sailor had changed his dress and was walking about the city. We were told this by the Mohammedans themselves, who added that he had already promised to embrace the law of Mohammed. When we heard this, we immediately informed the captain of the ship, who prudently waited until the sailor returned to the ship and then arrested him and kept him for several days in chains, and would not give him permission to enter the city again, to guard against something worse happening.

I have not thought it out of place also to record here what happened at Bassora in October 1682, in regard to a certain young Jew, whose name was Joseph, son of Shiahin, when having been asked by a certain Mohammedan why he did not become a Mohammedan (observe that Mohammedans take to themselves the name Muslim, the meaning of which is, Resigned to God). Accordingly, the Mohammedans asked the young Jew why he did not become a Moslem, to which he replied, 'I have long been a Moslem.' The other immediately cried out, 'Witnesses, witnesses, he is a Moslem.' The young Jew was then taken to the gadhi, and when the latter wanted to force him to become a Mohammedan, he found him persistent in asserting that he believed himself to be a Moslem, that is, resigned to God in his own faith, by which he did not mean that he desired to abandon it. When the gadhi saw that he was so determined, he let him go free.

When the pasha heard of this, he accused the gadhi of not showing sufficient zeal for the Mohammedan faith, arrested the young man, and imprisoned him for several days, treating him at one time with promises, at another with threats, at another with flogging. He even threatened him with death to try his resolution, but he could not overthrow it, and at length he let him go free. The gadhi gave him an authentic document, showing that from the utterance of that expression, 'I am a Moslem', neither a Jew nor a Christian could be forced to embrace the Mohammedan faith and usages, unless he said, 'I renounce my Christian, or Jewish, faith'; but if they uttered the last expression, then according to Mohammedan laws they must either join their sect or be put to death.

Moreover, I have thought fit to insert here a copy of that authentic document, so that if it should happen (which may God forbid!) that the Mohammedans should intend to use compulsion against any Christian for similar expressions, as I myself have heard has happened several times, and that they have forced various persons to embrace their religion, they may have the assistance of this copy, the original of which is preserved in the city book of justice.

Further, in order that Christians, who worship God according to His true and holy law, may learn to be firm from the example of that infidel who, without any supernatural aid, but from the merely natural love of the observances of his fathers, was able to resist vehement promises, threats, and flogging, how much more ought a Christian to be steadfast, to whom divine aid and the Sacraments of Holy Church are never wanting. For this reason a translation of this legal instrument is set forth below.

[*Here follows copy of the ' Scripture ' in Arabic, which occupies ff.* 123–4. *But no translation is given as in other parts.*]

In June 1683 a certain Sabaean died, known among his people as Sahad and among us as Gonzalve de Souza. While still a young man he had been instructed in the faith by our former fathers, and baptized, and was at length sent to the Indies, where for thirty years and more he served in the Portuguese army, apparently living as a Christian, until, when he became an old man, he at last thought of returning to his own country, that he might more conveniently end his days there as a Sabaean. He accordingly came to Bassora in 1675 and always knew how to pretend in our presence so that we might think him to be a good Christian, until he was attacked by a fatal disease ; then, being again and again visited by us and exhorted to confess and perform the other duties of a Christian, he continually pretended that he would put it off to a convenient time, in this manner professing to be a Christian until there remained no hope of his getting up from his sick bed. When he saw that he no longer needed the temporal help of the Religious, he at last testified that he was not a Christian, but really a Sabaean and that he wished to die as one, in testimony whereof he bade one of those standing round to bring him a certain wallet, from which he drew out the crown of the Blessed Virgin Mary and threw it against us to show his contempt for our holy religion, and on the next day died persistent in his infidelity. We insert the record of this incident in order that those whom it may concern may see how careful they ought to be in regard to the conversion of those Sabaeans who impertinently assume the name of Christians of St. John in the presence of Europeans (but not among themselves), in order that they may the more easily deceive those who are too ready to believe them.

But if we have to deplore the narrative of the pretended faith and reprobate end of that Sabaean, it is a great consolation to us to narrate the story of another, a Mohammedan by birth, whose name among his own people was Joseph son of Mohammed.

To begin at the beginning, we ought to remark that on a certain day eight years ago or thereabouts, when I went to visit one of the great men of this city, I did not find him at home. However, finding his son with his teacher, who was expounding the Kor'an to him, I went up to them and, having saluted them in the usual manner, asked what book they were reading. The teacher immediately answered, 'Ketab Allah', that is, the book of God. To which I rejoined, 'If it is the book of God, what is the meaning of the statement in the chapter on the cow, that Mary the mother of Christ was the daughter of Amram and the sister of Moses and Aaron, since there was an interval of 1,500 and so many years between Moses and Christ'. Not knowing what to answer, he wondered. Whereupon I said to him, 'Think well of the answer, and, if you cannot discover it, come to me, and I will point out the mystery of this statement.' In a few days he came to me, frankly confessing that he did not understand it; wherefore, seizing the opportunity, I explained to him at length how such a statement was the result of the ignorance of the author of the book, just as from various other statements in the Kor'an, as malicious as ignorant, it is clear that the author of such a book could by no means be God. From that day, convinced of the false teaching of his sect, he zealously studied the doctrines of the Christian religion, and made such progress that he often said to me that, if I were willing to baptize him and to agree to his professing Christianity, he would fear neither the insults nor the persecutions of the Mohammedans; nay, that he was ready to die for the Christian faith, if necessity arose. Nor were opportunities lacking of proving his spirit. On one occasion he wrote a book for us; this became known to the Mohammedans, who stole it, and had we not heartily assisted him he would have been denounced. When I asked him, in the course of conversation, how he would have behaved if he had been brought before the judge, he replied that he would have confessed himself a servant of Christ even to death.

It also happened that in 1681, on the sixth day of the great week, on which the holy Church of Christ celebrates the Passion of our Lord, the said youth by chance went into a garden in which several Mohammedans were sitting; when they saw him they called to him, saying among themselves, 'Let us amuse ourselves with this Christian for awhile.' For two or three hours they mocked him with buffetings, abuse, and insults; and when he told me this we at the same time praised God, who on the same day permitted His only-begotten Son to be mocked and crucified for us and for our salvation. Thinking it unsafe to baptize him here, we advised him to go to Goa in the Indies; and in this year, to our great comfort, we heard that he had been baptized there, and was living there like a good Christian, with the greatest edification, on whom may God, greatest and best, bestow perseverance unto the end.

In the same year, 1683, the Armenians asked us to allow them to practise their rites in our adjacent house, which we had let to them in the previous year. In order more easily to obtain such permission from us, they had recourse to the governor of the city, and in the presence of the said governor we gave them permission for five months, on condition that in the said house they should neither make nor sell wine; and that they should by no means sacrifice a ram after the Jewish rite. They assented to these conditions, but neither kept to nor observed them; on the contrary, their priest became so proud that he was not ashamed to say that he was content with having entered the house and that he would not quit it when we desired; he even declared that he would invade our church. Nor did he fail to make the attempt; for by cunning he obtained two false witnesses to testify that the church had been rebuilt at the expense of the Armenians, declaring that they had given us 4,500 abbassis. The governor, who had been previously informed of this, summoned us, demanding to know why we had expelled the Armenians from the house, to whom the church itself belonged, since it had been rebuilt at their expense. We answered that we had only expelled them since the term was over which we had settled in his presence; further, since they had not kept the agreement made before him, they showed themselves undeserving of favour, and we could not allow them to remain there any longer. Nor was it difficult to convict them and their witnesses of falsehood, since it is clear from the book of accounts that the Armenians had made no contribution to the erection of the church except forty scudos or thereabouts which had been got together from individual contributions and alms. Thus their priest and his associates, to their great confusion, failed to make good their unjust claim. With that priest there was also a bishop named Aones (? John) who, although outwardly he did not behave with such impertinence, did not cease to instigate others. I trust God has spared him, for he abominated his errors and professed the Catholic faith before he died, in the following year, as we shall see.

In the year of our Lord 1684, on the 13th of June, R. P. F. Agnellus of the Immaculate Conception, professus of the province of Lombardy, arrived here. R. P. N. generalis brother Charles of St. Bruno sent him to us as visitor general and vicar provincial; with him also arrived P. F. Amadeus of the most Holy Trinity of the province of Rome, P. F. Innocent of St. Onuphrius of the province of Lombardy, and P. F. Conrad of the province of Germany.

R. P. N. visitor general, having performed his visitation with great discretion and to our very great comfort, set out hence for Shiraz, together with P. F. Conrad of the Assumption, on the 17th of July in the same year. His two other companions were left here, P. F. Amadeus until further orders and P. F. Innocent until the ships left, in order that he might proceed to port Bandar Abbas and meet him there. The course of events was so favourable that the said P. F. Innocent started on the 10th of November and R. P. N. visitor general, having set out from Shiraz on the 5th of the same month, arrived at Bandar Abbas on the 28th and P. F. Innocent on the 30th. A few days later they proceeded together on their way to the Indies, in the same ship on which P. F. Innocent had embarked here. Its captain and owner was Tilman Gromuel, a private Dutch merchant.

To return to the aforesaid Armenian bishop, dominus John, who, as long as he was well, showed himself at least outwardly hostile to the Catholic religion, for he had several times declared to me that at heart he was a Catholic but was unable to profess himself such out of respect for his race. For such respect is the strongest chain with which the devil is accustomed to bind the Armenians; indeed, I have known few of their doctors and literates who have not frankly confessed to me that they really knew the purity of the Christian religion which the Roman Church teaches, but owing to their respect for one another, with which the devil binds them fast, there are few who dare profess themselves Christians outwardly. Among the number was the said bishop Aones, who was formerly patriarch of Constantinople, that is, illegally appointed for the Armenians, for the true patriarch is one who is nominated or at least confirmed by the Roman pontiff, the lawful successor of St. Peter.

But the said bishop, not content with his patriarchate, longed for that of Jerusalem, to obtain which he spared no expense, but to no purpose; for he obtained nothing and, being unable to satisfy the creditors from whom he had borrowed the money, was forced to take refuge here. This perchance was the work of the divine providence, so that he might take thought for his salvation; for he fell sick, and after having been visited by us again and again, at length professed the Catholic faith with singular devoutness on the 17th of June 1684. Having twice confessed and communicated during his illness, as the disease grew worse, fortified by the holy extreme unction he rendered up his soul to God on the 10th of July, and was buried on the following day in our cemetery *Haissa ben Mariam*.

In the month of June of this year a certain Armenian named Shiabin was imprisoned for two months for certain debts. Being unable to pay them, he was in great peril, from which we delivered him by payment of a sum of 500 abbassis, which we received as alms from Christians. Thus he got off without harm.

It should now be made known that from the above year down to the 9th of February 1701, none of our fathers recorded anything. Wherefore with what diligence I could, and not without some trouble, I have attempted to collect fragments from various quarters that the list and records of our Religious who laboured with zeal for the true religion in this our ancient Residence of Bassora may not be forgotten.

In the following year 1685, on the 20th of January, R. P. F. John Francis of St. Hermengild, professus of our religion and missionary, arrived here on his return to Shiraz, where he had held the office of vicar. In the meantime R. P. N. frater Agathangelus of St. Teresa, vicar of this our Residence, was elected vicar provincial substitutus, and accordingly on the 19th of February set out for Persia, accompanied by R. P. John Francis. There remained here R. R. R. P. F. F. Charles Hyacinthus of St. Teresa, and P. F. Louis of St. Teresa, both from my province of Lombardy, and R. P. F. N. Agnellus, visitor general, appointed P. F. Charles Hyacinthus vicar of this Residence.

On the 17th of December in the same year, R. P. N. Agathangelus, vicar provincial substitutus, having settled certain matters in the province, returned here from Persia. At this time two apostolic missionaries were sent by our superiors (namely) R. P. F. Candidus of St. Joseph, from the Province of Belgian Flanders, and R. P. F. Joseph Mary of Jesus, from the province of Venice, into this our vineyard, that they might perform the office of missionaries. They put in here on the 2nd of January 1686.

It should be observed here that R. P. N. Agathangelus had obtained permission from our superiors to rebuild and establish our Mission at Bandar Abbas, for which reason, on the 2nd of February, taking with him R. P. F. Candidus, he set out for that place, where, after much toil endured for the Catholic religion, on the 3rd of June he rendered up his soul to God, deprived of all human consolation, even of that of our Religious, as you will find told at greater length in the book of the dead. I testify this, that up to the present in this city of Bassora his memory is revered by Christians, Moors, and infidels, in accordance with the footsteps of holiness and discretion which he has left.

R. P. F. Candidus arrived here from Bandar Abbas on the 10th of the same month. He had been sent by R. P. F. Agathangelus on certain business before he fell ill, and remained here till the 29th of August, when he again departed for Congo to proceed thence to Bandar Abbas.

On the 22nd of August in the same year, R. P. F. John Mary and R. P. F. Clement of the Ascension of the province of Genoa put in here. They were returning to Europe, and after some days set out for Baghdad together with P. F. Louis of St. Teresa of Lombardy, a missionary of this our Residence.

1687. On the 20th of September, R. P. F. Hermengild of St. Marcellus from Provence arrived to be the companion of R. Pater Frater Charles Hyacinthus. Although I find in the book of the hospices that R. P. Hermengild came as vicar of this Residence, there is obviously a mistake, because in the book of accounts it is clear that R. P. Charles Hyacinthus was governor of this house from the 19th of February 1683 until the end of September 1690, when he died of the plague. Further, in the same book of the hospices it is recorded that R. P. Hermengild, on the 19th of January 1688, set out for Bandar Abbas to proceed to Shiraz, and returned here on the 24th of December in the same year, with a patent from the vicar provincial to visit this house, having been sent by our reverend father provincial, although it appears from the book of visitors that this house was visited in the same year, 1688, by R. P. John Francis of St. Hermengild of the province of Lombardy on the last day of December; wherefore I express the opinion that it must be believed that R. P. N. vicar provincial at first carried on the visitation of this Residence for the reverend father Hermengild and afterwards, for some reason or other, to R. P. John Francis, who, on the 24th of December 1688, put in here and visited this our Residence on the 31st, as is recorded in the book of accounts, during the rule of this house by R. P. Charles Hyacinthus.

1689. About the end of January 1689, R. P. John Francis, visitor provincial, returned to Shiraz; and on the 20th of August R. P. F. Hermengild put in here, and in November R. P. F. Joseph Mary departed for Shiraz, and R. P. F. Hermengild remained here as the companion of R. P. Charles Hyacinthus the vicar.

1690. I find nothing at all recorded for this year, but it will not be useless to set down in writing that, while Khalil pasha was governor of the city and certain ships arrived from the Indies, the most illustrious dominus Antonio Machiado, general of the Portuguese citadel, kept all these ships in Charek and did not release them until an agreement had been come to with the merchants of Bassora, who bound themselves to pay yearly 5,500 scudos for the Portuguese navy and a horse, and for each day two Venetians, one for the agent and another for the Portuguese father then residing here. Khalil pasha confirmed the agreement with his own seal and sent a messenger to the said Antonio Machiado in Charek with the above sum and a horse, which agreement is kept by the Portuguese to be shown at a convenient moment. This brief account will assist the understanding of other things which, God helping me, I will describe below.

1691. On the 19th of April, when the city was scourged by the plague, R. P. F. Hyacinthus, vicar of this Residence, died from this disease. The fragrancy of his virtues is still sweet in the memory of Christians and infidels alike.

R. P. F. frater Hermengild remained alone. Here I think it should be noticed (to prevent the reputation of the Religious being besmirched) that P. F. Hermengild, from fear of the plague then raging, nearly went out of his mind, and for this reason certain things happened in his time which (under other circumstances) would have been scandalous. Yet, since R. P. N. vicar provincial did not know this, he sent from Ispahan letters patent of the office of vicar of this Residence, which R. P. Tussanus of Jesus, a Frenchman of the province of N., brought to him in the month of June in the same year. He remained here as the companion of father Hermengild, who, when he became mentally afflicted, departed for Ispahan in the month of August, and R. P. F. Tussanus remained here alone. He suffered much owing to the evil times, so that he also nearly went out of his mind ; nevertheless he governed this house more successfully until October 1693, when, without saluting the head of the hospice and leaving his house open and exposed, he departed for Congo.

1692. I find nothing at all recorded for this year ; but my friends have informed me that in this year Khalil pasha's government of the city came to an end. His successor was Ahmed pasha, son of Osman pasha, who was afterwards killed by Mahane, an Arabian, during the siege of Bassora, which, however, still remained under the rule of the Turks. Thus for this year the city remained without a pasha. However, there was a certain Hassan Agha Jemal, a powerful and discreet man, who, seeing that the city was without a head, took the government on himself, with the unanimous agreement of the citizens. Nevertheless, they wrote to the governor of Babylon, who at the beginning of the following year sent letters patent to the Kiaya of the deceased governor, by name Hassan pasha, who began to govern the city.

1693. In this year the Portuguese came and asked permission from Hassan pasha to raise the royal standard above the roof of a house, and their request was granted. They were given the house of a certain Delhi Benghi, where with great joy they raised the royal standard, but because it was seen from too great a distance on account of its unusual height, Hassan pasha ordered that its height should be reduced, which was done. For this reason, about the month of May, the resident representative of the Portuguese nation, without taking leave of the head of the hospice, departed hence, taking all his belongings with him, to Congo.

In October, as I said above, R. P. F. Tussanus withdrew and the house remained without any Religious until the 4th of March in the following year. But may God bless the deacon Abdelkerim, a Syrian Christian, who on this occasion took the greatest care that our house should not be pillaged, by sealing up all the cells and workshops, that nothing might be lost.

1694. On the 4th of March 1694, commissioned by R. P. N. Elias of St. Albert, vicar provincial, R. P. F. Joseph Mary of Jesus from the province of Venice arrived here as vicar of our abandoned Residence. He governed this house alone until the 14th of December, when R. P. F. Antony Mary of the Ascension arrived from the province of Lombardy as his companion. In this same year, after the arrival of R. P. Joseph, an Arab named Mahane, strongly armed, seeing the weakness of the Turks, who were at the time being harassed by the Germans, besieged this city, the governor of which was Kapuju Khalil pasha. Foreseeing the imminent capture and sack of the city, the latter forced his soldiers to go out and meet the enemy. When Mahane the Arab had slain them all, he entered the city victorious, and Khalil pasha himself departed after a few days. Thus in 1694 this city fell out of the hands of the Turks with great bloodshed, but without any loss to the citizens.

1695–6. During these two years the Arab Mahane reigned in peaceful possession, and governed so wisely that all, both citizens and strangers, were content, for during his time the city had abundance of everything.

1697. On the 2nd of March 1697, R. P. the vicar Joseph Mary, being without money, since our house had much credit in Ispahan, sent R.P. Antony Mary to Congo to get the sum required, and father Joseph remained by himself. Immediately after his departure, while Mahane the Arab was in possession of the city, a certain Arab, named Mullah ferd guilla, and also a Persian stronger than Mahane, came with a large army, besieged the city, and gained possession of it and drove out Mahane, the Arab. But since this city contains a mixture of Arabs and Persians, when Mullah ferd guilla entered, they devastated and ravaged it so cruelly, that R. P. Joseph Mary, to avoid exposing everything to danger, of his own accord gave them 100 abbassis with other handsome presents, and thus the immediate danger of incendiarism was avoided. Immediately after this the poor father vicar was attacked by a malignant fever, and on the 13th of April 1697, bereft of both spiritual and temporal comfort, rendered up his soul to God and was buried by Scemas Abdelkerim with other Christians within our church at the side of the altar where the Gospel is read outside the chancel-screen. Thus, from the 13th of April to the 12th of July, when R. P. Antony Mary returned, the house was left in the hands of servants, who committed many thefts, not even sparing the little silver-gilt *ciborium*, which they had sold in the city and which Scemas Abdelkerim bought back for six *aslans*. This should be an example and warning to our Religious as far as possible not to remain here alone, although for the space of three years the deplorable misfortune of remaining without a companion to serve this house was the lot of me who write this. May God accept my good will, and lead me not into temptation, but deliver me from evil!

On the 12th of July R. P. Antony Mary, who had gone to ask for our subsidies and had received on behalf of Bassora twenty tumans (1,000 abbassis), returned to this Residence from Shiraz. In that place there was a certain Daniel Sciarius, a French Calvinist, who had formerly lived in Bassora on behalf of the Dutch Society and was very friendly with R. P. Joseph; we therefore sent, together with R. P. Antony and his own representative, I do not know how many bales of cinnamon, pepper, . . . grapes, and cardamon to be sold here. When they had arrived at Bandar Rik they hired a ship for bringing away these goods, but after they had spread the sails to the wind, the ship foundered on the shore and all on board with difficulty escaped by swimming; but all the spices of Sciarius and the twenty tumans for this our Residence and everything else were flung overboard and lost. Hence the unhappy father Antony reached Bassora on the day above mentioned, without money, with nothing but an abba (cloak), which an Arab, moved by pity, had given him to cover his nakedness with. On entering the city and hearing of the death of R. P. the vicar, he was so sorely grieved, that from that day his head was affected; hence it is no wonder that he committed certain follies, which he would not have done had he been in his right mind; the shipwreck he had suffered, the loss of so much money, and the unforeseen death of R. P. the vicar would certainly have been enough to weaken any man's limited judgement.

When R. P. our vicar heard of the death of R. P. Joseph, of which Scemas Abdelkerim had advised him by express messenger, he at once sent R. P. Raymond of St. Michael of the province of Poland to be the companion of R. P. Antony, to whom he sent the patents of the vicariate of this Residence. Father Raymond put in here from Bandar Congo on the 23rd of July of the same year, and from this day R. P. Antony began to govern this house.

About the end of this year the King of Persia sent Ali Merdum Khan from Ispahan to govern this city, and Mullah ferd guilla returned to Oeza. At this time father Raimund of St. Michael, after suffering gravely from weakness and having experienced the unhealthiness of the climate of Bassora for six months, by permission of R. P. our vicar provincial returned to Shiraz about the end of this year, and R. P. Antony Mary remained vicar without a companion.

1698. In this year, when the said Ali Merdum Khan governed this city, prosperity was general, for he was a just judge and had with him a picked body of soldiers. He was a great friend of our fathers in Ispahan, especially R. P. N. Elias of St. Albert, who is now the most illustrious lord bishop of Julfa, whose kindness R. P. Antony experienced; for when he remained without subsidies and without a companion and desired to set out for Ispahan, the governor kindly prevented him by sending him a large quantity of butter, corn, and rice. At the same time he said to the father: 'Do not depart on this account, for I will abundantly supply you and your house with whatever shall be necessary.' Nevertheless, when a certain French ship put in here about the month of October and was to return to Bandar Congo in November, when the opportunity offered, R. P. Antony sailed with it, leaving this house without fathers in the hands of servants. It remained so until the 14th of June in the following year, on which day R. P. Peter of Alcantara, vicar, and P. F. John Athanasius of St. Antony, both from the province of Lombardy, arrived here.

1699. At the beginning of this year 1699 Ali Merdum Khan, governor of this city, was summoned by the King to Ispahan, and Ibrahim Khan was sent to take his place. He governed with the greatest wisdom, for he was a frank soldier, who fought with the enemy and nobly defended this city from him, as we shall see below.

On the 14th of June (Trinity Sunday) the aforesaid arrived here from Ispahan, sent by R. P. N. Basil of St. Charles, prior of Ispahan, also vicar provincial substitutus, after enduring intolerable sufferings on the journey owing to the incessant heat.

R. P. Antony on his departure had hidden all the goods and vessels, sealed up the cells and workshops, and left Scemas Abdelkerim to look after our house, with an old servant named Simeon. But when we came here we found certain cells open and many things lost; the servant had sold six beautiful cushions, coverlets, dishes of copper, and cups, and also some beautifully worked wooden doors; and although P. F. Antony had left ample provision of butter, rice, corn, and meal for the servant, notwithstanding this Scemas Abdelkerim spent fifty abbassis on behalf of the servant, which we did return to him, as we have recorded in the book of accounts. Here also it should be noted that during the six months our house remained unoccupied there came into the hands of Scemas Abdelkerim from Ispahan 840 abbassis from our subsidies, sent by R. P. N. Basil prior of Ispahan and vicar provincial substitutus; I say 840, of which only sixty-one came into our hands. For we had to pay debts of P. Antony our predecessor, contracted with Scemas Abdelkerim, also taxes, not to mention interest, 12½ tumans, for money received from the said Abdelkerim six months before he left.

Accordingly, a few days after our arrival we both went to visit Ibrahim Khan the governor. He received us very kindly and when we showed him the King's diploma, he kissed it and said: 'Welcome; in whatever you need I shall be ready to help you,' and as soon as we had left him he sent us presents, to wit, fruits from Dorak, which are rare in this city, and did the same on several occasions.

Immediately after our arrival R. P. the vicar, who for six years had been a missionary in Syria and acquired a perfect knowledge of Arabic, began to teach seven or eight Christians, and baptized a Christian infant only two months old. At the rite of the body of Christ the Lord we solemnly celebrated mass, and all the Christians ate the bread from heaven, and through the whole of the eighth hour at night, as is customary, they assisted at the divine offices and benedictions of the most holy sacrament with full and hearty thanksgiving.

On the 30th of August of this year a certain dominus Dominicus Paschalis, a French merchant from Surat, with a French servant, put in here with merchandise for sale and hired part of our caravanserai. His unhappy end, by the favour of God, I will describe below. Four days afterwards (September 3rd) there arrived at our hospice F. Alexius, a French Capuchin on his way to Surat, who with the servant of the aforesaid merchant set sail for Congo on the 16th of October. About the end of September two Portuguese Indians arrived here; they had escaped from a ship in which, as they said, they had been kept prisoners by the Moors. One of them disappeared after a week without greeting the head of the hospice; the other we sent to Bandar Congo with the above F. Alexius, who was supplied by the R. P. vicar with all necessaries for the journey.

1700. On the 21st of January 1700 there arrived here from Shiraz a servant of the most illustrious dominus P. N. Peter Paul Palmae, archbishop of Ancyra, commissioner apostolic and also our visitor general. He brought a special letter, in which he suggested to R. P. the vicar (or, if it was impossible for him, to his companion) that as soon as possible one of us, or both if we so desired (without any detriment to the house), should set out for Bandar Abbas on the first opportunity, where he desired to confer with us about certain things necessary for the good of the province. R. P. the vicar was willing to send his companion, who had long been unwell, in order that he might benefit from change of air. But owing to his weakness and especially out of respect due to his father vicar he refused the offer and preferred to stay here weak and by himself, than indirectly to fail in the honour due to his superior. Accordingly, on the 14th of February, R. P. Peter of Alcantara, vicar of this Residence, set out for Congo with the aforesaid servant ; he found the most illustrious lord archbishop of Ancyra at Bandar Abbas, and, after holding a secret conference with him, one of them went to India and the other to Ispahan, where, after the provincial chapter had been held, he was elected and remained prior of Ispahan. F. John Athanasius of St. Antony of the province of Lombardy remained alone in this Residence. About the end of January, Sheikh Mahane the Arab, the old enemy of this city, came with a large army, surrounded the city, and demanded 500 tumans from Ibrahim Khan. At that time the governor had not sufficient soldiers to fight with the Arabs ; he accordingly gave them 300 tumans, which they accepted and withdrew. Meanwhile, Ibrahim summoned 6,000 men from the province of Caghicola to protect the city. They quickly arrived and prevented the Arabs from plundering the city, although they weakened it by preventing corn from entering, which caused a great famine for several months.

In the middle of March, on Palm Sunday, the Arabs entered by the gate called Misrak, slew the guards, and fired a number of houses. When the Persians heard this they hurried up, and the Arabs were killed on the spot, amongst them the Kiaya, while the rest of them fled.

On the 18th of May, a certain Joseph, an Armenian shoemaker from Byzantium, fell ill. For six years he had denied the faith of Christ and had followed the superstitions of the

Mohammedan sect owing to fear, but his good will and inclination to the true religion was sufficiently shown by his attendance at our church and the abandonment of all Mohammedan superstitions. Accordingly, on the third day of his illness, shedding copious tears, he came to the church and with humble heart begged father John Athanasius to implore the mercy of God to obtain pardon for him, because, although he had denied it in words, in his heart he had always professed the Catholic faith. Wherefore P. John Athanasius, president of this Residence, placed his hand on the head of the sick man and persuaded him to make sacramental confession. Accordingly, on the following day, having previously abjured the Mohammedan faith in the presence of witnesses, and having been absolved from excommunication, P. John restored him to holy Mother Church, and, after he had made a general confession of his sins, absolved him from his sins, and on the same day at noon, in the pious hope of eternal salvation, he rendered up his soul to God, and was buried by the Mohammedans in their cemetery.

At the end of this month the Arabs came again and besieged the city. All the merchants and myself were compelled to hide our goods owing to the imminent danger of plunder. At last, on the 14th of June at midday, sixty of their bravest men mounted the walls of the city and gained an entrance, putting all the guards whom they found to death without any noise. However, when a certain Abdi Agha heard of this, he immediately mounted his horse and with sixty of his men so quickly crushed the Arabs that he led them all as prisoners to Ibrahim Khan. The latter immediately beheaded them in the presence of a large crowd, had their bodies carried around the city, and afterwards ordered them to be thrown to the dogs. Their heads he ordered to be carried to the enemy's camp, and when the Arabs saw this they departed, and for a time the city, long sorely oppressed by hunger, had some little respite from its sufferings.

When R. P. Peter of Alcantara, vicar of this Residence, had been elected prior of Ispahan at the provincial chapter held there in May, he sent letters patent to me, F. John Athanasius, conferring upon me the vicariate of this hospice of Bassora. The letters arrived on the 29th of August 1700, and after I had read them, I said, 'Lord, Thy will be done!' for R. P. Prior wrote to me that I should remain alone without a companion until the arrival of the Religious from Europe; hence I foresaw that I should remain a long time alone, as in fact happened.

In the following month of this year (September), Ibrahim Khan was summoned by the King to Ispahan, and in his place came Daud Khan, or rather, I should truly say, a dog, who had formerly been governor of Corna. The Arabs, hearing of the change of government, and aware of the natural cowardice of the new governor, again surrounded the city, so that no one could come in or go out. During this time the city was oppressed by many calamities, hunger and war; rich and poor cried out for want of bread, whereupon Daud Khan, fearing a revolution, immediately wrote to the governor of Camerun to send wheat and barley to help the city. Accordingly the governor sent a very large ship called *Velkon* (belonging to a certain Chelebi of Surat, a Moor) which some Armenian merchants had hired for bringing merchandise from Surat to Bandar Abbas, and because they knew that this city was being besieged by the Arabs, for the safety of the vessel put a Dutch captain named John Velkins in command, and with him eight French officials, that is Europeans.

In order completely to understand the tragedy that followed, it should be first stated that for several years the

Arabs of Muscat (whose King is called the Imam) had had a quarrel with Armenia. Accordingly, when they heard that this ship, which was said to belong to the Armenians, had left Bandar Abbas for Bassora, a ship came from Muscat to the port of Bassora about the end of September, and when it heard for certain of the expected arrival of the *Velkon*, believing that it would come laden with Armenian merchandise, the Muscat Arabs staying in this port (without any one knowing) sent a message to Muscat that they should set out to meet it before it should arrive here and sell the merchandise. During the interval Mahane, who had blockaded the city, on hearing of the arrival of the ships, was alarmed, and hid himself at Shiraggi, a little distance from the city.

On the 10th of November the *Velkon* itself arrived at Shiraggi, where it found Mahané the Arab, the enemy of our city, with his soldiers. He immediately sent presents to the captain, begging him to keep by him and not to go on to Bassora. The captain replied, 'I am a Frank and the Franks do not know treachery,' and with few words made himself ready to depart. Having heard from the Muscat Arabs on the ship in the city port that an enemy ship was approaching, he went to meet it. After he had found them and cast anchor, twenty or thirty Arabs came to visit the captain, with the intention of plundering the ship if it seemed likely that they could do so.

Here it should be observed that dominus Dominicus Paschalis, the French merchant whom I have mentioned above, was still my guest. When he heard that the *Velkon* had arrived at Shiraggi, he repaired thither with Agi Meke, a Moorish interpreter, and, being sufficiently acquainted with the Arabic language, he heard and understood all the conversation of the Muscat Arabs, which he at once explained to all the Europeans serving on the ship. When they heard the nature of the conversations, they all ran to arms, and the Arabs, seeing the *Velkon*, from somewhere, a larger and stronger ship than their own, for the time committed no violence, but all of them withdrew. During that night Dominicus Paschalis stayed with the captain and at daybreak set sail for Bassora. When the Muscat Arabs saw this they also spread their sails and reached the port called Mocca at the same time. Having cast anchor here, they insolently pointed out a place to our captain where they ordered him to cast anchor. Captain Velkins, with every appearance of timidity, followed their directions, and cast anchor in the place they pointed out. But the rest of the Europeans serving the ship were indignant at the captain's timidity, and at once began to murmur, wisely fearing what there was really cause to fear. Yet for the time being, since the *Velkon* was sufficiently large and well armed, while the Arab ship was not nearly so strong, what did the Arabs do? They pretended that they meant to go to Muscat, and in fact they departed and sailed to the end of the river, where they found two other ships of their own coming from Muscat to capture the *Velkon*. They immediately informed the fresh ships of the condition and strength of the *Velkon*, and stationed themselves for several days at the entrance to the river, allowing no one to have access to the city, to prevent the *Velkon* from receiving information and preparing itself for the contest, which in fact it would have done, had it foreseen their arrival.

During the course of these few days, the rest of the Europeans, daily beholding the unnecessary timidity of their captain, and wisely fearing that that would happen which in fact did happen, all began to reproach him. They declared that if he were unwilling to take steps to prevent the evil that threatened, they would all desert and leave him by himself. When the captain heard this, he rashly flew into a rage, whereupon all left the ship and at midnight came with their baggage into the city, where I gave them hospitality. Two days afterwards, Dominicus Paschalis, the French merchant, went to the ship, and returned the same day bringing with him John Velkins the captain to my house, and, as the result of conversations and exhortations, in a week all the crew promised obedience and went on board. The captain remained with me, and I took him with our dragoman to Daud Khan, who received us civilly and honoured us with presents; he also promised to see that the ship should be unloaded within a few days, but little or nothing was done owing to continuous rains.

A few days after, on the 10th of December 1700, Daud Khan expressed a desire to visit the ship for the sake of amusement. When he heard this, the captain immediately went on board and had all the arms hidden, lest the governor's soldiers and servants might perhaps steal them if they saw them. On the following day, Saturday, I told Dominicus Paschalis to return to me the four large carpets which I had lent the captain on the previous day. He was very angry with me, saying, 'What are you afraid of?' Nevertheless, because it is lawful to meet violence with violence, I wrote a note to the captain, asking him to send the carpets belonging to the church, which I wanted for Sunday; and late in the same day they were brought to us from the ship. On the following day a report spread through the city that two ships belonging to a Moor named Abdelsheikh from Congo were approaching the port. I went myself to Abdurrahman, his brother, to obtain confirmation of the news; he informed me that such was the case, and himself sent a letter to Captain Velkins, telling him not to be afraid; for he knew how very timid he was. Taking the opportunity, Dominicus Paschalis, the French merchant and my old guest, prepared a splendid supper to be taken down to the ship, and pressed me to accept an invitation. By the inspiration of God, I answered that it was impossible that for the sake of a single supper I should leave my people on the Lord's Day without their daily food of prayers. He again and again tempted me with repeated entreaties, but when he saw that I was not to be moved, he said: 'Reverend father, I shall never forget you;' on that day God and the blessed Virgin in her most pious mercy desired to free me from that evident danger of death, and therefore in his kindness hardened my heart, that I might resist the ill-fated amiability of this merchant. In order to escape temptation I accordingly left the house and did not return until the appropriate time for prayers. On the way I met Dominus Paschalis going to the ship, or rather to his death; he again urgently repeated his invitation, but I replied: 'Friend, have me excused. You know that now is the time when Christians come to prayers, and therefore it is impossible for me to comply with your wish. Farewell!' He accordingly went on his way to the ship with his servant and Agi Meke, the interpreter. As soon as I reached home I found my Christians ready for prayers. While the candles were being lighted, we heard the sound of guns and said, 'Some ships have arrived from Congo and are saluting each other.' As a matter of fact, ships had not come from Congo, but from Muscat—two Arabian ships, one fairly large and the other small. In the first that arrived, about 100 Arabs were concealed, but only two or three were to be seen; those in the small ship which was drawing near pretended that it was being carried down too rapidly by the tide and asked that it might be made fast to the others. When permission had been given, he asked what ship it was; an Arab replied, 'We are friends, have no fear, for we are merchants.' Then the Arabs, seeing all the Europeans smoking and half drunk, boldly rose up and boarded the ship, sword in hand, in a great rush; they first slew Dominicus Paschalis with the interpreter Agi Meke the Moor, whom they knew before, as above stated, from having seen them at Seraggi, and afterwards mortally wounded four Frenchmen and many others. Thus, at the moment when we were singing in church the litanies of the blessed Virgin Mary, they obtained possession of the *Velkon*. A sailor named Daniel del Angelus, Elias de Vellada, a French Calvinist, and Suinus Azer, a Dane, who had been sorely wounded, escaped by swimming and came to our house, together with Antonio de Souza, a Portuguese, physician and surgeon of the ship, Sebastian Emanuel, and Damianus, who made their escape in safety from the terrible and unexpected sight. From this day, the 12th of December, they stayed with me until the 13th of February in the following year, at no small expense and inconvenience to us, which we willingly endured for the sake of fraternal charity. We immediately provided suitable medicines for the sick, among whom Suinus Azer, a Danish Lutheran, had suffered cruelly from seven mortal wounds. Yet in the midst of this great sorrow God, best and greatest, deigned to afford the greatest comfort; for when I saw that this Lutheran was near to death, owing to the continual flow of blood from his wounds, I went to him and, not neglecting the duty of a missionary, exhorted him in season and out of season, as the apostle admonishes us, until, with the aid of God, he anathematized the Lutheran treachery and confessed his sins in the best way he could in such sore straits, and promised, if God should restore him to health, to make public abjuration. Immediately afterwards the flow of blood ceased, and within a fortnight he recovered, although he had lost the sight of his right eye; yet it was better for him to enter into the kingdom of heaven with only one eye, than into the gehenna of fire with two. Accordingly, on the 14th of January, at the solemn rites of the most holy name of Jesus, in the presence of the whole people, before the celebration of mass, he made profession of Catholic faith, and swore on the most holy Gospel that he would never teach or hold anything except that which the holy Roman and Catholic Church holds and teaches; and after two days I admitted him to the sacraments of penitence and the most holy Eucharist. Thus God willed, for the salvation of a single soul, that a large ship should be lost and a number of men slain. The same night I hid all the money of the deceased Dominicus Paschalis, and, being afraid, I told every one that he had taken it all on board two days before; and because all certainly knew that he intended to leave by that ship, they readily believed it. In the morning I went to the governor, Daud Khan, and told him the story which he believed. But on the following day the Arab merchants came down to visit him, upon whom in his fear he bestowed a number of presents. They told him that they wanted all the money of the deceased Dominicus Paschalis, to which he replied that Paschalis had taken on board all his money and everything he had, which they believed, for in fact he had put many of his things there. Nevertheless I continued to feel anxious, and not without good reason. I therefore sent our interpreter Abdelkerim to a friend of mine named Abdi Agha, who sent fifteen of his picked Arab soldiers to guard and protect my house on the chance of any disturbance, which was greatly feared by all. In fact, four days afterwards, ten Muscat Arabs came to the door of our house and desired to see the father; when asked what they wanted, they repeated that they wanted the father and the money of the deceased merchant. Hearing this, I ran to the door, and when it was opened and they saw so many well-armed soldiers with me they fled without making any further attempt and did not appear again. By the favour of God, on the 26th of December all these ships left the port, taking with them the *Velkon*, laden with corn and barley; for Daud Khan, being unarmed, had given them this, for fear he should be compelled to do so; and thus we were all comforted.

1701. The deceased Dominicus Paschalis had large sums owing to him among the merchants of Bassora, and accordingly, after the departure of the enemy, I began to think about recovering and getting them in. But because the merchants were aware of the feebleness of the governor they arrogantly gave me the answer that, if I should use force against them, they would kill me. In this district few worship God, but many worship gold; wherefore I was afraid and thought it better to await the arrival of a new governor or of some ship, in favour of which I could get in this sum; accordingly, for the moment I abandoned my efforts.

Meanwhile, the unfortunate guests staying with me completely recovered, and at length, on the 13th of February, I sent them to the Congo, because in other respects I was too burdened with expenses, since there was a severe famine, and everything was sold at a very high price. During this month the Persian soldiers numbered 6,000, and their money for rations was not paid; and knowing from another source that the Turks were coming from Babylon with a large army against Bassora, they utterly destroyed as many as 1,000 houses, sparing no one, not even myself; for we had a little house, which was still in a fairly good condition, which they entered one night, pulled down the roof and carried away the beams. When I informed the governor and could obtain no redress, I called the bricklayers myself and had it entirely pulled down, to prevent such an amount of timber necessary for other purposes from being destroyed. In the same manner they destroyed a large house adjoining our caravanserai, the walls of which fell upon our roof causing great havoc, and it had to be rebuilt at great expense and inconvenience. By the favour of God, on the 9th of March there arrived from Babylon the mutesellim (herald) of the Turks, demanding the keys of the city from Daud Khan. In fear and trembling he handed them over to him, and on the same day all the Persian soldiers went on board the ships held ready for this purpose and fled. Daud Khan went and took up his abode at Mokam.

On the 10th of the same month in the same year Ali pasha made his solemn entry into this city. Up to the present day he has governed this city happily and wisely, and may God preserve him for his kindliness towards Christians. Mustafa, commonly called Daldaban pasha of Babylon, Karakolak pasha of Sivas, generalissimo of the Turkish army, and Yussuf Topal, pasha of Cherchuch, also took part in the solemn entry. These four pashas were accompanied by 30,000 soldiers, all of whom passed along the street by the gate of our house. I respectfully saluted them, and they courteously returned my salute. As soon as Daud Khan heard the noise of the soldiers he went on board a ship to take flight, but, seized with excessive and unnecessary fear, he died in the same hour; his body was taken to Mokam, and there buried. Let this be enough to show his unworthiness and incapacity as a governor.

The four pashas, with their soldiery, remained here for ten days, until their festival of Ramazan, after which three departed and Ali pasha remained alone with sufficient forces to guard the city; the rest went to Ella, where there were 60,000 more soldiers, to keep the Arabs in check, but they did little or nothing, although they made many attempts and spent much money. A week afterwards I went with the interpreter to visit our pasha, taking with me all the sultan's diplomas. When I went to him he was having lunch, and as soon as he heard of my arrival he immediately summoned me and invited me to share it with him. I answered that it was our time of fasting and that we were not allowed to eat anything before sunset, and he accepted my excuse. When lunch was over, he received me with great courtesy and kindliness and, having read the diplomas, he greatly rejoiced and blessed his lord and master who had granted such full privileges to us and our nation. He also kissed them, saying, 'As it is written, so let it be,' and offered to assist me whenever it might be necessary, after which I took my leave. A fortnight afterwards the pasha, accompanied by his soldiers, mounted his horse, and, when passing in front of our house, I accidentally met him. As soon as he saw me, he said, 'Father and Master, what have I done to you that you do not come to see me? Come to-morrow, for I have something to discuss with you.' Not knowing what he wanted to discuss with me, I determined to take advantage of the kindness of such a governor. I accordingly summoned a scribe to write a petition in Turkish to be given to the governor on the following day, in which I asked that I might redeem the money owed to the deceased by different merchants, and in the petition I expressly mentioned the debtors by name and the amount, which was about 1,000 silver scudos. On the following morning early, after our rations, I repaired to the pasha's house, and found him alone. After I had saluted him in the customary manner, he at once said to me: 'I have heard that in the past year a certain French merchant was killed here, who had certain debts to be got in from the merchants; I also know that you fathers in such a case are executors; have you got in any of that money from the debtors?' On hearing this, I greatly rejoiced and said: 'My lord, I have not yet got in the debts of the deceased.' He immediately told me to write a petition, setting forth the names of the debtors and their debts, and to send it at once to the shah-bandar that he might see to their being paid at once. I replied: 'My lord, I have brought my petition with me, that I might enjoy the benefit of your kindness.' He at once took it, read it, and returned it to me, that I might hand it to the shah-bandar: and told me to come and see him again in a fortnight. I accordingly departed and handed my petition to the shah-bandar, who immediately summoned all the debtors, and fixed the time for payment. With those who obeyed, he made an arrangement; with those who did not, he took strong measures and thrust them into prison and inflicted just punishment upon them. At the end of a fortnight, all paid in the manner arranged with them by the shah-bandar, and in such a case myself and all my friends were astonished that I had recovered so much, contrary to all expectation.

Nevertheless, God knows what trouble I underwent in the matter. For the debtors, when they experienced the governor's strong measures, falsely alleged that they had paid all their debts before the creditor's death, and one even swore falsely that he had paid his debt (eleven Venetians) to the deceased Dominicus Paschalis, when he was going on board. A week later God punished him, allowing his house to be entirely burnt down, as all saw and confessed, as I have recorded in the book of accounts of the said deceased Dominicus Paschalis, which is kept in the archives of our Residence as a precaution. Here also it should be noted, to the glory of God, that we, Frankish fathers, are reckoned so truthful among the infidels, that when the debtors denied that they owed anything, the judge himself rebuked them, saying: 'I do not believe you, but I believe the father, who I know neither can nor will lie.'

I had scarcely recovered that money, with such great trouble, when behold! on the 4th of April a Portuguese named Emanuel de Silva arrived here from Congo. He was a Portuguese, who had been sent by Dominus della Marre, a French merchant, to ask that I would hand it over to him. As soon as he gave me the letter I carefully examined it, and seeing that it was written in Portuguese I read it and found that Dominus della Marre was sick unto death at Congo ; seeing, further, that this Portuguese was too anxious about the matter, I was afraid to entrust so large a sum to him ; also, I had no order from the most illustrious Dominus Aloysius Pilavoine, director general, to send the money, the greater part of which belonged to his wife, and accordingly decided to keep it with me till further orders. Added to this, Mahane with his Arabs was roaming in the neighbourhood of the city, robbing all who came and went, as in fact they robbed this Portuguese messenger, to whom I was obliged to give shirts and clothing, and everything necessary for pursuing his journey, as I have recorded in the book of the accounts of the deceased Dominicus Paschalis. When they heard this, the Portuguese and a certain interpreter, named Bagnanus, who had been sent with him, declared that they would not go without the money, but after I had firmly refused, they went away without saying anything, and left on the 22nd for Congo. May God be eternally blest who opportunely gave me light in my necessity ! They went to Congo, where they found Dominus della Marre dead and buried. There was a certain Portuguese agent there, who was afterwards sent in bonds to Goa for other thefts, who wanted to steal the money, as the same Emanuel de Silva told me, who returned here in the month of August in the same year with a Portuguese ship, as I will relate below. I therefore duly thanked God, who had saved me from so obvious a risk, for had he not specially given me light, I should have handed over this sum to them ; for I knew that Dominus della Marre had a considerable share in this business of Dominus Dominicus Paschalis, also that he was manager for the most illustrious Dominus de Pilavoine, as was proved to me from the book of accounts and from the letter which Madame de Pilavoine had written to me from Surat, and also the deceased della Marre, while Dominicus Paschalis was still alive, who, being both afraid of some misfortune happening to the latter (as in fact happened), had entrusted me with the care of all his property.

On the 20th of May I was suddenly taken ill and for a week all thought my end was near. I accordingly commended myself and my house to the Blessed Virgin, and on Sunday in the Octave of Corpus Christi they carried me down into the church, and our deacon Abdelkerim offered me the most Holy *Viaticum* in the presence of a weeping and praying people. God heard their prayers and spared me the sinner, so that on that very same day I felt a singular relief and every day grew better, but I twice fell sick unto death with extreme symptoms so that I had altogether despaired of recovery. Nevertheless, while I was still ill, on the 14th of June an English ship named *Sedgwick* put in here from Bandar Abbas; its captain was Henry Harnet, and its owner Henry Griffith, a merchant of the English Company, who wished to stay with me, as they did. Their agreeable conversation relieved me for a while, and by degrees I completely recovered from my illness. After they had sold their wares they departed for Bandar Abbas on the 21st of September.

On the 2nd of August the pasha summoned me. I hastened to him and he gave me a letter addressed to him by the captain of a Portuguese man-of-war, who was coming from Congo to Bassora. After my having read the letter he asked what he wrote; I replied, as he had written, that they were coming to renew the old agreements, and to enter into lasting friendship.

When the pasha heard this, he said to me: 'To-morrow

morning you will go to meet them' (they were about two hours' journey from the city), and consulted with me as to whether they ought to be saluted with guns; I replied that, as it was a royal ship, they ought to be. When his counsellors heard this, they said the opposite, declaring that Mohammedans ought not to salute dogs without law and religion, as are all the Franks. When I heard these words, I was greatly enraged, and said to them: 'We are not lawless, and that is why we always fight for the law, and if we are dogs, you ought to beware of us.' The Pasha himself was very angry and said to them: 'Dogs without law, what are you worrying about? Men without honour, what are you striving for? are you still ignorant of the first principle, that there is honour in one who honours? Silence! Tomorrow, let all the guns at Mokam and all the ships proceed thither, and when the Portuguese arrive, fire a salute!' Afterwards, turning to me, he said: 'Father Khoja, be not angry with them I beg you, because they all eat dung' (for this expression is in use among the Mohammedans as among ourselves, meaning, they are wandering or suffering from delusions). Accordingly, on the following morning I went on board a little ship with the interpreter, and went to meet the Portuguese; and when I reached them, the most illustrious dominus Peter de Souza Attaiide, captain, commonly called *mare equerra*, received me with the greatest courtesy, and when we arrived at the port, the Turks fired a salute, and more than 200 projectile machines, whereat the captain was greatly pleased, and afterwards fired eighty guns himself. When the pasha heard of this, he also was greatly pleased. The captain immediately gave me letters from the most illustrious dominus Aloysius Pilavoine, general of the French society in Surat, who, not yet aware of the death of Dominicus Paschalis, bade me either compel him to return to Surat or to consign to me 8,000 rupees which he had handed over to him, or, in case of his death, take upon myself to collect all his property, and transmit this sum by this Portuguese ship to the most illustrious dominus Hyacinthus de Araviscio, the superintendent on behalf of the Portuguese nation residing in Congo. Wherefore I was very glad that I had not handed over that money to the above-mentioned Emanuel, especially because the most illustrious director-general wrote to me from Surat not to hand it over to any one except the most illustrious dominus Peter de Souza, captain of this man-of-war.

This ship had come to redeem 15,000 scudos from the merchants of this city and three horses, because, as I have mentioned before, Khalil pasha had agreed with them to give them every year 5,500 silver scudos and a horse, on condition that each year they should bring them to Mouson from the Indies, but since they had received nothing for three years, they came to get in the money. The said captain told me all this and put his business in my hands. On returning from the ship I went to the pasha and told him everything; whereupon he said, 'Let them come to me and we will look at the agreements and I will arrange everything.' On the next day the second captain (for the first captain Dominus de Souza, according to Portuguese custom, never left the ship) disembarked, together with a standard-bearer, attended by a numerous and imposing retinue, and came to my house with a great noise, bringing with them presents to be offered to the governor. They accordingly sent the interpreter to him with the presents to the value of about 150 scudos; an hour afterwards we also went to visit the pasha, who received us very courteously, and put on them five handsome robes (kallat). When I had explained to the governor the cause of their arrival, he replied: 'To-morrow I will summon the divan (council), and together with the merchants will examine the old agreements and, if they are in order, I will act in accordance with them.' He then politely dismissed us. On the following day he called together all the merchants of Bassora, the judges or gadhis, and the muftis, and after he had consulted them, sent for us. The following incident occurred on our arrival. They had made ready a large bench that we might sit in the Frankish manner, but placed it in an inferior position. On entering, we immediately kissed the hands of the pasha as is customary, and when his chamberlains showed us where we were to sit, I said to the governor : ' My lord, that is not our place nor will I sit there, nor will these gentlemen.' Seeing that I was annoyed he immediately ordered the merchants to give up to us the place they had thoughtlessly occupied ; whereupon they immediately got up, and with murmurs went lower down, while we took our places near the governor, as was right. After a long discussion the governor said : ' Let them show me the capitulations which Khalil pasha gave them.' To this they replied that they were kept in the archives at Goa, and they had only brought a copy. The pasha read the copy and said : ' Whatever Khalil pasha did, it is not lawful for us to confirm, for he rebelled against our Sultan ; you must therefore show me the capitulations approved by the Sultan, or at any rate subscribed by Kara Mustafa pasha, who had the Sultan's authority.' The Portuguese replied, ' Why then did those merchants give us so much money for so many years ? ' to which the merchants rejoined, ' We gave it indeed, but under compulsion.' The Portuguese then asked : ' Will you not give us every day for our agent and for our church two sequins ? ' They replied in the negative, saying, ' We have neither seen your church nor yourselves living in Bassora,' and they rashly denied this, because for so many years Portuguese had lived in Bassora and in fact two sequins were daily paid to them. Wherefore, when I heard of the great perfidy of the merchants, I spoke to the governor, saying: 'My lord, if these merchants deny this, they would evidently deny a truth clearer than the sun; if they persisted in asserting this, they would deny even their prophet.' At these words all, murmuring, made profession of their false faith, and the pasha said to me in Turkish: 'Father, it is true that on other occasions they have given such a sum and they will give it again, if they bring it down to Mouson from the Indies as they did before, but how many years is it since they have shown themselves? Why then should the merchants pay that sum?' The Portuguese said, 'Do as you wish. We will refer your decision to our master who sent us, and if he accept it, so will we.' With these words they all took leave; we alone remained, and the pasha, kissing me, said: 'Father Doctor, in fact the merchants too rashly denied a truth known to all, but you also spoke too strongly to them.' He afterwards spoke kindly to the Portuguese, and after sweetmeats and coffee had been brought we withdrew in a peaceful frame of mind. And although the Portuguese themselves knew that it was useless and that their claim had no foundation, when they heard this they were silent, for they thought the Turks were out of their minds; and accordingly a few days later they departed. Nevertheless, the pasha sent a very beautiful robe for the senior captain Peter de Souza Attaiide, and another for the general residing in Congo.

On the 18th of the same month of August, in the early morning, together with our interpreter I took down to the said captain Peter de Souza all the money of the deceased Dominicus Paschalis. He gave me an attestation in writing signed with his own seal, or rather he gave me a twofold attestation, one of which I sent with the said money, while I kept the other with me and shall continue to do so, as I have noted in the book intended for this affair, which is preserved in the archives of this our Residence, as I have said elsewhere. They then immediately left for Congo. While the Portuguese and English were with me, when I hardly had time for reading divine service owing to my time being continually occupied, the gadhi of the city (for what reason I do not know) summoned our interpreter Abdelkerim and said to him : ' Salute the Frankish father and tell him to show me the authentic permit, in accordance with which your church was founded in this our city.' Abdelkerim accordingly came and told me the gadhi's idle claim ; and I, being at the time greatly occupied with business, as I have said, bade him tell the gadhi that Ali pasha has seen, read, and approved our authentic permit, this is enough for me, and I will show it to no one, because I recognize no one but the pasha as my superior.' The gadhi was angry at this reply, but for the moment he kept silent until another time, as I will relate below in the records of the year. About the end of September there arrived from Baghdad six or eight young Christians, all poor, who hired two rooms in our caravanserai. After a week they were all imprisoned, because they did not pay the Kharaj (tribute) to those who demanded it, declaring that they had paid it in Baghdad before they left. It is well known that Christians and Jews pay a yearly tribute to the Turks, to the amount of five silver scudos, but here in Bassora a long time ago a certain pasha had fixed the amount at only three scudos. Accordingly, on the 15th of October in this year, on the day of St. Teresa, I went to the pasha to whom I offered five beautiful candles of white wax from Goa ; he was very pleased, because I had not visited him for a long time, and after a long conversation I spoke to him on behalf of the young men, and begged him to excuse me two scudos as other pashas had done. In fact he would have let me off two whole scudos, but a certain mullah, very zealous for his laws, who was sitting near him, said to the governor that this ought not to be done; nevertheless, I kissed his hand, and when I said 'I will not let you go, my lord, unless you do me this favour,' he remitted one scudo and a half, and in my presence ordered the collector of the tribute that he should not in future demand more than one scudo and a half from poor Christians, but from the rich two and a half. Accordingly, all Christians on this day praised the Lord and gave thanks to our holy mother Teresa, because on her festival she had relieved them from so great a burden. On the 4th of November of this year there arrived from Shiraz R. P. Hyacinthus of St. Augustine, of the province of Aquitania. He had been sent by R. P. N. Peter of Alcantara, prior of Ispahan, and for the time vicar provincial substitutus, that he might become my companion after my long period of loneliness, and exercise the office of missionary in this our Residence. At this I greatly rejoiced, since for a long time I had been incessantly asking for nothing else from God.

On the 18th of December a certain Michael Zaoranus, a Greek Catholic, landed here from Muscat. As he was sick unto death, I gave him hospitality in our caravanserai; and he at once made his will and left us fathers of Bassora his executors. On the 23rd, after receiving all the sacraments of the church, he died, and was buried on the following day in our cemetery *Haissa ben Mariam*. As soon as the pasha heard of the death of this stranger, he immediately made an inquiry concerning his property, and when he heard that he had thirteen fardels of coffee, he immediately sent his shah-bandar to tell me that the coffee belonged to him, and whatever else was the property of the deceased. When I heard this I at once went to our friends the Moorish merchants and told them of the governor's claim. They advised me to go to the pasha and listen to what he had to say, and if he made any attempt to get the property to let them know. I accordingly went to the pasha and said: 'Your shah-bandar came to me and claimed the coffee of a deceased Christian, who before he died made his will and left his property to his heirs; if you will, my lord, take the coffee, but afterwards you will have to give an account of it. Further consider,' I said to him; 'if a French ship should arrive to-morrow and its owner died, would you claim his property?' Hearing these words, the pasha hesitated and summoned the merchants. When they came and heard what was said, all gave their vote in my favour; nay further, they added, 'My lord, why do the fathers reside here? In the first place, for the sake of the church, in the second place, for such cases as these.' The pasha at once said, 'If this is so, I make no claim at all.' Yet it was necessary to give something for the procurator of the fisc so that he might keep quiet and make no fresh attempt. A month afterwards I reported that I had sent the value of this coffee to the deceased's heirs in Europe.

At the end of this year R. P. F. Hyacinthus, my companion, fell ill, and a few days after, when he was tolerably well, he began to spit blood and to bleed at the nose. This gradually increased to such an extent from day to day that I was many times afraid he would die. This lasted for a considerable time, and, as he was extremely weak, on the 4th of March 1702, when a ship belonging to Abdel Sheikh of Congo was leaving here for the latter place, he asked leave from me that he might take the opportunity of returning to Ispahan. I could not refuse for the sake of brotherly charity, and accordingly on the above day he left here for Congo in the ship mentioned. There were four Franks on board, to whom I highly commended him. He arrived safely, as the father himself wrote to me from Congo, and from that day I again remained alone to the present time, owing to the scarcity of Religious, and also by reason of the continuous wars and calamities of this most unhappy city.

1702. On the 20th of this month ten fairly large ships left for Babylon, laden with choice wares, and an old enemy of this city, Mullah ferd Guilla, of Oezan, went to meet them with a number of Arabs. He took whatever pleased him, which was nearly all, so that many of the ships returned completely empty.

On the 6th of April an express messenger arrived from Monsieur l'Etude, agent of the French society, with letters from Surat, to be sent by courier to Aleppo, which I did. Among the letters was one addressed to me from Surat by the most illustrious dominus Aloysius de Pilavoine, director-general of the French society, in which he expressed himself very grateful for the trouble I had taken in recovering the money due to the deceased Dominicus Paschalis. He declared that he was perfectly satisfied about the accounts, which had been sent to him in triplicate; he also threw into confusion the slanderers and murmurers, who had spread reports in Shiraz and Ispahan among our superiors and brothers that I had opened the bags and taken out so much money, so that R. P. N. Peter of Alcantara, prior of Ispahan, wrote to me about the matter. But our fathers did not know that the Portuguese procurator agent had sent his fellow thieves to me, that they might devour this money, and that I had sent them back empty-handed. For this reason they excited this murmuring against me, not knowing that the Portuguese had fallen into the pit which he had dug for me, namely, that they had taken him in bonds to Goa, because he had attempted and committed other similar crimes.

On the 16th of the same month of April three Christian merchants came from Baghdad, who hired part of our caravanserai; with them also came a certain deacon, a Chaldaean Catholic from Diarbekir, who desired to go to Congo on the first opportunity, and thence to the island of St.

Thomas to teach the boys of his nation, and I gave him hospitality until his departure.

On the 20th I went to the pasha on some business, and found the gadhi sitting with him. Having saluted them in the customary manner, I sat down near the gadhi, but above him, since the lower place was occupied by a merchant. When the gadhi saw me sitting near and above him, he smiled sardonically, and turning his back upon me said to the governor, 'My lord, do you see this dog sitting near me?' I immediately rejoined, 'If you call me a dog, beware of my bite; and if I sit above you, I do not insult you, for I am a gadhi of the French as you are of the Mussulmen.' He at once then began to tell the governor, that when he desired to see the authentic licence of our church, I refused to show it to him; he added that, as they had plundered the French church in Baghdad (in September of the past year) he had written a letter to Constantinople to obtain a mandate to do the same at Bassora, and said to the pasha, 'My lord, how long will our foolish rulers allow these French dogs to live among us?' The pasha listened to this outburst, smiled, and said nothing. The gadhi said, 'My lord, what do you say to this?' The pasha replied: 'Here is your rival, let him answer you,' and nodded to me to reply. I answered in a few words: 'Do you wish to see our authentic licence? I will not show it to you, because I recognise only one governor of this city, Ali pasha, whom I greatly respect. You say you intend to write to Constantinople; write, and whatever your Sultan permits you to do against our church, let him see to that; you swear and swear falsely what you write but I do not believe it, because you know well that your words will not be listened to from such a distance; I do not swear, but in the presence of Ali pasha I tell you that I will write to-morrow.' After I had seriously uttered these words and he had heard them, seeing the governor smiling, the gadhi departed in a rage without having saluted his master. The Pasha immediately said to me: 'Father Doctor, have no fear; our gadhi is a fool, nevertheless it is meet that you should write to your ambassador; do not omit to do so. Write.' As soon as the merchants heard what had happened at the pasha's house, a certain Agi Cassem Semmeri came to me to find out the truth. Having heard what had happened, on the next morning he betook himself to the gadhi, and said to him: 'What are you doing, O gadhi? Do you wish utterly to destroy this port of Bassora? Do you not know that all the pashas, as well as our Sultan, not only do not blame the fathers, but rather have the greatest respect for them? Do you not know that the fathers are here consuls of the King of France?' The gadhi angrily replied: 'And do you, a dog, protect the Franks?' The merchant answered him boldly and vigorously, whereat the gadhi was inflamed with anger, and smote him with his shoe; the merchant, like a prudent man, said nothing and departed. When I heard of this I at once went to the pasha and said, 'Is the gadhi a fool?' He answered 'Yes', and again bade me write and wrote himself, and all the merchants at the same time wrote, asking that he should be dismissed and punished, as it is expected by all that he will be in a short time. On the following day, therefore, the 22nd of April, I wrote and addressed my letter to our most illustrious ambassador in Constantinople, giving him a faithful account of what had taken place between me and the gadhi of the city; at the same time I took the opportunity of telling him of other matters in the interest of this our Residence. I made two copies of the letter, which I sent by different routes.

On the 16th April there had arrived, together with the aforesaid merchants from Baghdad, the son of the deacon Abdelkerim, named Abdelhad, with his wife and only daughter. Being a man of evil disposition, he was a great trouble to his father, relatives, and friends. I had several times rebuked him privately, as we are taught to do in the Gospel, but without success; and at last, in his father's presence, I kindly admonished him. Among his other bad qualities, he had a tongue that was most pernicious to himself and to others, and although he belonged to the medical profession he would not endure the most wholesome medicine of correction, but immediately began to vomit forth curses against his father, against his dead mother, against the day he was born, and his having left Baghdad. When I said to him, 'My son, do not curse one so near to you, if you wish the blessing of the Lord God,' he shouted, 'I desire no blessing from God, but the curse of his right hand,' and so on. On the following day he went to certain Christian merchants, and when they rebuked him for what he had done, he began to use the same language as before, whereupon they lost patience and turned him out of doors. In a week, on the 20th July, at the festival of our holy father St. Elias, when all were present at the solemn mass, he stayed away, and refused to allow his wife to attend. Instead he went to a certain apothecary, from whom he purchased a dram and a half of arsenic, and returned home. Having crushed the arsenic, he called to his wife, and swallowing the poison, said, 'See, O cursed woman, now I die.' He immediately began to vomit in great torture, so that when his father, who had performed the office of the diaconate at mass, arrived home, he saw his only son in this condition. When his wife told him that he had taken poison, he immediately shouted out and hastened to me. I said to him: 'Friend Abdelkerim, this is the hand of God.' At this moment the sick man called for me; I hurried to him, and when I saw him I told those who stood by to retire, because the time and hour were at hand for him to confess his sins. At this they all laughed, and said the father is very frightened. I put him in a position for the performance of the act of contrition, he confessed his sins, and I believe that he repented. After I had given him absolution, he asked for a little water because he was as it were consumed by fire ; he drank, choked, and immediately expired. The agony endured for the space of an hour and a half, and I buried him at a late hour in our cemetery *Haissa ben Mariam* outside the city.

On the last day of September in the same year an English ship named *Alma Murray* (?) put in at this port from Surat. Its captain was dominus Bius (? Bins) an Englishman, and with him was dominus Joseph Chutecia, a merchant of the society, who both put up at our caravanserai. They had letters from Surat for the pasha, and for me from Mr. Nicolas White (?), director-general. In these they asked the pasha that in future all the English should pay for their wares only three per cent., whereas before they paid five or six ; they also asked me to undertake the duty of pleading with the governor on their behalf. When I heard of the matter, it seemed to be one of very great difficulty, because the Turks are naturally inclined to increase rather than diminish taxes. Nevertheless, at a late hour I went to the governor alone. Asking me about my guests, he asked : 'Why did you leave them and come to me at this hour ? if they need anything, I am ready with all my heart to supply it.' I explained to him what the English wanted, and when he heard what it was he answered positively that it was beyond the bounds of possibility ; yet when I gave him good hopes of receiving valuable presents, if he transferred their request from the bounds of the impossible to the possible, he immediately relaxed his inflexibility, and after a long discussion promised to grant them all they requested in the letter ; nay, he himself of his own accord promised to give them an instrument in the form of a perpetual capitulation, confirmed by his own seal. When I had heard this, he dismissed me ; I was highly pleased, and when I told the captain, he greatly rejoiced and was astonished. Accordingly, on the following morning, Joseph Chutecia, agent of the society, went to the ship and sent all the merchants to our house, and two days afterwards sent very handsome presents for the governor Ali pasha to the value of about 1,500 scudos, which were gratefully received; in addition, they offered sufficient presents to six or seven other royal servants; so that the tongues of all whisperers were silenced. This is the only solvent to soften the hardness of the Turks.

On the 20th of October, it happened that one of the English soldiers had some dispute with the officials on the ship and therefore fled into the city. He knew the Portuguese language and, meeting a Portuguese in the street, who had long since apostatized, he told him about the dispute. This apostate, wishing to deceive this most unhappy man, took him to the house of a certain Hassan Agha, commander-in-chief of the forces, and said to him that the young Englishman desired to become a Mohammedan. When this was reported, he was kindly received, immediately dressed in Turkish fashion, and treated very courteously. Nevertheless, Hassan Agha, being a good friend of mine, sent his secretary to me to ask my opinion about the matter. When I heard of it, I was greatly grieved and spoke to the captain, who at first said, 'What has it to do with me? let him go to the devil.' When I told him that this was against the honour of God, religion, and the society, he handed over the matter to me, saying, 'You know, see to it, and leave nothing undone that is possible.' I immediately sent for our interpreter Abdelkerim and sent him with the secretary to Hassan Agha, in order that without delay he might bring back the young man to me. When Hassan Agha wished to let him go, all the Turkish soldiers rose, and, inspired with the zeal of their false religion, said: 'It is not lawful, either for you or for us, O general, to let this man go; for he has become a Mohammedan, and God in his mercy has called him from infidelity to our true religion.' However, when our interpreter told them that the English captain would appeal to Ali pasha, all were afraid, and at midnight they took off his Turkish dress and brought the young man down to my house. I and all those with me greatly rejoiced. I kept him with me several days, when the captain sent him on board; he promised not to leave it again, because the Turks murmured greatly up to the day when the vessel left; and in fact, had they wished it, they might have used force against us and caused us great trouble, because in matters of religion they are very fanatical.

On the 9th of November this year, Mohammed captain pasha put in here from Babylon, with a large fleet, forty warships, with the same number of smaller vessels. On the following day I visited him together with the English, and a few days later sent him a small but voluntary gift in order to gain his good will, which he gratefully accepted. In this army there were Christians to the number of 200, but nearly all Greeks, except twelve prisoners, among whom eight were Italian, one a Maltese, and three from Russia, who began to attend church, especially on Sundays, to our great joy and edification, especially as they did so with the consent of the General Mohammed pasha.

Before the Birthday festival I admonished all the Europeans to prepare to make sacramental confession. For this reason, on the vigil of the Birthday, I repaired to the camp and humbly asked permission from Mohammed pasha that on that night the prisoners should come with me into our hospice to pray, for it was a night of great joy and festivity with us. He very kindly granted my request and after that, in my presence, summoned the twelve prisoners, whom he ordered to go down to the father's house before sunset, on condition that they all returned to camp before sunset on the following day. They all gladly came and on that blessed night they confessed, and at the celebration of the first midnight mass they ate the bread given from heaven and born of the virgin. After they had refreshed their souls, on that day they greatly rejoiced with me in Christian charity, and after vespers gave thanks and returned to the ship. They all came every succeeding Sunday in the morning to the celebration of mass, and some came every day, to the great edification of the whole people.

On the 26th of the same month a little vessel or bott (boat) put into this port from Bandar Abbas, whose commander was Monsieur John Bariiera, a French Lutheran. With him came Mr. Daniel Littenten, an Englishman, with merchandise of Mr. Bruce, agent of the English society in Bandar Abbas, who hired part of our caravanserai. Ali pasha was minded in regard to this little ship to break the agreement established two months ago with the English, but because it was a small matter he kept the contract. Within a month they sold all their wares and departed. On the journey they were shipwrecked near Bandar Bushire, but all on board, five in number, saved themselves, and fished up the money. This was not surprising, because the captain and his companion were ardent worshippers of Bacchus.

1703. In the beginning of February 1703 it happened that one of the aforesaid prisoners, named Antonio, an Italian from Bononia (Bologna), was seriously ill. When I heard this, I went to the camp to see him, and when I found that his illness was very dangerous, namely, haemorrhage, I advised him to prepare to make confession, even for death. When he daily grew worse, he begged me, as an act of Christian charity, to receive him into our hospice. I readily consented, on condition that he deposited with his master whatever he possessed, whether money or movables. I did so lest, in case of his death, I should be forced to hand them over by the Turks, and for this reason I sent our interpreter Abdelkerim to the general, asking that he would deign to allow the sick man and prisoner to come into my house until he either recovered or died. He at once kindly agreed to my request, nay, he wrote me a statement and confirmed it by his seal, to attest that the said Antonio came to me in a state of nature, because he himself had taken and was keeping whatever he had ; he also wrote in the statement that, if he recovered, he would restore all his property to him, and then set him free. The schedule has been kept from that day to the present in our archives.

On the 11th of the said month of February, accordingly, Mohammed pasha sent our Antonio to me in a small vessel ; and when I saw that he was very ill, on the following day I prepared him to take the sacraments, which he did with good will and Christian devoutness, and on the 18th he rendered up his soul to God in the confession of holy mother church while I stood by. On the following day, after the prayers for the dead, I buried him in our cemetery *Haissa ben Mariam* outside the city, amidst a crowd of all the Christians and his fellow captives. He had purposely kept 100 scudos, and before he died summoned witnesses and declared his last wish that, in case of his death, I would give them to a certain Antonio Caza, a Greek merchant, that when he went to Constantinople from Bassora he might give them to his wife. Accordingly, after his death, I summoned those same witnesses and gave the 100 scudos to the said Antonio Caza for the wife of the deceased, having received his attestation, which is still preserved in our archives.

On the 3rd of March, while I was entirely occupied in composing speeches in Turkish for the Sundays in Lent, a letter-carrier unexpectedly arrived from Babylon. The reverend Capuchin fathers had expressly sent him to me to inform me that they had been expelled from the city by order of Daldaban the grand vizier, and that an extraordinary messenger was coming with the same mandate that our church at Bassora should be razed to the ground and we ourselves turned out of doors. When I heard this, having blessed the name of the Lord, I rose and went to our governor Ali pasha whom I informed of everything. Being our very good friend he was greatly upset; but he told me that if he should be ordered to proceed against the father and the church he would still save me under the title of the consul of France. 'Let us wait', said he, 'until the mandate comes, and we shall see.' Nevertheless, this news disturbed me, and accordingly I gathered together all the better goods and chattels belonging to the church and the house, and by night carried them to the house of Khoja Safar, a Christian, that great loss might not befall me (as in fact was the case afterwards although in a less degree) owing to the fickleness and untrustworthiness of the Turks, whose chief characteristic is deception.

On the 14th of the same month a letter-carrier arrived here, a Tartar from Babylon, with the royal mandate for our destruction. When Ali pasha had read it, he summoned me at a late hour and very sadly said to me: 'Reverend father, the royal mandate is pressing, and there is no room for explanation. I therefore advise you, with the greatest goodwill, to evacuate your house and church, this very night, and depart hence from our borders on the first opportunity.' When I pressed him, saying, 'Is the mandate against the consul of France or against the father?' he replied, that it was true that the mandate was directed against the Frankish fathers and their church, and therefore against me; and although he knew that I was both father and consul, yet the people only recognized me as father, and not as consul; and therefore, if he did not give orders to carry out the mandate, he was in danger. 'Let therefore what I order be carried out with no delay,' said he, adding, however, 'Do not be in too great a hurry; carry away all your belongings, and as soon as possible completely evacuate your house, and deposit your goods with a Christian friend of mine, and when you have arranged everything you can depart at your convenience.'

Wherefore, in confusion and tears, I returned to my house, where I found all our Christians and friendly Turks, waiting to hear the result. When they saw me from a distance coming in tears and worn out with grief, and heard the conclusion of the matter, they began to wail after the manner of their country with unspeakable lamentations, and my grief was greater than the pangs of childbirth, as God is my witness. The sun had already set; and accordingly I recovered my courage and for nearly two hours visited different friends to see if any remedy were possible. They all unanimously declared that Turkish mandates were infallible, and that the only thing for me to do was to carry out whatever instructions had been given me, because, said they, we are incapable of uttering a word before the pasha.

Accordingly I returned home in a state of confusion and very weak, for I had fasted for two days; and, having summoned our deacon Abdelkerim with two or three other devout Christians, we went into the church. There, after shedding a flood of tears, we recited the Litanies of the Blessed Virgin Mary, and after the prayer *Under Thy Protection* and other prayers we were almost drowned in our own tears. We removed from the altar the image of the Queen of Heaven, Holy Mary de Remediis, our Patroness, together with other images—our Holy Father Elias, our Holy Mother Teresa, our Blessed Father John of the Cross, St. Gregory the Illuminator, St. Louis King of France—which we removed at the same hour of the night to the house of Khoja Safar, that they might not be seen on the following day and blasphemed by the infidels. I know not whether Rachel wept for her children as on that night I wept for the mother and fathers and saints—God alone knows. After this we stripped the Church entirely, leaving the cross and two candlesticks for celebrating mass on the following day; all the ecclesiastical and household furniture I collected together on the same night, so that nothing remained to be done but to carry them away. When this was finished the day came.

It was the 15th day of the month, which was the fifth festival of the third week of Quadragesima, when all the Christians came in the morning to hear the last mass for the time, or rather to interrupt it by tears and lamentations. When mass was over, I bestowed upon them the holy blessing of God and Mary the Mother; I also gave them warnings for salvation, and afterwards we gave way to tears and sighs, which I hope mounted to the judgement-seat of God. After this, I had all our goods conveyed to the house of Khoja Safar, even to the doors of the cells. At this time some Turks and Christians sympathized with me and others shook their heads, saying: 'What evil were these poor Religious doing? what is the object of this destruction?' Others, however, said: 'Long live our Sultan, who at last has cast out these infidels (for by this name they call us and we willingly endure it for the glory of the name of God) and destroyed their church.'

To the east of our church there is another house belonging to us, the caravanserai; where Europeans are entertained, and also Christian merchants. At that time many Christians from Babylon were staying there, who withdrew elsewhere on the same night. I had nothing there except a large cell, full of timber for building purposes, to the value of about 50 scudos; but because Ali pasha had promised me not to touch it, for this reason I did not remove the wood. But this was the will of God, because otherwise I should not have had time to see after things that were more necessary, as we shall see below by the favour of God. On this same day, at three o'clock in the afternoon, I shut the door of the house from outside with an iron key, and went to Safar's house. After I had entered and saw all our goods lying in confusion I was myself so confused and wept so copiously that I do not know how I endured it with our devoted women and their little children, who by the violence of their tears threw me into the depth of desolation. Nevertheless, I occupied myself till vespers with arranging in boxes everything that I wished and was able to carry away with me, for there were not many things that were portable.

At that time there was a little vessel setting out for Congo; accordingly, on the following morning I summoned the captain and enjoined him not to leave without me; this he promised, and said that within a week he would without fail depart.

I did not cease from my labour and arranged everything as if I had been about to leave at once. Wherefore our Christians said to me, 'Why all this toil? God knows whether you will leave in a week or a fortnight'; yet in my heart I had an anticipation of what afterwards actually happened. Hardly had I made all necessary arrangements when on the same day, the 6th of March, one of the pasha's ministers, called the shah-bandar, came to intimate to me that I must leave at that very hour without any delay. I answered: 'Do you not see, my lord, that I have not yet got together the furniture of my house? How can this be done?' His answer was: 'Reverend father, do not argue, because such are my orders.' He himself procured for me a boat to carry my goods to the ship, and in the space of an hour, all the Christians weeping loudly and incessantly, I was ready to carry out the will of God. During this time, while I was having my movables carried down to the boat, the shah-bandar asked me for the keys of our house, saying that the pasha declared that our house belonged to the fisc. When I replied that our fathers had bought this house eighty years ago with their own money, he said : ‘ If your fathers bought it, in that case all immovable goods (real property) fall to the fisc ’ ; and so I was obliged to hand him the keys of the house. Ali pasha, however, had done this to save our church and house, because Daldaban, the grand vizier, had ordered that it should be razed to the ground, and so our pasha to prevent its being claimed for taxation by other ministers, declared the house and church to be the property of the fisc, which seemed good and was approved by all.

After this, the shah-bandar urged me to depart, but the pious tears of those women and boys did not allow me to carry out the mandate. At length, after pressure, we separated with natural sorrow of heart, and I departed in grief and at a late hour reached the ship which was starting for Congo in eight or ten days.

But what did God do, best and greatest, who does not desire the death of a sinner, but that he should come to his senses and live ? During these ten days he stirred up a very strong wind from the south, so that the heavily laden ship in port was in danger ; for which reason it was unable to set sail until the time appointed by the father of all mercies and the comfort of all our people. During these days Turkish and Christian merchants of every nation kept coming to me, all of them expressing their indignation at this tyranny. I tried them all, to see if one or other would plead with Ali pasha, that I might have a little delay until fresh messages arrived from the Porte. But they all said : ‘ In cases like this how can one plead for the father or for one’s own sons ? Reverend father, do you not think so ? ’ Nevertheless (and God is my witness that I do not lie) my heart told me that I should not depart yet, and I cherished a lively hope of this. Wherefore during those days I did not cease from weeping and prayer with fasting, and on this occasion God showed me how great virtue there is in constant prayer with fasting and weeping with lively hope ; therefore O Lord, may thy name be blessed for ever, for I confidently hoped and was not confounded.

Six days after I had gone on board, that is, on the 22nd of March, a Christian brought me a letter from Babylon from the reverend father John Baptista, a Capuchin, the purport of which was as follows :

Reverend Father.

I believe that my Redeemer liveth ; for although I expressly sent the letter-carrier to your reverence by payment of 20 scudos, who set out on the last day of Ramazan on a Sunday night, on condition that he should reach you within a week, in order that he might put off the sad news of the mandate for the destruction of your church and your expulsion from Bassora and Baghdad, yet I hope that either from the pasha's good will or for other reasons, nothing unfortunate will happen to you. Everything was ready for our departure, and half of us had risen and gone out of doors ; when the judge or gadhi sent for me, and either on the part of the ministry of medicine, or from fear of causing disagreement between the Porte and France, or from the sudden news of the death of Daldaban (which is more probable) forbade our going out with the caravan. This was confirmed by the governor and accordingly we remained to wait for another message—may it be more propitious ! The reverend father revived salutes you ; remember us in your sacrifices. Farewell.

Baghdad, March 12, 1703.

Your humble and obedient servant,

F. John Baptista, of Orleans,
most unworthy Capuchin.

This letter acted as a stimulus and strengthened my hope of not leaving, but because no certain news had yet arrived concerning the death of the vizier Daldaban it was too dangerous to spread the report. Meanwhile, the south wind became more and more violent, and in this way God confounded our enemies, to the unspeakable joy of our friends. And, to show how the good God does not confound those who hope in him, before sunset Mohammed pasha returned to this port with his fleet of forty-four warships, with which he had annihilated certain Arabs of the tribe of Mentifek who had done great harm to the city. While he passed near my ship, I saluted him, crying out in Turkish, Aman Sultanem, that is, Protection, O my prince! Greatly astonished he said, 'Whither are you going? Do not go, but come to me,' and immediately he went to his camp which is called Minavoi, whereat I was greatly delighted and immediately offered what thanks I could to God.

On the following day, the 24th, after vespers he sent his sloop to me with a certain Salomon, an Anglo-Turk physician, a very great friend of ours, who took me down to the camp, and after sunset I presented myself to our general Mohammed pasha, greatly afflicted and worn out by a week's continuous lamentation. He greatly pitied me and said with a sigh: 'These are the monstrous doings of the Turks.' When I wanted to kiss his hand, as is customary, he would not allow it; but, sitting near him I told him what had happened to me, and when he had heard everything he said: 'May God live and may his holy name be blessed for ever, for that He has not permitted you to depart before my arrival! You may be sure that you will remain here; for to-morrow Ali pasha is to visit me with all the great men, and if they do not allow me to keep you, you shall see what I will do.' Finding our general so well disposed towards me, I could not conceal from him the report of the death of

Daldaban the vizier. When he heard, he said, 'Hush, father' (for he knew nothing at all about it), 'I am entirely ignorant of this; may it turn out to be true!' After a long conversation he very kindly sent me back to the ship with orders to the captain not to leave without his permission under pain of death; and I remained with the firm hope of still staying to labour in the old vineyard of Christ.

On the following morning early, the 25th of the month, Passion Sunday, and in its proper place the Annunciation of the Blessed Virgin Mary, our patroness, Ali pasha went down to the camp with the magistrates of Bassora, for he had to discuss weighty matters with general Mohammed pasha, who looked after the affairs of his imperial master and also ours with equal zeal. When Ali pasha with all his counsellors had assembled together, he pleaded that I might remain in a town until the departure of that Tartar who had brought the mandate from the Porte, and that afterwards he should allow me to stay in the city to wait for assistance from our ambassador. In the afternoon of the same day general Mohammed pasha sent his surgeon Salomon the Anglo-Turk to me with the sloop, so that I might leave the ship with my property and go to Baradaiia to the house of a certain Said Moses and stop there for three or four days. Accordingly Passion Sunday was changed for me into Resurrection Sunday.

The Arabs gave me for a lodging a stable in which at the time the goats of the town were sleeping. There I placed all my belongings for which there was hardly room, and remained sleeping on the ground, for three or four days. When I hoped to enter the city and to rest there for a while, behold! the Arabs, being enemies of the Turks, rose up and marched against Bassora. General Mohammed pasha thereupon immediately departed with his fleet, withstood the enemy and defeated them, although many Turks were killed, the Arabs being so to say innumerable; the matter lasted from the beginning of April to the end of September, and similarly my exile, which was for three or four days, by divine providence lasted from the 25th of March to the 10th of October owing to the defection of the procurator. What sufferings, and of what kind, I endured during this time God knows, who permitted such things for the glory of His name!

Accordingly, seeing myself deserted by all, I prepared myself for celebrating the Easter festivals, and in the best way I could constructed a sacred portable altar to perform the sacrifice, hoping that He who deigned to be born in a stable would also deign to be sacrificed in a similar place. I accordingly sent for one of the sons of Khoja Safar, by name Antony, and at dawn to my great joy I performed the sacrifice, but none of our Christians ventured to come near owing to the unnecessary fear with which all had been seized, to say nothing of their lukewarmness or hardness, although they were not all of them so disposed.

At the second Paschal Feast, a good friend of ours, although a Mohammedan, Agi Mohammed, an apothecary, reproached all the worshippers of Christ for having left me alone at so solemn a time. In the morning he got together as many of them as he could and brought them to me. Although some of them were stony-hearted, yet on this occasion they paid the due tribute of tears; and when I admonished them concerning their salvation, our Turkish friend supplied them with plenty of bodily refreshment. All returned to their homes after vespers, except two sons of Khoja Safar, named Antony and Peter (Matlub), who remained with me, weeping day and night without ceasing, for I had formerly loved them in the Lord. The first, Peter, could read and write Italian well, which was of great service to me in my exile. In his mother's name he told me of her sadness of heart, because she could not confess or communicate, as was her devout habit. For this family of Khoja Safar had of old been very devout, but at this time the mother was at Carmel in Arabia, and if it had not been for her I could not have held out. For every Sunday she sent these two sons to me, and two or three times a week, not without great inconvenience, sent bread and other necessaries not only for my support but often for my relaxation. For this I praised the Lord, since, mindful how the widow of Zarepta by God's command had sustained the High-Priest, the Tishbite, although her servants (who, as it is written, are a man's enemies) often strove to dissuade her by threats and idle menaces from this office of charity, yet neither the waters of empty love nor rivers of threats could quench the fire of the same.

Here I think it should be observed that, since in these districts the Christians are under the terrible yoke of the Turks, on such occasions they are greatly in fear, because it has many times happened that, when the missionaries are expelled and their churches destroyed, the Turks also persecute them. For this reason nearly all the Christians departed hence, except the whole household of Khoja Safar, the deacon Abdelkerim, and Abdurrahman who is a relative of Safar, with his sons and daughters. There also remained a certain Khoja, by name Abdelmessihe of Babylon, a Nestorian, a bitter enemy of the Catholics; who, when he saw our church destroyed and ourselves expelled, greatly rejoiced and said: 'Thanks to God that at length we are freed for a time from this cursed stock of the French Religious, who are gradually corrupting our people, and have led us into the worship of idols, namely, the sacred images.'

On the fifth festival after Easter, I was prompted by the Lord to perform the sacrifice. Wherefore I was not afraid to leave my little abode in Arab dress and to go by myself to the city to perform mass, hear the confessions of our household, and communicate, as the holy mother of the Church orders. Accordingly, as soon as I reached Khoja Safar's house and they recognized me, all washed my hands and feet with pious tears of goodwill, and after I had told them the reason of my arrival, they desired to sacrifice for me, and a thousand times praised the Lord, since he is good and his mercy is eternal. All satisfied their consciences, and after sacramental confession at dawn I gave them the bread of heaven and having bestowed the benediction upon them before sunrise I left them and returned to my hut with ineffable joy; thus the good God consoled his servant involved in such dire straits.

On the following day, the 14th of April, the Arabs from the north, that is, from the direction of Babylon, rose up and suddenly in vast numbers surrounded Bassora, devastating and destroying. Wherefore on the 15th general Mohammed pasha with 40 ships of war and 200 horsemen set out to meet the Arabs. I was greatly grieved at this, because I had remained without assistance or any one to defend me, as was the case.

Nevertheless, because in the past week I had experienced the protection of the angel of God, on the Saturday of the following week I went again to the city in order to celebrate on the Sunday morning.

I arrived safely; but since it is written 'The enemies of a man are those of his household', as our deacon Abdelkerim was entering his house, when they told him that the father was here, he was so enraged that he upset the whole house and uttered such threats against Khoja Safar's poor widow and her son Matlub that seem hardly credible. I had come over the roof (terazia) of the house that no one might see me, and heard all this myself. Abdelkerim did not come to see me then and did not return until the second hour after sunset. Meanwhile Peter (Matlub), the son of Khoja Safar, came to me, and when I said: 'What news, my son?' he dissembled with his mouth although greatly disturbed in mind and replied: 'You are welcome, my dear father.' After I had tried him a second time, he told me everything with great sorrow of heart. Afterwards his unhappy mother came, greatly afflicted, weeping and sorely grieved. 'What is between me and thee, O man of God?' she said; 'have you come to remind me of my iniquities and kill my son with weeping?' For Abdelkerim had said that if the father visited them again, he would accuse them before Ali pasha in order to destroy all of us and the house. However, when I explained to them that this is the way that leads to life, they were greatly consoled and comforted and praised the Lord. After three hours our deacon came but would not see me, and in the morning, after the celebration of mass, I departed not to return again; Safar afterwards complained to his family because I had left without greeting him, and again greatly disturbed it.

At length the Tartar who had brought the mandate of Daldaban, the vizier, against us, departed on the 18th of April. Therefore, when Abdelkerim came to me a few days afterwards, I asked him to tell our governor to stand by his promises; for Ali pasha, in the presence of general Mohammed pasha, had promised that, after the departure of the Tartar, he would again receive me within the walls of the city and assign me a place of abode. Abdelkerim made a half-hearted promise, but was too lukewarm in action. For he did not apply to Ali pasha, but went to the gadhi. I do not know what answer the latter gave him; all I know is that two days afterwards he returned to me and said that the pasha had answered by a second person that, if the father had 1,000 aurei (gold coins) ready he could return, otherwise he must remain outside the city until fresh diplomas arrived from the Sultan. To this I replied: 'I will live here until my days are fulfilled.' Accordingly from that day, the 22nd of April, I said, 'This my rest is the will of God.' But when I was alone among the Arabs without a servant, the former, seeing me with so many boxes and so much furniture, assumed that I possessed great wealth; wherefore, to avoid worse misfortune, I was minded to send them to Khoja Safar. But when I disclosed my intention to Abdelkerim, he set before me the insuperable difficulties in the way of carrying it out, and even the danger of confiscation. When I heard this, I asked him to procure a schedule from the shah-bandar (who was very friendly to me), so that I might bring in all the things in perfect safety. To this he replied that the shah-bandar would not give me such a schedule without the consent of the governor; and when I asked to go to him, he rejoined that he did not desire to approach the judge on this matter. At length, to put it briefly, I clearly saw that he was unwilling to relieve me from this inconvenience. As soon as I understood this, I carried on the business of the house of God in another way with heartfelt and incredible joy, in silence and safety. I first inquired who was the keeper of the city gate; and when I learned that it was a good friend of mine, although a Turk, I sent for him, and when he heard what I requested he was ready to carry it out, namely, that no one should venture to touch our things at the gate of the city. I informed Peter (Matlub) the son of Safar of this by letter, asking him and his mother if they would be willing to receive and guard our things. They joyfully answered that it was their intention and wish to guard the holy furniture of the house of God, because they hoped that it would be rebuilt, which they earnestly desired.

Hearing this, I called upon the name of the Lord and the protection of my guardian angel, and in twenty days, with the aid of my country Arabs, I carried all our belongings into the house of Khoja Safar. I wrote to him every day whenever I sent anything, and he used to write back that he had duly received the things noted. Thus I daily rejoiced, and thus I adroitly escaped danger and eluded all trickery, greed, or further designs. When our deacon heard of this he was astounded, praised what had been done, and did not utter a word, either against the father or the servants, since he had so obstinately denied my request owing to unreasonable fear, as said above.

On the 4th of April I had sent a letter-carrier for Ispahan to inform our R. P. vicar provincial of the state of my affairs, but having been wounded and robbed by the Arabs, on the 28th of the same month he returned with my letter. Wherefore on the 2nd of May I wrote again to our Superior and to our fathers living at Shiraz and sent five different copies throughout the route. Meanwhile I remained alone, expecting consolation from the Lord, which came to me in the shape of the fortunate arrival from Ispahan of the R. P. Peter of Alcantara, who after the provincial chapter, had been sent to be my companion after my three years and a half of loneliness and solitude. The said R. P. came straight to my house on the 10th of July, and on entering saw six horses fastened and Turks holding revelry. He was astonished and, not knowing what had taken place, asked them: 'Where is the father?' They laughed and joyfully answered: 'We have long ago turned out of doors him whom you seek.' Accordingly, the unhappy father went away in a state of confusion to Khoja Safar's house, and when our deacon Abdelkerim came and told him everything, he wept over my exile, as was natural, and since it was late, remained with them during that night. Nevertheless, after sunset Abdelkerim by order of R. P. Peter went to the pasha, to hear on this occasion what he thought about us; and when he told him that another father had come from Ispahan to be my companion, the pasha said that he was welcome and that he should remain with him ; after two days he would also send for me and give us a house to live in, and ordered Abdelkerim to notify this his will to me for my consolation.

On the following day, the 11th of July, I was sitting on the bank of the Euphrates, reading the holy Scriptures, when I suddenly saw our Peter (Matlub), the son of Khoja Safar, running towards me. He joyfully shouted : 'My father, my father, R. P. Peter of Alcantara has arrived from Ispahan and has come to visit you.' While he said these words, behold ! the reverend father appeared, wearing a Persian dress, together with Abdelkerim. Having received him with a copious tribute of tears, it was only after a considerable time that I was able to bid him welcome. As soon as I heard that Ali pasha had said that father Peter should remain with Abdelkerim, I said : 'Blessed be the name of the Lord ; for this was my desire, that my Christians should not remain without spiritual aid,' hoping in this way to make our rehabilitation easier. But when Abdelkerim prepared to go, and I told him to take R. P. Peter with him, he excused himself, saying that if the father had not come to visit me, he would certainly have done so ; but since he had once gone outside the city he did not want to expose his own person and house to misfortune, and thus deceived both myself and the unhappy father ; however, he promised to go to the pasha to make amends for his wish. When R. P. Peter understood the cunning of the serpent, he voluntarily said that he preferred to remain with me together with a servant, whom he had brought with him from Ispahan, than to associate with such a friend. Abdelkerim departed, and two days afterwards returned to us, saying that when Ali pasha asked him where his guest was and he said that he was with me, the pasha said, 'He has done well, let both remain there for a time,' and thus washed his hands of the matter. So we remained, singing and praising the Lord, and daily performing the offices of the church.

On the last day of August a letter-carrier put in here from Ispahan with letters for an Armenian merchant and also for us from R. P. N. Basil, vicar provincial, who, when he heard of our misfortune, ordered us at once to sell everything saleable and to set sail for Bandar Abbas; however, since on the one hand Ali pasha held out to us the hope of bringing us into the city again, and on the other R. P. N. Basil's letter would admit of argument because of the supposition of total destruction, and also since in particular he ordered us to do what was at the time impossible, we decided patiently to put off the execution of his instructions; nevertheless, taking advantage of the opportunity, I endeavoured, in season and out of season, to obtain an audience of the pasha, which he very kindly granted me quite contrary to my expectation.

Accordingly, on the 5th of September, I summoned Abdelkerim, and went on board a little vessel with him, although he opposed it and grumbled. I went to the city and was entertained by the family of Khoja Safar, to the exceeding great joy of that blessed house, and in the evening I presented myself before the pasha. He received me with the greatest politeness, and after a long conversation I represented to him the inconveniences which I had suffered and was still suffering among the Arabs outside the city, and the impossibility of putting up with it any longer, and that we had been ordered by our superior to proceed to Ispahan; wherefore I asked his permission to remain in the city, to sell our poor belongings, as we had been ordered. When the pasha heard this, at first he absolutely refused to permit me to sell the goods or depart until some messages should come from Constantinople, and said: 'I was greatly astonished that up till now you had been unwilling to enter the city, although I had several times given you permission to do so and to live there, as your interpreter Abdelkerim is witness; now you cannot depart until messages come from the Porte, because I have written on behalf of your rehabilitation and have notified our superiors of the diplomas which you have. Nevertheless, as I have said, it was my intention that you should come and live in the city wherever you wished outside my house, as Abdelkerim is witness.' When Abdelkerim heard this conversation and saw that I understood, and that I was greatly upset, he thought his life was lost and was only afraid that I should answer that he had never informed me, on behalf of the pasha, of his kindness and goodwill, but that he had immediately told me the opposite. For Abdelkerim knew that, if I said this, he would at once have suffered just punishment, even that of death; he accordingly endeavoured to turn the conversation, and at last I said to him in Portuguese: 'Be not afraid; may God pardon you.' When the pasha heard me speaking in Portuguese (for with him I always spoke Turkish) he asked me what I said. I answered: 'I praised God for your kindness, O my prince.' He then resumed the conversation and said to Abdelkerim: 'I do not know why our father here preferred to live with the Arabs in the desert than with you in the city. Perhaps he is not satisfied with you?' Abdelkerim smiled and answered: 'This is not the reason, O prince, but perhaps he was ashamed to live outside his own house.' During this conversation, one of the friends of the pasha came to me with the information that an English ship from Bandar Abbas had been sighted; two days later it arrived at the port. We mutually rejoiced at this in the usual manner. The pasha told me, in the presence of Abdelkerim, as soon as the English captain arrived in port, to send the interpreter Abdelkerim, who on the captain's account in public counsel should say on behalf of the pasha that he must not land or carry away wares for sale unless he allowed the father who had been driven out, to come with him. 'I do this,' said the pasha, 'that neither the gadhi nor the people may have anything to say either against me or the father. This is an excellent opportunity of bringing you into the city, nay, of restoring your house and church to you without royal diplomas.' Thus he sent me away with good hope. While descending the steps of the house of the city governor, I turned to Abdelkerim and said : 'Now I know the man, and why Christ our master said "beware of men".' He conducted me to Safar's house (it was the third hour with us) and did not utter a word. On the following morning, having celebrated a mass of thanksgiving, I returned to my companion, who gave thanks with me to Almighty God and greatly rejoiced at the successful conclusion of the deputation and its happy issue.

On the following day, the 8th of September, the English ship appeared from Congo, and I immediately hastened to it on board a little Arab boat, and having saluted the captain Henry Wellem, an Englishman, and informed him of our condition and our petition in the name of the governor, he greatly pitied us, and at the same time rejoiced at the favourable opportunity of assisting us in such straits. He showed himself ready to be of use to us, and I enjoined upon him to do whatever our interpreter told him. After midday I returned to my town and summoned my deacon, and told him all about the arrangement I had made with the captain.

On the next day, the 9th of the month, the English ship arrived in port and paid the toll ; and our interpreter at once conducted the captain into the presence of Ali pasha, who, when he saw him without the father and when he heard that he had not made that request, he was so angry with us that he refused to listen to us any more ; for he thought that owing to our pride we were unwilling to enter the city, and thus for this second time Judas betrayed us owing to his avarice—his avarice, I said, because our deacon had no great thought for us, so that, when ships arrived, he might obtain a great reputation among Franks and Turks and deceive both when opportunity offered; he saw when English and Portuguese put in here during my time, I did not allow them to be deceived as the Turks and our Christian merchants wished. Ali pasha himself and Mohammed pasha explained to me this second malicious design, saying, that our interpreter and the Christian merchants had made the charge against me that, when Europeans came here, I was too anxious about increasing and carrying out their business; but by God's favour, I was cleared of this charge through the justice of the governors. But see how God disposes everything pleasantly and in a wonderful manner. For on the next day, the 10th, our Mohammed pasha suddenly returned from the north with his fleet, because the soldiers would no longer fight against the Arabs who were doing great damage, and, as they said, wanted their pay; but the real reason of their arrival was that Mohammed pasha had been made governor of the city, as we found out a little later. Accordingly, on the evening of the next day I went to visit him; and when he saw me and heard that I was still living outside the city, he was greatly astonished. However, he said, 'Reverend father, endure it for a little while, and God will release you from so great misery,' and dismissed me very courteously with a lively hope of speedy deliverance.

Meanwhile, on the 13th of this month, a Moorish ship from Surat put in here from Congo, but the captain was a Frenchman named Pierre Branscie. He immediately asked that he might stay at our house, but when our interpreter had told him of our misfortunes and where we lived, he immediately came to us, wept, and worshipped the mysteries of God. When I found out that he was an experienced and high-minded young man, I at once decided to use him as the means either of our entrance into the city or of obtaining our freedom. Accordingly, on the 15th day of the month, I conducted him to our general Mohammed pasha, and since he was, as I said, a young man of standing, he was received with great honour together with me; and after long conversation he wrote the following message in the name of the most illustrious director M. Aloysius de Pilavoine.

Most serene prince: Since the most illustrious director-general of the royal French society M. Aloysius de Pilavoine who is our King's vicegerent in the port of Surat, has heard from this religious man and servant of our King, how he was expelled from this city by special mandate of Daldaban, the grand vizier, and since it appeared to him impossible by reason of the capitulations made and confirmed by oath by Sultan Mohammed IV between the Porte and France, he sent me to investigate the truth of the facts. And when this reverend father wrote that Daldaban's mandate had been made known against the fathers and churches of the Franks and had been ordered to be executed, he is unable to understand how, the said capitulations being still valid, this mandate could prevail; for the terms have been granted and not carried out. Since here the reverend father is at the same time consul for our nation of France, our director-general cannot believe that you are ignorant of his position; but on the other hand, since he well knows that our Religious do not lie, in this dilemma he has commissioned me, if this is the case (as in fact it was and is), to take the reverend father with me beyond the confines of Bassora, if I am unable to restore our consul to his former condition by the governor's kindness, because he himself will duly arrange with the Porte for the performance of ecclesiastical duties; and since the reverend father has informed me of your clemency, I thought it safer and more prudent to have recourse to it and reveal to you this matter, O! unconquered prince, &c.

When he heard this, general Mohammed pasha was very pleased with the frankness of our director-general, and condemned the issuing and execution of Daldaban's mandate, and ordered me to conduct this our deputy to the presence of Ali pasha, that I might see what answer he would make.

Accordingly, at the same time I went straight to the house of Khoja Safar to find Wellem, the English captain, who received us with great joy.

Here I think it should be observed that both Ali and Mohammed pashas regarded a change of government as certain and expected it daily. For this reason Mohammed pasha had returned with his fleet but the deputies had not yet arrived, wherefore, after I had sent our interpreter to ask Ali pasha to grant us an audience, he brought a negative reply from him, that without the express permission of the Sultan he could neither listen to me nor give me an audience. When I heard this unusual but not unexpected answer, on the following day I went with dominus Branscie to Mohammed pasha, and when I informed him of what had happened to us, he smiled and said, 'Ali pasha has come to the end of his government, and has therefore referred you to me; wait a little time, reverend father, and your consolation will not be long in coming.' Accordingly, I joyfully returned to my hut, where my companion R. P. Peter of Alcantara, was impatiently awaiting the result of the arrival of our mission. Our deputy M. Branscie returned to his ship and during that night we sang a fresh hymn to the Lord, praising him since He is good, and his mercy endureth for ever.

And behold a proof of his mercy. On the 22nd day of this month, September, two eunuchs came from Constantinople with great pomp, who brought diplomas from the Sultan for Ali pasha, in accordance with which he was to go to Babylon as governor, and for Mohammed pasha, appointing him governor of the City of Bassora. For their arrival we gave thanks, although exiles, to God best and greatest, since he is good, and since his mercy endureth for ever. On the following day, the 23rd, in the evening I went alone to the camp to offer congratulations to our new governor on his office. When I found him alone and at leisure, and had saluted him and wished him happiness, he joyfully said: 'Praised be the name of the Lord! Have no longer any fear, reverend father, because after the departure of Ali pasha and these eunuchs I will allow you to reside in the city in a hired house under the title of consul of France until fresh mandates arrive regarding your church; I cannot restore your church and house without grave offence and risk, yet the merciful God will grant you fresh diplomas from our Sultan, and the last shall be better than the first'; and so he sent me away joyful.

Meanwhile Ali pasha was making all arrangements for his departure. Accordingly, on the 27th, I again presented myself before Mohammed pasha, who, in my presence, hearing that Ali pasha wished to put off his departure for a few days, was very angry and at once ordered his officials and soldiers to make all arrangements at once for a public entry. Therefore, at the hour of vespers, when I saw everything ready, I renewed my earnest request to our governor, who answered: 'Have no fear, father; for I promise you on my head that after my entry I will send for you.' In my presence he went on board his sloop, and suddenly entered the city with great pomp. When Ali pasha heard of it, he left the city with his soldiers by another way and went to Mokam, as is customary, to the bank of the river, and on the following day crossed the Euphrates with his horsemen, in number 6,000, to set out for Babylon.

Here, to the glory of God who is the father of lights, I think it should be noted what happened to me during my exile, R. P. Peter of Alcantara, my beloved companion, being my witness. It came to be known that, from the beginning of my exile in the town of Baradaiia, I especially devoted myself to reading the holy Scriptures through from the beginning; so that when, on the 10th of July, R. P. Peter of Alcantara came from Ispahan, I was at the time reading the book of Job, and from the first day on which I began to read the book of Genesis to the end, my heart in a way told me that, after I had read the whole Bible, good news would come to me and that I should be freed from exile. This inner discourse of the heart was so constant that, if for one reason or another I neglected the sacred reading, I felt great confusion, for which I myself was alone to blame; and although at first I made light of this holy prompting, nevertheless after some days I paid heed to myself, so that, after the arrival of my companion, when for several days I had not devoted myself to my accustomed reading owing to my joy at our father's arrival, this joy was always mingled with a smitten conscience, and I disclosed my doubts to our companion, who wisely smiled and said that I must not pay too great attention to this. Nevertheless, since he said that nothing was more beneficial than this holy reading, I resumed it with him daily, and it was not so much a pleasure to us as a useful exercise. When Mohammed pasha entered the city, there remained to be read the Gospel of St. John and his Apocalypse, which we read through in twelve days, and on the 9th of October, about the ninth hour before noon, we finished this sacred reading, and having kissed the book and recited the litanies of the blessed virgin Mary with the *Sub tuum praesidium* ('Under thy protection') we said to one another, 'May God grant your wishes,' and while we said Amen, at that moment Abdelkerim appeared. After we had duly saluted him, I asked him what news he brought us. He replied: 'Mohammed pasha salutes your reverences, and at the same time reverend father, bids you enlarge your petition in the form of a memorial (*arziha*), asking that the consul of the French nation may again be allowed to reside in the city of Bassora in some hired house, until royal diplomas arrive from the Porte for your church and house, and he orders you to present it in person to-day.' 'Behold the end of our holy reading and blessed be the name of the Lord for ever!'

I at once wanted to join Abdelkerim and to go with him to the city, but he added: 'Reverend father, it is true that yesterday Mohammed pasha ordered me to come to you and give you this message. However, this evening a rumour spread that Ali pasha is returning to govern Bassora again, wherefore it would be good, nay, better and safer, to let the matter stand over for a few days.' When I heard the half-hearted words of our inexperienced adviser, who still did not know that the better part is that of one who possesses, I said, 'You say well; go, and in a few days I will also come, in the meantime we will see.' He accordingly mounted his horse and went, and I without delay hired a boat and reached the city before him, and when I found out that it was true, I at once sent for a scribe, who put my requests into the form of an *arziha*; in the meantime Abdelkerim appeared, and being astonished at my speedy arrival, was afraid and said nothing.

In fact it was true that Ali pasha wanted to return, and with this object had sent back part of his soldiers with his secretary to Mohammed pasha, bidding him give up the government, because, since they had deposed the Sultan Mustafa and elected his brother Ahmed as Sultan in his place, a delegate had arrived on purpose to order all governors to remain in their places until new diplomas came from the Sultan. But since Mohammed pasha had already fought, he wished to defend his rights, and accordingly sent back Ali pasha's secretary with insults and threats if he attempted to come. He prepared for battle in case Ali pasha intended to use force; whereupon the latter, seeing this, proceeded to

Babylon, and on his arrival there he found a delegate, who had brought diplomas of the new Sultan for the Government of Babylon. Notwithstanding this, fortified by the sign of the holy cross, I presented myself before Mohammed pasha and immediately held out the memorial for him to read. After he had done so, he said : 'Be it according to your request,' and he ordered his secretary to write a permit which he confirmed with his own seal, and handed it to me saying : 'Pray for me, and afterwards we will see you again,' and with a few words he dismissed me, roaring like a lion on account of what has been stated. I therefore kissed his hand and returned to the house of Khoja Safar, to the English captain Henry Wellem, to the unspeakable joy of all my friends and the inevitable grief of my enemies, to the glory of almighty God, who knows how to shatter the weapons of his enemies and does not confound those who hope in him.

Petition presented to Mohammed pasha, for permission to live again in Bassora under the title of consul of France.

[*Here follows the supplication, with the concession across it, in Turkish characters.*]

Concession. Place for Seal.

Petition.

The following is the interpretation of the above :

'O most wealthy, fortunate, and merciful prince, may your Excellency be preserved ! We your servants, fathers of the French nation, now dwelling in the territory of Seraggi, humbly beg that your Excellency, O my prince, will give us permission to reside in Bassora, under the title of consul of France, according to our diplomas ; and we again implore your clemency, O never conquered prince !'

His answer to our petition was :

'I have given permission to the present consul of the

French to reside in Bassora, and let no one presume to dispute this: I have said. Given on the 9th of October 1703 (in Turkish reckoning, 1115).'

Place for Seal.

I drew up this petition with his assent and at his dictation, since, when he saw our diplomas, he was astonished and desired to save us. So that night I joyfully slept at the house of Wellem, the English captain, and when I asked him to give us hospitality for a few days, he very kindly offered us the whole house, indeed, he was very glad of our society. Accordingly, on the morning of the next day, the 10th of October, I hired a small vessel and went to Baradaiia, where my companion was awaiting the good news. And when he heard that it was very good, he praised the Lord with me and, having gathered our things together, we departed, to the great sorrow of our Arabs. Before sunset we arrived with great joy at the house of Khoja Safar to stay with the English captain Wellem, who had made ready for us the more commodious and better part of the house that he had hired.

Immediately after my arrival, I did not omit to help our benefactor in his business, which was very intricate owing to his inexperience of the place, and, as he himself over and over again confessed, he saw the need of my assistance, and on that account became daily better and better disposed towards us. After a few days, when I saw that the captain was free from the difficulties of business, R. P. Peter of Alcantara and myself took counsel what was to be done. On the one hand, R. P. N. Basil had written to us to come to Bandar Abbas without fail, and, on the other, we not only had permission from our pasha to reside in Bassora, but he had expressly forbidden us to leave; therefore we settled that one should go and the other remain, but for greater security we decided to send to Bandar Abbas all the goods of the Residence that could be taken away with the one of us who went, by the kindness of this good English captain. Accordingly, a few days afterwards I disclosed the secret to Mohammed pasha, without whose leave we could make no decision. When he heard of our resolution he said : ‘ If you wish to send your companion, I do not oppose it, for it is a wise precaution, but I wish you to reside here until fresh messages come.’ Mohammed pasha by this made me abandon my purpose, for I wanted to go myself and greatly desired to leave Arabia ; yet on the other hand I knew that my companion, who was ignorant of the Turkish language, was not fit to deal with this weighty matter. Therefore, when I recognized the will of God, I said, ‘ This is my rest,’ and decided to send the reverend father, and to remain alone to finish the work for which God had foreordained me in his most pious mercy.

Accordingly, on the 12th of November, R. P. Peter of Alcantara departed with the English captain, taking away with him all the goods of our Residence (as is clear from the inventory made and subscribed by us, which is preserved in our archives with other books of accounts and documents), as our reverend father the vicar provincial had written to us to do, and removed to Bandar Abbas. Only a few useless goods were left with me—all the doors of the house, benches, and the like, which, together with other useless things, filled the whole of a house which I hired to live in. The house belonged to the widow of the deceased Khoja Safar, but a week afterwards, a certain Turkish merchant, a creditor of the said Khoja Safar, appeared and wanted to take Safar's large house for his money. This house was a small one needed for his mistress ; accordingly, on account of the trouble it would take to find and hire another house and on account of the useless expense of removing our goods,

I went to Mohammed pasha and asked him for our caravanserai to live in. He wisely replied : 'Reverend father, this is the second day of our entering the city after eight months ; can you not put up with it a little longer ? Have patience and trust in me, and whatever I can I will give you.' His answer gave me a better hope of living again in our house, which at the time was occupied by a Turkish official, who, by the disposition of God, a few days after had drunk wine contrary to the law of the Mohammedans, and having had a quarrel with another captain, had been arrested and put in prison with all his servants. When I heard this I hastened to shut the door of our caravanserai, and on the following day, the 25th of the month, sacred to St. Catherine, I again went to Mohammed pasha. When I related to him how the Turkish merchant was urgent about Safar's house, on seeing the trouble I was in, he at length said : 'In the name of the Lord I give permission to go and live in your caravanserai, but on condition that you shut all the roads and gates leading to the church so that no one be heard within ; live there until God provides something else.' Having kissed his hand, I joyfully departed ; but immediately I began to reflect upon the fickleness of the Turks, who are always liable to change. I therefore thought it right to obtain permission in writing, and in order to settle the matter quickly, I bought a piece of satin and presented it to Divan Effendi the secretary as a little gift, that he might draw out in writing a memorial to be presented to Mohammed pasha, asking that the consul of the French might be allowed to inhabit the house adjacent to the church without any one having the power to molest him. The secretary, when he saw the green leaf (as they call it, that is, the little present), he at once drew up a memorial for me, and wrote it with his own hand, and at the same time together with me took it to Mohammed pasha, who when he saw me was amazed and said : 'What new thing has happened to you, O reverend father?' When I presented the memorial to read and he had done so, he smiled and said: 'My father, this seal is not necessary for you; for who will harm you? Have no fear.' I answered: 'My prince, we are mortal, and subject to a variety of things.' 'God grant you prosperity,' said he, 'for you do not sleep over your business, and so it shall be.' He then ordered his secretary to sign in his own name, and confirmed it with his own seal, and handed it to me, saying, 'Go in peace and pray for me.'

Petition presented to Mohammed pasha for permission to inhabit again our caravanserai under the name of consul of France.

[*The diploma in Turkish follows.*]

Concession. Place for Seal.

Petition.

The following is the interpretation of the above:

O my most wealthy and fortunate prince, may your excellency be preserved! since the consul of the French and thy servant has sought and obtained from your clemency permission to reside again in Bassora according to our capitulations, now, O noble prince, he again asks from thee, that he may be allowed to reside in his caravanserai, without any one having power to disturb him; and this generosity will be a sign of thy magnificence, &c.

He replied and granted this petition, saying:

'Accordingly I have ordered that the consul of the French may reside in his caravanserai, and that no one may venture to disturb him.' Given on the 25th of November 1703 (in Turkish reckoning, 1115).

Place for Seal.

Accordingly, on the following day, the 26th, I entered our

house, and for the space of a fortnight with the aid of a number of labourers had it cleansed from dirt and repaired in places where it threatened to tumble down, that I might be able to live in it in the meantime. After this I began with confidence and without any fear to perform the rites of the church; and although at first our Christians were afraid, yet they began to come every Sunday morning, leaving before sunrise, that we might not give any opportunity for murmuring against us.

On the 5th of December, a Moorish ship from Congo, named *Salamatras*, put in here. Its captain was an Englishman named John Semikines (? Simpkins), who died on the same night, and was buried by me in our cemetery near other English and Armenians. At this time Mohammed pasha (I do not know why), under the vicious influence of his ministers, treated the citizens with terrible cruelty; and all, especially the poor, lamented under such a yoke and asked for vengeance from the Lord God. Wherefore, from the 18th day of the same month at night there were three terrible earthquake shocks, so that we believed that our end was at hand; however, by the favour and mercy of God little injury was done. On the following day, when I presented myself before Mohammed pasha, I found him greatly disturbed, and when he asked me what this earthquake might mean, with the freedom of a Christian, I said: 'O my prince, the cries and tears of the poor have reached the judgement-seat of God.'

On hearing this, he turned to a certain Cassim Agha, the author and executor of his tyrannous acts, and said, 'O faithless one, do you hear what this reverend father says? certainly he speaks the truth, therefore that is enough. Act with kindness, and if you have obtained anything unjustly, give it back as soon as possible, that God may not be angry with us.' But the minister smiled and said: 'The father speaks thus, because he himself is afraid.' I answered,

'Why? if I had been afraid I should not have spoken thus.' From this day Mohammed pasha fell into a fit of melancholy, in consequence of a vision that he had in a dream, of which he gave me the following account: 'It seemed to me that I saw an old man of terrible aspect coming towards me, who roused me from sleep; when I saw him, I trembled and feared, and he said to me: "Mohammed pasha, what doest thou?" Trembling, I tried to call my servants, but could not do so owing to my excessive alarm; when lo! two youths came, like giants, with clubs and daggers, to whom the old man said, "Smite this Tyrant"; and when I had said Aman, Tubeh (*Mercy*, *Penitence*), he said to me, "Thou shalt have mercy, if thou shalt truly repent. I will see to thee." Then all disappeared, and I at once awoke weak and sad, as I have been until now. Tell me what this may mean, O most learned father.' With sincere frankness and Christian freedom I explained the cause to him, as I was able, for his deeds were verily tyrannical. When he heard my explanation, it pleased him, or at least he said that it did; then, saying 'I desire to hear other interpretations also', he courteously dismissed me.

He accordingly summoned a magician, a great flatterer, who, in order to obtain the favour of the prince and also a handsome reward, gave an entirely different interpretation. He declared that the pasha's enemies might have done this by the art of magic to turn him away from carrying out justice. The pasha therefore adopted this opinion and turned worse than before. Taking advantage of the opportunity, Cassim Agha, chief minister and executor of the acts of injustice, on the next day, seeing Mary, the widow of Khoja Safar, with her daughters, and with the daughter of Dominicus Tiglius, the son of our deacon Abdelkerim, going to the bath, said to Mohammed pasha: 'My prince, thou shalt have a crown of justice in heaven, if thou shalt take one of these daughters thyself, and give me the other to wife'; further, this executor added, 'This wife of Safar has a young son like an angel, named Matlub (*desired*); if you took him for purposes of sodomy, what could be finer?' Mohammed pasha, like all Turks, was greatly addicted to this abominable sin, and, therefore, when he heard the name of the youth, he rejoiced and said: 'Where is this youth?'; the minister replied, 'The father uses him' (for the Turks here, when they see young men coming to us at once think we abuse them); but his chief reason for saying this was to take vengeance upon me for my former reprimand. Whether Mohammed pasha agreed or not, God knows: 'When our fast is over (for it was then Ramazan), after the festivities, I will inquire about the daughters and the son.' A rich Turkish merchant, a friend of mine, told me all this under cover of friendship, that I might see what happened and take precautions. When I heard this, God knows how grieved and confused I was. A few days afterwards the same merchant told the same story to our deacon Abdelkerim, who repeated it to Mary, Safar's widow; and God heard the lamentations of Rachel and listened to the prayers of the poor, and bruised the mouth of the lions. For on the 22nd of February, in the following year 1704, Mohammed pasha was attacked by a flow of blood, and when he saw that the end of his life was near, he sent for me and ordered me to visit him two or three times a day. What was I to do? I went and returned home and called upon my God to deliver me and my dearest Christians from such a swine. Our God heard my prayers, and removed this viper from the midst of his servants. For twenty days he suffered from dysentery and died at midday on the 14th of March, and was buried to the great joy of the poor, who sang a fresh hymn to God, because His mercy is eternal, and thus we escaped in the name of the Lord. Immediately after the death of Mohammed pasha, by consent of all the great men and citizens, Mohammed Bey was elected in his place (he was the nephew of the deceased and the commander of 40 galleys), until another governor should arrive sent by the sultan. Meanwhile, the great men and citizens had written, begging that the aforesaid prince Mohammed might be made governor; for he was of an excellent disposition and good things were expected of him. On the 16th of the same month of March he took over the government with the approval of all, and on the following day the people asked him to sentence four ministers of the deceased pasha to death for the acts of tyranny of which they had been guilty, the chief among them being the aforesaid Cassim Agha. Accordingly, prince Mohammed held a general and public council and thrust those four murderers into prison; and two days afterwards sentenced them to be hanged, the others being imprisoned till a new governor arrived. For their crimes were to be brought before the supreme tribunal; and so it was done.

R. P., father Basil of St. Charles, vicar provincial in Persia and Arabia, had written to me to leave my house without delay and go to Persia; and since up to this time Mohammed pasha had positively refused me permission to depart, for this reason, taking advantage of a Moorish vessel going to Congo, on the 18th of the month I presented myself before prince Mohammed, the new governor, to congratulate him on the accession to office and also to obtain permission to obey. Although he was on very friendly terms with me, under pretence of friendship, he refused me permission to go, and when I tried again two days later, because the ship was on the point of leaving, he was angry and said that he did not wish to make any change until the new governor was appointed, and forbade me with threats to proceed farther. To compensate me for the loss caused by the refusal of his permission, he gave me full power to perform the rites of the church and to address my people ; for which I praised the Lord, since his mercy endureth for ever. At the feast of Easter, owing to the throng of people and want of room, I was obliged to celebrate twice, to satisfy the holy thirst of both sexes. At this time, also, since there were many Greeks serving in the army, they exulted in the Lord with incredible joy, singing Hallelujah ! And see how the good God filled my cup of joy ; for a few days later I received a letter from R. P., the Vicar provincial, in which he asked and urged me to have patience and endure persecution in the following words : In regard to the present state of things I think that your reverence ought to temporize as long as possible. I have written to Paris to the court, and hope that in time a favourable reply will come. Let your reverence have no fear and trust in God, because this mission, founded 90 years ago, will not be destroyed in this manner, and I hope that you will have it established on a firm footing, and in case of any irremediable misfortunes, or if you are absolutely unable to stay either in our house or that of any one else, and cannot come to Shiraz or Ispahan, then may God help you. In such circumstances you need courage and prudence.

Accordingly, on the following day, I took advantage of a ship going to Congo, and wrote to R. P. Basil, telling him of the present condition of our mission, that he also might praise the Lord with me, 'since He is good, and since His mercy endureth for ever.' I again devoted myself to improving the mission to the best of my ability, and as it was allowed me. From the time of our destruction, that is to say, from the 14th of March of the past year up to the present, I had several times written to the most excellent ambassador of the King of France at Constantinople, that he might look after the restoration of our church and the honour of our King derived from it, and also to our superiors living at Rome; but to this very day I had received no answer from any one. Indeed, on the 18th of December 1703, I had sent our ambassador a legal copy of our diploma, confirmed by the seal of the gadhi, by a special Turkish messenger named Mohammed Bey; on the 24th I had sent another copy by a different route to our consul at Aleppo, and on the 29th another by a messenger extraordinary known as stafetta, Ahmed Chogadar. For Mohammed pasha, who was at that time alive, continually blamed the negligence of our ambassador in a matter of such grave importance; therefore, when Abrahim Effendi, who was chief secretary on behalf of the sultan over the army of the deceased Mohammed pasha, was going to Constantinople to render an account of its administration, he being an intimate friend of mine, I showed him another copy of our diploma with the letter of our Religious, and asked him to get our ambassador to beg for a fresh mandate. He left on the 18th of May of this year 1704, and on this favourable occasion I renewed my urgent requests to our superiors and to the prelates of the sacred congregation of the propagation of the faith.

On the 3rd of July there came a report from Baghdad that the sultan, having heard of the death of Mohammed pasha, had a second time conferred the government of Bassora upon Ali pasha, who at the time was governor of Babylon. Accordingly, he sent one of his officials named Mustafa Agha, and appointed, or rather confirmed, the appointment of prince Mohammed as vice-pasha until his arrival. Nevertheless, because he was always opposed to exorbitant expense, he sent orders from Baghdad to prince Mohammed to make a change in regard to the 30 galleys and only to keep 15 to protect Bassora; this was immediately done, to the great grief of the soldiers, because they had to remain without pay in a strange land, most of them being from Constantinople.

On the 27th of July 1704 there arrived from Bandar Abbas a ship of the Dutch society from Batavia, named *Kau.* Its captain was Derk Holleman, and he was accompanied by dominus Peter Makarré with the title of captain of the society, and dominus Abraham Van de Putt with the title of second (that is, vizier), and Mr. John Aidfeltt, secretary. It was their intention to reside in Bassora, as they had done for many years, but because this city was without a legally appointed government, they waited for the arrival of Ali pasha from Babylon, and in the meantime hired the spacious house of Khoja Safar the Christian, but brought nothing from the ship except a few necessary utensils.

On the 2nd of August, owing to a sudden violent and scorching wind, two Dutchmen died on the ship, from which they came out like burnt coals, and were buried on the bank of the Euphrates. On the 11th the captain's cook died of the same complaint, who was, as they said, a Roman Catholic. Our deacon, Abdelkerim, imprudently induced me to bury him in our cemetery *Haissa ben Mariam*; for at first they were unwilling that the name of the Roman Father should be heard, but God broke their pride; for on the 13th he permitted five young Dutch soldiers to escape from the ship, who went to a certain Joseph Aleman, a renegade, of Antium (?), one of the servants of prince Mohammed, and since he was well acquainted with the Dutch language, asked him that they might become Mohammedans. The apostates, greatly rejoiced at the good news, immediately informed prince Mohammed of their wish, who at once assembled a council of doctors of Mohammedan law, to hear what should be done. Accordingly, on the following day the whole council assembled, and when they heard the reason, they all with one voice exclaimed that this was the gift of

God, that five infidels from Europe had been brought to the knowledge of the true faith by God, best and greatest. They summoned these five infidels, for whom Joseph the apostate acted as interpreter, and after the Mufti (bishop) had asked them what they wanted, the unfortunates uncovered their heads, and, raising their thumbs, with one voice exclaimed: *La itaha illā'llāh ve Mohammed rasūla' llāh*, that is, There is no other God but Allah and Mohammed is the prophet of God! When they heard this, all rose, and gave thanks to God, and dismissed them for the time to stay with the said Joseph the apostate, that he might guard and treat them well. After this prince Mohammed rose and said to all who stood round: 'You have done everything well; nevertheless, let us send for the father and learn whether he raises any difficulty about the matter, lest afterwards, when Ali pasha arrives he may blame us,' to which all assented. Accordingly, prince Mohammed sent to me two *chogadars* and a *cha'ush* (poursuivant), and when I saw them and heard that they came to summon me to the council, I at once thought that the good news had come from Constantinople for the restoration of our church. At the moment when I was preparing the host for the sacrifice of the mass, I wanted to wait a little, but they joyfully said to me, 'Come quickly, for there is good news, and we want a rich reward from you.' When I heard this, I immediately rose and went with them to the council. When prince Mohammed saw me, he said, 'Welcome, father doctor; fetch the royal diploma, that is, the capitulations, which you have and come back quickly to us.' As soon as I brought the diploma of Sultan Mohammed, all rose, and the royal secretary of the chancellery of Bassora began to read it in a clear and loud voice. After he had read half, prince Mohammed paused, and said, 'Up to the present there is nothing in this diploma that concerns you.' Till then I did not know what he was seeking and what he meant, and accordingly I said, 'My prince, what is the subject of your inquiry?' He told me the reason and said, 'We want to find out whether there is in your capitulations anything against what has taken place.' I was confused and replied, 'Read and see,' yet I certainly knew that there was nothing favourable to us. They therefore continued and read the whole and found nothing against themselves. The reading lasted for three whole hours, to the surprise of those standing by, when they heard these capitulations of which they were entirely ignorant. When this was over, I said: 'My prince, and you learned men standing by, the Christian people will not be bottled out through the infidelity of these five rustics, nor will Mohammed be exalted by these five plebeian weaklings; perhaps they have committed some serious crime and fled from fear.' To this the prince replied: 'You have spoken well and wisely, my father,' and told me to go to the five apostates and examine them. I accordingly went, accompanied by fifty Mohammedans, among whom there were at least ten who were well acquainted with Italian and Portuguese. When they saw me, these excommunicates rose and saluted me; and when I asked about the matter and the reason for their action, and repeated the words of salvation, all with one accord said, in the presence of those standing by, 'We have done no harm to any one, nor our captain to us, but, inspired and illuminated by God, we desire to embrace the true faith, which is the Mohammedan, and we thank our God, who at length has forgiven our sins, and opened our eyes, that we might enter upon the way of salvation.'

When they uttered these words with so many witnesses, what could I answer? Nevertheless, I said, 'Why do you renounce Christ and cling to Mohammed, who is entirely unknown to you?' They answered: 'We renounce Christ and with all our heart desire Mohammed.' I said to them, 'Your destruction be with you'; and weeping, I left their presence, and the witnesses reported everything to the council. Yet, because prince Mohammed desired to save them as Pilate did Christ, he ordered me to go to their captain and find out whether they had been guilty of theft or any similar crime. When I came to him, he said, 'What is it to us? let the dogs perish,' and sent the interpreter, Abdelkerim, to inform the members of the council that they should do and decide as they pleased. Wherefore the apostates were proclaimed new Mohammedans, but they would not circumcise them until the arrival of Ali pasha. After midday prince Mohammed sent for me and was astonished at the indifference of the captain in so grave a matter, but said, 'There is nothing to be done, because the Mufti had given his opinion before the end of the council.' When I informed the captain of this, he began to see the mistake that had been made, but to no purpose, and they silently left the case till the approaching arrival of Ali pasha, but this also to no purpose, as we shall see below.

Five days afterwards, that is, on the 19th of the month, there arrived here from Baghdad Mohammed Agha shah-bandar (the royal collector of taxes) commissioned by Ali pasha, who informed us that the pasha had stayed at Suebum, twenty-four hours' journey from Bassora, and was obliged to stay there to settle some dispute amongst the Arabs. When Ali pasha heard that the Dutch captain had not unloaded his ship because he first wished to make some capitulations with him, he instructed the shah-bandar to inform the said captain that he would confer with him together with the chief merchants of Bassora. The Dutch captain therefore went to visit the shah-bandar, who is the judge of the merchants, and after a long conversation, hearing that the captain was indignant at so long delay, he suggested to him that he should betake himself to the pasha. He gladly consented and returned home and sent for me to advise him what should be done. When I heard of what he proposed to do, I said to him among other things that, when he went to see Ali pasha on such important business, he needed an interpreter well acquainted with the language; for otherwise it was easy to commit some substantial mistake. This greatly pleased him, but at the moment he did not invite me to undertake the task, nor did I offer my services, although I greatly desired so favourable an opportunity, for I did not know Ali pasha's attitude towards me, whether it was favourable or unfavourable.

Here it should be observed that some of our Christians, who were badly disposed towards us, when they heard that Ali pasha was coming back to resume the government of Bassora, greatly rejoiced, and when they saw me in the streets, they clapped their hands, singing, 'Ali pasha is coming, Ali pasha is coming, the friend of our father,' meaning that I ought to flee, because, since the same Ali pasha, by virtue of the vizier Daldeban's order had expelled me from the city and deprived me of church and home, while, on the other hand, owing to the kindness of Mohammed pasha I had remained here and had again obtained possession of our caravanserai, they thought that Ali pasha would be revenged upon me. But in fact I had no fear, for I had done nothing against Ali pasha's orders, nay, I had ordered them to be carried out to the letter; and when Mohammed pasha recalled me with the consent of the same Ali pasha, he did so himself of his own accord. Meanwhile, Dominus Peter Macharré, the Dutch captain, had a long memorial drawn up, including several capitulations for settling the business, and had it written again by Abdelkerim in elegant Turkish. On the following day he sent for me that I might hear what he had drawn up, and that I might see whether it agreed with the original Italian as explained to me. Accordingly, the Turkish secretary who had written this read it from sentence to sentence, and I myself word for word, and informed the captain of the nature of the memorial. And when he heard the absurd paraphrase full of nonsense, he blamed the ignorance of Abdelkerim, his incompetence, his race, and senseless old age, and humbly begged me to dictate a proper memorial to the Turkish secretary, which I at once did. When he saw the incompetence of his interpreter in so serious a matter of business, the captain asked me to go with him to Ali pasha ; but when I could not do this without danger to myself for the reasons above stated, he said, 'Then neither will I go,' and accordingly remained. When this came to the knowledge of the shah-bandar, he immediately sent for me and ordered me to go with the captain to Ali pasha. After much pressure, I agreed to do so, on condition, however, that the shah-bandar wrote to tell Ali pasha what had happened, namely, that the captain would not go to him without the father. This he did, being a great friend of mine, and in order to add importance to the business, he sent with us four of the more distinguished merchants of the city, really as evidence as if before the pasha in council, to lay stress upon the necessity of the father being in Bassora, for the convenience of trading with Europeans. And since these merchants were also friends of mine, they showed themselves ready to undertake the task, as in fact they did whole-heartedly.

Accordingly, on the 28th of August, we all left here with the captain by way of the Euphrates for Suebum, and arrived there on the 30th. We immediately went down to the tent of the Kiaya, who is the pasha's first minister ; and since he also was an old friend of mine, he received us with delight and treated us very handsomely.

Meanwhile, the merchants who had come with us presented themselves before Ali pasha, and at first, when it was added that the father also had come with the captain, he was somewhat annoyed and said, 'Who sent for the father?' But when the merchants had told him all and presented the shah-bandar's letter, he read it and was greatly pleased at my arrival; and when the merchants had impressed upon him the need of me that the Franks might visit the port, he immediately summoned us to a public audience with great honour. As soon as he saw me, he asked me about the state of my affairs and promised to restore the church temporarily until the arrival of fresh royal diplomas, as in fact he did, as we shall see below. He afterwards proceeded to settle the business on behalf of the Dutch society, and when the captain (or rather I) presented his requests in the form of a memorial, he dismissed us, commending us to his treasurer, who treated us most handsomely.

Among other things the Dutch asked that they might not pay any tax. After Ali pasha had heard and considered this, he sent for me and blamed their folly, and refused to give them further audience. When he asked me about the matter, I said: 'My prince, what are you angered or disturbed at? These men seek their own interest; every one does the same. You, my prince, if you wish to give them an answer, can say that it is not in your power, but in that of the sultan, to let them off the tax; therefore, let them ask this favour through their ambassador and obtain it from the sultan, and you will rejoice at their success.' It was God's will that this politic method should so please prince Ali pasha, that he was astonished at my promptness. He immediately sent for the merchants of Bassora and told them of the request of the Dutch and the shrewdness, as he said, of the father. All applauded and said, 'Long live the father, and may he always remain with us; for we know the value of these Religious.' Accordingly, on the morning of the following day, the 31st and last day of August, when the council was assembled, he also summoned us. Ali pasha, in the presence of all, promised Peter Macharré, the Dutch captain, that he would grant all their requests except that of the non-payment of the tax for the reasons given, and another, in which they asked the pasha to give back to them the five aforesaid Dutch apostates, because, as he said, it was not a case for his tribunal, but concerned the Mufti. He accordingly put off this matter until his arrival, when he promised to have it examined and judged according to his laws. I informed the captain of all this in Italian and made him acquiesce, whether he liked it or not. The pasha again dismissed us to a splendid banquet, after which he again sent for me and gave me a letter to hand to the shah-bandar, ordering that the ship should be unloaded as soon as possible, to carry out the captain's wish without delay. So we left Suebum and on the afternoon of the 1st of September, an exceedingly hot day, we arrived at Bassora, where my Christians, and especially our devotees, hearing of Ali pasha's kindness to the father, sang a new hymn to the Lord, praising Him, for His mercy endureth for ever. Those who wished me ill uttered blasphemies, and plotted mischief against me throughout the day. But, as if deaf, I did not hear, and, as if dumb, I did not open my mouth.

On the 11th of September Ali pasha with his suite entered the city, and two days afterwards I went with the Dutch captain to offer him congratulations on resuming office. He received us with marks of sincere kindness, and on the following day I sought an audience by myself, which he most willingly granted. He wanted me to put on a robe of precious wool (habba), which I humbly refused to do to avoid the talk of our syndics; yet I had little hope of favour in regard to the recovery of our house and the restoration of the church to its former condition, wherefore, on the 14th of the month, I caused a memorial to be drawn up for presentation to him, as follows.

[*Here follows in Turkish the memorial presented, part of* folios 256–7.]

Concession. Place for Seal.
Petition. Attestation of the Shah-bandar.

The following is the purport of the concession:

The purpose of the petition of the reverend father is that he may be allowed to restore a cell in the destroyed church to live in, and to hire the caravanserai. Concession given on the 14th of September 1704, according to our reckoning.

The following is the interpretation of the petition:

'O most wealthy and fortunate prince, may your excellency be preserved! My petition desires that from the time of your former government, when a royal diploma came by command of Daldaban, the grand vizier, that our church should be suspended, as was done, there remained no means of subsistence for your humble servant. I therefore asked Mohammed pasha for our caravanserai to live in, which he in his clemency granted, and up to the present I have lived there. But now, since I cannot any longer subsist, I beg your clemency to grant me permission to repair a cell in the suspended church to live in, and so I may be able to let the caravanserai for my support, and the church may remain until the arrival of the royal diplomas. This liberality will be a sign of your magnificence.'

Gentle reader, do not be surprised that in this memorial I did not ask for the restoration of the church, because experienced lawyers told me that in religious matters the Turks are very scrupulous. In fact, when Ali pasha read the memorial, he made careful inquiries whether the church was inhabited by any one or not, and when I told him that no one was allowed access to it, he immediately summoned his shah-bandar and royal secretary, Ali Chelebi, and sent them to the church. And when they came and found that it was as I had said, they made attestation in writing on the left margin of the memorial, as may be seen. The following is the translation:

'In favour of the present memorial we attest that we have found the doors of the church of the Christians living in this city walled up both on the side of the street and of the caravanserai, and have learnt that the father is living in his caravanserai, as he said. Therefore it will be an act of beneficence on the part of your excellency . . .'

After this we all went together to the presence of Ali pasha, and, since two of the ministers were very ill, he ordered that they should come with me again and, having sent for the bricklayers, should have the door of our house and church opened, that no one should presume to murmur. They immediately did so, amidst a great concourse of people and to the joy of all, so that, for three days together, Turks and Christians, rich and poor, came to offer congratulations. The restoration of our house and church took place on the 16th of September 1704, in which year in tribulation I called upon the Lord, and he heard me at large. 'This is the Lord's doing, and it is wondrous in our eyes. This is the day which the Lord hath made, let us rejoice and be glad in it. Confess to the Lord, for He is good and His mercy endureth for ever.' For this was the Lord's doing, contrary to the expectation of all, both Christians and Turks.

On the evening of the same day I summoned Abdelkerim to go with me to kiss the hand of Ali pasha in token of gratitude, but he insolently refused, being greatly indignant because I had asked for and obtained this favour without his knowledge. Accordingly, I presented myself alone with a servant before Ali pasha, and offered him six candles of white wax, which he had for two days been trying to find in the apothecaries' shops, but without success; and he kindly and politely accepted them. Seeing that he was exceedingly well disposed towards me, I asked that the Christians might come to me to say prayers. He granted this, but on condition that it should be done without noise, as it has been up to the present. I also asked him to confirm the above petition with his seal and sign it with his own cipher, but he absolutely refused; however, he promised me that he would sign it in case he had to leave, and thus dismissed me with tokens of his protection. For this reason I went to the Mufti of the city, who being, so to say, the ecclesiastical judge among the Turks, ought to decide similar cases, or at least to approve the decisions when made; and, since the pasha refused to give me the prescribed permission in writing, I thought it safer to show it to this master of the law. Hearing this, he greatly rejoiced with me, having always been a good friend of mine, and promised to go to the pasha in evidence of the fact, so that on another occasion he might testify before future pashas. In fact he kindly did this on the same day for my security. This matter, as I have already said, was not one of small moment, because hitherto the restitution of churches by the Turks and the transference of houses to the fisc had been unheard of. Nevertheless, as I have said, it was the Lord's doing; however, I had to make some little presents to secure the favour of ministers, to the value of about 33 scudos. After this I had the house cleaned, and repaired to prevent its threatening fall, as far as it was possible for me, and sufficiently to make it fit to live in. I immediately erected a portable altar above the door of the church, where there is a handsome loggia (gallery), where at other times women heard the sacred service. I blessed it for celebrating mass, and although it is small it is large enough to hold our people for praising the Lord and offering daily sacrifice to Him, as is fitting and right.

The Dutch merchants, however, were not so fortunate in their business, because neither was the tax diminished, as they requested, nor did they get back the five apostates, as they endeavoured to do, and accordingly they were greatly disturbed.

At the beginning of October, owing to the overflow of the Euphrates, the partly deserted neighbourhood of the city was submerged; for this reason, speaking in medical language, the atmosphere became pestilential and nearly all the citizens began to be taken ill and died of the plague. Nearly all our Christians were sick; there were ten of them in our caravanserai, whom I alone served with food and drink, for there was no one to help. At last, on the 22nd of the month, on the eighth day of our holy mother St. Teresa, I was attacked by the same disease, and after three days I was at the gates of death and left alone by all. Nevertheless the Dutch kindly and charitably visited me two or three times a week, and sent me barley meal every day. At this time, foreigners, Turks, Moors, Christians, Jews, and Gentiles began to die so rapidly that every day 400 and more were buried. Ali pasha claimed as his own all the property of the dying, both Turks and Christians. When I heard this, although I had nothing, I called the Dutch captain and appointed him guardian of our house, since he enjoyed excellent health. For sixty-four days together I suffered from a pestilent bubo under my left arm, which was extremely painful. I had neither physician nor medicine; for Abdelkerim was devoting himself to curing the sickness of the infidels and filling his purse, so that, although he had at home, both seriously ill, a wife who had lost her son with a daughter, he used to shut the door in the morning and run about the city until vespers, leaving them to die of want, as in fact happened. The wife, who had lost her son, Adiia by name, in a week died of disease, misery, and hunger, and in a fortnight nine of our Christians died. This mortality lasted till the end of November, and it was reckoned that 8,000 people died.

I, unhappy man, did not recover until the feast of the Resurrection, and although I wrote times without number to Ispahan and Shiraz to our fathers, I saw no one, and this was my greatest infirmity. Nevertheless, God heard my prayers, because, when I was seriously ill on the 9th of February in the following year, 1705, as it were two angels suddenly appeared from Baghdad, two reverend Capuchin fathers, father Francis Mary of Tuorre and R. P. Joseph of Arcola, who were crossing from Europe to proceed to the new mission in the kingdom of Tibet, which is above Bengal.

These two good fathers came to me in the morning, and as soon as they saw me suffering from pleurisy they wept, and when they learned that I was alone with a single Turkish servant, they envied my condition, and strengthened me with words of salvation, so that for joy I then desired to die. After they had brought away their poor little belongings, they ate bread in the charity of Christ and gave thanks. Since R. P. Francis was skilled in medicine, he at once gave me suitable remedies, so that in about a week I got up from bed. But my joy did not last long, for the blessed fathers, having found an opportunity of departing, refused to stay or put off their journey; and so, on the 22nd, they went on board a *terrada* for Bandar Congo, again leaving me alone.

Meanwhile, I gradually became convalescent, when behold! on the 17th of March, R. P. Felix of Montoyo put in here from Baghdad. He also was a Capuchin, the companion and superior of those above mentioned, who, owing to ill health, had remained in Nineveh. Being impatient to find his companions, he left here on the 28th at the first opportunity; and thus I again remained alone, waiting for the solace of some companion, whom up to the present God has not granted me.

While I was waiting for consolation from the Lord, behold! on the 25th of April I received a letter from R. P. N.

vicar provincial father Basil of St. Charles in the following terms, which are here set down word for word.

J. M.

Ispahan, August 15, 1704.

To the reverend most illustrious father.

Two days ago M. de Fariol, French Ambassador at Constantinople, did me the honour of writing me a most polite letter, promising that I should have in a short time the licence for the re-establishment of our mission at Bassora, and that he will send me for our fathers at Bassora a patent of consul of France to add importance to them, until he can obtain one from the sultan himself, and that he will send it directly to Bassora ; in the meantime, let your reverence act prudently in the matter, and make no disclosures except with discretion, so as to avoid being exposed to insults. Have the goodness to inform me of everything ; I pray God to assist you and console you ; now that the matter is nearly settled, if there is no violence, remain at Bassora. I salute you from my heart and remain your most affectionate and good friend and superior.

F. Basil of St. Charles, of the Discalced Carmelites.

I greatly rejoiced at this letter, for I had learnt little from the other letters of R. P. Basil, except that he was displeased at my staying in Bassora. For this reason I praised the Lord a hundred times and blessed Him ; for my intention was always to do the will of God as made known to me by my superiors.

When R. P. Basil heard that I had incurred some debts for maintenance and the repair of the house, for want of our subsidies that did not reach my hands, on account of this, on the 25th of May of this year 1705, I received the following letter from R. P. N. Basil, here faithfully copied word for word, the originals of which in triplicate are kept in a chest with three keys in our archives, together with other documents.

J. M.

The peace of Christ.

Julfa Ispahan,
February 10, 1705.

Reverend Father,

I have never heard that in matters of religion those Religious who are subjects have enjoyed any prosperity in their affairs, when they conduct them in a manner contrary to obedience. I have already written several times to your reverence to return to us, and not to persist in your purpose ; if you had come, you would not be worried by your excessive debts, as is now the case, and at a time when I am in the position of being without subsidies and after their loss am unable to make them good. I do not approve of these debts nor am I willing to pay them. Therefore the only remedy is for your reverence to come as soon as possible, and, in order to pay your debts, to sell your house in accordance with the enclosed document ; and I earnestly beg your reverence to obey and do everything in the manner I prescribe and that your reverence may hold yourself bound to give satisfaction in regard to everything in this present document. I bid and order your reverence, in virtue of holy obedience, to carry out without any excuse whatever is prescribed by me and the reverend father prior of Ispahan the undersigned, unless you wish to incur the punishment of a disobedient Religious. But I exhort your reverence to do all these things with a kindly and good heart. For the rest, know that I am your friend and from my heart remain your reverence's humble servant.

F. Basil of St. Charles, vicar provincial.
F. Raymond of St. Michael, prior.

In the above letter was enclosed the following, addressed to The most Illustrious Captain of the Dutch Company and to Signor Abdelkerim, physician, and to the Reverend Father of the Discalced Carmelites.

Bassora.

Having heard that the most mighty Sultan of the Turks by express command has ordered the Carmelite fathers to leave the city of Bassora, I, F. Basil of St. Charles, vicar provincial of the Discalced Carmelites in Persia and Arabia, desiring to obey this mandate, since the government of our houses in the aforesaid places and in Bassora is my concern, as superior I bid and command you, R. P. F. John Athanasius of St. Antony, our Religious now dwelling at Bassora and all other fathers and brothers living and residing in the same place, on the receipt of this letter to leave Bassora and come to us by the shortest and safest route, and bring away whatever household goods they possess. Further, since the mandate of the most mighty Sultan of the Turks is that we should leave and not stay there any longer, I give authority to the aforesaid reverend father or fathers, together with the most illustrious captain of the Dutch society, and dominus Abdelkerim, physician, and if the aforesaid father John Athanasius is no longer at Bassora, or (which God forbid !) is dead and no other of our fathers is to be found, then let the most illustrious captain together with dominus Abdelkerim (or if one is unwilling, the other) sell our house and caravanserai, and all lands belonging to us for the best price they can get according to the valuation customary in the country. The contracts relating to the aforesaid house ought to be found in the same place or deposited with friends ; in case they should not be found there, I beg you to write to me and give me all information. Let the aforesaid, as agents, pay all debts incurred by the father out of the proceeds of the sale of the house, obtain receipts from the creditors and send them to Ispahan with the rest of the money and other things, addressed to the care of R. P. vicar in Bandar Congo or the most illustrious representative of the King of Portugal, in confirmation whereof we have subscribed with our own hand and confirmed it by our seal of office at Ispahan, in our house at Julfa, on the 10th of February 1705.

F. Basil of St. Charles, of the Discalced Carmelites, vicar provincial of Persia and Arabia.

F. Raymond of St. Michael, prior of Ispahan, and first *consultor*.

Place for Seal of the Vicar Provincial.
Place for Seal of the Prior of Ispahan.

As soon as I read these letters, God knows what mental disturbance I suffered. However, I immediately presented the above to Peter de Macharré, the Dutch captain, and explained it to him in Italian, but he immediately refused to undertake this duty. I also gave Abdelkerim his letter, which was written in Persian, and when he read it he was amazed, being ignorant of the reason for such delay in so important a matter, which had been consigned to oblivion by the Turks themselves and kindly forgotten ; nevertheless, to avoid incurring the penalties of a disobedient Religious (which God forbid !), I spoke to our neighbour, Agi Cassim Semeri, a Turk and a good friend of mine, and tried to persuade him to buy our house or to give permission to others to sell it. For in these countries no one can sell his house except to his neighbour, or to some one whom he wishes, so that at first, when he heard my proposal, he thought I was joking, but when he heard from Abdelkerim and read his letter of agency, he was so astonished and angry that he said to me, ‘ Father, say nothing about this business, because, if Ali pasha hears of it, he will justly punish you.’

Here he told me of Ali pasha's many great acts of kindness to me: how that, contrary to the Sultan's mandate, he had not destroyed the church, nay, had restored it to me without recompense as well as our houses that were assigned to the fisc, and had given me permission gratuitously to celebrate and perform the offices of the church. He also reminded me of all that he himself and Agi Mohammed Attar (the apothecary) and other merchants who were our friends had done, speaking in our favour to Ali pasha, when I went with them to Suebum, as I have recorded above, in order to gain and increase his favour towards us fathers, so that we might be re-established in the city for ever. At length he seriously advised me, in the presence of Abdelkerim and Agi Mohammed Attar, our old and good friend, to abandon the idea, because it would be the ruin of myself and all the missionaries; since, when the Turks heard of it, they would have great suspicion of us for political reasons. Further, every one who heard of my resolution was amazed on hearing that I was trying to sell the church, because among Mohammedans it is thought iniquitous to sell houses that are dedicated to God, and since the name of our house is 'the church of the Franks' by reason of this title it is unsaleable: further, since in the eyes of Turks or Arabs and the inhabitants of this city, our house and church are under the protection of the King of France, there is no one, not even the pasha himself, who would be willing to buy it, nor indeed to receive it as a gift; for they say that after a thousand years the Franks will make it an irremediable subject of controversy, and for this reason (although a mandate should come from the Sultan) Ali pasha, who has a great knowledge of Europeans, restored the house and church of which we had been deprived in fear of future contingencies. For I always declared, in defence of myself and my house, that the mandate sent by the Sultan was not directly meant against us, for we are both fathers and consuls of the King of France. And this was the only plank of safety, which was able to preserve us in the storm and bring us safely into our former harbour, when we were restored by the grace of God ; 'this was the Lord's doing, wherefore let us be glad and rejoice in it.'

Yet all these arguments were not enough to quiet my conscience in opposition to the orders imposed upon me, and while I was engaged in this struggle, alone without a companion and therefore without any one to advise me, I pondered earnestly upon the above letters. In the first place, I found that, according to our Constitutions (part iii, 2) the order was not addressed to me in proper form owing to the absence of these words—under command or under penalty of sentence of excommunication. On the one hand, therefore, my conscience was considerably relieved, since I assumed that R. P. N. vicar provincial was thoroughly acquainted with our Constitution, but had written in such a manner as to leave room for argument, which in such a contingency is a virtue very useful for the common weal. On the other hand, I seriously considered the subsequent words of the same letter : therefore there is nothing to be done except for your reverence to come as quickly as possible, and, in order to pay your debts, to sell the house in accordance with the enclosed document. From these parts of the letter it appeared that R. P. N. Basil supposed that the debts I had contracted were so excessive that there was no way of paying them except by selling the house ; but since this was not true, it seemed good to me to inform him of the real facts, before we quarrelled. Further, when I remembered that in this country landed property cannot be made away to another by sale or purchase without the ancient instruments of legal purchase, which we do not possess, nor are they to be found in the archives of this city, since they were burnt forty years ago when the city was almost entirely destroyed by fire; and since in the document enclosed R. P. N. vicar provincial writes to dominus the Dutch captain and to Abdelkerim and myself that the contracts of the aforesaid house ought to have been found in the same place or deposited with our friends for safe keeping, and in case they should not be found there, he begs them to write to him and inform him of everything; since, further, in fact they cannot be found here, because for this reason, when the mandate came from the Sultan, Ali pasha declared our houses the property of the fisc, owing to the absence of this instrument, and on this occasion without scruple I informed our superior of all the facts, lest in a matter of such grave importance I might show signs of levity after the fact (although impossible). And since there was a letter-carrier of the Dutch society here, who was going by way of Shiraz to Bandar Abbas, in the name of the Lord and without scruple, I wrote an answer to R. P. N. Basil, and, being here alone without a companion, I asked him to answer my letter here, which I send word for word and faithfully as follows.

Jesus Mary.

To our reverend most illustrious father.

On the 21st of last April I received a letter from your reverence by way of Baghdad, dated August the 15th of the preceding year, which afforded me great comfort at finding that you remembered me, and also by the good news which it gave me in regard to our re-establishment, in accordance with the information received from our ambassador in Constantinople. I acknowledged in three letters to your reverence the receipt of the 80 piastres from Baghdad from the reverend Capuchin prior, and sent him an acknowledgement in due form and sent another duplicate to Rome by the syndic of our missions. On the 25th of May of that year (1705) I received by way of Congo in a *terrada* belonging to

Abdel Sheikh another letter from you, dated the 10th of February of that year from Julfa, Ispahan, with two enclosures, one for the Signor Captain of the Dutch company and our deacon and physician Abdelkerim and myself, and another addressed to the latter, which I at once delivered to him. Signor Captain Peter Macharré read the letter, but seeing that it was addressed to him on the supposition that none of our fathers was to be found in Bassora, for that reason he directed me to give his respects to your reverence with the exhortation to serve you in whatever way he could. It accordingly remains for me to answer your letter addressed to me, in which your reverence does not answer my important letters to you, one of the 1st of October sent by way of Congo by the servant of the reverend father Antony, Augustinian, of Ispahan, who came here from Congo to take [tamarind wood]; another written on the 6th of the same month, and sent by a frigate for Baghdad, and another on the 13th sent by a *terrada* to Congo, and another on the 29th of November by way of Bandar Rik and Shiraz. In the three first I informed you how, on the return of Ali pasha to govern Bassora, I had proposed to him that he should either give me leave to go to Persia, or give me back our house. Having considered the matter, he decided to grant me the house, but on condition that the door of the church should remain shut and walled up until further orders from the Court, and on the 16th of September he ordered his shah-bandar, chief collector of revenues, and other officials to open the door of the church and hand it over to me again, at the same time forbidding me to leave without his express permission. However, he gave me leave to officiate privately and that Christians might come to mass, as (thank God !) is done up to the present. In the last letter, dated November 29th, I informed you how the city of Bassora was afflicted with a raging plague, that I was in bed sick to death, and therefore I advised him to provide the house with [? a gallery or balcony], and had consigned the house to our good friend Peter Macharré the Dutchman and Scemas Abdelkerim. I also informed you that, in consequence of that change, I had incurred some special expense and begged you to assist me. When such was the state of things, and the mission re-established as before through the kindness of the governor, your reverence wrote to me for the first time 'that no one had ever heard of religous subjects enjoying any prosperity in their affairs, when they conduct them in a manner contrary to obedience.' I do not know what greater prosperity the blessed God could have given me for His glory and that of our holy religion than to have given me courage to endure eight months of exile and after that to have restored to me our mission, which had been wrongfully taken away, after having been founded eighty-three years with so much toil, yet with great profit to our neighbour and advantage to the Holy Church. From this I suppose that your reverence has not received my letters which I sent to you with remarkable promptness. As to the phrase 'when they conduct them in a manner contrary to obedience', God deliver me from any such excess! But I imagine that your reverence means these words to apply to your two letters written to me from Shiraz (both of the 28th of October 1703), one of which I received on the 25th of February and the other on the 19th of June 1704, in which you asked R. P. Peter of Alcantara and myself to leave Bassora and proceed to Bandar Abbas; or to another letter written to me from Shiraz, dated the 28th of November 1703, in which you say to me, 'I believe this is the twentieth letter of mine in which I tell your reverence to come to Shiraz with R. P. Peter of Alcantara.' I received this letter on the 19th of July 1704, previously to which I had received another dated the 6th of April from Shiraz, on the 21st of November

1703. In this your reverence wrote to me: 'I multiply my letters in all ways owing to my desire that your reverence and R. P. Peter of Alcantara may come here as soon as possible and by a shorter route.' I believe that these four letters of yours quoted by me are the reason for the phrase 'when they conduct them in a manner contrary to obedience'. My dear father, do not imagine such disobedience on the part of your faithful subject, who desires and thinks it an honour to obey you, and believe that if it had been in my power to carry out your commands, it would have been specially advantageous to me. But your reverence no doubt knows that at that time that notorious tyrant Mohammed pasha was governor of the city, who, although he was a close friend of mine, when he understood that I was thinking of leaving suddenly flew into a rage and for that reason at first gave me permission to enter Bassora, but because I saw that living in a hired house would be inconvenient to me, I tried for the second time to set out for Persia, and accordingly he granted me our caravanserai. After his death on the 14th of March 1714, when a ship belonging to Abdelsheikh was due to leave here, I endeavoured to procure permission from his nephew, Mohammed bey, who succeeded him as governor until the arrival of Ali pasha. He threatened to put me in prison if I said any more about leaving, treating me as ungrateful for the benefits received from his uncle. At last Ali pasha, after his arrival, was more ready to give me back the house than to allow me to leave; accordingly, in that particular I have no scruples about having acted 'contrary to obedience', and claim to have acted in accordance with your express orders, because on the 19th of June 1704 I received a letter from you, dated from Ispahan the 22nd of June in the preceding year, in which your reverence says: 'In regard to the present state of affairs I think that your reverence should temporize as much as possible.' And then, lower down, your reverence says, ‘Have no fear and trust in God that this mission, founded ninety years ago, will not be destroyed in this manner, and in case of any irremediable misfortunes, or if you are absolutely unable to stay either in our house or in that of any one else and cannot come to Shiraz or Ispahan then may God help you. In such circumstances there is need of courage and prudence.’ This is copied word for word from your said letter. On the 5th of December 1703 I received another letter from Julfa, dated the 8th of July of the same year, in which you say, ‘Let the fathers of Baghdad remain, and betake themselves to work.’ Thus, your reverence sees that it is best to wait until I receive an answer from Europe on the matter. On the 7th of the same month of December of the same year, in another letter from Ispahan dated the 9th of July 1703, your reverence in like manner exhorts me to keep my post, saying, ‘Let the fathers of Baghdad remain and work.’ And in another letter, dated the 31st of December 1703, which I received on the 19th of June 1704, your reverence writes: ‘Since Providence keeps you in Bassora, I trust to your discretion, but if you cannot honourably stay and with positive advantage, then do you also come.’ My father, what greater honour could I ever have than to restore so ancient and worthy a mission without force of arms or any violence, but by patience alone? And what greater advantage could I desire than to work in the Lord’s vineyard with all my efforts and with such splendid fruit of the confessions and communions which (God be thanked!) take place in the solemnity of the Holy Church? In this city, although destroyed, there are a sufficient number of Christian souls whom I should have the gravest scruples in abandoning, because there is no other minister of Christ but myself, unworthy though I am of so honourable a name and such an office. Here there is the house of Khoja Safar with seven souls, that of Abdelrahim with six souls, that of

Saiin with three, that of Abdallah Thor with two, that of Nagidia with three, that of Khoja Anna and Joseph with six, and another thirty or forty settled here but without their wives, and at the time of the monsoon there are always more than 150 or 200; in the army there are from eight to ten European slaves and more than thirty Greeks, who (thanks to God!) come to mass every Sunday and feast-day as before. In sum, speaking without prejudice to any other mission, in my opinion this is the finest and most flourishing mission of all those of us Carmelites in the East; because in all the other places the number of labourers is increased, but if we go from here, the wolves will come to devour our flocks, which cost the life of so many of our Religious. Thus, my father, those letters of yours quoted by me, I confess, have inspired my weakness to continue in this work which is difficult enough for my inadequate powers. I declare that I have never had any doubts about working 'contrary to obedience', and for this reason I believe that the blessed God has made my efforts in so arduous a task successful. Your reverence adds in your letter: 'I have several times written to your reverence to return to us and not to adhere to your intentions.' To this, my father, I have already replied that to do so has not been in my power and R. P. Peter of Alcantara himself, who was here in person, has seen that Mohammed pasha not only refused me permission to leave, but forbade me to make a change when I wanted to leave the said father Peter here and to come myself to rejoice the presence of your reverence; and your reverence, in a letter of yours dated from Shiraz the 5th of February 1704 and received here on the 19th of June of the same year, admits that you know it, because you write: 'After the safe arrival of R. P. Peter of Alcantara, who has informed me of the condition of our affairs at Bassora, and since the pasha really kept him there in the hope of a speedy rehabilitation, may God grant it! And therefore I trust to your discretion in the matter of your delay.' My conscience does not reproach me in the least for 'having adhered to my intentions', because my intentions have always been to conquer every obstacle by patience, to which as a good father your reverence exhorts me in another letter of yours from Ispahan, dated the 1st of July 1704, and received by me on the 16th of September of the same year. In this you say to me: 'As R. P. Columbanus from the beginning of February was at the holy mount Carmel and embarked for France to see what God was doing for our affairs at Bassora, I exhort your reverence to patience, with which all will be accomplished.' Your reverence adds: 'If you had come you would not be troubled by your debts and misfortunes as you now are.' In truth our father knows that if I had come when they drove me from Bassora, I should not have the debts which I now have; but it is also true that I should not have possession of our houses and church, as I now have; and for this I am not sorry, nor am I disturbed at having incurred debts, because the gain appears to me greater; but if your reverence meant to say that I ought to have come as soon as I received your orders, and that, if I had done so, I should not find myself involved in my present debts and troubles, to this I reply in the same manner. The first letters in which your reverence enjoined me to leave Bassora were received by me, one of them on the 25th of February 1704, dated from Shiraz the 28th of October 1703, and the other on the 6th of April 1704, also dated from Shiraz on the 21st of November of the same year. In the first you write: 'I beg your reverence, without paying any regard to the proposals that the Turks may make to you, to come to Shiraz without fail by the shortest route you can—you and R. P. Peter of Alcantara; bring with you the things that can be conveniently carried; as for the house and other things that have to be left, hand them over to some friend in good order, from which you can take something.' In the second letter you say: 'Hand over all our things to some trustworthy friend and come without fail.' The first of those letters reached me just in good time to carry out your wishes, because that was the time of the furious tyranny of Mohammed pasha, who had just then imprisoned Agi Hassan, brother of Agi Agi, one of the first merchants of Bassora, because, being the agent of Agi ibn Kerre, a rich merchant, he wanted to take from them all their property, and at that time the whole city and I myself were in terrible fear, each for himself. Wherefore, when I spoke to Agi Cassim Semeri, first merchant of Bassora, to see if he would let me have two rooms on hire in his caravanserai adjacent to our house, he answered me like a ghost: 'What! father, do you not see that the city is on fire? And do you want more fire?' At this time our poor Christians were dying of terror, especially since the pasha had the intention of forcibly taking Matlub, son of Khoja Safar, into his palace to make him a Turk and use him for purposes of sodomy, and further of forcibly taking Abdelkerim's granddaughter to give her to wife to one of his favourites of the Turkish Court. Wherefore your reverence can imagine in what distress I was, as well as poor Abdelkerim with Matlub's poor mother, and all the others. The truth of the fact is so undoubted that the blessed God unsheathed His sword and showed that He was enraged by sending a terrible earthquake, and on the 14th of March struck a blow against the tyrant and slew him. When I received the second letter, on the 7th of April, Mohammed pasha was already dead. But since, before the receipt of it, I had been witness of past troubles and was in doubt whether the new pasha could be worse than the old, desiring to free myself from embarrassment, I secured an audience from Mohammed bey, nephew of the deceased pasha, and asked his permission to leave by a ship belonging to Abdelsheikh which was bound for Congo. When he heard my intention, as I have said above, he drove me from his presence, regarding me as ungrateful for all the kindnesses received from his uncle. He told me to wait till the arrival of the new pasha from Constantinople, and say nothing more about the matter, which was enough. Let your reverence consider, how could I hand over the goods to any friend and the house, which the pasha had already confiscated, and come at a time when it was impossible? Accordingly, perforce I remained, and on the 19th of June of the same year there reached me on one and the same day from Baghdad five letters from your reverence: one from Ispahan, dated the 22nd of June 1703, and two others from Shiraz, one dated the 30th of December and the other the 5th of February 1704, in which you write to me to be strong and stand firm in my post as far as permitted me; and two others also from Shiraz, one dated the 28th of October 1703 and the other the 25th of November of the same year, in which you enjoin me to come. On reading the said letters, I confess that I found myself in a kind of maze, but when I reflected on the fact that they had all reached me on one and the same day from Baghdad, I did not despair of the matter and left the disposal of it to God. I imagined myself to be in a position to decide a doubt, and, finding three wishes united against two opposite ones, I thought it the will of God and your reverence to follow the stronger party, namely, the three letters which told me to remain. In the second place, I say in reply to our father: it is not true that if I had departed at once I should not have so many debts as now, because then they amounted to 200 piastres, as I wrote to you in a letter of mine dated the 26th of February 1704, wherefore I was less in a position to leave, whereas now they are not more than 150 piastres. It is true that they were 500, but the blessed God is great, and with economy and by the aid of the patroness of our house I have managed to reduce them to 150, but it is true that I am in difficulties. Your reverence then adds in his most kindly letter : ' Since in our present position, without subsidies and having lost others by shipwreck and being unable to replace them, I disapprove of your debts and do not desire to pay them.' To this, our father, I reply that I have never sought that you should pay my debts ; I only asked you not to forget me in regard to the share of the first subsidies which may reach you from Surat or Rome, to which this Residence has a just claim ; it is true that I asked for some special assistance, seeing that every year the tithe of the Residence is deposited in the common chest for special needs ; and as I do not know if a more extraordinary case than mine has happened since we have been in Persia and Arabia, I have not blushed to seek charity, nor have I ever written that your reverence should accept my debts, although, if your reverence should not do so, they would always be accepted by our religion, because they were contracted for the sake of religion and if ' whatever the monk acquires he acquires for the monastery' and also 'whatever is lost to the monk is lost to the monastery ', for that reason I have taken the vow of poverty. Further, in your letter it is said : ' Therefore we believe that there is nothing to be done except that your reverence should come as quickly as possible, and sell the house to pay your debts according to the enclosed document.'

Father, if your reverence believes that there is no other way of paying my debts except that I should sell something, and therefore it is necessary that I should sell the house, as you have written in the document enclosed, to this I reply that, as I have said above, my debts are not of so large an amount that there can be no other means of paying them, and it would be enough for me to have a whole year's salary paid all at once to be able to free me from all. . . . Your reverence adds: 'I beg your reverence to obey and do exactly as I order,' to which the only answer I can make is to assure you that, as far as it lies in my power, I will scrupulously do so. Further: 'And in order that your reverence may immediately give satisfaction in this, I bid and order your reverence in the name of holy obedience, to carry out without any excuse all my orders, subscribed by the reverend father prior of Ispahan, unless your Reverence wishes to render yourself liable to the penalties of a disobedient Religious. But I exhort your Reverence to carry out all my instructions gladly and with good will.' Father, on the same day that the letter arrived I carried out your orders as far as was in my power: that is to say, I tried to find people to buy the house, but they all laughed at me and asked me whether I did not yet know that churches and things belonging to churches could not be sold. In short, I paid no attention to Christians and Turks in announcing my intention and wish to sell the house. I wanted to sell it by auction, but having first sought for the instruments of purchase and having found it recorded by R. P. Agathangelus of blessed memory that while our Religious, when war was going on, fled on three occasions to Shiraz, Bandar Rik, and Bandar Abbas, they lost many documents relating to the house, and in fact having been unable to find them, it became impossible for me to make any further attempt to sell it. For I know for certain that without the written documents no one can purchase it, and this is the reason why Ali pasha confiscated our house when the firman arrived from the Vizier Daldaban, because, having searched for the documents and not (? being able to find them), I told him that the Sultan had given this firman to us until he revoked it, which he had now done. Nor are the documents to be found in the archives of the city, because in the year 1636, in which half Bassora was burnt, all the documents of the archives were burnt, so that on this side it is impossible, therefore, seeing that your reverence's letter says, 'sell the house according to the document enclosed' and this document says, 'the contracts of our aforesaid houses ought to be found in the same place or in the keeping of our friends; in case they are not found there, I beg you to write to me and give me full information'—for this reason I think myself bound to obey, if I cannot do so altogether, at any rate as far as I can, as I am doing, and to inform you of what has happened and to await fresh instructions from you, at the same time informing your reverence that I regret to see that your reverence supposes that there is any need of any precept to make me obey; and seeing that your reverence enjoins me to give you full information, I say, my father, that it should be known to you that according to Turkish law it is forbidden to sell places that are *wagf*, as they call them, and that not even the pasha himself would buy it. Secondly, although not having the document in our possession, we are secure in our possession for the continuous occupation of the house, but as to selling it, it is impossible for us to do so for the above reason, as any one understands. Thirdly, I inform your reverence that it is true that in the past our house could be consigned to a friend in lack of fathers; but now, since it had once been made the quarters of Turkish soldiery, there is no one who can undertake to take care of it, and for this reason neither Abdelkerim, nor the Dutch captain, nor any one else would be willing to protect it, and if they were it is quite certain that the pasha would take it back, and this is the reason that has detained me here. Father, I cannot believe that it was your reverence's intention that this mission at Bassora should be sold and uprooted, because it seems to me that this would be to do wrong to your zeal; and for this reason I believe that you have made so many conditions that, one of them being impossible, the whole matter may be suspended. I believe that your reverence was a little alarmed by the debts I have incurred. But, my father, what has happened is for the good of the mission, and therefore the blessed God has assisted me in an extraordinary manner gradually to be able to get rid of them, so that in a year, with the 80 piastres which your reverence sent me, the 500 piastres of debt are reduced to only 150, but because I now have nothing, I cannot so easily help myself; wherefore I beg your reverence, if it be your desire, as I imagine it is, that this mission be maintained, to send me some assistance at once, because my intentions are all for the good of the mission to the glory of God, of religion, and of the comfort of our superiors, chiefly your reverence, who is my direct and always respected superior. I am sending this letter of mine by an express messenger of the Dutch gentleman by way of Shiraz, if your reverence will be kind enough to inform me with all speed of your decisions; because since Captain Macharré has to proceed to Bandar Abbas in the month of August, he would take my proposals with him. He is going to Bandar Abbas about a post in the storehouse of the company that is very advantageous for him, for which it is not yet known if any one is appointed; wherefore they think of withdrawing owing to lack of business, and with that object the coming month will see a ship to take him. I shall be awaiting your orders, and at the same time assure you, my father, of my goodwill to carry them out. I think I have sufficiently answered your letter, not with any idea of confuting it, but to show you my sincerity in regard to your orders if, as I suppose, you accept the reasons I have adduced, like a fond and most discreet father. Abdelkerim has answered his letter, and greets you respectfully with all the house of Khoja Safar, and our old and good friend Agi Mohammed Attar (the apothecary), a true friend and benefactor. My father, I beg your reverence to bless me and absolve me from every fault and not to forget me in all your holy sacrifices, and sign myself humbly and with all my heart,

F. JOHN ATHANASIUS of St. Antony, Discalced Carmelite, the unworthy servant and most obedient son of your reverence our father.

Bassora, May 13, in the year of our Salvation, 1705.

I sent this letter to Shiraz on the 30th of May by the Dutch gentlemen's letter-carrier, and on the following day a copy of our reverend father Basil's letter arrived from Congo for me, the captain, and Abdelkerim, that is to say, on the 1st of June. I replied in identical terms as far as the matter was concerned, but briefly, and dispatched it by the same route.

On the 8th of this month June some Arabs appeared near the city, commanded by Sheikh Moghamis, son of Mahané. For this reason our governor, Ali pasha, at once levied fresh forces, and owing to his vigilance nothing happened other than to allay the disturbance of the city. He made peace with Moghamis the Arab prince, and on the 12th, outside the gates of the city, Arabs and Turks kissed each other, and Alı pasha himself with his soldiers and chief men of the city went to the tents of the Arabs and there made a mutual treaty, to the incredible joy of the citizens. On the same day news arrived that Khalil pasha, governor of Wanlensis, that is, Monasteriensis, who was once defterdar (chief treasurer, finance minister) at Constantinople, was intended for the governorship of Bassora, and Ali pasha for that of Cunia. Ali pasha, therefore, on the following day went at once to Mokam, on the bank of the Euphrates. As I said before, in the past year, that is, when Ali pasha returned from Baghdad, I had presented a memorial to him, as may be seen on page 256, in which I asked that I might have our house to live in. He in fact granted me the house, but would not give a written mandate, although he had promised that if he should be obliged to leave Bassora he would sign it. Therefore, since we are now resident without the royal diploma, I determined to protect myself by the authority of the governors for the time being; accordingly, on the same day, the 23rd, I at once presented myself with our interpreter before Ali pasha in order that he might confirm our memorial by his seal. After he had three times said 'No', when I presented him with a small jar of sandalwood oil, although a Turk, although powerful, although an infidel, he yielded to my importunity; and, having sent for his secretary, ordered him to confirm it legally, subscribed it with his own hand, as is the custom, and handed it over to me, saying, 'God keep you! pray for me!' After which I at once took my leave. While returning home we heard the firing of guns; for at the moment of our departure a sloop had arrived with the mutesellim (*locum tenens*) of our coming pasha Khalil, named Soleiman or Salamon Agha, who in the afternoon entered the city and was entertained by Abdellatif, the chief man of the city. On the following day the Dutch gentlemen, with the interpreter Abdelkerim, went to him to offer congratulations, and on the following day I myself went alone to offer them. I had Sheikh Abdellatif, who is our good friend, and when he learnt that I was the father and consul of the French, he was very pleased and promised protection for our church from the future pasha.

On the next day, the 26th, he sent for me and ordered me to write to the French and English directors living in Bandar Abbas, because Khalil pasha, defterdar, was coming to govern this city, desiring that all nations, especially that of the Franks, should come to this port to repair the damage caused by other governors, and promising them protection and security above all other nations. Accordingly,

I wrote on the 27th, and on the following day brought the letter to him, explained them in Turkish, and handed them to him, in order that he might send them with the same letters directed by him, as he did on the 30th.

In the beginning of August, Ali pasha, having settled the affairs of his government and assuming that Khalil pasha would arrive in a few days, as was proper, removed with his soldiers to the other bank of the river, and remained there in his tent awaiting the arrival of the new governor; for it is the Turkish custom that a retiring pasha should not leave until the arrival of his successor, that cities may not be left without due protection. Accordingly, Ali pasha impatiently awaited his successor, but he did not arrive; and behold! on the 8th of October, by order of the grand vizier at Constantinople, there arrived a Kapuju, bidding Ali pasha go to the Porte. But, as I have said, since it would have been a thing unheard of among the Turks for the governor of a city to leave before the arrival of his successor, and since, on the other hand, the Kapuju insisted that he should start without delay, in order that the city might not be without the soldiers necessary for protection Ali pasha asked Khalil pasha's *locum tenens* for 60,000 silver scudos from two months' city revenues, in order that he might levy some soldiers and pay them beforehand. But when Soleiman Agha refused, Ali pasha summoned the mufti, gadhi, and great men of the city, and handed it over to them, defended as it had been up to the present day, together with his letter of resignation; and since the Sultan urgently commanded that he should repair with all speed to Constantinople, he asked permission, and on the 25th of the month of October departed from Bassora with his soldiers to Oeza. Our mutesellim, completely taken up with filling his purse, left the city and all the citizens at the mercy of the enemies, and when the magnates suggested to him that it would be right to levy some soldiers to keep watch and ward day and night, he neglected to do so, although all precautionary measures possible ought to have been taken.

Meanwhile, on the 2nd of November, there arrived from Bandar Abbas a small boat belonging to the Dutch society with a small quantity of white sugar, pepper, candied sugar, and tin. It also brought letters of R. P. N. Basil from Ispahan, dated July 15, 1705, in reply to the above letter addressed by me to him. In a few words he wrote that for the time he resigned himself to my wisdom and released me from all the penalties which I might have deserved by the orders aforesaid, to avoid keeping me in doubt, in case I had scruples about faults not committed, from which may God always keep me free.

On the following day, the 3rd, the old Arab enemy of Bassora, the son of Mahané, named Sheikh Moghamis, when he heard and knew for certain that the city was without soldiers, approached it by way of the desert, and by means of his spies and traitors in the city spread the report that since the rains were threatening, as was actually the case, the Arabs were going to the high ground of the desert to avoid being swamped. Nevertheless, there were not wanting men of prudence who informed the vicegerent, Soliman Agha, in order that he might be on the watch for danger, to whom he replied with Turkish haughtiness, 'What has it to do with you?' Accordingly, on the same day, the Arab spies left the city and informed their prince Moghamis of the torpidity of the government. When he heard this he immediately started with 2,000 cavalry, and one night made a three days' march, so that after midnight on the fourth of the month and the fourth day of the week they suddenly appeared at the city gates called Robbat, near our house. The Arabs, having destroyed the gate and walls by fire, hastened up and made a sudden entry. They were met by a few soldiers and citizens, together with the mutesellim, who resisted for two hours, but at sunrise, meeting the chief men of the city and seeing that the Arabs were beginning to plunder the houses of the citizens, in desperation they handed over the city to the Arabs on condition of a promise of mercy being given them on oath. Immediately, by order of prince Moghamis, Arab heralds, proclaiming mercy to the citizens, ran on, shouting 'Aman Allah', 'Aman Allah' (*The mercy of God*); and thus Mahané's son entered victorious and taught the Turks and Osmanlis the lesson of keeping watch. In the fight it is said that one Arab was killed and ten Turks and citizens and twelve persons died, more than twenty being wounded; for the Arabs had come resolved to conquer or die, or, at any rate, to plunder, but our Saviour delivered us from this unforeseen disaster.

At Minavoi there were three frigates, the captains of which were immediately summoned by prince Moghamis, who promised them double pay, but they manfully refused—nay, they wanted to fight—but on the following day they departed and went to Corna, waiting for Khalil pasha, who appeared in three days. Meanwhile, the city, citizens, and foreigners were afraid of what might afterwards happen; accordingly, the Dutch captain sent a small gift of honour to the Arab prince, and on the 7th day of the month we presented ourselves before him. He received us very politely, and the Dutch captain, after congratulating him, asked for a deed of agreement between Dutch and Arabs; to which Moghamis kindly replied that he would grant whatever they asked. The Dutch accordingly explained their memorial in reference to the business of the society, and I also thought it right to take the same opportunity of presenting my memorial in regard to the protection of our church and house; and on the 9th of the same month they were presented through Abdellatif to prince Moghamis, who immediately remitted them to his gadhi, Sheikh Soleiman, in order that he might legally confirm them.

On the 12th, prince Moghamis sent patents of an agreement to the Dutch gentlemen and to me that of the protection, which is to the following effect.

[*The 'Protection' follows in Turkish.*]

The following is the interpretation thereof:

Our hope is in God.

Be it known to all to whosoever this our authentic document may be presented, to wit, to all our subjects and officials of whatever rank, that we have given it to R. P. John, whereby it is our intention to confirm all the privileges granted to them by our most serene emperor of the Turks according to the royal diplomas which are in his hands; indeed, we desire and promise to bestow upon him and his nation greater honour and protection, and we declare that neither his interpreter nor his servants are subjects, and are therefore immune from any fine whatever or any onerous charge, and we have subscribed this document with our own hand and have given it to use on possible future occasions, and we command all our subjects and officials of whatever rank faithfully to observe this document and honourably carry out its provisions, and may God best and greatest guard us all! Given at Bassora on the 21st of the month Rejieb el ferd in the year of Mohammed 1117 (and in our reckoning on the 12th of November in the year of Salvation 1705).

The abject one

MOGHAMIS ET MAHANÉ.

I procured this patent of protection and obtained it without any expense, and it will be always of great service to us and our house on a similar occasion. On the same day after vespers Sheikh Moghamis, who was then staying at Mokam, sent for the Dutch captain, Peter Macharré from Zeeland, who, not knowing the reason, refused to come. When I told him that he ought to do so to avoid showing signs of distrust he insisted that I should go with him, which I expressed myself ready to do. We accordingly went with the interpreter; and Moghamis received us kindly and begged the captain, when the Turks arrived, to fight with his ship. To this proposal the captain replied that his ship in the middle of the river could not resist the Turkish galleys, adding that he could not fight against the Turks except by command of a magistrate, and therefore he could by no means agree to this request.

Abdellatif was there and very persistent, but the captain answered him through the interpreter that if he committed any act of violence he would make all the Dutchmen come ashore and he would see what happened afterwards. When Sheikh Moghamis heard the captain's resolution, he became quiet and went no further, and said, 'I will do violence to no one, especially to you.' Nevertheless, he asked for a constable from the captain, that he might fire guns against the Turks. The captain did not want to oppose the prince in everything and therefore promised. Nevertheless, as Solon taught us always to look to the end, I revealed to the captain the danger that threatened in case the Turks came and took the city; and when he heard this, he greatly regretted that he had made this concession and was exceedingly alarmed. Meanwhile the constable was summoned from the ship and prince Moghamis immediately wished to put a robe of honour upon him, as is their custom, but I at once warned the captain absolutely to forbid this, and he refused. If he had accepted, God forbid! as we shall see below.

After this, prince Moghamis showed him the bombs and grenades and other engines of war, and desired to have them tried by way of amusement. With the Arab prince there was a Turkish gunner, who, when he saw the Dutchman, being a man of zealous piety, he began immediately to murmur, at which I was greatly pleased. For I wanted to rescue the Dutchman from an over-hasty act so full of danger. I at once told the Dutch official in Portuguese to show ignorance in all such matters and to excuse himself by saying that these guns were not made in European fashion. I explained the conversation to Sheikh Moghamis and also to Sheikh Abdellatif, who took it in good part and sent him back. After this, we all returned home rejoicing, with every sign of gratitude giving thanks to God, best and greatest.

On the 18th prince Moghamis heard that the Turks were coming from the fort of Gorna with sufficient warlike supplies. Alarmed at this, he summoned all the merchants of the city and asked from them 60,000 scudos, and from Christians, Jews, and Sabaeans 500. What was to be done when there was no means of driving them out? Accordingly they brought the money the same night. After midnight the Turks came down from the fort of Gorna with six frigates, intending to attack the city, but were driven away by the violence of the winds to the other part of the river (Gordola). When the Arabs saw this they shouted and made ready for battle or for flight.

On the following day, the 19th, the Turks sent a deputation to prince Moghamis that he should restore their city. After taking counsel, he decided to do so for 50,000 scudos. Hearing this, Abdellatif, who had betrayed the city to the Arabs, rebuked the timidity of the Arabs, making light of the valour of the Turks. Accordingly, the Arabs refused peace, dismissed the Turkish deputy, and challenged them to fight. The Turks were 2,000 in number, stationed at a distance of about two hours' journey to the east of the city. Khalil pasha had remained at Gorna ill, and had sent his

Kakiya (official agent) with the said soldiers, but when he heard of the resistance offered by the Arabs he was afraid and wanted to postpone the fight for some days. But by God's permission (for He desired to rescue us from our captivity by the Arabs and from imminent disaster), on the following day, the 20th, the Arabs set fire to four Turkish frigates, which were moored on the bank of the river, thinking that the Turks, when they saw it, would take to flight or ought to be alarmed. But the captains of the war vessels, beholding this from a distance, although the Kakiya disapproved, set sail for the foot of Minavoi; when the Arabs hastened thither the Turks kept up an incessant fire, put them to flight, and obtained possession of the foot without damage. The Turks immediately landed 500 soldiers and sent them to seize the gate of the city called Miserek, and the rest with the frigates continued on the way to Mokam without stopping, where prince Moghamis was staying with admirable audacity. The Turks landed and put to flight all the Arabs, who entered the city plundering and pursued by the Turks. Opposite to our house prince Moghamis and his brother Mohammed stood bravely with their soldiers, awaiting the pursuit of the Turks. Meanwhile, when the citizens learned for a fact that the Turks had arrived, they rose up against the Arabs in the villages and streets; being afraid of the darkness that was coming on, and in all haste they took to flight, in the course of which many fell wounded or killed. The battle lasted from midday till sunset on the 20th of November, the vigil of the presentation of the Blessed Virgin Mary, by whose prayers we were freed from such a sight. Not a single Turk was killed, but several were wounded; of the Arabs 256 were found dead, for it is their peculiarity to make no arrangements for battle within the walls of a city.

In the evening twenty Greek Christian soldiers, formerly

our friends, immediately hastened to our house to defend it and myself, and after I had given them a small meal they went away. On that night the Turks posted a number of guards in encircling fashion, because there remained many Arabs here and there, but in the middle of the night they themselves plundered and robbed the citizens, smiting and slaying; they set fire to the house of Sheikh Abdellatif, and the confusion was worse than before, because no one ventured to defend himself. Yet the patron saint of our house safely preserved us from this danger also by her piety as well as the house of all the Christians, to the amazement of the Turks, nearly all of whom suffered considerable losses.

Here it should be observed that the Turks had heard that Sheikh Moghamis had asked for the help of a Dutch ship; and, wrongly understanding that the captain had agreed to give it and had taken on board a quantity of ammunition and engines of war from the arsenal at Bassora together with Arab soldiers to fight against the Turks, they swore to set fire to the Dutch hospice and to kill the inmates as traitors and to rob them of all their property. They had decided to make the attempt on the same night, but since the Greeks had always been our good friends, they at once informed Ibrahim Kakiya, the governor, who sent spies and guards and prevented this act of hostility, and in the morning quieted the insolence of the soldiers by threats and entreaties, and so for a while we breathed again. On the next day, the 22nd of the month, we went with the Dutch captain to Ibrahim Kakiya, the new governor, to congratulate him on his accession to office; he received us with Turkish splendour and courtesy and two days afterwards informed Khalil pasha of our arrival, assuring us that we should receive the fullest protection, and politely dismissed us with great honour. On the same day a certain sheikh Serahan, an Arab of the tribe of Shiahab, arrived, bringing with him 2,000 Arabs, who, since he was an old enemy of Mahané and the Mentefek Arabs, had come to help the Turks ; thus the city enjoyed complete rest owing to the sufficiency of the guard. The governor immediately devoted himself to repairing the walls before the arrival of the pasha, who, hearing from Gorna that Bassora had been taken and that the Arabs had fled, in spite of his illness hastened hither, and before midday on the 25th made a solemn entry into the city with his two sons and some horsemen, to the unspeakable joy of all the people. When he had heard from the fort of Gorna the report that the Dutch had accepted soldiers and arms from the Arabs to fight against the Turks he at once ordered a juridical investigation of the matter and sent two officials and secretaries on the part of the gadhi to examine the ship. When they found nothing and gave evidence of the innocence of the Dutch he ordered the gadhi to give the Dutch an authentic document in which they were declared unharmed by what had been falsely alleged. On this occasion the Dutch were greatly afraid of the Turks and remembered the advice I had given them in the presence of prince Moghamis. Thus, with thanks to God, they escaped this no small danger with greater honour, although not without some expense, because the Turks strike those whom they cannot kill.

Owing to his indisposition, the pasha had remained several days in Babylon, where he had been treated by the reverend Capuchin fathers, who commended us to him and told him of our great distress at the destruction and interdiction of our church. He promised to do much in our favour and accordingly they informed me by letter of his goodwill towards us. On the day of his arrival, after vespers, I presented myself alone before Khalil pasha, who, although very busy and worn out by fever, received me kindly. He told me of his long illness, which was a quartan fever that had lasted for eight months, and after I had given him good hopes of benefiting by rest and climate and also by the defeat of his enemies, he greatly rejoiced and dismissed me politely and with calm words.

Meanwhile, he devoted all his energies to fortifying the city, and immediately compelled all the citizens, nobles or commoners, to remove the earth and sand which, owing to the violence of the winds on the side of the desert, had been piled up to the top of the walls. Two days afterwards he pressed into service all the country subjects of Bassora, who in a fortnight restored the walls of the city and the fortifications to their former condition, which his predecessor Ali pasha had been unable to accomplish in four years, and by this act of prudence he calmed the minds of all the citizens and made himself at once loved and feared.

For the space of three years down to the present day I had received no answer from our Superiors at Rome nor from our ambassador at Constantinople in reference to the interdiction of our church by the Turks. Wherefore, since, on the introduction of a fresh government, new disputes would always be stirred up in consequence of the lack of a royal diploma, to the obvious danger of ourselves and the Christians, and since, on the other hand, R. P. N. F. Basil of St. Charles, Vicar Provincial, had given me permission to do whatever I thought expedient according to the rules of prudence; for these reasons, since the governor was favourably disposed towards us, I ventured to attempt in the name of the Lord a task too difficult for human frailty but very easy for the providence of God, as often as He was mercifully pleased to perform it. Since there is a common proverb among the Osmanlis or Turks that 'barrenness brings forth from the green', I administered this verdure to our Khalil pasha, that is, I sent a small present by our deacon Abdel-kerim, which Peter Macharré, the Dutch captain, had, in token of gratitude, generously presented to me before his departure; this was a pound of tea, called by the Turks *chai*, with twenty *finjans* (cups) of china ware, which the Turks use for coffee, and a small vessel made of the same ware called *ghulabdan* for holding rose-water, and also two small jars of oil of gillyflower and sandal wood; the pasha, in his kindliness, was very pleased with the little gift, which he praised exceedingly, and showed signs of greatest gratification. For God permitted me to be one of the first, because since on the one hand he was ill and on the other was very busy, all the citizens and merchants put off offering these signs of affection; and when I presented myself on the same day, he made me blush before those standing by, praising the Franks above all other nations, and in particular giving remarkable proofs of the affection and courtesy of the Religious; and in this way God, the best and greatest, so captured his goodwill towards me that he clearly showed that he would be favourable towards me. When I saw this I mentally and confidently called upon the most mighty name of Jesus, and declared to him the condition of our church and petitioned him to deign to give me a fresh diploma. As soon as he heard the great importance of the case he greatly rejoiced and showed me signs of the greatest goodwill; he wanted to know the beginning, middle, and end of this tragedy, and what Ali pasha and the Mohammedan pasha had done for or against me, and when I had given him an exact account he in the same manner replied that he had heard about me from the reverend fathers at Babylon, and ordered me to have my memorial and petition drawn up in writing, and sent on the next day to his tribunal. Accordingly, without delay, on the next day, the 1st of December, I summoned an experienced scribe, to whom I dictated the following memorial and my petition, which he wrote in the following manner.

Petition presented to Khalil pasha of Bassora for permission to reopen the church on the 1st of December in the year of our Salvation 1705.

[*Petition in Turkish follows :* f. 316
and part of f. 317.]

The interpretation of the above is as follows :

O my prince, most happy, most merciful, and most virtuous, may your excellency be preserved ! The humble petition of your servant is as follows. The French fathers, your servants, residing from time immemorial in this fortified city of Bassora, by the mandate of their King and with the consent of your most august Sultan dwelt here in peace, holding the position of consuls of the French nation ; but Mustafa pasha, when he held the office of the most serene grand vizierate, by the plenary authority of his office ordered that all the churches of the Franks or Gauls should be destroyed and the fathers of the same nation expelled. This mandate being urgent, the most serene Ali pasha interdicted and shut our church, and your humble servant intended to leave ; but the most serene Ali pasha, having well and carefully considered the case, like a prudent man, changed his mind and forbade me to go, arguing that the mandate of the most excellent viceroy was specially directed against the churches of the Franks, but not against the consuls of the nation. For this reason he kept me back and for a week your servant hid himself in one of the towns subject to Bassora ; and when at that time the most energetic captain Mohammed pasha by the kindness of the most august Sultan Mustafa was appointed governor of Bassora, he allowed me to occupy our caravanserai adjacent to our church, where I remained until the return of Ali pasha from Babylon. On the return of the most serene Ali pasha as governor of Bassora, when I humbly petitioned him that he would deign to give me back our house, with his natural kindness he gave it to me, but put off the opening of the church, and so the matter has remained to the present day. But now, my ever-victorious prince, who by thine illustrious arrival with the aid of God hast been victorious over thine enemies and rebellious subjects, I trust without hesitation to obtain the object of my desire from thy natural generosity, to wit, that thou wilt permit me to reopen and restore our church, and that we may be able to read the gospel and perform our prayers, in accordance with the old diplomas of your most august Sultans, gratuitously granted to us from time immemorial, and to praise God without ceasing and to obtain the divine mercy for your most august Sultan and also for your most serene Domination, and your most devoted and most humble servant confidently hopes to obtain from your magnificent generosity whatever he has asked, which will be an eternal sign of the magnificence and benevolence of your most serene Domination . . . .

Father John.

I presented this petition to Khalil pasha on the 1st of December, and having looked at it and read it a second time, he asked to see our royal diplomas referred to in the petition, which I had brought with me; although it is admirably comprehensive, he examined it with singular attention, and, having summoned the royal secretary, Ali Chelebi, son of Gin Gumrat, he instructed him to examine the matter and ordered him to find out from the chancellery the reason for the mandate of Mustafa pasha, the grand vizier Daldaban, which caused his desire to turn out the Franks and their church; he also ordered him to examine whether in fact this church was founded in ancient times or not and to give him a complete account of these matters. Accordingly, Ali Chelebi, the royal secretary, who holds the chief place among my friends, having duly examined the matter as he had been ordered, with his own hand wrote the following information on the right margin of my petition, which information is called in Turkish *Dar Kenar* and is of the following nature.

> Information obtained by the royal secretary, Ali Chelebi, in accordance with the order of Khalil pasha, written on the margin of our petition. ✠
>
> [*The 'Interpretation' is written in double columns: on the right in Turkish, on the left the Latin translation.*]

The following is the interpretation thereof:

I have seen imperial letters showing that the church of the French has existed in this city of Bassora to the illustrious fathers of the same nation. And since the same church was falling down, owing to age, about the Mohammedan year 1090, at the beginning of the month Jemazi el Evvel (in May, in the year of our Lord 1679), when Ali pasha, the most excellent Prince of Princes, was happily governing this city, the fathers secured from the generosity of this great prince a favourable mandate for rebuilding the said church from the foundations, juridical permission having been obtained from the gadhi at that time; but in the Mohammedan year 1114 (the year of our Lord 1703), at the beginning of the month Rejeb el Murejjeb (in our reckoning March), there was issued an imperial illustrious decree against the said church, by virtue of which it was expressly decreed that the said church should be suspended and the old favourable permissions are seen to be abrogated. The fathers of the aforesaid nation are also expelled from the district of Bassora as seditious and restless. This imperial illustrious decree I have found inserted clearly in the noble chancellery of our protected city of Bassora. Now, O my most serene prince, it is thine to show thy clemency and magnificence, on the 16th day of

Shacban of the Mohammedan year 1117 (in our reckoning the 1st of December 1705).

Your abject one,
Ali Chelebi, Secretary.

I presented this information on the same day to our kindly pasha, but as they had brought the traitor Sheikh Abdellatif to him in chains, he gently dismissed me, saying : 'Reverend father, I must settle some affairs of grave importance ; after which I will remember you.' He then gave my petition and the secretary's information to a certain Hassan Agha to keep, and thus our business remained unsettled for some time.

Meanwhile the pasha, although still suffering from fever, examined the complaints of treachery brought against Abdellatif, and when he was unable to refute them he was declared a traitor to the city and the Sultan ; and, accordingly, early in the morning of the 4th of the month he was hanged in the governor's palace and his body thrown to the people (as was right) as an example to others. Since this was the month of Ramazan, in which the Mohammedan fast takes place, in which legal cases and disputes are suspended, I impatiently waited for the end. On the second day after the fast was over (the 23rd of January 1706) I presented myself to the pasha and handed him a fresh but brief memorial. He immediately summoned the above Hassan Agha, his chamberlain, and having obtained from him the copy of the first petition which had been handed to him, he wrote above it in his own hand, bidding the judge or gadhi to make a judicial information, both in regard to the antiquity of the church and the father's method of procedure. The mandate is after this manner.

The mandate of Khalil pasha, wherein he commanded the judge or gadhi to obtain judicial information as to the condition of our church.

[*The mandate follows in Turkish.*]

The following is the interpretation of the above:

O most virtuous judge of Bassora, may God increase your virtue! It is meet that you should diligently examine with which of the houses of Mohammedans this church has connexion, and whether it is now in a ruined or stable condition; you shall also find out whether our imperial illustrious diploma mentioned above is in the possession of these fathers or not; whether this church has ever been dangerous to the adjoining houses of Mohammedans up to the present time. After diligent inquiries judicially made, you must clearly notify the result to us. Given on the 8th of the month Shevval, 1117 (according to our reckoning, the 23rd of January 1706).

The aforesaid Hassan Agha together with me personally took this mandate to the gadhi, and in the pasha's name commanded him to settle the matter quickly. And although there were heavy rains during these days, the gadhi promised scrupulously to obey the mandate of the most excellent pasha on the following day. Here we must bless the providence of God who most delightfully arranges all to show His greater glory; for when the case of this our church was being long delayed it seemed to some an evil omen, but to confute the ignorance of men God, best and greatest, so arranged that in the course of the last month a new judge or gadhi should come here from Constantinople, a man of singular urbanity and great affection for the Franks owing to his having for a long time lived with them in the port of Smyrna and elsewhere. After vespers he summoned our interpreter Abdelkerim the deacon and asked him whether it would be agreeable to me that he himself should come on the following day or send his secretary to visit the church and obtain information. When I heard this I was astonished, and not only myself but also all my Turkish friends, for this suggestion was opposed to the natural dignity and haughtiness of the gadhis, especially towards Christians. Accordingly, with an expression of gratitude, I sent our deacon Abdelkerim to inform the gadhi how greatly he laid me under an obligation by deigning to come in person.

Accordingly, on the following day, the 24th of the month, the said gadhi came to us with a numerous attendance of citizens and merchants, whom he had himself invited to obtain information in due form. Among them was Agi Hassan Semeri, Agi Mohammed the apothecary, Agi Agi, Agi Abdurrahman Teresavoi, and Agi Hassan Ali, with several others. The judge himself opened the church, and when he found it deserted he turned to me and condoled with me: then, taking his seat in front of the gallery, he explained the reason of this visitation, whereupon all those standing round declared that it was right and just. They next carefully inquired into the age of the church and the conduct of the present and preceding father towards the Mohammedans, and ascertained the length, breadth, and height; and when the gadhi saw that they agreed with the old instruments relating to the church he ordered all those standing by, that, if any general or particular damage had been or should be caused by this church or the fathers, they should clearly inform him. When one and all answered that no harm had ever been done by the church or the fathers, nay, they acknowledged that they had always been of the greatest service to the city and that the fathers had been models of virtue, the gadhi made a very learned speech to the bystanders about the Franks, especially the Religious, and decided to bear witness to the most excellent Khalil pasha that he found that the Mohammedans had no complaint against the church or the fathers; that it was therefore right to grant permission for rebuilding their suspended church. To this all the bystanders joyfully replied 'Aman'!

After this all left the church and sat in one of our cells, and showing themselves there drank coffee in oriental fashion. And the gadhi most kindly said to me, 'Reverend father, have no fear; this important business of yours is settled', and thereupon departed.

On the 28th of the month, Ussen (*sic*) Agha, to whom the pasha had entrusted the case, went to the gadhi to receive his information; and having obtained it brought it to me to read. Its purport is as follows.

Information of the Judge or Gadhi.

[*The 'Information' follows in Turkish.*]

The following is the interpretation of the above:

May every blessing attend this humble supplication of father John, rector of the Franks, who, together with Ussen (*sic*) Agha, your commissioner, brought to me your excellency's illustrious mandate for a judicial visitation of their suspended church.

We have in fact visited it, assisted by men worthy to be witnesses in a matter of such importance, and, having interrogated them carefully and individually, we find that their aforesaid house of worship has, on the one side, the adjoining caravanserai of Agi Cassim Semeri with public roads from the two, and on the other side there is a tumble-down and derelict house. We have examined its dimensions, and find that its length is 27 cubits and its breadth 10 cubits; at its sides are two cells, the length and breadth of which are 2½ cubits; above the door is a gallery reserved for women alone. The said church is not an utter ruin but its walls need repairing with fresh plaster to a height of about 3 cubits; the said church possesses an old right of prescription, and it is the duty of its rectors or Religious to read the gospel and say prayers, from which no harm or offence can be caused to the neighbouring houses of Mohammedans or any inconvenience whatever to them when going or returning.

That from time immemorial the rectors of this church have never been in the least troublesome to our Mohammedans, and that the church has of old a right of prescription is unanimously agreed by a large number of wise men. Wherefore, my merciful prince, I give this information clearly in writing and pray you to deem it worthy of belief, and it will be thine to show signs of your Magnificence.

The aforesaid Hassan Agha wished to present this information on the following day, the 29th of January, but by God's permission, as a trial of our resignation, on the same day there arrived from Constantinople a Turkish deputy to announce to the subjects of the empire the birthday of the eldest prince or sultan Ahmed now reigning. Accordingly, on the same day Khalil pasha ordered his heralds to proclaim festivities, games, and triumphal processions, so that for ten days together, day and night, he reluctantly provided amusements for the people. For this reason the commissioner in charge of our case decided to put it off until the departure of the deputy; and at length, on the 14th day of March, Khalil pasha sent him back, and on the following day Hassan Agha presented the aforesaid information. The pasha, enraged at his negligence, immediately wrote in his own hand on the left margin of my petition the following mandate to the gadhi.

> Mandate of Khalil pasha to the judge or gadhi of the city of Bassora, in which he orders him to give us in writing a judicial instrument for reopening our church.

[*The mandate follows in Turkish.*]

The following is the interpretation of the above:

O most illustrious judge of Bassora, may God increase

your virtue! We have heard that these fathers have never given offence to any one, and that their church and rector have never been troublesome to you; nevertheless, owing to their connexion with other churches, which were suspended and destroyed by the illustrious royal mandate, it was similarly treated and its fathers expelled. Wherefore, their innocence having been established, we decree and order you to draw up an authentic and judicial instrument and hand it to the rector of this church, in order that they may reopen it, and read the gospel and say prayers in accordance with their long-standing diplomas from our most august ruler, on condition, however, that they do not corrupt our people or those of any other nation, or by violence or treachery convert them to their faith, or in any way injure any one. After this you will insert this in the public record of the documents of this city in the chancellery, and, as I have said, grant them free exercise of their calling. Given on the 28th of the month Zi'l ga'de in the Mohammedan year 1117.

Therefore the gadhi, in accordance with the pasha's mandate, wrote a public and judicial instrument and sent it sealed by commissioner Hassan Agha to the pasha who, since he was very busy and also indisposed, put it aside and ordered the commissary to remind him of it after a few days. Meanwhile, we reached holy week, in which prayer was offered unceasingly by the church on behalf of the gadhi. Accordingly, God permitted that on the 1st of April, the fifth day of the greater week, the pasha and the gadhi went to recruit themselves outside the city. After much conversation the gadhi told the pasha how urgent the Christian father had been for two days, and that therefore it was right to grant them indulgence for this solemnity. When the pasha heard this he immediately ordered the judge to make another copy of the instrument, because he desired to keep the one he had first sent. At the same hour, therefore, the judge sent one of his servants from the country to his secretary, bidding him make another copy of the instrument referring to the church without delay. On the 3rd day of the month, on the Vigil of Easter, it was presented by the royal secretary Ali Chelibi to the pasha, who at once summoned me before mass and handed me the blessed instrument, confirmed by the seal of the judge, as is customary, but I refused to accept it. The pasha then said to me: 'Why do you now refuse to accept the instrument you desired?' 'Because', I replied, 'it is not confirmed by your blessed seal or subscription.' He took my answer of precaution in good part, confirmed it with his own hand, and handed it to me, saying, 'Pray for me and my sons, and be glad and rejoice.' It is as follows.

> The seal or authentic instrument of the gadhi or judge of the city of Bassora for reopening or restoring our suspended church, in which the ancient prescriptive right of this church is declared and our long-standing diplomas are confirmed.

[*The instrument follows in Turkish.*]

The following is a faithful interpretation of the above:

The reason of this document or authentic seal, given herewith, and of the drawing up of this patent, is that the father residing in this protected city of Bassora as representative of the French nation, has repeatedly applied to the noble tribunal of justice and urgently requested that the case of his church should be settled. He had, however, previously presented a memorial to the lord of lords, venerable, greatest of magnates, most excellent of all, our most illustrious lord Khalil pasha (whom may God direct in every blessing which he now desires!), most watchful governor of the protected city of Bassora (whom may God protect from all disaster or evil!), in which he had notified, to wit, that as in regard to the other churches of the Franks a royal decree had been issued for their destruction, the same had happened in regard to his own church. He, therefore, begged that, in accordance with the imperial and blessed capitulations and the old royal diplomas which are kept in his possession, the pasha would of his kindness grant him permission to reinhabit the church, to read and expound the gospel with his former freedom and to read prayers. His excellency accordingly referred this case to the tribunal of noble justice, first, in order that the aforesaid case might be inquired into, which was done; secondly, his exalted Domination ordered that an authentic statement should be made in regard to the antiquity of the church, which was scrupulously investigated, and in accordance with our investigation we made known that it did not need regular restoration, and further that it had never been troublesome to our people. Accordingly, after he had heard all this, his excellency after careful consideration ordered me to draw up this authentic patent in writing, by virtue of which free permission is given to the said father to open his church and read prayers and the gospel and expound it to all Christians in accordance with the ancient privileges granted to him in our sultan's diploma, on condition, however, that they do not presume or attempt to convert any Mohammedan or Hebrew, or member of any other sect, young or grown up, or in any other way be troublesome to us; but if they should not do so and do not keep peace with all, let them be assured that they will be punished with the utmost severity and expelled beyond our borders, after the payment of fines to be imposed upon them at the discretion of the governor. Accordingly, let them reside in peaceful possession, and let no one venture to disturb these fathers and Christians walking in the way of their religion. For which reason we have written and confirmed with our seal of office this authentic patent, and handed it to the said father in the month Zi'l ga'de. . . .

1707. . . . After this he fell down on his bed, and that he might not witness a worse tragedy, was carried up to heaven about the 1st of March 1707. After his death there came a Tartar (courier) with a royal command that the church should be destroyed and the fathers expelled, as happened elsewhere, where there were not secular consuls, as at Baghdad, Diarbekir, &c. To carry out these instructions (God thus disposing) Khalil pasha repaired to our residence to Abdelkerim, who directed the pasha to the church. After a few words the pasha said to the aforesaid Abdelkerim, 'Come, let us go to the church', to which he replied, 'Behold! there is the church'; the pasha said, 'How is that so? I heard that in the Christian churches there are images, &c., but I see none here, wherefore I cannot believe that this is their church.' Abdelkerim replied, 'If in that house there be found a more excellent chamber may I be a liar.' When he heard this, the pasha said, 'Is it not absurd to destroy so fair a dwelling? Let it not be destroyed.' This was done, nay, on returning to . . .

From that time, therefore, that is, the year of our Lord 1707 to 1714, our house was let to English or Turkish captains, and, except during one or two years, when money was received from the sultan, the pasha always swallowed up the rents, for which reason recovery was a very difficult matter.

On the 26th of September in the year of our Lord 1709, there arrived from Ispahan father Paul, an Augustinian, with his companion R. P. Hieronymus (Jerome) a Franciscan of St. Joseph, while six months befoıe R. P. Joseph Mary, of Burgundy, had arrived as visitor general and vicar provincial, with father Victorinus, a Fleming, who died two years afterwards at Ispahan, having contracted a disease at Bandar Abbas. Accordingly, the aforesaid fathers, that is, Joseph

Mary of Jesus, of Burgundy, and father Paul, an Augustinian of St. Stephen, of Genoa, departed for Ispahan by way of Shiraz, on the 21st of December 1710. After a fortnight's stay they left Shiraz for Bandar Rik, with nothing to help them, neither in the way of documents nor bodily sustenance. Relying only on the grace and mercy of God, nine days after leaving Shiraz they reached Bandar Rik on the vigil of the nativity of our Lord Jesus Christ, where they led a most miserable life, at least for a time. It was their intention, if it had been possible, to try our residence at Bassora, but since there was no opportunity, there was danger in delay, and of being thrown into the sea by the sailors, as we had reason to know, since about eight years ago the same had happened to one of our fathers. Accordingly, after twenty-five days' delay, we returned to Shiraz, and were six days on the journey.

I forgot to say that, after the death of R. P. John Athanasius, there by chance arrived here our most illustrious Maurice, bishop of Anastasiopolis and vicar apostolic in the land of the great Mogul (Mongolia), who was ignorant of his rank, since he had been elected at that time. Finding no one, he earnestly solicited the pasha that he would generously permit him to occupy our dwelling, otherwise he would depart. But since the servants of him who was his friend and interpreter, the aforesaid Abdelkerim, were hostile, he not only replied in the negative, but added that, if he had not departed in three days, his head should be severed from his body. After this reply he sold all he had except a small chest, in which he left the usual things for performing a sacrifice, at the urgent request of our dearly beloved and best friend Peter Matlub, the son of Safar. The aforesaid things were sold at the highest prices, and all the movables, which according to some statements were worth more than 600 scudos, were bought for 100 only by Abdelkerim, who after the purchase took to his bed to die, as came to pass. His brother, who was heir to these goods, went mad and had to beg. The other property of the church which was light was taken to Shiraz together with spoons and similar household goods, while that which was heavy, such as candlesticks, a lamp, a *ciborium* and images were left at Bandar Congo, where they were burnt by the inhabitants of Muscat owing to war with the Portuguese.

On the 2nd of November in the year of our Lord 1712, father Paul the Augustinian left Ispahan for Amada, the residence of the most illustrious dominus Pidic, bishop of Babylon, to become the head of a monastery. At this time there arrived for us the authentic documents, that is, a copy of the general firman, and an expressly positive firman relating to our Residence at Bassora. On account of these documents, after one year's rule of that house he left for Amada and arrived at Bassora in the year of our Lord 1714 on the 3rd of February. He went to the captain Pasha, who received him kindly; nay, he replied, 'Have no doubt, he will either grant it or not; if he will not grant it, I will, either myself, or through another', saying this because he hopes to be the future pasha of Bassora; and since he was a deadly enemy of Osman, pasha of Bassora, he was at the time unable to arrange matters as he would have liked. Therefore, after about a week, the above father Paul the Augustinian presented himself to Osman pasha, who after some polite remarks gave him coffee to drink and asked him the reason of his visit. He answered that it was to present him with a letter; this was a letter of recommendation, notifying from the most excellent French Ambassador Monsieur d'Ezalur, who did much for this our Residence and to whom this house owes much, that I was consul on behalf of the French nation. Having read it, the pasha again asked, 'What have you come for?' I showed him the *hatt-i-sherif*, that is, capitulations entered into between the King of France and the Turks ; they were very diffuse, and after he had read them, he said, ' They are old ' (for they were from the young king's uncle) ; I then showed him the new authentic documents, saying, ' Through these new documents I claim the fulfilment of the old, that is, the restoration of our house with the church and caravanserai ; but because there was a lack of oil in our lamp there was also a lack of favourable reply, for he said, ' I will not grant it.' This was very surprising to all, but especially to the father, because he never expected to receive such an answer. Nevertheless, he insisted, saying, ' If you will not give us the church ' (he did not say *only* the church, but in order that there might be justification for his insistency, he took the pasha's words to mean ' only I will not give the church '), ' yet at least grant us the house with the caravanserai ', to which the pasha answered, ' No ! ' ; the father insisted, saying ' at least the house ', but for the third time the answer was in the negative. When he heard this the father was almost beside himself with grief, and said, ' Very well ; I will return these documents to him who gave them to me, that he may return them to him whom they belong.' The pasha never answered a word, the father repeated what he had said in a louder voice, and the pasha said, ' Go ! ' The father took his leave and informed the captain pasha of the result, and since at the time he had a favourite servant who was ill, he kept his promises, and invited him to his house where he was most kindly received. And when, by the favour of God and the patronage of the most Blessed Virgin Mary, the aforesaid slave recovered his health after two days' illness, he devoted himself to putting together a clock which formerly belonged to the fathers, with the difference that he was always sleeping or when awake elated ; wherefore, when the captain pasha saw that the father understood medicine and the putting together of a clock, he assigned him a supply of provisions—bread, butter, rice, and coffee, and in the evening a candle and all these things, because he did not eat meat. As to the chamber, it is true that it was somewhat fine, and when the Mufti saw it he said to the captain pasha, 'This is too much, to put the father in the chamber where Osman pasha was', whereupon the captain pasha replied, 'I do this to insult Osman pasha.' On the vigil of the fourth day of Quadragesima the said father was received into the house of the captain pasha, hoping for a change of government in the new year (among the Turks and Persians the 21st of March in the equinox); the captain pasha had assured him of this, wherefore he believed that he would not have to stay in that house forty days, nay, less; yet thrice forty days passed until the arrival of the *gapi* (clerk); whereby his stay was confirmed for another year. The father did not know where to turn: to remain a year was hard, to return ignominious, the more so because at the time there were three women with child, on whose account I advised staying, and also because of the hope of a speedy change as the result of charges made against Osman pasha and signed by the more important citizens and sent by the captain pasha to Constantinople. At length, at the beginning of December, Mutesellim Hassan pasha arrived, and while he was staying in the evening in the house of the captain pasha at Minavoi, the said father presented himself to the captain pasha, saying, 'Behold! now is the acceptable time, now is the longed-for day, it is now or never.' The pasha kindly replied, 'To-morrow, by the favour of God, I will attend to your business.' But the next day he forgot it, whereupon the father said to him, 'If not now, it will never be done, and the reason is that the Mutesellim Defterdar and other great men of the city are unanimous; when will there ever be unanimity again?' The captain pasha answered, 'Have no doubt; to-morrow all will be here', and by himself and by others, speaking, promising, informing, and begging he favourably disposed the minds of those standing by although separately. In the evening, when all were reclining and conversing (though not about our business) the father was informed by Agi Mahmet Attar his friend and adviser, a man of great judgement, that all were free from business and sitting at ease, and that they had been forewarned; that only one thing was wanting, that the father should begin the matter. The father followed his advice and went before those scribes and pharisees and simply said to the pasha, 'My Lord, it is now nearly a year since I have eaten bread in your house, for which may God repay you a thousand times; I have now hope of regaining our house under another government; let it decide to whom it belongs, or give me permission to return; I cannot expect more.' One of the lawyers said, 'Do not go but sit and wait.' The captain pasha resumed the conversation in terms favourable to us, showing how necessary the fathers were when merchants arrived, pretending that Mister Bacher (?Baker), an English captain, had publicly said to him, 'How can I come here, when there are no fathers to bury me if I die?' (It should be observed that, in the event of the death of any infidel, that is, a European heretic, it was the duty of the father to accompany him to the grave, not with prayers, since they are useless to him, but to avoid offence, and that the Turks may understand that we are here for this purpose and are necessary.) After he had said these words, that devil, one of the old pseudo-scribes, the defterdar, said, 'You have a firman?' The father said 'Yes', to which the wretch answered 'Show it.' After reading it, he said, 'You shall have the church with the house, but not the caravanserai, because there are certain things to be done with due information and witnesses.' The captain pasha replied, 'Here is Agi Mahmet Attar, who is well acquainted with everything.' When Agi was interrogated he did not examine him, and said nothing. Such was the state of affairs, and the father replied, 'Either Caesar or nothing, either all or nothing', and thus departed with nothing. Many came to his chamber and said, 'Accept this, and little by little you will get your caravanserai.' The captain pasha also advised this and persuaded him to accept the offer; but he could never obtain a written document from the defterdar, and although the captain pasha sent his servitors, he politely excused himself. (The father had given a great nobleman 33 scudos, and one-third part of one, to be given, as was said, 20 for the mutesellim, 10 for the defterdar, and the rest for the servitors, but he afterwards learned that many of the scudos had been placed by the nobleman in his treasury, which explained why he received no written document from the defterdar.) The captain pasha accordingly obtained it from the mutesellim, and the father entered with the document into the house in which an Indian captain was living and stayed in a room in the caravanserai until the captain left, which he did in a month. He set up a wall of reeds to separate the house from the caravanserai and purified the house, but first, on the 23rd of January, the festival of the espousals of the Blessed Virgin Mary, he betrothed the church to the Blessed Mary, pronouncing a blessing and celebrating the first sacrifice.

On the 11th of December 1714 there had arrived here, before sunrise, R. P. Joseph Mary of Jesus, of Burgundy, ex-vicar provincial, with the title of provincial visitor, and with the obligation of remaining afterwards as my companion. The comfort, joy, and gladness of the father, Paul the Augustinian, at his arrival was incredible but easily accounted for, because after a year of loneliness and that at a time when he had more need of an assistant or companion, not so much for his reverence, as for the greater protection of the house, his prayer was heard. After nine months father Joseph left on the 8th of September 1715, by way of the desert without having visited the house, and left for Aleppo and Tripoli, wherever God guided him.

I must not forget to mention an incident which occurred at the time when father Paul the Augustinian was staying at Minavoi. On the 29th of July 1713 there arrived here an English ship named the *Blenheim*; its captain was Mr. Parochet, a most melancholy man, and all the other English, with the exception of one who was secretly a Catholic, were most infamous persons, who had entirely abandoned the English characteristics. The captain was ill, and his physician had given him an emetic; by chance on the morning of the 11th of August father Paul went there, and asked the captain what his illness was. When he heard that it was dysentery and that he had taken an emetic as a remedy, he was greatly surprised. He told everybody and was told by the physicians several times that it would kill the captain, the reason being that vomiting had brought on a violent fever, as the result of which on the following day, at two o'clock after midnight, he rendered up his soul to the devil. On that day, the 12th of August, about two o'clock in the afternoon, they placed his body on board a small vessel, together with father Paul and a number of English, who were going to carry it down to Bassora, and from Bassora to the cemetery. After a few minutes they began to fire guns (it shall be observed that there was a very violent west wind), and at the second volley the wind carried down the fire into the lower room under the stern, in which there was an open jar or barrel full of gunpowder. The fire, carried down by the wind, fell upon it, and in a single instant, on the day of St. Clare, the entire ship was ablaze; as many lives were lost as there were days in the month, the only difference being that the captain had died a natural death. The others had passed through fire and water into rest, five English and six Indians, one of them being a Catholic, who a week ago had given the father a pair of velvet shoes, for which on that day by chance early in the morning he brought sacrifice. It is a remarkable thing that, when they saw the fire, he who acted as captain ordered the boat to approach that those in the ship might go on board. The father, who did not understand English, did not know the secret ; he only felt that he was being warmed by that fire, and commended himself to the care of the Blessed Virgin Mary, who enlightened one man, who said to the lieutenant, 'Let us get on land, lest, when the fire reaches the powder, we meet our death : and when we are freed we will send to rescue those who can be rescued.' This was done, and when they were near land all jumped into the water ; five hours later the fire reached the powder, which with a loud explosion saluted the absent and those standing by, two of whom were killed.

Thus, the aforesaid father Paul, without a companion and without a witness, by means of the new defterdar, whom he regarded as a friend because he had cured him of illness several times, obtained an authentic document from Hassan pasha granting us the house and caravanserai ; but because the pasha was a most trustworthy man, and because the *gapi* (clerk) by whom it was entrusted to the pasha was a very great friend of the father, he did not wish to lose the opportunity, and obtained a fresh document from the new pasha Rejib ; by always greasing the palms of those through whose hands it passed, it happily reached our hands from one to another, as was done in the first instance, because among the Turks friendship goes by the amount received, so afterwards you give oil so that you may have light.

In the year of our Lord 1716 after the festival of Easter, he began to repair the holy places, some from the foundations, erecting and constructing others, so that it can be said that there was no small wall of the house or caravanserai which was not a work of restoration, and though such was his industry that he did not purchase much which was to be purchased, yet he spent 400 scudos, of which he had only received 120 from the vicar provincial.

At that time, on the 2nd of June, in the year of our Lord 1716, there arrived here R. P. Urban of St. Eliseus of Piedmont, whose faith was so great that he could not (? only) remove mountains, but having removed himself from the mountains, and always passing between the Scylla and Charybdis of the Turks, at last, having lost all his little necessaries down to a breviary in the river of Babylon, lamenting not the sins of his own people, but his own misfortune, he safely arrived here and was kindly received by father Paul the Augustinian, whose joy was unspeakable at having found the holy Urban, who was really *urbanus*, and after a stay of nine months by permission of R. P. N. Faustinus of St. Charles, vicar provincial, went to Shiraz with R. P. Cyril of the Visitation, also from Piedmont.

In December 1716 R. P. N. Faustinus arrived at Baghdad with his two companions, R. P. Alexander of St. Sigismund, a German, and R. P. Philip Mary of St. Augustine, a Lombard, both of whom had come directly to Ispahan; and R. P. N. Faustinus with R. P. Cyril, who several months before had been at Baghdad, safely arrived here on the 5th of February 1717.

I must not omit to mention that R. P. N. was greatly desired here by our fathers, by father Urban that he might have permission to go to Shiraz, and by the vicar of the house, who at the time was father Paul the Augustinian of St. Stephen of Genoa, and from that province. When he saw the church in danger, of his own free will, without being importuned and without making any difficulty, he presented us with fifty currency scudos, understanding from the vicar that this sum was necessary. The peril was in the sacristy, two walls of which, one in front and the other on the left of the entrance, were in a tumble-down condition, and had they fallen it is certain that the church also would have fallen or would at least have sustained severe damage.

R. P. Antony, a Franciscan of St. Joseph from the province of Lombardy, formerly missionary in Syria, who after many labours had returned to his own country, was the third companion of R. P. N. Faustinus; he was left half dead at Malta, but, having recovered, resumed his journey and arrived here safely on the 17th (?February), in the year of our Lord 1717, but the climate greatly disagreed with him, because, owing to lack of wine, he ate but little and that little not very good; this brought a serious illness upon him, as well as upon the others who remained here for some time.

At the same time a dreadful thing happened as a warning to Christians, in order to teach them by no means to fear the idle threats of the malignant, but only to revere the power of God, upon whom our faith most firmly rests, and to serve Him with their whole heart and soul most faithfully.

A certain Christian from Babylon, by profession a merchant, named Abdallah, who at first pretended great friendship for the father vicar but afterwards openly showed himself his bitterest enemy, at the beginning of the year began to heap insults upon the father and to vomit them forth in public. Several non-Catholics were brought over to his side, and the minds of some simple Catholics were corrupted, and he endeavoured, obstinately and in public, to compass the general ruin of the said vicar and the remainder of the Catholics, who by no means strongly supported him. Nearly every day, and especially on feast-days, in the early morning and evening, at the end of the road leading to our Residence, this man, naturally of a furious disposition and carried away by passion, prevented persons by violence, threats, and fraud from entering the church, from which he himself had already revolted; so that on feast-days scarcely three or four Christians were present and no one attended at evening prayers. Such was the state of affairs from the beginning of this year until my arrival on the 5th of February to undertake the office of vicar provincial.

Some days after my arrival the aforesaid Abdallah invited me to his house, where his associates in apostasy were assembled, and after making absolutely false charges against the father vicar, repeated to me *ad nauseam* and exaggerated, he asked me to remove him and appoint another vicar in his place; if I did not do so and did not agree to his urgent request he threatened the utter destruction of the Christians, which he mendaciously foretold.

Having listened to his complaints calmly, and, as was right, firmly rejected his requests, I refused to give satisfaction to the guilty and to condemn the innocent, declaring that neither I nor mine feared the power of men or the threats of the powerful, who can only kill the corruptible body; but that we only feared almighty God, who can destroy both body and soul in hell; I added that we looked to the mother of God, the patroness of our church, and that she and Christ's faithful ones in heartfelt union with her would fight against infidel heretics and evil-living Catholics, as, in fact, we saw happen a few months later as it were by a miracle and on several occasions, to the great amazement of all. After this I firmly and gently exhorted all to keep the peace like Christians, and not to lose eternal salvation owing to the idle and frivolous dispute with the father stirred up by the cunning of the devil. At last I persuaded them, and returned home.

After the waves of this raging storm had thus calmed down for a while, the Catholics who had gone astray gradually returned to the harbour of salvation and attended the church, especially on feast-days, while the rest, stiff-necked and uncircumcised of heart, obstinately remained within the barriers of their apostasy with their sinful leader Abdallah.

Preparing a worse crime than their conversion, Abdallah, putting off all Christian shame, with the brazen effrontery of a harlot, sacrilegiously violated the injunctions for Easter and all the other laws of the church, and publicly ate meat on forbidden days; and more boldly vomited the poison which he had drunk against the father vicar and the other true Catholics, and plotted to bring about the destruction of all, which he had long threatened. In the meantime we poured forth our spirit before God with fervent prayers for his conversion, and earnestly begged for the aid of the glorious queen of the heavens, thrice repeating in public litanies the help of the Christians, *Ora pro nobis*.

We hoped in her and were not confounded, but the most pious mother heard her sons crying to her, and laid low with sudden fever this impious Saul, who was by no means to be converted into Paul, while he was still breathing threats and murder against the puny flock of the Christians of Bassora.

This miraculous vindication of divine justice, not to be despised, happened on the same day on which the perfidious Abdallah had accused the father before the shah-bandar, whose friendship he enjoyed, of desiring to make all the Christians living at Bassora Franks (Europeans), an offence regarded as *lèse-majesté* by the Turks, only to be expiated by blood or the payment of a large sum of money. Indeed, if there had been the slightest proof of the charge, as it was feared there might be while Abdallah survived, the result would certainly have been our common ruin or at least our expulsion. Thus the illness of the malignant accuser put off this great disaster, and finally a miserable death most speedily put an end to it.

Meanwhile, as the violence of the fever greatly increased, Abdallah, overcome by the fear of imminent death, humbly begged for the deliverance from illness of the father vicar which he had been unable to obtain from the Mohammedan physicians. The charitable father, shepherd, and physician, hoping to win the lost and diseased sheep if his bodily health were restored and to lead the penitent with the rest of the deserters to Christ's fold, as he had always desired, was successful, and cured him after three days' treatment, God so disposing, lest if he had been given over to death men of his stamp might perhaps say that the father had killed a sick man in order to destroy one who was his enemy. When the fever had disappeared, weak as he was, he retired to Minavoi against the father's orders, where, from taking too many baths and taking food without discretion, or (to speak more truly) owing to neglect of the deadly apathy of his soul, he had a relapse by the just judgement of God, and being seized by epilepsy and deprived of his senses, was taken to the house of his brother Aslan. The father vicar, to make preparation for the extreme peril of his soul, immediately went to visit him, but, being unable to obtain from the half-dead man the least sign of repentance, he returned home; and the unhappy Abdallah shortly afterwards, taken with frequent convulsions all over his body and (as they say) suffocated by the evil spirit, breathed his last in the middle of the morning of the sacred day of the most holy penitence of Mary Magdalen, that is, the 22nd of July 1717, without having repented. The fact shows that the death of sinners, unless accompanied by repentance, is always most miserable.

The disfigured corpse, reserved for the fires of Gehenna, was carried the same morning by a few persons, without a cross, without a light, without any attendants, to the cemetery *Haissa ben Mariam*, where he awaits the last day of judgement, dreadful to all but more dreadful to him, ignominiously buried.

The Arabs living near were in the habit of resorting to the cemetery to get wood, for the uncultivated ground produces sods of turf and briers in great quantities, which they used to collect at night, to carry down to the city in the early morning; but after the burial of Abdallah the same Arabs reported to Peter Matlub that they had been unable to gather wood at any time during the night owing to the terrible fear which overcame them owing to the loud shouting and hissing noise which was everywhere heard by all and is still constantly heard.

The origin of this or what it means God only knows; as for myself, if I might venture to disclose what I feel, I might perhaps hazard a guess and say that the noises must have come from the grave of Abdallah's corpse, since they were only heard after he had been buried; and that they indicate a partial purgatory assigned to him in the same tomb by the mercy of God, and most justly so. Let one who is unworthy of sacred burial suffer in the sacred place. Let him suffer in the sacred place who has exiled himself and his companions from the sacred place, that is, the church. Let him suffer in the sacred place who had defiled all sacred things by foul profanation, and let him who was an offence to all be a warning to all the faithful.

After this we received trustworthy information that a Bassora caique, laden with precious wares of the value of about 250,000 scudos, had been plundered near Baghdad by Arabs, and nearly all on board killed. All the goods belonged to Mohammedan merchants, except a few that belonged to a certain Christian named Safar, to the amount of 2,500 scudos, which were all that he possessed.

To those who only consider second causes that misfortune will perhaps appear accidental; but I, looking at what preceded and at the first cause, shall not be far from the truth if I say that it was the avenging blow of the injured deity, who punished the offences of Safar, not for his condemnation but for reproof. For this worthy man, although a Catholic, persecuted and instigated by Abdallah, in order that he might not be accused by him of being a Frank, as he had threatened, and be deprived of the chief part of his goods, had withdrawn from our church, only attending it very rarely and secretly on feast-days to hear the service. He was then without reason afraid where there was nothing to fear. He was afraid of the hoar-frost, and snow fell upon him. To avoid losing part of his goods he neglected the precepts of the church, and therefore lost everything because he omitted to pay his debt to God, thus losing without merit what perhaps he would not then have lost or would have lost with great merit and glory, had he not omitted to do so.

I have thought it worth while to set down in this volume in my own hand all the events that happened during my stay in Bassora and to hand them down to posterity, that our missionaries may be able to exhort the faithful by taking them as an example, and that the faithful themselves may learn the obedience and subjection due to their pastors, the observation of the law of God and the church, and the most speedy repentance for their sins; lastly, that they may endeavour to acquire perfect charity which casteth out fear, and when it is cast out may not be ashamed to confess Christ among the barbarians, and, regarding earthly things as of little account, may gain the eternal blessings promised to true worshippers of Christ, as I predict for all Christians living at Bassora.

F. Faustinus of St. Charles, vicar provincial of Persia and Bassora.

On the 18th of April 1718, William Keble, commander of the ship Joseph and Co., in company with Mr. James Nevill.

No doubt whoever sees the two lines above inserted with foreign names and characters will be greatly surprised. But as this could not be avoided, those who read must excuse it, especially if a clear account be given of this strange thing for the sake of truth, as I will now explain. Mr. William Keble, captain of an English ship, of whom more will be said below in the proper place, was a man exceedingly fond of the Religious, and bestowed upon us numerous tokens and pledges of his affection. One day, when he had this book of our records in his hands, he asked permission to write his own name in it; we said that we would most willingly let him do so in the proper place and order as is customary, whereupon he answered that it would be better that he should do so with his own hand and in his own language, which we could not refuse. And so, having taken a pen, he inscribed his name and that of his companion, who was a merchant on board the above ship, as may be seen.

In the year of our Lord 1717, after various reasons had been duly weighed, considered, and discussed by R. P. N. Faustinus of St. Charles, vicar provincial, who was staying here at the time, and R. P. F. Paul, an Augustinian of St. Stephen, vicar of this Residence, it was decided to abandon the new, that is, the Gregorian calendar, and to resume the old, which is in use among the Eastern churches. Thus, after the 11th of December, which ought to be followed by the 12th, eleven days were added and repeated, so that the 22nd of December followed. Therefore, whereas before, among us and the other Christians, there was a lasting difference of eleven days in the date of the celebration of festivals, the observance of fasts, and the performance of the sacred ceremonies, this change took place with the approval of all, because it was made for the benefit of our Christians, in the hope of winning them if we also in this matter became as some of them, and, although we were not under the law of their dates, we became as if we were, in order that we might gain those who are under this law, and we followed their custom that they might follow into our faith; in a word, to conclude, that the people may become as the priest in work, so the priest has become as the people in time. In order that the change might be legitimately continued and observed with more approval, we sent information of it to Rome to the most eminent cardinal prefect of the sacred congregation for propagating the faith. Nevertheless, after four years we have had no reply, which, however, ought not to trouble us, since we knew that the custom is legitimately observed elsewhere by other missionaries, which would not be the case unless they acted lawfully and after due consideration and certainly by permission of some Roman diploma; but if the matter had not been known and duly weighed by our aforesaid fathers such a change would never have been made. Accordingly, from the aforesaid day, in accordance with the order of the restored calendar, the whole system of our institutions is arranged, whether it is a question of spiritual or temporal matters, that is to say, by reckoning of years, months, and days in both the ecclesiastical and household books, which arrangement I will follow in this brief narrative. . . .

On the 26th of December 1717, R. P. N., vicar provincial, together with R. P. Anthony Francis of St. Joseph of the same province, namely Lombardy, left Bassora. The first for eleven months adorned this Residence with his presence and was tried by severe illnesses. The second spent seven months here, these also under the strengthening test of sickness. When they left, it was their intention to put in at port Bandar Abbas, in order thence to reach Ispahan by way of Shiraz; but no sooner had they started than a violent storm lasting for three days forced them to put in at an island near Congo, whence after a short voyage they proceeded by land to Congo, where they were very kindly received by the Portuguese agent, dominus John Leitan. Starting thence they safely reached Shiraz, whence R. P. N., vicar provincial, sent P. F. Urban of St. Eliseus, who was then staying there, to Bassora, where R. P., the vicar, had remained alone after their departure. He arrived here safely by way of Bandar Rik on the 2nd of May after thirty-six days' journey, or rather, I should say, days of patience during so long and tedious a journey over so short a distance, in keeping with the manner, not to say indolence of travelling in Persia.

The governor of Bassora at that time was Mohammed pasha, son of Hassan pasha, governor of Babylon. Neither citizens nor foreigners had any complaints against him, but he was very greedy and a despotic lover of money, and his tax-collector, Ahmed Kiaya his *locum tenens*, showed considerable signs of his own rapacity, which he attempted to exercise at our expense. But thanks to the protection of the glorious Virgin Mary and her blessed mother Anna, he was perforce compelled to see the violence of his attempts shattered and their edge blunted. Accordingly, on a certain day, the 22nd of February 1716, the reverend father vicar of this house was summoned at the time when, as I have said, he was here alone, and the collector demanded from him the rent or hire of our house and the caravanserai adjoining; he was very urgent, and further demanded that if we inhabited our house not as owners but guests, we should pay not only for the current year but also for many past years. It is easy to see that if this demand had not been refused, it would have been a source of heavy expense and inconvenience to us. However, the father vicar lacked neither courage nor wit for defending himself and those who would succeed him from so unusual, tyrannical, and vexatious a claim; he accordingly put before him boldly and clearly our rights and reasons, and showed him the diplomas of both the Grand Turk and the governors of Bassora, containing a list of our privileges and exemptions, and thus saved himself and our Residence from the insatiable voracity of that harpy.

On the 25th of March there arrived here from Babylon RR. PP. Peter of Alcantara of the most holy Trinity, of the province of Piedmont, and Thomas of Jesus, a Hungarian, of the province of Austria, who, on the way from our seminary of St. Pancrazio, appointed missionaries to the Mogul Kingdom (Mongolia), had hitherto enjoyed a most prosperous journey everywhere. Staying till the final stage of their journey, they left behind them a memorial of their remarkable skill. For the flowers of silk, with which our church is adorned, were made by their hands, chiefly under the direction of father Peter, to whose skilful work nearly all the pictures interwoven are due, and although they showed more labour than excellence, since the aforesaid father had never given his attention to that kind of work and consequently these were the first beginnings of his skill in this art, yet they are the admiration, not to say delight of the people of Bassora. On the 18th of April, an English ship called *Joseph* from Bengal cast anchor here. The captain and merchant were the aforesaid gentlemen, Mr. William Keble and Mr. James Nevill, merchant, whose names are inscribed above, in whom we admired and experienced the courteous and generous qualities with which they were endowed, and which they showed in abundance and generosity to our advantage and their own honour.

Among the gifts with which they enriched our house and church I cannot omit to mention three sundials, which were not so much an ornament, as articles which were greatly wanted as being necessary for the more punctual observance of our regulations. On the 18th of May following there arrived from the Indies R. P. John of Christ, a Portuguese of the order of St. Francis, who had come here on his way to Aleppo and thence to Europe. On his way over the desert he intended to join a caravan, but a few days after its departure he arrived here riding on a camel with a hired Arab guide and slowly followed it until he found it, and then successfully continued his journey to Aleppo. Towards the end of October, on the 25th, there put in here from Babylon brother Michael de Chatal Roy, a Capuchin layman, who on his way via Aleppo to Ispahan fortunately found an English vessel here on which he embarked on the 11th of November, and sailed for Congo in order to reach Ispahan. Our two fathers aforesaid sailed in the same vessel as far as Bandar Abbas, which they left in the same ship some days afterwards for Bombay. But one of them, P. F. Thomas of Jesus, on the seventh day after his departure, although already far away, paid tribute to the climate of Bandar Abbas which is most fatal to Europeans, and near Muscat breathed his last in the same ship. His body shall be restored with those of other dead on the day of the universal resurrection. Thus the good workman, entering the ancient vineyard, received the reward of his goodwill; thus, the Lord hearing his desire and listening to the preparation of his heart, the soldier who had served his time received the crown before the battle; thus the faithful steward and overseer, before the beginning of his stewardship was summoned to give an account, which he faithfully rendered and received his reward, in full measure in the bosom of God, for his admirable manner of life, the sweetness of his character, and the fervour of his devotion which we here beheld during seven months and a half. And we think he deserved his reward.

Here I must by no means leave unrecorded or pass over in silence something that happened at the departure of the aforesaid ship, that it may be a warning to ourselves and a lesson to others. Captain Keble, the captain of the ship, had a young Georgian servant . . . desiring to carry her away to the Indies ; he had purchased her for a considerable sum of money and had made her go on board just when the ship was about to spread sail. Since due precautions had not been taken to conceal this, information reached the ears of Hamid Kiaya concerning the captain's intention, which indeed, as it were, had already been carried out. He immediately sent his men to visit and carefully examine the ship, and, if they found the woman there, to bring her back into the city, which actually happened. Mr. Keble himself, who was ill at the time or recovering from illness, had gone on board ; but Mr. Nevill had not yet left the city and had with him a large sum of money. Had it not been for this obstacle, the captain would not only have been able to avoid giving back the woman, but could have spread sails and carried off the men who had been sent to examine the ship, so that it might deservedly have been said, 'Woe to him who plunders. Shall he not himself also be plundered ?' And so, his live merchandise having been removed from the ship and having lost the money which had been paid for her, the captain who had purchased her was obliged in addition to pay a large amount in scudos as a penalty. Yet this was not the end of the successive events of this tragedy. Hamid Kiaya, considering that a purchase of this kind could not have been made by the English captain, who was ignorant of the language, without the intervention of his interpreter, hurled against the latter all the darts of his wrath, or, more truly, his greed. This interpreter was our great friend Peter Matlub, who, had he not left in the same ship, would no doubt either have had to flee or would not have escaped a heavy fine or even, it was said, capital punishment, as really happened to a certain Osman, a dealer in such wares, who, although he was a Mohammedan who many years ago had deserted the Christian faith, was deprived of all that he had and driven into exile. So furious is the mad superstition of most cruel men who, in the name of religion, conceal their tyranny under the appearance of morality, affirming that to be the greatest crime which is really a work of remarkable charity, to rescue those most unhappy slaves from their hands, as the result of which they would undoubtedly be placed in a happier position, both of body and soul, as Christians.

The departure of this ship, so useful and agreeable to us, was marred not only by this event, but by a more melancholy incident that followed. For two young sailors, Indians and Madras Pathans, whose hearts were blacker and darker than their faces, abandoned the orthodox faith and went over to the Mohammedans, and after their disloyalty, on the eighth day after the departure of the ship, were solemnly led round the city on horseback, publishing to all the baseness of their most abominable backsliding with all the signs of a triumph and pomp of a procession. But a few months afterwards they found themselves reduced to great misery and discovered that the result of their most disgraceful apostasy, which they hoped would be successful, did not correspond to the hopes in which they had been deceived, and accordingly took to flight. This always happens to those who apostatize, since God so disposes, whose most just judgement promises and bestows a hundredfold reward upon those who leave their possessions to follow Christ, while for those who abandon Christ, that they may seek wealth for themselves or possess what belongs to others, there is prepared the utmost misery even in this generation and in this world. May they return to their senses from their apostasy!

A passenger on the same ship was a Roman surgeon, who had for many years been an apostate, but at last, driven from his evil ways by the timely prayers and pertinacious solicitations of our Religious, had decided to return to the bosom of holy mother church from which he had long been estranged. But, being afraid that, if he absented himself, his wife, a Georgian and also an apostate from the Christian faith, might ask us for the reason of his departure and flight, and learning that he had taken the opportunity of taking to flight in an English ship, on board of which were two of our Religious, might harass and annoy us by noisy and even dangerous reports to the governor and others; it was accordingly decided, after mature and prudent deliberation, that he should defer his flight to a more opportune time, that his removal might be more private, and our stay here more secure, as in fact, by the favour of God, happened after seven weeks. On the 31st of December, without the knowledge of his wife, with the assistance of an Armenian Catholic named Alexander (Scandar), supplied with money and protected by companionship, and provided by us with a certain amount of gifts of charity and a letter of recommendation to the Portuguese agent, John Leilan, he sailed for Congo. When he arrived there, the agent received him kindly, and assisted and directed him in his good resolutions, so that he reached Bandar Abbas and then Bombay, where he intended to make his home, and to make up for the time he had lost while he was a Mohammedan by good works in accordance with his conversion, and to bring forth fruits meet for repentance, as we believe he did. The annoyances which we feared from his wife after her husband's departure were in fact not lacking; for, since she knew that he was in the habit of visiting us every day, and found that he had left his home, she was most pertinacious in her inquiries and worried us much, guessing what really had happened, that we had either suggested or at least assisted him in his flight, which was so displeasing and injurious to her. Although she was furious and threatened to demand an account from us, in the presence of the governor, or information about her husband, she effected nothing, thanks to the assistance of the most glorious patroness of this house and church, whose protection of her servants is above all glory. Indeed, this woman afterwards became friendly to us, and, two years later, we sent her to the Indies, where we had good reason to hope and earnestly pray and truly predict that she embraced the orthodox faith, as we foretold from her own words and the signs we saw in her before she departed, God, whose works are perfect, completing the work. For this our hope of her recovery of the holy faith was the chief reason of our directing her to the Indies by advice, persuasion, and assistance. For although she went to seek her husband, yet, because while here she had often said that she would willingly return to the Christian religion, it was our duty to put her in the way of recovering her husband and the faith, that consequently an infidel woman might be saved.

On the 1st of April in the following year 1719, the building of that part of our caravanserai which looks towards the west was begun, the structure being quite decent in appearance and very much to the advantage of our house, since it had formerly been small and contemptible. The large chamber, which for several years had been in a tumble-down condition, and the rooms adjoining were rebuilt ; the paint was renovated : a new portico was erected in front of the chambers ; the door was raised and made higher, which had been too low (not to say, too deep) before, and in rainy weather exposed the entire building to floods from the three public roads. The building was erected at great expense and with great care in its present form. At the same time a very necessary and very high wall, extending from the eastern portion of our caravanserai as far as the house called Aslam, was built.

On the 26th of August an English ship, the *Catharine*, from Bandar Abbas saluted the port; its captain was Nicolas Gammon and its merchant Louis Grey. They brought nothing except a small quantity of sugar and a few Chinese vases; the first they took back, being unable to sell it at sufficient profit, but disposed of the second, and left on the 2nd of November with a large number of precious stones, the purchase of which was their sole object. The governor and his men were not greatly pleased with the arrival of an empty ship, for, since those rascals, without any regard to the public interest, from the highest to the lowest, are all exceedingly avaricious, when there is no increase in revenue from the taxes they pay no regard to whatever in any degree tends to the public benefit; and although they did not omit to show due respect to the above gentlemen and to present them with the customary gift of a robe (*kalata*) they did not abstain from murmurs, which revealed their secret thoughts and enabled the insensate absurdity of their avarice to be estimated.

On the 1st of May in the following year 1720, another English ship, the *Marigold*, put in here from Bengal; its merchant was Mr. Michael Emerson, and its captain Mr. William Gill. At first, after their arrival they were moderately polite, but at the end, and indeed during their stay, they showed open hostility to us, for the reasons which I add. Indeed, their friendliness lasted as long as they needed our help and assistance, which was nearly two months; that is, up to the time when they had sold nearly all their wares, in which they needed the advice and attention of our R. P. the vicar, as well as the appointment of some trustworthy agent (*dallal*) and other assistants, to serve them and carry out the sale of their wares advantageously and without delay, in which respect the said father had shown himself very obliging. But as soon as our services ceased, they also ceased to show goodwill towards us. This state of affairs continued from the end of June to the 16th of July, on which day Mr. Aux (? Oakes), clerk on board the ship, who had died the day before, was buried. We followed the funeral with a number of citizens to our cemetery, but performed no ceremonies of any kind, read nothing and said no prayers, which was not so much desired as expected by the surviving captain of the ship, Mr. Gill. However, we knew nothing of this his wish and desire, until some time had elapsed, when as we shall see the malice conceived in his heart showed itself, and the object of his wickedness was betrayed. And so every day the captain's goodwill, which had never been very warm, gradually cooled, up to the 20th of the same month, when the body of Mr. Emerson, the merchant of the ship, was committed to the earth, and we did the same as we had done on the previous occasion. Yet the great fire of rage which had increased daily and especially at this second interment did not betray itself, since the captain always cherished it in his bitter heart beneath the ashes of dissimulation, and we did not know what was in the man. Several weeks afterwards he took advantage of some errors which had inadvertently crept into the accounts of our dealings with himself and the deceased Mr. Emerson in regard to the purchase from them of some articles that were useful and necessary for our house, and then suddenly he came forward openly as our enemy and carelessly circulated slanders against us which he had mendaciously invented. Thus that ill will which he had conceived in his heart in consequence of our refusal to say prayers and perform funeral rites for infidel heretics at last showed itself. Thus he rewarded the kindnesses he had received from us with ingratitude, teaching us to be careful in trusting men of that nation and to be on our guard against some of them, because, although they are ready to profess friendship, they are more ready, as we found on other occasions, to seize any opportunity of breaking out into monstrous exhibitions of hatred, anger, and insult, at first unjustly in human matters, and afterwards impiously extending them and showing contempt for the mysteries of our holy religion. On the 27th of June in the same year another English ship had arrived from Surat; its owner and merchant was Mr. Martin, an English Anglican, and its captain M. Ragouz, a French Catholic. The first of these, after friendly intercourse with us for two months, when a misunderstanding arose between us owing to our manner of speech, took the part of Captain Gill, and making common cause with him both in opinions and words, raved against us with impious insults. Another Englishman, Mr. Stuart, the captain of a third English ship that came from Calcutta and put in here on the 21st of August, also went over to their side; and, although he was more humane and moderate than the other two, yet since he enjoyed their society he also associated himself with their clamour against us and ours.

Those three malignants met every day, because, although they lived in two different houses, they used to meet in one of them for dinner and supper, and as thorns cling together, so their festivities were cemented by drinking. At this meal, or rather banquets and suppers, they attacked in frenzied words and wounded with ungrateful mockery all that we consider holy, that is, the sacred mysteries of our faith, as well as ourselves. And the wine-bibbers sang psalms against us.

About the end of June Hamid pasha, after three and a half years' government of the city, was removed, and Mustafa pasha appointed in his place, of whom there is nothing special to be said, except that whereas he had arrived here very poor, he left extremely wealthy. For since during this year about eleven ships had reached here from the Indies, owing to the usual gifts he received and the extortion of lucrative taxes he amassed such wealth that one would not know whether to wonder more at the rapidity with which he acquired it or at its amount. He had been commander of the fortress of Belgrade at the time when the most invincible and august Emperor Charles VI, whose wars (which were really wars of the Lord) were fought by the excellent and ever triumphant Prince Eugene of Savoy, had stormed and regained possession of it, and had taken away a number of Christian prisoners. Among these was a young Polish catholic, who used to visit our house and church, whom we often strengthened in the holy faith and exhorted to put up with those passions which are often rife when Christians live among Turks. Since he himself meditated flight from the hands of the Turks, we eagerly encouraged him and promised him complete success if he would worship with particular reverence the Blessed Virgin Mary, who is the guiding star of travellers; when she is favourable, it shows a wicked lack of confidence to fear any evil, and when she is unfavourable, it is extremely rash to hope for any good. And in truth our words to him were not a promise, but a prophecy. For on the 6th of November, a Saturday specially sacred to the Holy Virgin, he went on board one of the two English ships that were soon to sail; but since it was not going to leave immediately, and he would consequently have been exposed to the danger that, if the ship should be visited by the Turks, he would be found there and taken back to a more tyrannous and for that reason harsher captivity, the master of the ship with all speed had him transferred to another ship, which immediately set sail and restored him to liberty, freed from all danger, and bore him to Indian shores. And indeed this is the most excellent harvest and occupation worthy to be cultivated by the men of the gospel, to watch over the escape of Christian prisoners among the Turks and to assist it in every way, and, even though they themselves are unwilling or do not contemplate escape, either owing to indolence or fear, to rouse, animate, and stimulate them to it. But if they are willing to help themselves, we should encourage and guide them, that they may not be in continual danger of denying their faith and falling into temptation. For it is no less admirable and meritorious, if indeed not more so, to prevent a Christian from perversion from the true faith, than to bring him back into the right way after he has been perverted.

At the same time, about the middle of July, we were greatly disturbed by the insolence, not to say madness, of a certain Christian, who dared to threaten to commit a wicked offence against the laws of the church, and without doubt he would have carried out his intention if he had had to deal with oriental presbyteries, or had found less firmness in the ministers of our church (be it said to the glory of God). I now give an account of the matter. . . .

A certain Franciscan, named Ritu, a Syrian Catholic and a native of Bassora, the son of Khoja Abdrahim, wishing to marry a girl of the Armenian religion, called upon the father Vicar and parish priest of this residence to perform the ceremony ; the Vicar very willingly promised to do so, provided that the regulations ordered by the church were strictly observed. He put forward two, both indispensable, the first being that the girl should at least have passed her twelfth year, as to which his caution led him to doubt. The second was that she should be acquainted with the mysteries of our holy faith and the elements of Christian doctrine, and not ignorant of the proper prayers. Having made the most diligent inquiries in regard to the first condition, and having examined the witnesses with due carefulness, since there was nothing at all about her age in our books, it was found that she had already entered upon her fourteenth year. But when it came to an examination in regard to the second condition, which concerned the elements of the Christian faith, behold, this was the beginning of our troubles. The girl was found deficient and ignorant of those things which are regarded as sacred and necessary for receiving this sacrament. The father Vicar promised to teach her and in a few days to make her more than sufficiently instructed, and fit and admirably prepared for the reception of this and other sacraments. When he heard this, the young man was furious and declared that he would not allow any time for this, but madly threatened that he would carry out by force what we would not grant, thinking that our refusal to comply with his demands was due to our being excited by passion or influenced by partiality. His fury was stimulated by the persistent efforts of the girl's parents, and the stubborn importunity of some equally ignorant Christians, who, being afraid that this delay might cause the opportunity of marrying the girl to be lost, ardently desired that the marriage should take place if not properly, yet rapidly. Certain persons who took the same view, men of human knowledge whose wisdom was hostile to God, came to us and declared that, after the celebration of the marriage, the girl could learn the doctrines necessary for faith and prayers; but that the marriage should be celebrated without delay, lest great and ridiculous misfortunes should result, which the young man, always rather vehement, declared that he would bring about: for instance, that he would apply to the Turkish judge and be married in Turkish fashion, and would moreover, by false accusations and fabricated pretexts, persuade the governor to destroy our Church. Such are the usual and equally demented threats of such Christians when they inveigh, or rather rave against us. To the first of these we answered that a marriage performed before a Turkish judge would never be accepted as lawful by us, nay, that the husband would always be regarded by us as a fornicator and excommunicate until his death, since those who had not gone through the ceremony in the presence of the church would have to be punished by public penance. To the second (although in our hearts we should laugh at such folly) we answered that we would most willingly sacrifice not only our church, but our house, liberty, life, and all that we possessed in order to keep the laws of the Church inviolate. Alas, what madness! What outcries of those who supported our opponents, outcries without reason, without excuse, without intelligence, and, what is worse, without advantage. Our doctrine was neither to be shaken by this insolence nor by favours, nor divided by the mad pretensions of those of the opposite party, as to whom I do not know whether their ignorance or non-observance of things divine was the greater.

The Englishman Mr. Martin, whose friendship up to the time we still enjoyed, and M. Ragouz, the French Catholic, for the salvation of the young man, exhorted him to acquiesce in the orders of the Roman Church, of which he professed himself a son. They put before him the praiseworthy and honourable nature of a marriage properly contracted, and on the other hand plainly showed him the abominable disgrace of one that was unlawfully contracted, or rather intended. But the young man, with brazen face and indomitable will, in no way conciliated, always persisted in the same threats, thinking that in this case he could either conquer or at least not be beaten. The party opposed to us that favoured the young man thought as they desired, namely, that we either could or ought to abandon our opinion owing to fear. This they thought, but were mistaken, being blinded if not by their malice at least by their ignorance, until at last it pleased the father of lights to lighten up the hearts of these wandering sheep, and to give his laws and grace the victory over and against human hard-heartedness. Accordingly the young man, after several days of trouble and anxiety as he alleged, complied with our advice and acquiesced in the regulations of the Church, or, to speak truly, he did not really acquiesce, but relaxed his hard and stiff-necked presumption a little until a certain Sunday, beyond which he declared he would not wait, obstinately and persistently threatening the same disasters which he had previously declared he would bring upon us. When we gave him the same answer more than once, that we declined to be bound by fixing any day beforehand and could only be induced to satisfy his wishes when the girl had received sufficient instruction, he again burst into a frenzy of rage but later ceased raving, until the God of all consolation who had begun the good work completed it by causing him to render complete obedience to the divine commands put forward by us.

One point only that had newly arisen remained to be discussed. When the young man had heard something about it (for he did not at present know what it was), he thought that we were going to ask some money from him for the performance of the parochial duty, which was far from our intention, as will appear below. It was not a question of money, but of penitence. For since his obstinate resistance and persistent stubbornness, by his impious freedom of language, and acts of presumption he had publicly offended our Christians, it was thought right, nay absolutely necessary for him to atone for his conduct by public penitence. But behold! fresh and heavy storms threatened. He declared that he could by no means be brought to agree to perform such an act, just as neither could we be brought to comply with his wishes without it.

We had ordered him to kneel outside the doors of the church on a feast-day and to ask pardon from the congregation as they left the church at the conclusion of the service, which he absolutely refused to do. And perhaps, owing to his obstinacy, the entire business, so well begun and near a successful conclusion, would have entirely failed, had not our order been modified in such a way that the popular indignation at the offence and his own conscience were satisfied and obedience rendered to the commands of the offended church. Accordingly, on a day appointed for the purpose, when the congregation of Christians as a rule was not so large, he knelt down inside, not outside, the church near the doors and asked pardon from those leaving, a pardon which we have pious confidence that he also obtained from God, and offer our brotherly congratulations. Since the girl had very speedily been instructed and had readily learnt what was necessary as a preparation for both confession and holy communion, the marriage was celebrated with all due ceremonies and benedictions in our church on the 24th of July 1720. It would certainly have been celebrated a week before had not they themselves hindered it by their excuses and by the very fact that they desired it to take place more quickly and delayed its performance. For owing to the interruptions caused by their importunate threats, madness, and clamour, and while matters were in so unsettled a condition, the reverend father vicar, who had begun to teach the girl from the first, was obliged to discontinue, and had been unable to resume his lessons until the violence of this furious storm was allayed ; when it had ceased, he immediately carried on his work until he had finished it. Thus they paid the penalty of their headstrong conduct by greater delay, whereas we joyfully beheld the glory of our patience in the observance and keeping of the laws of the Church.

I should not wish my narrative of the case of this youth

to be taken unfavourably by any one of our successors, and in such a sense as to think him less deserving of credit and a good reputation, and regard him with a certain amount of distrust or at least less affection, from the fact that he acted in the way described. To prevent this, it should be understood that all his actions are to be attributed to no other cause or origin than youthful fervour and ignorance of things both human and divine. For, on considering the whole succession of events in this attempt, it was clear that he had been driven to perpetrate such acts by very little malice, but by very great ignorance and quite excusable passion. For since from childhood he had lived and grown up among the English for several years in Persia and the Indies, away from home and removed from the influence of his parents and our Religious, who might have instructed and brought him up in good manners and true discipline, it is not to be wondered at if he was ignorant of what he ought to have known, and consequently did not act in this matter as he ought to have done. But from the time when we saw him good, obedient, and well disposed towards us, we not only hope but find by experience that he is likely to turn out better every day; and still greater success will be achieved if he is assisted by our kindness and companionship, for he will thus become inspired by the character of those with whom he holds converse, all of which will be beneficial not only to him, but to that whole household whose head and support we trust in the Lord he will be. After the celebration of the marriage he offered us ten scudos (piastres) for the affair; when we refused them, he tried to force us to accept them for various reasons, but our resistance prevailed and he kept his money. His goodwill, worthy of praise and thanksgiving, appeared in what he did, just as the uprightness of our purpose, free from all taint of self-advantage, was proved by what we had done.

It will not here be out of place, since the opportunity offers itself, to add a few remarks pertaining to our mission, for the benefit of our successors who may either bear them in mind in their work or at least satisfy their curiosity by reading them. The first is the following.

When the party opposed to us so earnestly begged that the blessing of the Church might according to custom be speedily bestowed upon the above marriage, promising that the girl would diligently and without doubt devote her attention to learning after marriage what she was ignorant of before, we might, I say, for so many serious and urgent reasons, have acceded to their request, for the sake of avoiding so many disturbances and calming so much clamour; nevertheless, it was decided to persist in our resistance, since afterwards she would have learnt neither so readily nor so rapidly nor so satisfactorily, because a married woman has worldly thoughts, how she may please her husband, and is therefore occupied by various cares, and free from the worry and vexation which urged her to learn, which would have driven us into all kinds of doubts and herself into all kinds of carelessness. Another special reason for our course of action was that we had to consider the listlessness and insensibility of those of our Christians who are extremely negligent in studying things of this kind and to frighten them by this example; for when they saw that such accurate knowledge was required in this case it was easy indeed, a natural consequence, that they should be spurred by a remorseful conscience into examining whether they know them, and be goaded at least by some feeling of honour to learn them if they are ignorant of them, that things may not have to be done in their own case to their great disgrace, which they saw so rigorously exacted in the case of others. And this in fact is what happened. For we found out that one of them was inspired by the feelings of alarm to acquire such knowledge and procure such instruction for himself, which perhaps he would not otherwise have done on his own initiative, had he not been frightened by the example of another.

The next thing which occurs to me to mention is the extreme insolence of several Christians, who are scarcely like some others, urged on by passion or some excuse against religious missionaries, but from the very first threaten the utter destruction of our church and the banishment of our Religious, and that we should either live here as fugitives after the manner of robbers without any assistance from divine providence or human protection, or we should be smitten with such terror among the Turks as that to which they themselves were reduced by their long-standing revolt from the Church, and in which their own fresh and daily continued sins have kept them, owing to which God hath made fear their foundation. These men, indeed, measuring us by the same measure as themselves, do not know that the true and legitimate sons of the brave Teresa ought, can, nay, ardently desire, to sacrifice not only church and home but life itself in defence of the least ceremony, not to say law, of the Church. Nor do they observe how, by God's providence, sublime and worthy of all love, we, strangers here and unknown, without assistance, without money, without any protection from the Turks, live in such security and freedom, as their bishops and presbyters, in spite of gifts of large sums of money and the assiduous employment of other means, cannot themselves enjoy nor indeed see, in their own country in the midst of their friends and relatives. We therefore need not pay attention to their shouts and threats, and still less fear them ; we should rather lament their misery and charitably pray that the thunderbolts of divine vengeance may not strike them, that this people may not be punished like those who contradict the priest. Nor for these reasons should we refrain from undertaking any work, if our purpose of promoting the cause of religion urges us, nor should we desist from anything we have undertaken unless the defence of the divine cause moves us.

Thirdly, we must notice that great and frequent obstacle which always confronts us, when we resist those Christians either in their idle pretensions or set ourselves to upholding the sacred rights of the Church with due firmness. They at once reply that both here and elsewhere at other times they have not been so treated by other missionaries, and that such and such things as we are unwilling to grant them have been promised to them by these missionaries, whereas we would bind their consciences more stringently than is just and lay upon their shoulders heavier burdens than either they or their fathers could have borne. I will illustrate my meaning more clearly by a particular example from which the rest can be discerned according to the saying of the poet, 'From one learn all'. They complain that we refuse to admit them to the sacraments of the holy eucharist and penitence unless they earnestly protest and promise that they will never attend the heretical churches of their nation without some reasonable cause or excuse; saying other things of the same kind, they declare that such strict regulations have never been enforced by other missionaries, since they were given permission to attend their own churches, and express surprise (unless perhaps their surprise is only pretence) at our announcement of such obligations and refusal of permission, as if it were some new portent. What a great rock of offence, I say! What answer ought we to make? It is not expedient to refuse what they allege has been granted them by other missionaries, because perhaps (would it were not so!) some in their simplicity may have granted them such privileges. To condemn religious missionaries of error, ignorance, or even simplicity before their face is not permissible, because neither does the honour of the Roman Church allow it, nor does the conformity of its ministers suffer it. These are undoubtedly some of the difficulties in which we are involved by these men of evil days, who, born and brought up in the errors and schisms of the heterodox, are unwilling to be led back into the path of truth, and think that they have performed a great act of goodness, if together with their heresies they profess the truths of the orthodox church, so that they may be free to take the sacraments from us without fear of punishment, since among us here at Bassora and elsewhere there are strangers who receive them from their presbyters, citizens and inhabitants among them. What has been done in this matter by other missionaries in other places or at other times, as they throw in our teeth, we do not know; what then ought we ourselves to do? Holy scripture, divine reason, and decrees, often reiterated on this point, proclaim our duty. It will therefore be the part of prudent men to interpret them soundly and in cases of tergiversation to give such men the answer that the honour of the Religious should be preserved intact and the unimpaired purity of orthodox truth be defended. How much this concerns our mission let our successors know, from the time when this our Residence was recovered from the hands of the Turks, in the fourteenth year of this century. Let them know, I say, that the laws of the Church, the honour of the sacraments, the purity of doctrine, the lustre of our sacred ceremonies and rites have always been kept inviolate and most strictly preserved, guarded, and defended, no privilege contrary to them having ever been granted. Wherefore we have nothing to fear from any reproach they may bring against us in this respect, and if perchance they do bring such reproaches we may deny their assertions with equal boldness, since we are so obstinate on this point, that, although there are a considerable number of Christians living at Bassora, there are few of them for this reason who receive the sacraments from us, although, if it were not for that, many would frequently receive them, if such privileges were granted them.

As to all these remarks which up to the present I have made in regard to incidents that occurred in this residence from the fourteenth year of this century to the present day, I would have no one attach such a meaning to them as to think that I am speaking exclusively, and that therefore I wish to brand our predecessors up to this time, fathers and Religious, with any stigma or at the least with any suspicion of reproach, as if they had not been most observant in these matters. For I protest that I by no means write in this sense, nay, that I could by no means be brought to believe that any belonging to our order have deviated in the slightest degree from a strictness that is so praiseworthy, indeed, so proper and absolutely necessary. But I have mentioned this point of time definitely, because from it I have evidence from what I have seen and heard that it was as I have stated. In the meantime I have cut off all observations on what preceded, leaving all in just and entire possession of their honour and virtue. For I was bound to fix a time with which I was completely familiar, from which up to now these observations were made with the greatest accuracy, so that the words of our adversaries may as a whole be shown to be entirely false or at least wrongfully uttered against us.

Do not be surprised, dear reader, to see the year 1722 before the year 1721, because, when some pages were left empty for recording certain past events, the English whose names are here subscribed fell into a mistake when they wished to subscribe them, through not noticing the occurrence of the times nor the place in the page.

Bussere, the 17th of September 1722. Mr. Thomas Belasyse, Capt. Titus Oates and Paul Lanwood (?), supercargo, Captain and Purser of the ship *Marigold* received the Livery of the Bashaw.

In the fourth place it must not be left out of account that Europeans, attracted to these shores and districts either by their business as merchants, or by the desire for travel in search of rareties or to study foreign countries, or whom a curious passion for roaming brings here by land and sea, may cause all kinds of annoyances to our missionaries. For it often happens that either they have not received such an education as would make their life worthy of respect, or, having forgotten a pious and Christian training, have abandoned themselves to a vicious and licentious manner of life, or at any rate, without religious feeling, greedy lovers of idle pleasures, and coveting money, they lead lives here which show little or no traces of Christian fervour or the observances of the Gospel. They have a thorough knowledge of the wisdom of the flesh which is hostile to God, and therefore seize upon any excuse for freeing themselves from the obligations of the laws of the Church. Far be it from them, if they come to the sacraments of penitence and the eucharist, to exceed that quantity which is the beginning of counting; nay, very many of them undertake most distant voyages carrying their sins with them, prompted by no stings of conscience to put them off and leave them at the feet of the confessor, while others are equally delinquent, who commit themselves to the dangers of journeys by land with the same carelessness and temerity, although it has been proved to us that many who have made the fatal experiment, during their journey, whether by land or sea, have met their death without being fortified by the assistance of the sacraments.

As for the observance and due keeping of abstinence and fasts some show such inactivity and sluggishness that they are no small stumbling-block in the way of our Christians and cause great offence to the consciences of the missionaries from whom they ask privileges, which cannot be dignified by any name and can on no account be granted. In addition to this they are very negligent in attending church, where they are rarely seen taking part in the service except on Sundays and feast-days, and they show themselves so listless and irreverent in this matter that certain of them would be better advised to remain at home, than to behave during these tremendous mysteries with such irreverence as offends God and men, and shocks the piety and provokes the burning zeal of the Easterns faithful to Christ, who by daily hearing one or more masses render themselves worthy of praise. Whilst they see in European Christians such contempt of religion and religious matters or at least depreciation, I do not know how they can venerate or be devoted to our holy faith, the result of which will be their following the faith of those whose manners they abominate and whose licentious mode of life scandalizes them.

Indeed, who does not see, who does not deplore, that the glowing preaching of missionaries would be rendered of no effect by the sloth and lack of restraint in the life of such irreligious men as these? For what zeal or eloquence, in the case of these Eastern Christians, brought up on other instructions, bound by a different bias of education, persuaded by the vehemence of the examples set by others, by the direct preaching and persuasion of doctors and pastors—what zeal, what eloquence, what miracle will be able to persuade them that the true religion of the Latins is to be regarded as the doctrine of Europeans, when they see followers of that religion, the professors of its doctrine, affording them such examples, making use of such conversation, and showing such observance of religion as to deserve their aversion rather than imitation, their detestation rather than their praise, and should be avoided rather than followed. Assuredly these men pull down what the missionaries set up, and if one builds and another destroys, how shall the house of God rise, how shall the true church of Christ be united in these countries, when such rejected stones oppose its building? For who will be able to believe that the faith of those is right whose works are not approved? Who would not rather believe that their faith agrees with their works, and consequently they are by no means approved of, and, obstinately attached to their schism or sect, they think it more advisable to continue so.

To prevent this happening, it will be the task of the missionaries, observing the laws of humanity and courtesy, in the first place, to bring back to better ways the Europeans themselves by private and public conversations and exhortations, if the occasion requires or permits, in order thus to consult for the good of their conscience and to provide against the stumbling-blocks of others. In the second place, if their exhortations and conversations bear no fruit, it will not be out of place, taking due caution, to warn Eastern Christians that matters are not the same in Europe or wherever the power of the severity of Church rules and the authority of Christian discipline flourishes, where those whom the favour of virtue has not led to perfection of manners and the praiseworthy observance of a faithful life are restrained by fear of punishment from loose living and accompanying vices. It will even be of service, if no other remedy is available, to tell them that the Christians who come here from Europe are not among the better of Christ's faithful ones, nor of the good ones whom undefiled mother Church has brought forth from her own womb and cherishes in her own bosom, and this as far as the Christian Professors of the Catholic faith are concerned. But as to the Protestants, our missionaries must proceed by other measures, lest they come upon some rock of offence in their conversation; they must deal with them with the greatest prudence and discretion, not only that they may have no fear and nothing to say against us, but also because from their friendship considerable advantages may result to our mission and the salvation of souls. In the first place, many of their servants and sailors are of the Catholic faith, and the missionary fathers will not be able to attend to their spiritual salvation unless their masters consent that we should either go to their houses and ships or they have permission to come to us and perhaps to stay for some time, that due instruction may be given them in the way of salvation and suitable guidance be employed. In the second place, it often happens that there are boys and slaves among them who very willingly embrace the Christian faith and whose masters will send them to us for that purpose in order that they may be taught and baptized, if the missionary fathers do not withdraw from their association and goodwill, and show themselves polite in visiting them and in performing any services for them that present themselves according to the position, dignity, and rank of their particular calling.

And although, especially if (as often happens) these men are endowed with some special learning, little or no advantage is to be expected for them from the preaching of our missionaries, they will not lose their reward if, when the Lord has opened their mouth, they take care to utter to them the words of life. Nevertheless, they will by no means neglect to draw from these words the preaching which is always attended and followed by abundant fruit; this is marked by the exhibition of good example, of earnestness, of modesty, distinguished by military characteristics, polluted by no stain of avarice, no stigma of intemperance, no excessively assiduous intimacy. For it is surprising how men of this kind are delighted with the odour of such virtues, who, although they are separated from us by the false doctrines of their sect, are nevertheless closely united to us by the charm of an exhibition of uprightness and proved integrity. For we should not, as some perhaps think we ought to, refuse to converse politely with them, if it will not prove prejudicial to our faith and the faithful. For I do not see in what way we can spiritually benefit them, if we keep away from them when they contemplate flight. Nor shall I in any case believe that we can become as perfect by such keeping away, as our heavenly father is perfect—that father, I say, who maketh his sun to rise upon the good and the wicked.

Chiefly, therefore, our preaching must be exhibited to them by good example, not by keenness of argument, which often provokes rather than instructs them, exasperates rather than edifies them. For if there is no sensible hope of assisting them by discussions of this kind, sounder theology exclaims that they should be altogether avoided, and openly teaches that to engage in a battle of arguments with them is nothing but inviting them to blasphemy, and if the discussion becomes more heated, one must take pity upon their condition and strive to convince them rather by prayers and peaceful exhortations than by subtle discussions which are in most cases no good at all, and rather hinder the knowledge of the truth. For it happens that their zeal for confirming their own opinion strengthens them more persistently in their error, and the ardent desire for conquering an opponent shuts the eyes of their understanding, so that they cannot behold the truth that is set before them, as it is said, The fire fell upon them and they did not see the sun.

Quite as much caution is required in dealing with certain

travellers and strangers, whether Catholics or Protestants, who travel over the world by land and sea in order to collect information about different countries, nations, rareties, events, climates, the size of lands and seas, the nature of mountains and rivers, animals, flowers, and fruits, which they may take with them to Europe, and publish to the world in the form of printed books (Itineraries). And their inquiries extend not only to unreasoning things, but also to the examination of men, their dress, duties, exercises, colour of their bodies, stature, general health, natural tendencies, manners and customs, vices and virtues, so that their knowledge of them may be more abundant and their book may grow to a large size. In order to make the work more agreeable for curious readers, and more acceptable to lovers of novelties, they busy themselves with adorning and filling it with accounts of particular incidents and remarkable facts, in which there is generally nothing agreeable, nothing pleasing, nothing acceptable, nothing but certain caustic attacks upon men, neighbours, and especially the religious, expressed in sharper language and set down with so biting a pen from their habit of speaking and writing that you would be unable to decide whether their work, composed with so much labour should properly be called a book of travels or a work of insult. So be it. Let them make it their occupation to stuff their books with the acts and doings of others, according to the saying (of Juvenal), 'Whatever men do, is the hodge-podge of our book'. So be it. Let it be their endeavour to hurry from one pole to the other, and to comprise in a written volume notes raked together on land and sea, and observations both true and false. So be it. Let them devote themselves to opening in their books a splendid theatre of curious and extraordinary things, of unheard-of novelties, for the learned eyes of Europeans; what has sarcasm to do with this? what has slander? what has imposture? Would their keenness of intellect shine less brightly in their books, if uprightness of will were apparent? will the book meet with less acceptance in Europe, if it is better provided with truth? Will it be received with less approval by its readers, if it is illuminated with greater moderation shown towards the religious? Do they expect to obtain from slander the praise they beg, or to fish out any applause by imposture? My experience is that writers of this kind have converted the benefits and indulgence bestowed upon them into disgraceful arguments against their indulgent benefactors. If it happens, as in fact happened to our fathers at Shiraz, that the missionaries prepare a frugal meal such as poverty dictates, to which they are admitted, they will be accused by them of avarice. If, in order to honour and satisfy them, they adorn and load the table with a more ample and luxurious banquet, they will be accused of extravagance and perhaps of drunkenness. Would this were only said in so many words and not set down in writing, and that what are virtues rarely exercised except for the sake of politeness, as is fitting, were not made public by them as it pleases them, without any regard to politeness or gratitude, without any respect being shown to religion and the order. So great is their fondness for censuring others, so great their licence for bespattering their books with slanders, so great their desire of showing themselves highly educated, learned, and wise, before those who are unthinking or ignorant. To be wise to the destruction of others is to be evidently foolish.

Wherefore our Religious ought to take great care not to afford them the opportunity of observing any defect in them which they may afterwards put before the whole world to read, not without great disgrace to themselves and the order. For those who brand the virtues themselves as vices and exhibit them for their readers' inspection as defiled and stained, what would they not do if they perceived in any one of us even the shadow of vice? What if they discovered any stain of avarice, gluttony, scurrility, or any other lightness of mind?

How much more safely, freely, and profitably will our missionaries deal with the poor, the ignorant, the simple, the faithful in Christ, either of these countries or even those who come hither from the Indies, than with travellers or wanderers of this kind, who as a rule are neither so ignorant as to learn, nor so learned as to teach, nor so wise as to keep silence.

Our missionaries, as I said, will deal more safely and successfully with Oriental Christians, both those living here and those who come here from other countries either for trade or for a journey, or those whom their birth in Turkey and Persia has whitened, or those whom the sun has discoloured in the Indies. The conversation of the first, simple, modest, and humble, will afford our fathers a ready opportunity of showing them the way of Catholic truth, while the poverty and obedience of the second will afford an easy means of practising towards them spiritual and bodily charity and mercy, by teaching them, administering the sacraments, by helping them when they are well, and succouring them when they are sick. These in truth are the chief exercises of our calling, these are the more excellent distinctions of our life. It is neither new nor strange to know how greatly familiar conversation with them can benefit our neighbours, especially the faithful in Christ in the East, of whatever nation or sect they may be, Greek or Armenian, Syrian or Chaldaean, or Nestorian, or any others whatsoever, whom any particular reason or chance brings to this city. There an opportunity is afforded us of instructing them in the purity of our faith, of showing them their errors, of answering their objections, of confirming the truths of the gospel, of setting before them moral training, and of solving their doubts regarding dogmas and precepts. In this it must not be forgotten that the greatest brilliancy and admirable energy will be imparted to our discourse by a certain seriousness, adorned by amenity rather than affectation; but this seriousness will certainly be greatly injured if our missionaries smoke tobacco or, having eaten and drunk in Europe what is forbidden us by our laws in the houses of seculars, should introduce such things into the houses of these Christians. Therefore missionaries should be separated in a marked degree from seculars, to whose conversion or instruction they should take heed and maintain, and regard themselves as belonging to a higher rank, that it may not be as in the proverb, 'Like people, like priest'. But as to those followers of Christ whom, as I said, the sun has discoloured, that is, the negroes, their service and conversation will afford a praiseworthy occupation in many ways to our fathers, in the course of which they will be able to shine in the exercises of their vocation, and to heap up treasures of good deeds precious to their souls, which will be choicer and safer, the freer they are from any stain of worldly advantage or lucre, and the more they are comparable to certain difficulties and troubles. These miserable men, destitute of all help in this world, have no refuge but the houses and churches of the missionaries, not only because they are foreigners and strangers in these countries, but also because for the most part they are poor, unacquainted with the language, religion, and relationship in these parts; another consideration is that, since many of them are the sons of Gentile parents, after they have enrolled themselves as members of the Christian religion, they no longer find among their parents a welcome, hospitality, or assistance, wherefore it is necessary that pious mother Church should clasp them to her bosom as beloved sons; wherefore whoever among the Religious or missionaries thinks otherwise of this matter must by no means be thought to understand anything about missionaries. Unhappy and miserable sailors have nothing to live in in this world except two ships; the one, full of toils, sufferings, insults, stripes, and dangers receives them that they may dwell there in body, and this is the ship of the merchants; the other is animated by charity, courtesy, Christian doctrine, administration of the sacraments, and bodily and spiritual assistance, that they may either live or die in it, as providence shall have disposed, and this is the ship of Peter, that is, the church of the missionary fathers, which is for them a home if they live, a hospital (*Nosocomium*) that they may be spiritually instructed, and if they die, may die as Christians. Wherefore I cannot sufficiently praise the most pious custom which now prevails in this Residence, and which I hope will never in any case be abandoned, the custom of reserving a room for them where they may be gathered together and entertained, that the above-mentioned exercises of our calling may be carried out in regard to them.

However, as it is the custom of skilful hunters not only to wait attentively for the prey which they exert themselves to capture but also to seek them anxiously and diligently, so should it be with our missionaries, who, as they are honoured with the name of hunters of souls, so will they be bound by their obligations personally to visit the ships and, making friends with their captains and pilots (*naucleri*) and other officials, persuade them, if there are infirm or sick Christians on board, to allow them to render them spiritual, and even bodily assistance, and if there are any proselytes, especially boys who aspire to baptism, they should on behalf of both ask permission from the captains and officials either to render them spiritual aid on board by the administration of baptism and other sacraments, or to bring them to our house that the same divine aids may be bestowed upon them, and in this matter the diligence of our Religious should be unremitting. For it has not seldom been proved by experience that several miserable sailors, slaves (hired or bought), and boys will either die without the sacraments, or would have died, being prevented by a certain fear and reverence or cowardice from sending for the missionaries or asking leave and permission from the officials of the ship to go to them, had not the zeal and charitable efforts of the missionaries on their behalf asked for and obtained the required permission. When this has been obtained, they have prepared some for the sacraments and others for death, while others, after due preparation, have been happily advanced by them to baptism, either at our house or on board their ships. And in this matter it is a very great assistance to make friends with the pilots and officials of the ships, especially if they are Protestants, which will clear the way for our fathers to carry out their good intentions with great credit and merit, and will also confer this benefit upon miserable sailors and slaves that they will be treated by their captains and other superiors more justly in matters spiritual and in a more humane and milder manner in bodily matters. And what can be nobler, what can be more advantageous for the missionaries, who will at one and the same time save both themselves and others?

It remains that that charity, which, when shown to persons of various conditions, will confer great merit and credit upon our Religious, should attain a high level, namely, by welcoming the Religious who arrive here in more excellent ways, by receiving them with better service, by attending to them not only like Christians but like brothers. If indeed the feet of those who preach the glad tidings of peace and good things are beautiful, if they direct their steps to our houses, since they confer special honour upon us, we must treat them with like honour and benevolence, because they are angels of the armies of the Lord. But just because they are themselves Religious and are not ignorant of the laws of hospitality, nor are they ashamed of the distress that accompanies the poverty of the order, there will be no reason why our missionaries should be ashamed if, several days after their arrival, in which the equipments of a more select table are set before them and meat and drink in greater abundance and luxury are shown them, they are admitted to our ordinary meals, nor will they be stigmatized as unmannerly, since the observance of our rules is enough to vindicate them from such a reproach. For no one can justly complain because our rules are kept by those of our order, no one can accuse them of that of which on the contrary they would be rightly accused if they acted in such a manner. Much less should those of our order, especially the superiors of the Residence, be afraid to ask from such reverend guests the letters patent of their superiors, to show whether they are Religious, or whether they are priests. For how can it be a fault in us or ours to observe, and that most strictly, the pontifical decrees? What harm does it do to them, if the law of the gospel be observed, to show and prove themselves to be lambs, not wolves in sheep's clothing? Will it shame them to show themselves sheep of the Lord's fold, nay, its shepherds, since ravening wolves sometimes cover themselves in the garb of sheep?

I hope it will not be 'dancing outside the chorus' in this volume of the records of events at Bassora to insert something which, although it did not happen here, yet because it has to do with the subject, I think it will be neither irrelevant nor out of place nor inopportune to set down here.

Two or three years ago, while I was staying in Shiraz, there came from Ispahan dominus illustrissimus Mijnheer Cattelar, who had been appointed by the Dutch society commissioner to the King of Persia, the shah sultan Hussein, together with the very reverend P. F. Alexander of St. Sigismund of our order, who by appointment of our father general was exchanging our Persian missions for those in Malabar. They were accompanied by a certain Gregory Toscana (as he called himself) who declared himself a Religious, of the order of St. Dominic, under the name of Padre Gregorio. He told me that he had studied at Vallisoletti in the college of his order, and afterwards, on his way to Rome to visit his holiness Pius V, he had been taken prisoner by Barbary pirates and carried off to Constantinople, having first been sold into Egypt, unless my memory is wrong ; he was then carried off from Constantinople to Edessa, where he lingered in captivity for five years, and afterwards reached Ispahan by way of Babylon and Hamadan. When the reformed Religious of his order, suspecting him to be what he was, gave him a chilling reception, he betook himself to the public hospice or caravanserai.

The above P. F. Alexander, influenced by the claim of Christian charity, took him to his own house and treated him with remarkable kindness, and when a short time afterwards he left for Bandar Abbas, he took him with him by way of Shiraz as far as the neighbourhood of Bandar Abbas ; and since he was several days' journey from that port, Gregory left P. F. Alexander, who, as I have heard, presented him with the gift of a *tuman* and a horse, and directed him to a certain place. I have heard two reasons for this separation. One of them I will pass over in silence ; the other, which is more harmless and which, from what our Religious aforesaid, father Alexander, told me, I believe to be true, I will here relate. He said that at Ispahan Gregory had demanded that on the first opportunity he should get him on board a ship to convey him to Goa or other lands in the Indies belonging to Portugal. Would that this had happened, that the succession of crimes and offences with which he stained many of the Eastern shores might have been cut short; but since a Batavian ship was about to set sail to the Indies, foreseeing that orders might be given for his capture at the port of Bandar Abbas he desisted from his intended journey. Hence, as I have heard, he went to the city of Lara, where on his arrival he became a Mohammedan, or, to speak more truly, he showed himself what he really was. Thence proceeding to Congo, having been for some time hospitably received by the Portuguese fathers of the order of St. Augustine, he played several parts, at one time pretending to be a Religious, at another a Georgian Christian, at another a Mohammedan. Then, returning to Shiraz, the rascal lied so successfully that he compelled the vicar of that Residence, P. F. Cyril of the Visitation, to abandon his belief in the charges he had heard made against him, and was kindly and honourably entertained by him for three months, until the Portuguese father arrived from Congo who had known him there. When his fraud was revealed to the vicar, the deceiver, attacked by the Portuguese father with blows and taunts, left our house screaming, then appearing as a Mohammedan. This perfidious apostate lied so skilfully that hardly anything could be discovered about his personality, condition, religion, or country. Gifted with the knowledge of a number of languages, he made use of them all for lying purposes. He was believed by us, as we have heard, at one time to be a Spaniard, at another a Sicilian, at another a Peloponnesian (that is, from the Morea). At times he declared himself a Mohammedan, a Christian, a Religious, at times a Jew, and perhaps also several times something else—but who could guess what, and what manner of man he was? Urgent necessity or chance provided him with a new religion, which his wickedness had taught to serve his wishes. Hence it is doubtful whether he ever belonged to the order of non-reformed preachers, or to any other order; it is doubtful whether he ever set out for Rome to see the canonization of his holiness Pius V; it is doubtful whether he was ever taken prisoner. Of one thing alone there is no doubt, that he was a religious impostor, a remarkable and deplorable apostate from the faith, a son of perdition, of whose life and manners the Dominican fathers of Ispahan were wisely suspicious, since, as I believe, he had no letters patent of profession, ordination, or mission, and they accordingly forbade him to administer the sacraments. May he some day recover his senses, and may his eyes show him the enormity of the crimes committed by him, so that, as is customary, his contrition may be most full.

In September of this year a certain Indian sailor named John had turned aside to the Mohammedan treachery. He had formerly been a Gentile, then a Christian, and since he did not stand fast in the truth, a Mohammedan. In order to rescue him from the hands of the captain pasha to whom he had handed himself over for initiation into infidelity, and to restore him to the English captain, the very reverend father vicar anxiously hurried up to him; but when the new apostate refused to accompany him, and before many witnesses, in the presence of the father vicar himself, shamelessly professed himself a member of the infamous sect, the father returned home, honoured and enriched by the merit of his good intention.

On the 28th January 1721 there landed here from port Congo the very reverend P. F. Simon of the Holy Spirit of the order of the Reformed of St. Francis, of the province of Goa of the mother of God, who, while waiting for the caravan to start for Aleppo, stayed with us three months and some days. At length, on the 8th of May, together with dominus John Baptista of Genoa, who had been waiting in our house for this same time for a whole year in order to return from the Indies to his home and country, he set out by way of the desert, and we ascertained that both of them safely reached Aleppo.

On the 7th of February there arrived here by way of Babylon the very reverend fathers Placidus of St. Nicolas, whose fatherland and province was Naples, and Ferdinand of St. Antony, a German from Vienna, who, having been brought up at Rome in our seminary of St. Pancrazio for sacred missions, were on their way to them. Thus far they had made the journey safely; indeed the first of them had completed it, since he had been sent hither that we might enjoy his agreeable society, and that others might be helped by his charitable assistance, while the second, after a stay of three months, pursued his journey to Bombay, and departed hence on a *terrada* sailing for Bandar Abbas, on the 6th of May, having left behind praiseworthy tokens of his character and of the trouble spent in adorning our church. May he gloriously receive the crown of victory, which he zealously strives to attain!

At this time, Mustafa pasha, governor of the city, was replaced by Sirke Osman pasha, whose most unjust rapacity and most sordid avarice showed themselves in several incidents which, if recorded by me one by one, could not be set down without horror nor read by others without abomination. Desirous of settling the enormous debts with which he was loaded when he arrived, and being unable to do so with his own money, he attempted to do so with the money of others. Accordingly, he endeavoured to fleece the people in various ways whom he had undertaken to govern, and aggravating the usual Turkish cruelty with a special form of barbarity peculiar to himself, he so harassed and oppressed this unhappy city and its confines that, especially at the beginning of his government, he seemed to have come, not to govern, but to spoil, rob, and plunder.

On the 8th of August a ship from Surat, the *Fariscan*,

cast anchor here; its captain was Monsieur Ragouz, who had with him several Europeans serving on board. The flag, however, was not French, but that of the owner of the ship, who was a certain Mohammedan of Surat, after whom the ship was named; it left here loaded with precious stones on the 22nd of November. Twenty days later, that is, on the 28th of August, an English ship from Bandar Abbas, reached the port, its captain being Alexander Hamilton, a Scot and a non-Catholic. He sold the greater part of his wares, but being unable to obtain an adequate price for the rest he took them back with him, and having loaded his ship with precious stones, departed hence before all the other ships from Surat on the 18th of October.

The arrival of this ship and its stay in port, although it did not last long, afforded us the opportunity of no small spiritual gain in the following way. Five young Portuguese sailors, greatly disliking their slavery and prolonged stay on board, and by no means desirous of delaying the matter, because (if we can believe their words) they were continually insulted and as often beaten, decided to secure their freedom from this at Bassora.

Accordingly, on the first day they landed, two of them, thinking that they could obtain justice and judgement here among the Turks as among Christians, went to the shahbandar, asking him to give them employment either in the army or some other similar occupation, by which they might be released from the ship which they so hated. The shahbandar replied that he would assist them in the matter, if they would abandon the orthodox faith and go over to the false Mohammedan religion; otherwise, it was not the custom to receive any one into any service, especially military, who did not possess the aforesaid superstition. When the two young men heard the conditions they refused to accept them and thus remained in distress. On the same day, one of the other three, having heard of this, I do not know whether for this or some other reason, was furiously enraged and seriously wounded one of the two with a sword, who was assisted by us and healed at our expense and thus his life was saved. The assailant, however, was handed over to the shah-bandar at the command of the English captain to be confined, and was kept by him for two or three days in the custom-house (dogana), until the captain reclaimed him and he was restored to him unharmed. Accordingly, on the following day, the 4th of September, while two of the five were detained, one in bed wounded and the other confined in the common-house, the three others, driven by desperation, presented themselves to the captain pasha to obtain from him what the two others had not been able to obtain from the shah-bandar on the previous day. Thus they remained with him for two days, not without temptation to abandon the heavenly faith and way of Christianity, and to rush into the abyss of Tartarus, chiefly owing to the efforts and advice of a certain apostate of the preceding year (whom we have mentioned a little before), who zealously tried all diabolical means of temptation to deceive these three unhappy youths, and, as he himself had formerly made himself a prisoner of the devil, so now he made himself his agent by tempting others to renounce the faith.

Accordingly, this most abandoned agent of iniquity, as is the way with all apostates, desiring to cloak and dignify the baseness of his wickedness and apostasy, increased the crime itself, because he attempted to extend it to others also and was eager to lead others, although they saw the dangers, into the pit into which he himself had already blindly fallen. He most impiously thought that he could qualify and lessen his shame by acting more shamelessly, which happened when, being unable to endure the stain of the abominable crime committed by himself, he sacrilegiously sought for others to bear it with him. And alas! in fact he succeeded. One of the three most abominably entered his name in the book of perdition. The young man, the assailant, who had remained in custody for two or three days, as soon as he was released, set out to find his three companions, and when he had found them, greatly encouraged all three, promising them assistance both from us and from a certain Frenchman named Armellin, and that means of delivering them from slavery on board the horrible ship would be found. Two of them agreed, but the other, either from excessive fear, or some malicious impulse, turned aside from the path of truth. He went to the Mufti, by whom he was taken to the serai of the Kiaya, and in the space of two or three hours he shamelessly gave his own blood and wrote the sentence of his own damnation. A certain Italian did the same, who although he lived among the Turks for four years and carried on the vile profession of attending on the horses, had notwithstanding never denied the Catholic faith until this day, the 6th of September. Accordingly, on the same day these two public enemies, in order that Christ might no longer be of service to them, were both circumcised in the serai of the Kiaya where at the time the Italian was employed and lived. The other two, with their guide and adviser, went to the house of the aforesaid M. Armellin the Frenchman, and when we met them there, we offered our consolations and exhorted them to trust in the divine goodness. But their companion was a great cause of sadness and continual grief to us, although we did not yet know for certain that he had apostatized; we suspected, however, that it was the case, because he had separated from his other companions on the way to the city, in order to join some Mohammedans, among whom was the aforesaid agent of the devil. We, therefore, made careful inquiry and kept constant watch, and procured some information concerning him, in order that we might be able to snatch the wandering sheep now about to perish from the jaws of the ravening wolves. Nevertheless, our anxious care was rendered useless by his disloyalty and his consent to the immediate performance of circumcision, as already noted. It was accordingly our duty to cherish, aid, and keep the other three from joining that most foul sect, I do not say owing to malice, but in consequence of being compelled to do so through the stress of hunger and want, for they preferred death to returning to the ship. So then, after we had contributed some alms for this purpose and had collected a sum of money from some Christian merchants, and the praiseworthy M. Armellin and his companions had given them something, a sufficient amount of money was got together to keep them here for a whole month, to obtain provisions for the journey and to pay their passage-money. When all arrangements had been made, we with all secrecy put them in the way for Congo, where we think they arrived safely, with God guiding their steps into the way of peace.

No sooner had Mr. Hamilton, the captain of the ship, heard that they had left Bassora and that there was no hope of getting them back, he was very angry and indignant with us and the Frenchman, whom he declared to be protectors of deserters from his ship. He also vented his wrath upon the Religious who lived in the island of Bombay, since he knew that they belonged to our order, threatening and predicting misfortune for them ; nor were his words and threats to be made light of, since the aforesaid ship bought much for the governor of the island. We brought forward a number of clear and undeniable reasons to prove that we had acted as we did for no other reason than a cautious fear and the manifest danger that those who had deserted from his ship might also become rebels and apostates from the apostolic ship of Peter, from the net cast into the sea from the port of salvation, that is, from the church of Christ, so that neither would Peter keep them any longer in his ship nor mother church carry them in her bosom, since it was very certain that they by no means wished to be brought back to their captain's ship, being a prey to the greatest desperation, as was quite obvious. Besides, the captain himself had declared and protested in our hearing, as soon as they had left the ship, that he would not take them back and sent them to the devil, and that he would never take them into his service again. These words of his strongly supported our case, and in fact he would not have asked for them again, had not the escape of other sailors who found life on the ship equally unbearable roused him to the necessity of searching for them and he would have been obliged to take them back. Besides this, we had an example quite recently before our eyes, that of a companion of theirs who owing to fear of the ship had fallen away from the faith, and this made it necessary for us to take care lest those who shared his fear and tribulation might also become his companions in denial of the faith. The captain's anger and hints of revenge upon our Religious living in the island of Bombay, where he had great influence with the governors, would indeed have alarmed us and even as it was considerably distressed us, had not the testimony of a good conscience comforted us in what we had done and strengthened us, so that we feared no evils either for ourselves or ours ; for it is nothing unusual for the servants of Christ, when doing their work well and usefully, to be unable to please men. On the departure of this captain we went as far as the river to greet him for the sake of politeness and to wish him a prosperous voyage. He treated us courteously, made us a present, fired a salute five times, and took leave of us with every sign of respect. Would that his inner mind corresponded to the outer signs of courtesy which he showed us ! but whatever he does, we need not fear, since the royal prophet exhorts us, Hope in the Lord and do goodness and feed on his riches. In this matter we were very sorry to have displeased this most honourable and liberal Captain Hamilton, who had bestowed many favours and alms upon us, but when it was a question of the cause of God, it was more fitting to listen to God than man, and to obey His commands more strictly than the wish of another, because the charity of Christ ought to have more influence over gospel workers than respect for man.

About the beginning of September, when the measure of the injustice and tyranny which a certain wicked Abdullah practised in the city, or rather, against the city and its towns and borders, was full, the wrath of God most justly poured itself forth upon him. This rascal served the governor in the capacity of Chiausler Kiayasi, part of his duty being to inform the governor as to the state of the city, the general behaviour of the district, the condition of the citizens, and the like, and, accordingly, the malignant wretch seized every opportunity of unjustly increasing his master's treasure, and at the same time filling his own purse even more unjustly; and as he was a man who neither feared God nor respected men, he devised numerous pretexts and idle reasons, and also dreamed of false excuses whereby he could cause money to be cruelly extorted from his master's subjects or secretly extort it for himself. Thus he daily enriched his master by the ruin of others, and himself grew rich with impunity, because he was a great robber and an unpunished thief and the associate of a thief, that is, the governor. Thus, I say, this very rapacious scoundrel grew rich daily, whom I do not call most rapacious for the simple reason that the governor whom he served, or rather with whom he freely stole, was more rapacious than he was. O! most unhappy city, whose rulers were not only companions of thieves, but thieves themselves, whence also thieves were their companions. Meanwhile the citizens loudly complained, especially the leading men, some of whom had been harassed by his avaricious cruelty, and gnashed their teeth against him whom they could not openly injure or take vengeance upon, and whom they saw protected by the governor's friendship, or, more truly, wickedness. But the divine benevolence for several months with great patience kept this vessel of wrath fit for destruction, until on a certain day, on hearing of a crime committed by him that was more monstrous than the rest, the patience of the people was at length exhausted and overcome by righteous fury. The chief persons of the city entered into a conspiracy with the gadhi and the mufti to demand the blood of this criminal from the governor. Accordingly, all of them, with a large number of the people and a few soldiers, withdrew to Minavoi; captain pasha Moyses was appointed their leader and protector. They then informed Moyses of their demands upon the governor, and threatened him with dire punishment unless he agreed to their requests, protesting that their wrath could not be satisfied except by the blood of that criminal and two or three others equally wicked, and demanding that all should be put to death. Indeed, the governor had much to fear from the rage and threats of excited strangers, because there was a risk that, if the disturbance increased and sedition were stirred up in the rest of the city, he and his might be sacrificed to popular fury. However, he stood his ground for several days, chiefly for the sake of his fellow robber, fearing that, if he were killed so soon, he would not afterwards find so excellent a benefactor for filling his purse. But, as the demands of his opponents became more and more pressing and urgent, forced by their threats he at last gave orders for Abdullah to be strangled on a certain night in his serai, and on the following day his body was exposed to our eyes in the excited market-place, Seimar. When that disgrace was removed, the anger of the people quieted down and no longer raged against those two or three others, who had either taken to flight or hidden themselves. The chief men, the populace, and the soldiers who had remained at Minavoi, successful in their claims, returned home in peace.

About the beginning of October equally severe punishment befell a certain apostate from Christianity, who in his perversion had been a rock of offence to many, and in his most just punishment a warning to all. This perfidious traitor, a native of Babylon and an Armenian in religion, had lived in wickedness at Bassora for several years, having enrolled himself as a member of the foul Mohammedan sect, not rich enough to live comfortably, nor poor enough to fear others, without doing them any harm. On a certain day, in one of the towns near Bassora, while demanding from the inhabitants money and tribute with excessive zeal and urging and worrying them to pay, under the pretext of some office or other which he held there and which he had bought from the governor for himself, he excited their anger and roused their fury against himself, and their desperate frenzy reached such a pitch that they planned to put an end to the life of this outrageous tyrant. Since he, together with his servants and assistants, slept in a hut made of reeds, they set fire to the sides of the hut, and posted armed guards there to stop by force of arms any one who tried to escape from it and to take to flight. The traitor and ten or eleven of his companions were burnt to death, and their bodies were assailed by the raging mob with such monstrous insults, blows, and mutilation, and treated in a manner so horrible that there would be no use in describing it, neither would it give the reader any pleasure to read it. Thus he who had chosen to live a life of infidelity in order to live more comfortably, and had impiously renounced the faith, lost his life godlessly and at death without faith lost his soul. In this life he had loved it before faith, and in another life ought to have lost it unwillingly, since in this life he was too eager to keep it; whereas if he had lost it in this world for the sake of faith, he would certainly have kept it by faith in the life eternal.

1722. After he had written all this by my authority, R. P. Urban left for Bandar Abbas, and reached Congo. When distant from there a two hours' journey, the boat on which he was ran aground, and remaining motionless broke the force of the waves, without however receiving any damage. Together with the aforesaid father there were two Christians, one a European, who has a brother in our order, who had hitherto been sub-prior; he apostatized from the faith, but because remedies were quickly applied, it was easy for us to bring him back, and, as I said, he left with father Urban, to whom it should be said the bringing back of that sheep into the fold must be credited. After a few days' stay at Congo he proceeded to Bandar Abbas, where he wrote to our vicar provincial, announcing his arrival, and asking what he should do; because at that time a certain rebel named Mahmud, the son of Mirvis, who sixteen years before had been governor of the province of Kandahar, had made himself master by his influence, violence, and tyranny. The King of Persia, to capture the rebel and recover his province, sent an army under the command of a circumcised Georgian; but thanks to the activity of R. P. Basil of St. Charles, formerly vicar provincial of Persia, both were killed together with a number of soldiers by the aforesaid rebel, while as many as possible took to flight and succeeded in escaping. The son (Mahmud by name), not satisfied with all this, besieged the royal residence for about seven months and a half. What the besieged suffered is not easy to say and almost incredible; indeed, matters were in such a condition, after all eatables had been consumed although their hunger was not satisfied, after all the dogs, cats, and mice, bought at a high price, had been devoured, and they had eaten dead bodies, O! horrible to relate! and the stronger killed the weaker, intending to eat him, that they were nevertheless after all this forced to surrender to the rebel. At first he treated the prisoners humanely, but because they plotted against Casbeg, who belonged to his family, he put to death those whom he believed to be his enemies, although they were not, and great misery was to be seen; for only a few escaped death from starvation, and these fell beneath the sword of Mahmud. Three or four hundred were killed nearly every day. At this time no one could go in or out of Ispahan, so that information reached us with great difficulty, which was greater because, after all this, on the 20th of February our vicar provincial R. P. Faustinus of St. Charles of Lombardy departed this mortal life, although up to the present we are ignorant of the cause of his death. For all these reasons and because of the very large number of Christians who live at Bandar Abbas, father Urban has been staying there for sixteen months, staying as long as God provides.

1722. On the 30th of May, in the year of our Lord 1722, after sunset I went on the roof of the church to say something to an Armenian who was sitting there in his place; at that time the whole place was filled, because the buildings of the church were being repaired; my foot owing to my carelessness slipped, and I fell. O, holy mother of God, and her mother St. Anna, a miracle! Although the pain was incredible, much less describable, no bones were broken; and although I thought I was going to die in the sight of all, nevertheless, seventeen days after this disaster, I celebrated the sacrifice of the Blessed Virgin Mary as a thanksgiving, and, a few months later, I was completely restored to health. I have recorded this that readers may see how great is the benefit of the patronage of the most holy Anna, which is not to be wondered at, since she is the mother of the mother of God ; for she is that tree mentioned in the Gospel, which, since it is good, brings forth I will not say good but most perfect fruits, and that fruit is that which has given us the fruit of eternal life.

1722. Early in the morning of the 2nd of September before sunrise R. P. Joseph Mary of Jesus, of the province of Burgundy, safely arrived here ; twelve years ago he had finished his office of visitor general and vicar provincial of Persia, and with the title of vicar apostolic of the church of Babylon, bestowed upon him by the most holy pope Innocent XIII, desired to seek a residence and church at Amada, but owing to the difficulties caused by the aforesaid war he was obliged to remain here.

1722. On the 17th of September there arrived here from Bengal some English gentlemen, named Mr. Bellesis (merchant), Mr. Woods (captain), and Mr. Lanwood (?) (clerk). They were nearly all weak and ill owing to their long stay at Bandar Abbas, and because they did not abstain from what they should have abstained from, their own life paid the penalty. The chief of them, who did not fear death, was deprived of life by it, and he who replied to all who warned him that he would return to Bengal or meet his end, was overcome by death, so that he should never see life ; his body was buried on the following day, the 4th of October, in our cemetery without any coffin. His ship left the port on the 14th of January 1723.

1722. Who will allow me to narrate the following—I do not know whether to call it a history or tragedy ? All my vitals tremble not only in narrating, but merely in thinking of it ; nevertheless, in order that it may be known to posterity, and that they may not be inclined to have a wrong idea of it at variance with the truth, as is usual in such matters, I will begin the true and complete story of this deplorable tragedy.

Behind the church, where there is wood, stones, &c., there is a well made by me about 1715, which was emptied twice a year and for this purpose was entirely opened; in this year (1722), to make the place brighter and to prevent the mice being so troublesome, its cover was made in the form of a dome; it has two large openings, one by which it is entered, and the other to give light while it is being cleaned. Accordingly, on the 22nd of September, on which day there happened to be an east wind, the work of cleaning the well was started; it was full of fetid water, but at the bottom the earth, recently placed there, was only slightly raised, because during the two preceding months it had been made about eight palms deeper for drawing water for the work, and the fresh earth had not settled down as before; this made the water so fetid and obliged me to have it cleaned. After all the water had been drawn out, mud was extracted, and during this operation one of the workmen fainted, but with the aid of another got out and after he had recovered his strength went down into the well again. In a little while he shouted to another workman remaining, 'Take quickly what I have in my hands and help me to get out.' God knows I do not lie—I intended, if he had come out, not to allow him to go in again, but because the workman outside was slow in giving him assistance, the other inside became faint and fell. I immediately urged another workman to bring assistance or go in to pull him out; shortly afterwards another entered, and the same fate befell him as had overtaken the first. O God! what tongue can utter, what understanding can grasp my sadness of heart or sorrow of mind? What was to be done? At that moment, two other workmen, who said they were the fathers of the dying men, were murmuring and muttering harshly, nay, were lamenting in a loud voice. I wanted to go down myself, but since the survivors tried every exit, I was more afraid, and did not know which way to turn; I only appealed to our Armenian servitor, who on hearing the report had come to see what was the matter, and without saying a word, with a sad countenance, and with open arms I sought his help. Would that I had not done so! for when he saw what had taken place, he entered the well, and the same thing happened to our most faithful servitor that had happened to the two others. Oh the sorrow of it! Whose vitals will not tremble when reading of it; whose ears will not tingle when hearing of it? Whose pen will be capable of describing my torture at that time; whose tongue will be able to express my sore straits? God alone knows, but man can only guess and that never sufficiently: to see three men dead or at the point of death, and that in a country where their God is money, and justice ironically claims the name. There was no remedy, but much torment, whence I might well say with the prophet, Fear and trembling have come upon me and darkness hath covered me. But what purpose is served by enlarging on such things? Let us return to the conclusion of the matter. From the fact that I saw there was no remedy, and that all who entered remained there, I first went to the chief minister of the governor, to whom I gave a faithful account of what had happened; he sent men to examine, and on my return I found the house itself flooded with all kinds of people. When the state of things was known, it was asked who would be willing to enter the well and to bind the dead men so that they could be pulled out. One of the waves of the aforesaid flood was an apostate from the Christian faith, who declared that he was a kinsman of our dead servitor; he alone made more noise and spread more reports than two others, absent at the time, had made. Owing to his violence, and I do not know how if I was in my senses at the time, I entered and bound the first Christian and with the rope in my hand came out, but when I was half way up the ladder, it fell with me upon the dead; I got up again, stood up, and made the ladder firm, and, thanks to God, the Blessed Virgin Mary, and her mother Anna, I got out safely. I left the workmen pulling him out, and went to our fathers, who were praying for me in their chamber, to revive myself, and in a little while went for the second, and in like manner for the third. Meanwhile the strength of the waves was increasing, and although almost all the vessels had been put under lock and key, a few that had been forgotten were lost. The inspector gave an account of his inspection and by order of the supreme authority, that is, the pasha, the two Turks were carried to the grave, while I offered myself to perform the same duty for our servitor. But there was no slight obstacle in the way; he had a number of heretic friends, who by positive violence tried to force me to bury him in our church; they insisted, I argued against it; they repeated their request, I refused; they offered violence, I was stronger; nevertheless, with the aid of some Catholic Armenians and by my own efforts I laid out the body, clothed it in a white garment, and early in the morning sent it to be buried in our cemetery *Haissa ben Mariam* outside the city. Two or three days afterwards the parents of the dead presented a memorial to the governor of the city in which they accused me of having caused the death of the two Turks aforesaid by giving them poison to drink. The governor replied that the matter must be referred to the gadhi, and at the same time sent Hassan effendi with the memorial, the same person whom I had asked the prime minister to send as inspector, as above stated. The judge examined the case; the facts were known to all, the only question was whether they had drunk poison or not. I denied that I had given them any; they persisted, answering that they had witnesses; I said that, if they had witnesses, they are the parents of the dead and relatives of the accusers, and therefore biased, therefore not lawful, and therefore false. What did the judge do? He asked the witnesses whether the father had used violence to make them drink; whereupon the interpreter replied to the accusers, Did the father use violence to them, that is, did he throw them down and pour poison into their mouths? They answered, No. Then the judge adjourned the case in order to obtain from the mufti a solution of the uncertainty that followed.

It is uncertain whether the Turk himself with his own hands and of his own free will took and drank the harmful drug; who administered it, or was guilty of giving it, or of his death, if it was death or not. The answer was: If he had given him the poison to drink, the fact that he who drank it both knew and drank it of his own accord shows that he who offered it was in no way to blame, and only deserved a trifling reprimand. The result was that the decision was favourable to us, as will appear below, for it was considered judicial and regularized by the governor. We must next speak of the god of the Turks by whom everything is done, and without which nothing is done, that is, the payment of money. A tuman, that is 100 mamods in Persian money, was proposed to the judge, but because, although the decision was judicial, there had been no mention of our servitor in it, I paid thirty scudos, that he might give us a complete document concerning all three dead men, lest in course of time we might be troubled by the parents of the servitor, and this was done. But another sum of money was wanted by the chief minister. This task, this trouble, was all my punishment. Two things ought to be known: first, that I was acquainted with all the chief men of the government, especially the pasha and first minister, and was truly respected; for the rest (God help one!) a Turk cannot possibly have an opportunity offered by three dead men, and refrain from getting a large sum of money; although in a casual manner this is what they ask; when do they ever get money justly? They have a law, to receive several thousand scudos for one dead man, although, as I have said, only accidentally. Secondly, it should be known that the minister who had come with me to examine had recently entered the governor's service from Babylon, and consequently the first money or income paid in similar cases was due to him; and because he was greatly in need this sum came to 300 scudos, otherwise perhaps I should not have given 100, but in order to make me pay this money I was imprisoned for some hours and this because they asked 500. To the first minister, who had said to me, 'Father, you know that you are guilty of the death of three men; nothing has been done against you or any harm, and do you refuse a little present to ministers?' I replied, 'I know that on such occasions I am bound to pay, but what seems little to you means much to me; make the gift proportionate to the recompenser's means.'

After this and some further conversation, without saying a word (it seems to have been arranged beforehand) he signed to his attendants to put me in prison. After a few hours I agreed to pay the 300 scudos and was accordingly set free; but first the Ciausilar Kiayasi asserted that the amount was 4,300 scudos, showing me some sort of document supposed to be from the governor. I at once knew that it was a forgery, for it is easy to tell when a document really comes from the government. He declared that it contained the words, 'Either pay the above sum, or you shall die by most cruel tortures, by a shameful death.' I gave an answer to all this, and nothing happened except what I have written above. Perhaps this sum of money would have been his, if he had been able to get it; however, the end of this deplorable incident is that 420 scudos were paid by way of presents. Again and again, ever and ever, though never enough let the name of the Lord be blest; let thanks without end be given to the Blessed Virgin Mary and to her mother the holy St. Anna; all that I ever suffered is nothing in comparison with what any one else would have to suffer should such a misfortune befall him.

Approval of Ḥamet Pasha.

[*Here follows the 'Approval' in Turkish, ff.* 406–7.]

Seal of the judge.

Thus it was done by Abdelcherim, judge in Bassora.

After this I obtained the above authentic document from the gadhi regularized by Hamid pasha, so that neither we nor our successors might suffer any annoyance from the descendants of the dead men. The following is the interpretation:

Abires, son of Mehenna; Alia, daughter of Ali, his wife; Hamid, son of Sali, companion; the wife of Abires the daughter of Ali and her little son Hamid; Freia her little daughter; Negdia daughter of Mzaad wife of Aamet; and Ishmael her little son. Their case against father Paul. It was agreed with the above Abires and Hamid that they should clean the well for a mamod apiece; after they had entered it and worked for some time they became exhausted and said, 'We cannot work, because we are almost dead'; but the father gave them something to drink (we do not know what) saying, 'Drink, and you will suffer no trouble.' Each of them took the cup from his hands and drank and went down into the well and fell sick unto death. Another (it was our servant) volunteered to enter the well to assist them, and the same thing happened to him as to the two others, and all three died. At that time there were present as eye-witnesses the Guilfalini, called Mirzakhan, Meliah Nessor of Aleppo, and John, son of George of Baghdad, and in this case we asked for justice. The gadhi said, ‘I asked the father, who admitted that he had agreed with them for a mamod apiece to clean the well, but denied that he had given them anything to drink’. The gadhi asked the aforesaid women for their witnesses. Abes, son of Serugi, and Calaf, son of Scaviv (?), gave evidence how the father gave them the cup to drink and they drank. After their evidence we examined our books, from which it appears that the father is guilty neither of murder nor of anything else, in that he entered into an agreement; wherefore the petition of Negdia and the rest fails. We have drawn up our document and handed it to the father on the 27th day of the month Zu'l Hijja, 1134 (according to our reckoning, the year of our Lord, 1722).

In the same month of September, on the 17th according to the old calendar, some English gentlemen safely arrived here in a ship from Bengal. They remained four days with us in our house and then rented one from Hemer Chelebi Abdel near us and a spring of water for 20 Persian tumans. The names of these gentlemen were Bellesis (merchant), Lanwood (clerk), and Woods (captain). On the 4th of October at the eleventh hour, that is, an hour before midnight, Mr. Bellesis died, and on the following day we buried him in the Christian cemetery *Haissa ben Mariam* outside the city; but no coffin was made, because the captain was not very fond of him. Yet it is a remarkable thing that during his illness he never asked us for any medicine. R. P. Placidus of St. Nicolas offered his services and, seeing that he was in very indifferent health, warned him, to which he answered, ‘Father, it is indifferent to me whether I die or go to Bengal.’ Thus, on the same night, he did not proceed to Bengal, but departed this life, and after the goods had been disposed of, on the 14th of January the ship set sail from Bassora for Bandar Abbas. But it should be stated that, because he had stayed here forty-six days after moving from Shiraz, he had paid two tumans above twenty for the rent of the house; I mention this that the reader may understand that merchants reckon the rent from the time of moving. This time expires about the 1st of December.

On the 10th of the aforesaid December 1722 there arrived here from Bandar Abbas a large ship of European build, belonging to the English society, loaded with Bengalese wares. Its captain and also its merchant was Mr. Pitt. He deceived the merchants, saying that he had brought little or no merchandise, but had only come here by order of the highest authorities to convey the merchants and their money, because to transport them by Turkish ships was dangerous owing to the number of pirates who he declared infested the route. In order to prevent his merchandise being seen, he left his ship in Afar and by this means sold many of his wares at a high price and transported a few merchants; but because he had an excessive number of goods, he himself departed about the 10th of December, leaving here an English gentleman, Mr. Horne, who after a whole year and more completed the business.

I must not omit to mention that the above Captain Pitt was very indignant with us because I had informed the governor that a French ship would arrive here very shortly—he was indignant, I say, because for a week after this announcement no one bought anything from him, since he and other foreign European merchants do not know that it is a custom of the Turks, when they cannot come to an agreement with a European merchant, to say that a ship will arrive suddenly, indeed, is close at hand, and, though they do not know, yet, assuming this to be true, they put off buying for some days. For the rest, Captain Pitt himself and the above Captain Woods declared that a French ship had been wrecked off Muscat, and that only five of the crew had escaped, but on the contrary, this ship was English and our ship arrived here safely (on the 28th of December according to the old calendar), whose merchant was Baptist Martin, its captain M. Ragouz, and its third master Mr. Homo (?). This ship was of Indian build, made by Mr. Fatramani, and hired by the members of the French society; the amount loaded by several Frenchmen was about 60,000 rupees in value, and because the sum was a small one, he rapidly made arrangements to leave here on the 5th of February, as he did for Bander Rik to load the horses. But it ought to be stated what father Paul, an Augustinian of St. Stephen, vicar of this residence, did on this occasion before those gentlemen arrived here. He obtained from Hamid pasha that the French should pay as is the custom at Constantinople, Smyrna, &c.; this request was readily granted, both because he did not speak of money and because hope was held out of the ship coming not only for this time but ever afterwards. When all the business was over, in paying for the government, they said what was false, that 3 per cent. was never paid upon goods at Bassora. But all Europeans pay 5 per cent. for textile wares (qumash), and for wares of weight (sacat), as wood, lead, &c., 6 per cent. In the investigation of the matter, they showed a diploma from Hamid pasha dated a few months before. The shah-bandar said that he could do nothing of himself but that he would show everything together with the diploma to the Kiaya, who after this sent for me, and asked, 'What is this new thing I hear about you Frenchmen? When has this ever been so at Bassora?' I replied: 'The pasha has given a diploma'; he thereupon showed me the diploma and said 'Is this it?' and I replied, 'It is.' To his objection that, 'if this is it, there is no mention of 3 or 5 per cent., and, therefore, it is no longer of value,' I replied: 'that I was not speaking of money, but of payment at Constantinople, Smyrna, &c., as before, but in these places only 3 per cent. is paid according to our capitulations, and accordingly it should be the same at Bassora.' He answered : ' I cannot settle all these matters satisfactorily of myself, I will speak to the pasha.' What the answer was I will state later, but it should be known that there are many questions that have arisen in regard to the capitulations, and I was afraid lest they should see that the rule for English and French was the same, and yet the English who were then here paid 5 and 6 per cent., but owing to my carefulness they only saw what I showed them. Wherefore on the following day the Kiaya, that is the first minister, said to me, ' For textile wares you will pay 3, for other wares 5 per cent.' At that time, both because dominus Baptist Martin had left the matter in my hands, and because I knew that he who wants all gets nothing, I said, ' Assuming your privilege in the first part to be granted, in the second let it be neither 3 nor 5, but 4.' The Kiaya replied ' To oblige you, so be it.' Thus the matter was concluded and carried out by payment of the tax, in confirmation whereof I asked for an authentic document from dominus Baptist Martin, Frenchman, that it may be known to my posterity that the French are indebted to me for this privilege.

[*Written document in the French language, by dominus Manni Baptista Martin, follows.*]

The following is the interpretation of the above :

I certify that R. P. Paul, an Augustinian of St. Stephen, has procured for the French nation from Hamid pasha a firman, whereby he grants to the royal society of France to pay only 3 per cent. for textile wares, 4 per cent. for merchandise of weight, and has ordered the said firman to be executed. Given at Bassora, the 15th of February (the 4th according to the old calendar) 1723.

Baptista Martin.

On the 9th of March an English ship named the *Margaret* arrived here, its officials being our old benefactor Mr. Gray and Mr. Peter. This ship departed hence with Mr. Peter on the . . . day, Mr. Gray being left behind to sell the wares in the hope of returning as soon as possible from Bengal with fresh goods. God grant it!

On the 26th of February 1723 R. P. Joseph of St. Antony, a native of Avignon, arrived here from our province of Persia, because he had received the surplice from R. P. N. Faustinus of St. Charles, vicar provincial at Ispahan. This reverend father was staying at Amada, but owing to the disturbances throughout Persia was obliged to abandon living there. On the 9th of May he left for Babylon, whither the most reverend vicar apostolic, father Joseph Mary, had sent him to comfort the Christians there.

On the 14th of August 1723 a ship called *St. Francis Xavier* safely arrived here; its merchant was M. Legrand, a Frenchman, and its captain M. Godron, also a Frenchman. These gentlemen left here on the 16th of January 1724, having sold all their wares, leaving a handsome present for our residence, which gift father Paul the Augustinian of St. Stephen had obtained by force through the aforesaid document; I said, 'by force', since in the name of the society they would have given about 60 piastres, in wax candles or textiles; but father Paul, several days later, when he was distinctly informed that this gift came out of the purse of the society, told them that, assuming this to be the case, this was not enough, in accordance with the privilege granted in the above document. The captain was insistent, declaring either that kings made agreements elsewhere, or that he had not so large a sum from which there would be so much profit, &c. The father answered, 'If there are kings elsewhere, why have they not observed these capitulations up till now?' and in fact here and now the

English do not enjoy the privilege, in proof or testimony whereof I showed the document written by Mr. Baptista Martin.

As to the second point, I asked if they really had 100,000 piastres of capital (a large sum), and they replied in the affirmative. 'Then', said I, 'you ought to pay 5,000 or 6,000, but owing to my exertions you need not pay more than 3,000 piastres; consequently, you have 2,000 more in your purse, and since this is the result of my efforts, it follows that you should make us a larger present.' The merchant at once agreed with what I said, and so did the captain after further conversation. A box of white wax candles, worth rather more than 3 tumans, was given in addition at my request. Let the reader know this, that for the future our church enjoys this privilege owing to my efforts, as do the merchants; it is right that we should have some advantage from the great privilege secured as well as the merchants, and for this reason I have set down these things here, and wished to leave the testimony of Mr. Martin in writing.

The aforesaid ship left here on the 16th of January 1724 (according to the old calendar) for Bandar Abbas, in order to proceed directly from there to Pondicherry.

After this ship, another, an English one, left here on the 3rd of February, on board which was R. P. Joseph Maria of Jesus, of Burgundy, vicar apostolic of the church of Babylon. Before leaving he directed us to use the new calendar again, and accordingly what I write will in future be dictated according to the calendar as amended by Latin usage; the reason of this was that as yet we had no answer from Rome, so that if the answer should be that we were to keep to the old calendar, it could be adopted again, for the convenience of the feast days of the shepherd with the flock entrusted to him. Other passengers on the ship were the wife of Peter

Matlub with her child Ablahed in search of her husband (God grant she may find him !). The consequence of this departure will be that there will be three fewer families in the city ; this would not appear much, but it means a great deal, because, although easterns, they are very well disposed to us Religious. I cannot describe the advantages received from that family according to ancient records, and our experience of them for ten whole years ; may God give them their full reward, since this is not possible as far as human efforts are concerned ; hence, the greatness of their services to us may be conjectured.

On the 8th of October 1724, after a ten years' stay in this Residence, R. P. Paul, Augustinian of St. Stephen, desiring to return to his province, asked permission from his superiors, which he obtained after all his labours in getting back the church from the hands of the Turks, and at the same time with the sweat of his brow making each house durable by means of repairs and fresh structures.

At length, on the aforesaid day, he started for Baghdad on the way to his province, together with R. P. Joseph Mary of Jesus, vicar apostolic, who had stayed with us for two years in this Residence. After their departure, I, brother Placidus of St. Nicolas, remained alone. At that time, by order of Abdraiman pasha, the city canal was being cleansed and the work was completed on the 8th of November. The expenses amounted to 12,000 piastres, to which all contributed ; when I was asked to do so, I replied that it was not the custom for Europeans to pay anything on such occasions, and so I gave nothing.

In December I expected that R. P. Urban of St. Eliseus would perhaps arrive from Bandar Abbas, but after the Christmas festival was over, finding that he did not come, I thought and pondered over what was to be done in regard to the building of a large house, since the old structure was tumbling down. Two years before we thought of building a new one of stone, and had already procured some materials for the purpose; hence, since there were nearly 1,000 piastres in the chest, I decided to spend the money on building rather than consume it at my leisure. And so, since there was no vicar provincial from whom to obtain a licence, and approach was difficult owing to imminent war, I thought it worth while, as president, to begin rebuilding this Residence from the foundations.

Accordingly, on the 22nd of January 1725 I began pulling down the old house, and, after it had been razed to the ground, I planned the construction of the new house, in the manner of the country rather than any other way. Hence I began to strengthen the foundations, and when this work had been carefully carried out, on the 19th of February I decided to lay the first stone; and having performed a service in the name of the Lord with that object, I laid the first stone, and the master builders began to carry on the work to the great joy of all present. The structure was built up with flag-stones (ballut) inside and out in two days to the height of five palms, and when bricks had been placed inside and out it reached the height of ten palms, after which I waited for the new building to settle down. At such a time there were so many robbers in the city that the pasha himself was obliged to patrol the roads at night, and I set four men to watch in the new house, remaining with them till nearly midnight.

On the 6th of March 1725 R. P. Urban of St. Eliseus arrived from Bandar Abbas on an English ship, the *Britannia*, in sixteen days, at whose arrival I was greatly delighted after the loneliness I had suffered for five months.

The reverend father had lived at Bandar Abbas for nearly three years, labouring continuously for that mission, having formerly been a conventual of our Residence at

Ispahan. After some joyful days, I devoted myself to carrying on the building of the house until the 21st of April. On that day I was obliged to stop, because the pasha ordered all the male inhabitants of Bassora to get up in the morning and remove the earth from under the walls of the city, which had been heaped up by the winds, and there was fear of Arabs and robbers. Hence, for nearly a fortnight, the governor Abdraiman pasha himself with his suite and the inhabitants of the city worked for three hours outside the gate called Bab Arabat. The pasha removed a little earth first and then sat down until the work came to an end with a flourish of trumpets. On this occasion no European went out to help in the task, although some one asked me why I did not go to work. I replied : ‘ When your sultan sends one of your great men to the King of France, he is not obliged to carry earth ; on the contrary, he is treated with every courtesy, and you ought to do the same to us in your countries.’ When the removal of the earth was finished, I returned to the work of the house, and on the 1st of June 1725 everything was finished, and at the same time the house was let to certain merchants arriving from Bengal and Surat.

The expenses of the building (caso) on the side of the arch of the corridor to the end I reduced to the sum of 4,306 *abatiae* in addition later to the cost of whitening the chambers and other things.

In November 1725 the patents of vicar of this Residence, which R. P. our general, P. F. Bernard of Jerome, had sent me, reached my hands, and were read on the following day to R. P. Urban. Accordingly, from that day I undertook the government of this house with the title of vicar.

On the 19th of May 1726 there arrived from Bengal a French ship, whose captain was M. Morle, and its merchant, M. Colino ; after about a month and a half it left, while the merchant stayed behind. On the 30th of June, when a Taramchino arrived from Bandar Abbas, a Franciscan father named Bonaventura came from Rome, where he had lived for about thirty years, and stayed at our house; and on the 20th of August there arrived from Surat in a Turkish ship two Spanish brothers from Bescallia, and with them a Portuguese Franciscan brother, who after three days left in the caravan for Aleppo, while the others remained with us; the name of one was Thomas and of his younger brother Joseph. When the first arrived he was suffering from dysentery, and although two English physicians supplied him with medicines, after nearly two months of illness, which he bore with admirable and exemplary patience, fortified by the holy viaticum and the extreme unction, he died piously and devoutly on the 8th of October, whom, according to his command and devotion, dressed in our habit, we buried in the centre of our church; he gave 200 rupees for 200 masses and another 200 for the burial by the Church. After two days his brother Joseph left with father Bonaventura for Baghdad, leaving us nearly a hundred rupees' worth of movables and money for masses; thus we endured a little inconvenience which was made up for by a remarkable token of gratitude. Thus we learned that our successors ought not to refuse similar opportunities, first because of the charity of neighbours and foreigners, secondly for politeness, and thirdly, for emolument, since he who will not put up with inconveniences for the sake of others will not feel their benefits, and he who does not give will not receive any gift himself either in this life or the next.

In December 1726 there arrived from R. P. our general, father Bernard of St. Jerome, patents of vicar provincial to R. P. Urban of St. Eliseus, who after a few days took possession.

In January 1727 I asked leave from R. P. N. Urban vicar

provincial that a new house should be built before the gate of our house on the old site, and when I had obtained it, I began to get ready some materials.

On the 14th of January letters arrived from Baghdad, informing us of the death of father Martin of the Saviour, of the province of Venice, whom our father general P. Bernard of St. Jerome had sent from our seminary at Rome for the Residence at Bassora. It happened that, on the night of the nativity of our Lord, intending to celebrate mass in the house of a Christian named Angelus, he had made arrangements with R. P. Bonaventura, the aforesaid Franciscan, who had arrived at Baghdad some days before, together with the above Joseph of Ispahan. Accordingly, keeping joyful vigil until nearly midnight, father Martin (I do not know why) went up to a room in the house by a stone staircase, and on coming down missed his footing and fell two steps, and dashed his head against the stones, and remained half dead. Father Bonaventura quickly hurried up with the others and warned him to confess, after which, in the early morning, they bled him, and after he had a second time confessed, he received the holy viaticum and sacred unction from P. Bonaventura, and on the 27th of December 1726 rendered up his soul to God and was buried in the Christian cemetery.

To return to the building of the house. In February, wishing to lay the foundations, I planned the construction, after which, when the master builders had approved the design and the site had been levelled, a plan of the house was made and the foundations made ready, by removing the earth and replacing it after the manner of the country. And thus, on the 17th of March, I laid the first stone, the builders carrying on the work, and after a few days ceased operations, the foundations being raised to a height of four cubits. At that time Ibrahim pasha with the defterdar ordered the city walls to be repaired, the expenses of which were defrayed by a contribution from all the inhabitants of Bassora. They asked me for 60 mamods, to which I answered that I would not give it since we had never given on similar occasions, and thus escaped their extortion. When this work was completed, after the feast of Easter I set about completing the house, which by the favour of God was accomplished on the 1st of June 1727.

I reduced the expenses to 5,325 *abatiae*, besides a later outlay of 400, the money not being provided from the revenues of Rome but from my own toil and industry and the blood of benefactors. We gave thanks to the god of the Blessed Virgin Mary who had preserved us in all our labours and kept us free from any dispute with the governor or any other persons.

On the 2nd of June in the same year 1727, after the house was finished, a French ship arrived, named *Marie Gertrude* ; its captain was M. St. Hiler and its merchant M. St. Palo, to whom I let the new house. After a month, having disposed of their goods, they set out for Bengal, no Frenchman being left behind. At that time the waters of the river, leaving their bed, flooded the desert, and advanced as far as the gate of the city called Bab Arabat, making the desert look more like a sea ; the waters which ebbed and flowed sometimes tasted salt and sometimes fresh, and during the greater part of the night there were frosts. The floods lasted till September, when the banks of the river were dammed, but behold ! painful illness and fever began to rage. I was almost the first to suffer, and on the 17th of September, feeling my stomach upset and my head weak and heavy with fever, I went to bed, and after two days became delirious. Fearing the danger of death, I received the sacred viaticum at the fourth hour of the day (20th September), and having asked for extreme unction, after all preparations had been made, R. P. N. Urban vicar provincial was incapable of administering it, being seized by a fit of shivering, partly due to fever and partly to fear of my death. He accordingly sent word to me that he could by no means perform the ceremony, and when I heard this, I endeavoured to compose myself and prepare my soul for death, while at the same time I did not abandon the thought of bodily succour. At that time some English gentlemen, Mr. French, Mr. Oms, and father Ingham, kindly and charitably visited us ; I accordingly took the opportunity of speaking to father Ingham, who knew something about medicine. I suggested to him that he should apply a blistering plaster to my neck. He approved and did so, and on the following day he made an incision and a great quantity of green-coloured water came out (a favourable sign). Similarly, I suggested that he should bleed me, which he did on the 22nd of September, and after these two remedies, by the help of God, I found my head free from the feeling of oppression and the fever almost gone. At the same time R. P. Urban suffered from fever every day, and on the 26th of September, when he fervently called for the assistance of SS. Cosmas and Damian, I was encouraged to do the same, expecting the aid of these saints on their feast-day. God, the best comforter, did not leave the prayers of his servants unanswered, and by prayers to these holy martyrs rather than by medicines we gradually began to revive from that day. At this time, when both of us thought we were going to die, we entrusted the property of the church and house to Mr. French, an Irish Anglo-Catholic, the said Mr. French having told R. P. Urban that I would die during the night of the 24th of September. However, by God's grace we escaped the peril of death, but it took us till the end of December to recover our health. During these two months and a half, that is, from the 15th of September to the end of November, nearly 8,000 persons died in the city and suburbs from infected water and foul air. The terrible plague ceased when the very cold weather came on, which purified the air.

In the months of July and August we wrote to father Jerome of St. Barbara, vicar provincial of Aleppo, asking whether he could lend a Religious from Syria for a time to the Residence of Bassora, that I might not be left alone owing to the departure of father Urban for Ispahan for a visitation. On the 8th of December in the same year 1727 we received a reply in the affirmative and accordingly R. P. Urban, although still ill, began to make preparations for his departure after the feast of the nativity.

On the 11th of January 1728 R. P. John Thomas of the Cross arrived by the desert caravan from our province of Neapolis, a native of Leonessa in Abratium, whom the vicar provincial of Aleppo sent to us; and on the 12th P. F. Urban of St. Eliseus vicar provincial left for Baghdad in a small boat.

In April 1728 an English ship saluted this port; its merchant was M. Buorrolan, a Frenchman, who was accompanied by Mr. Banghat, an Englishman. M. Buorrolan asked me to let him the large house or caravanserai, which I did for a year at an annual rent of 2,000 *abatiae*. After M. Buorrolan had lived for some days in our house, a French ship named *St. Joseph* arrived. Its captain was M. St. Hiler, its first merchant M. Orno, and the second M. Bunelli, who hired a house from Agi Cassim, and after a stay of two months and a half left for Bengal, the merchants remaining with the goods. At that time I had a dispute with a Christian named Cherumi, who, as agent of Isa Ghanime from Baghdad, tried to sell to an Armenian presbyter a piece of ground next to our house on the side of the gate of the church house. Having often heard that this piece of ground had been long ago presented to our church, and having found two Turks who would give evidence I applied to the gadhi that I might retain possession of it. Having summoned the said agent Cherumi it seemed at first that the gadhi wanted to finish the dispute in my favour and adjourned it to the next day; nevertheless, the presbyter and his agent attempted to suborn and bribe the judge. On the following day I went with the witnesses to the judge, and at the same time the said Cherumi and his witnesses, to give evidence; the unjust judge or gadhi asked me whether I had any documents confirming the donation of the ground, to which I replied that if I had had documents I would not have brought witnesses. The judge decided that I had no case, and thus the dispute ended in Cherumi's favour. I accordingly went away dissatisfied; but when the said Cherumi wanted to obtain an authentic document from the judge he thought that a sum of 10 piastres or *isolettes* was ample satisfaction, whereupon the gadhi ordered him to be imprisoned, and Cherumi made his excuses and gave him 60 piastres, whereas the said ground could have been sold for 120. This being the state of affairs, I told Cherumi that I would write to Constantinople to settle the dispute, since by virtue of the capitulations the judge of the town could not settle it; and I warned Cherumi that as agent he ought to receive a summons from Constantinople, that he might not say that I was the cause of such loss. I similarly frightened the presbyter out of buying the place, and in the meantime I wrote to Anna eben Gh—(?) of Baghdad, and appointed him agent with Isa Ghanime. Having written and received letters twice in reference to ending the dispute, rather as a gift than by way of purchase, I paid 25 piastres, and our agent Khoja Anna sent me documents conferring upon me the ground and site. The Armenian presbyter, Jaghi Azar, pulled a very long face and did not know what to do with his little house adjoining, just because it was so small.

In June 1728 the governor Abdraiman pasha left, being replaced by Mohammed pasha. On the 29th of June when I was in a room with the French physician, M. Cormasso, that I might furnish him with some simple medicines, two Turks from Mosul, looking into the little room, without saying anything to me, saluted us and tried to enter; I myself prevented them by force and one of them retaliated, and afterwards, as he went out, said, 'I will come at once with others, you will see. I saw Turkish women enter the house.' When I heard this I anticipated them, and putting on my cloak I went with Khoja Francis, a monk from Aleppo, the French interpreter, and M. Orno, to the Kiaya, to make a complaint about what had happened. He ordered the merchants to come at once, and a chogadar (lackey) conducted them before the Kiaya. When they saw me sitting, they were more alarmed, and saluted the Kiaya, who asked them why they had found their way into the fathers' house. They answered, 'Out of curiosity.' 'They do not lie,' I replied, 'since all were free to visit our house out of curiosity'; then they rose up and declared that they had seen Turkish women enter the house. The Kiaya asked them who appointed them visitors of the fathers' house, and hearing that they were foreigners dismissed them as such; he swore that otherwise they would have had 1,000 lashes, and sent them out like dogs. We afterwards took our leave and departed, finding the merchants at the gate of the palace, where they remained quiet, saying, 'We have nothing'; when we asked what they meant, they answered that they would have to pay 50 piastres, which they did under compulsion. Thus the incident was closed, and from that day to this they did not venture to cross our threshold.

In November 1728 I represented to the French gentlemen that they would only have to pay 3 per cent. on any kind of goods and no more, according to the capitulations (*katsiurif*) which were in our hands—whereas at the time they paid 3 per cent. for cloths and 4 for other kinds of goods, as recorded by R. P. Paul the Augustinian in an earlier part of this history. When they heard this, M. Orno and M. Bunelli were greatly pleased, and accordingly we decided to approach the governor in support of our request. On the 29th of November I and M. Orno went to the pasha, who received us politely and asked what our business was. Hearing from the interpreter that French merchants of the Company or Society of Pondicherry asked that the capitulations whereby 3 per cent. was to be paid on all kinds of goods should be duly respected, I myself presented to him our consular patents before I gave him the capitulations to read. When he saw them, not understanding French, he asked what they were. I answered that they were the royal patents of our King of France, whereby the father superior of this our church was appointed consul of the French, in order that I might secure right of access and respect among the Turks in any future need that concerned our house and church.

After this the pasha began to read the capitulations, and, when he had finished, said that he could make no abatement in regard to what the other pashas had accepted for the customs duty, and after a lengthy discourse he refused to comply with the capitulations. We accordingly took our leave and decided to write to the French ambassador at Constantinople on the matter. I did so, and acting on my advice M. Orno the merchant did the same.

At that time indeed Mohammed was pasha, but the entire government of the city was in the hands of a certain merchant named Mohammed Agha or Messerli Oghli, who had come to Bassora with the pasha. Having lent the latter a sum of money, he was on terms of intimate friendship with him, to such an extent that he induced him to dismiss

Ibrahim the Kiaya, telling the pasha that it was his duty to acquire money for his treasury, and that he would do this if he would give him permission to do whatever he wanted and protection. When the pasha heard this, being greedy for money like all Turks, he promised him his protection, declaring with an oath before all the people that whoever ventured to present a memorial to him against the said Messerli Oghli would be presenting a memorial against the pasha himself. Accordingly, the said Messerli Oghli began to rule like a tyrant in word and deed, and, having confiscated all the property of the dismissed Kiaya and exercising the office of shah-bandar, took for himself as he pleased all the better kind of wares belonging to the merchants; thus by degrees he incurred the hatred of all, who in fear and trembling said that God had sent a man like that to destroy the city utterly.

Meanwhile, on the 16th of May 1729, there arrived from Ispahan F. Ferdinand of St. Teresa, our *donatus pedemstanus* sent by R. P. Urban vicar provincial, to procure some subsidies of alms at Bassora. A few days later there arrived a French ship, the *St. Joseph*, and since our large house with its house Aslan adjoining had been let by me to the French gentlemen M. Orno and M. Bunelli for a year at 48 tumans, the captain of the said ship took up his quarters with us with his wares. During that time I again went to the pasha about paying 3 per cent. and no more; he received me politely, treating me as a consul, but declared that it was absolutely impossible.

At that time the above Messerli Oghli was our friend, when he came to inspect the goods of the Frenchmen in our large house. Some accusation or other was made against the Armenian presbyter Jaghi Azar, and Messerli Oghli, at the request of the Armenians, pronounced sentence of banishment against him within a fortnight. The said presbyter under pressure of necessity determined to sell his small house, that contained two rooms, and adjoined the site acquired by me at the end of our house before the door of the church, which I bought for 200 piastres (9 tomans) Having obtained an instrument from the gadhi, I paid the amount to the presbyter Jaghi Azar, who by violence and treachery attempted to buy the piece of ground adjoining. Thus God provided: he was banished and I built one wall on the two sites and made one house.

Messerli Oghli was in great honour, but nearly all the people murmured, and the chief men of the city took counsel day and night how they might get rid of him.

The cry of the people reached the ears of the Lord on the 4th of June 1729. All the chief persons of the city, the mufti, the gadhi, and the merchants, proceeded to Shiraz to the house of Ibn Mane and Sheikh Annis. There they took counsel how to capture Messerli Oghli by guile, and accordingly sent some Arab horsemen to the door of the custom-house. For what? Finding one of the custom-house clerks, on some pretext or other they got possession of an account book and with all speed returned to Shiraz. The clerk hastened to Messerli Oghli and told him of the attack upon himself. Knowing nothing about the preparations that had been made, Messerli Oghli, full of anger and rage, mounted his horse and, accompanied by some soldiers and servants, set out for Shiraz. Hardly had he gone out of the gate when he found a multitude of people, but, fearing nothing, he went on his way. The people followed and heaped insults upon him, to which he replied, ‘ I will return to the city and you shall see what I will do to you.’ On reaching the gate of the house of Sheikh Annis at Shiraz, where all the chief men of the city and some Arabs were assembled, they began to beat him and pulled him off his horse, shouting, ‘ let the dog be killed ’. Sheikh Annis, however, kept him a prisoner, in order that he might render account to the pasha and merchants, after which he intended to put him to death. Thus he, who at first thought of plunder, was captured and bound. When the pasha heard of this, he reinstated Ibrahim Kiaya, who had been dismissed some months before at the desire of Messerli Oghli, and sent him to Shiraz to settle the matter. Ibrahim went and saw his enemy in chains, to whom he said, 'What did you intend to do, you dog? You got me dismissed, you wanted to ruin the people,' and similar insults. Hearing that the people clamoured for Messerli Oghli's death, he returned to the pasha, who wished to save him, because he had little suspicion of him. He declared that it was not fitting to put him to death without good reason, to which the people and chief men answered that he was guilty of death. Accordingly, after the mufti, gadhi, and all the people in Shiraz had decreed that he should die, they decided to conduct him to Bassora, that Ibrahim Kiaya might examine the accounts, not desiring that he should have any excuse for visiting the pasha. The latter was satisfied with the examination, and decided that his death should rather be compulsory than voluntary. Accordingly, on the 7th of June, Messerli Oghli was conducted on a mule into the city, clothed with shame rather than any dress, his head covered, and biting his beard in a rage and fury, to the palace of the Kiaya, who assigned him his stable as a prison, where he was bound with two chains weighing two mamnuns, and his bed prepared on heaps of dung. The Kiaya summoned the merchants and asked them what they had to say. All the French and English merchants were present, who said, 'We do not know; we only claim an answer and the money for our goods, which he bought in the pasha's name', all being written down and their debts attested in the Kiaya's presence. The same procedure was followed with the other merchants, fifty soldiers being posted at the door of Messerli Oghli's house on guard. When the examination of the accounts was finished, the pasha subscribed a decree, in which it was declared that the said Messerli Oghli was worthy of death, as an extortioner of the city, a tyrant, one who did not observe the law of Mohammedans, a Sodomite, a robber, and the like. After the decree had been read, on the 16th of June 1729, at the fourth hour after midday, a rope was put round his neck in the Kiaya's stable, and two men pulling different ways strangled him. Immediately after his death, his body was exposed in the middle of the street to the pasha, while the people hurled stones and insults at him. After a day and a night he was buried as excommunicated in the sepulchre near the gates of the great mosque.

On the 12th of July 1729 the French ship *St. Joseph* left the port for Bengal; on board there were M. Buorrolan and our brother Ferdinand of St. Teresa, the latter provided with money for his journey to Ispahan, who went as far as Bushire.

On the 7th of August there arrived from our seminary for missions in Persia R. P. Thomas Aquinas of St. Francis Xavier, a Neapolitan, and on the same day a Franciscan father, named father Joseph of the Assumption, from Surat. He remained with us until the 26th of September, when he set out for Rome, and on the same day R. P. John Thomas of the Cross left for Baghdad, by order of R. P. Jerome of St. Barbara vicar provincial, that he might restore the vicariate of Tripolis. Thus I remained with P. F. Thomas Aquinas.

On the 7th of October 1729 two messengers came from Aleppo with dispatches from the French ambassador in Constantinople in answer to the letters which I had written about the French merchants not paying more than 3 per cent. in accordance with the capitulations. In the ambassador's dispatch there was a firman of the grand vizier and a letter from him to the pasha. In the firman Mohammed pasha was ordered to claim no more than 3 per cent. from French merchants. The firman I presented three days afterwards with my own hands to the governor Mohammed pasha; he received me courteously and promised that he would comply with the order of the said firman, telling me to apply to him in a few days for an answer concerning the matter. But after he had taken the advice of his ministers he changed his mind and wrote to the grand vizier that it was extremely unsuitable that any such change should be made during his term of government. Accordingly I remained in suspense, waiting for an answer, until the 25th of November, when I went to him. He told me that he had received a fresh order to claim the usual percentage. I replied that they were royal conventions and could not therefore be broken without risk of war, and at the same time informed him that I had written to our ambassador about his decision and took my leave. A little before this Mr. Frank, English resident for the English society of Bassora, had been barred in regard to a similar claim. Accordingly, on the 29th of November, I sent an answer to our French ambassador M. Villanova, and during the whole of that year I exerted myself for the good of the French society, until at last, by dint of a bribe, as I will narrate below, we obtained the right of paying only 3 per cent., and no more.

On the 1st of December there arrived a Catholic presbyter from Diarbekir, named Chasis Anna. He remained with us together with his son for nearly two months, daily performing service in our church according to the Chaldean form of worship. By my efforts a sum of money in alms amounting to nearly 300 piastres was raised for him, and he left on the 22nd of January in the year of our Lord 1730.

In February of that year the governor, Mohammed pasha, was involved in a dispute with Ibn Mane, chief of the Arabs. The latter had attacked certain towns, and accordingly the governor, in order to capture him, sent an expedition to Corna with the captain and all the soldiers, keeping for himself eighty men armed with harquebuses. After the fleet had left, they might have captured Ibn Mane, but the captain pasha was a great friend of his and allowed him to escape, and did not begin to fire until Ibn Mane was in a place of safety.

Thus war was stirred up with the Arabs for a month and a half, during which time butter, meat, and the like reached a high price, since the Arabs allowed nothing to come into the city, and it was feared that they might invade it. Accordingly, on the 7th of March, some Arabs having been seen near the gate called Miserak, the governor sent by night eight foot-soldiers on mules, and at the same time about eighty horsemen, who early in the morning arrived near Zibeir. There they found some Arabs, who attacked the Turks more by shouts than force; eighty of their foot-soldiers were killed and others were wounded and fled, leaving behind mules, harquebuses, and all the spoil taken by them. After hearing this, the governor was very distressed, since the time of Ramazan had begun, and he was obliged to recall the fleet, so that things remained in abeyance. Sheikh Annis fled to Baghdad and Ibn Mane left Zibeir; thus the road was made safe again, and victuals began to be sold at the old price.

In the month of May there arrived a French brigantine from Bengal, in order to take up the money and all other goods with the merchant M. Bunelli, with whom its captain de Jourdain stayed.

On the 12th of June 1730 there arrived from Baghdad P. F. Emmanuel of St. Albert, pro-vicar apostolic, a Frenchman from Burgundy, who stayed with us for a month, and on the 7th of July left with the brigantine for Pondicherry on some business connected with the Baghdad mission, or for establishing a French merchant of the society of the Indies in Baghdad, which I thought impossible, as it turned out, and his journey was in vain.

On the 18th of July I received letters from our vicar provincial P. Urban of St. Eliseus from Ispahan, requesting me to send my companion P. F. Thomas Aquinas at the very first opportunity. In the meantime, while I was thinking about this, on the 4th of August there arrived from Ispahan F. Ferdinand of St. Teresa and M. de Gårdan consul with his brother (a captain), whom we put up in our house opposite the door thereof. After our said brother Ferdinand had arrived here, I received another letter, requesting me to send P. Thomas Aquinas, taking advantage of the company of some Armenians who were on their way there. Accordingly, on the 9th of August I sent him on his road with a little money to help him, really sorry that I had to remain a second time alone in this Residence, and also fearing the danger of losing the house and church, as it may be seen from previous records that the church was twice lost, the solitary father remaining being overtaken by death, and the difficulty of regaining it is frequently referred to in the records. So let my successors see to it that they do not so readily leave the house to the care of only one Religious. It is true that I hoped that M. Barnaba, bishop of Julfa, would arrive here, but he died six months later at Shiraz ; and our vicar provincial had written to me that if I desired I might keep F. Ferdinand until then. I informed him of our vicar's wish, and he at first agreed to it, but afterwards changed his mind, since he had been sent to Rome by our vicar provincial with letters patent, that he might ask for our subsidies and if possible obtain some alms. For this reason P. Ferdinand and myself thought it best for him to proceed on his journey as quickly as possible. Accordingly, on the 29th of September 1730 he set out for Baghdad with M. de Gardan, the French consul, and his brother, and a certain Mattuk, son of Aslan of Bassora, and an Armenian named Gregory from Julfa, a man of most excellent character and our benefactor, who promised me he would for the love of charity conduct the said Mattuk as far as Venice at his own expense, so that his money might not be diminished, but that he might rather find it increased; and he kept his promise.

I, therefore, remained alone, waiting for the blessed hope of some companion until the 2nd of April 1731, when there arrived by the caravan from Aleppo R. P. John Thomas of the Cross for the second time, who, after he had been sent by our vicar provincial from Aleppo to Tripoli by command of our vicar general, endeavoured to return to Bassora against his own will.

On the 1st day of May 1731 there arrived from Bandar Abbas R. P. N. vicar provincial P. Urban of St. Eliseus to visit the house for the second time. On the 25th R. P. Emmanuel of St. Albert, pro-vicar apostolic from Pondicherry, returned by a French ship, named *St. Union*; the merchant of the ship was M. Fornier and the captain M. St. Hiler, whom I hospitably entertained for a week in our house outside the gate, and also spent on his board about 100 piastres.

On the 4th of June P. F. Emmanuel of St. Albert left for Baghdad. During the whole of the year war was threatening in Persia, and I felt very anxious, being afraid of a Persian invasion from the direction of Avisa.

In August 1731 a Turkish ship arrived from Surat, having on board a Franciscan father named Henry, who after nearly two months' stay in our house left for Baghdad.

On the 21st of December 1731 there reached me from Rome the patents of vicar provincial from R. P. our general P. F. Robert of St. Anna. In the past July I had striven hard to obtain from Abdraiman pasha, who had recently arrived to govern Bassora, that the French should pay only 3 per cent., and I succeeded in doing so by the payment of 2,000 piastres. Buorrolan gave 1,000, which was entered in court before the gadhi, so that nothing more than that percentage was paid by the French.

But in the midst of all my labours, who would not have thought that they would at least thank me, as Mr. Lo. . or and all the counsellors of Pondicherry did by letter, but some of them for various reasons were not well disposed towards us, and opposed us both in words and in writing. May God forgive them as I do, but I determined that I would do nothing in future to mix myself up in worldly matters. Let my successors beware, because it is the habit of laymen to stone us for good works, and let them learn to trust in God rather than men.

On the 7th of January 1732 there arrived from our ambassador in Constantinople another firman from the sultan to the effect that the French should pay in accordance with the capitulations 3 per cent. and no more. Thus the arrangement previously made by a money payment was confirmed and the firman is found registered in the Mekame or gadhi's court.

On the 20th of May there arrived from Baghdad P. F. Joseph Mary of Jesus, who in the previous year had bought a house for a new foundation by permission of Hamid pasha. But a persecution of the Christians in that city followed, after they had paid 4,000 piastres on account of a church, which some Armenians had accidentally built near a mosque and which was removed by the pasha's order. The Kiaya accordingly compelled the said father Joseph to leave

Baghdad, and he came to Bassora, leaving there our two Religious, P. Antoninus of St. Dionisius of Lille, and P. John, a Roman Dominican of St. Rosa, with his brother an Augustine of the purification, a *donatus*, a Neapolitan, and a physician, all three of whom had been sent to Persia for missionary work. They attempted to make their way from Baghdad to Ispahan, but when they were near Karmashia, they returned from fear of the troops of Tamasp Kuli Khan, a general of the Persian army, who was planning the siege of Baghdad.

On the 22nd of June R. P. John, a Dominican of St. Rosa, arrived here from Baghdad, with a pontifical brief for presentation to the shah of Persia on behalf of our missions there. When I heard this, I wrote to our fathers in Persia, who answered that this brief was of no advantage; indeed, that it would be a cause of disturbance, since in other respects the missionaries were at that time performing their duty in perfect quietness. I sent this answer to Rome, and R. P. John kept the brief until it should be necessary to present it.

On the 29th of June there arrived from Bandar Abbas R. P. John Joseph of St. Anthony, our missionary, in an English ship named *Femm*. Thus for several months there were six of us fathers singing Hail! in this church. The said father by my instructions remained for several months at Bandar Abbas to comfort our Christians. At this time the city of Bassora, on account of our own and those coming from Persia, began to be alarmed about the army of Tamasp Kuli Khan, some saying that he would come by way of Avisa, others that, after he had taken Babylon, it would be quite easy to take Bassora.

On the 28th of August 1732 R. P. Urban of St. Eliseus left; and R. P. John the Dominican of St. Rosa first went to the Residence of Ispahan (an answer came from Rome that an ex-vicar provincial who had filled office could not be allowed to choose his Residence as an ex-provincial in his province); and afterwards I sent to Shiraz to be the companion of R. P. Cyril of the Visitation, vicar of that Residence. They accordingly journeyed as far as Bushire in an English ship named *Sechses* (?), the captain being Mr. Cuke (? Cook).

On the 23rd of September there arrived from Baghdad brother Augustine of the Purification, a Neapolitan and physician, who remained with us at Bassora until I could settle some Residence for him to serve in.

On the 13th of October R. P. Joseph Mary of Jesus set out for Baghdad via Ella, to put his new foundation on a firm footing. On the 17th of December I sent father John of St. Anthony to Bandar Abbas to found that mission, and he left by the same English ship, the *Femm*.

On the 7th of January, in the year of our Lord 1733, R. P. Antoninus of St. Dionisius of Lille, our missionary from Persia, arrived from Baghdad, whom I made a conventual of our Residence at Bassora. On the very same day Tamasp Kuli Khan, general of the Persian army, began to besiege Baghdad from the Persian side; and in February, with the assistance of the Benillam Arabs, he crossed the river and made war on the Turks, who had some of Ibn Mane's Arabs with them. But the Turkish plunderers fled, and thus Tamasp Kuli Khan with his army was master of that part of Baghdad, and after that carried on the siege more vigorously.

After some days part of the Persian army advanced and took Ella together with large stocks of wheat and barley. At this time we were considerably alarmed; some feared that the Arabs would come from Ella with the Persians, others said that the Persians would come by way of the sea to capture Bassora. All the citizens accordingly took up arms, and, thus equipped, waited for disaster and the destruction of Bassora.

Meanwhile, Ali Agha Mutesellim with the captain pasha had the care of the city, together with Sheikh Annis. At the end of February there arrived from Surat an English ship, whose captain was named Jameson, and his arrival was received with delight by Europeans. During the whole month of March we were in great alarm, and daily prepared to hide the property of the church and house.

On the 2nd of April 1733, the fifth greater feast, late in the evening we heard a disturbance in the city, and it was said that the Arabs of Emir Taa were close at hand. All feared and trembled with horror. At night we saw the Mutesellim coming up to the gate Bab Arabat. In the morning of the sixth greater feast we hid a number of silver vessels and church vestments, and after sunset worked at concealing the rest of the belongings of the house up till the tenth hour of the night. In truth these were Passion days, hence we partly discontinued the ceremonies of the Church.

On the holy Sabbath by order of the Mutesellim all gathered together armed for the defence of the city. Our Christians of Bassora, Baghdad, and other strangers were led by Jacob Amirgion, and the Armenians from Julfa by Cogia Gaspar, by order of the governor or Mutesellim. Accordingly, all assembled in arms before his palace, and having saluted him by firing their harquebuses, went to guard the walls of the city. All the Turks did the same. The number of defenders amounted to nearly 8,000, so as to prevent the Arabs suddenly entering the city; thus we celebrated the Easter Festival with no little sadness.

Early in the morning of the 17th of April we heard that the Arabs of Emir Taa were near the city gate Bab Arabat; all accordingly who were returning from the night watch hastened thither, but finding no confirmation of this, endeavoured to return to sleep.

At the end of April 1733 ships began to arrive from

Bengal. The first was English, the second French, named *l'Union* (Captain Buorrolan), the third English. They remained with their wares, which they could not sell and were afraid to discharge.

At that time nothing but lies were current. The Persians said that Babylon had fallen, the Turks that an army of Turks had arrived and that Baghdad was on the point of being freed from its fears and distress. The captain pasha proceeded to Corna with his war-vessels, to stop the Arabs of Emir Taa and the Persians and prevent them capturing it. He so contrived that Emir Taa fell into the hands of Ibn Mane, in the following manner. On the 2nd of July Emir Taa approached the quarters of Ibn Mane intending to cut his throat, but Ibn Mane was more careful and before he gave an answer to his greeting, he ordered his men to bind him. When this was done and the soldiers of Emir Taa heard of it they took to flight. Ibn Mane sent Emir Taa in bonds to the ships of the captain pasha, who was stopping at Corna, and on the next day sent him with his grandson Ibn Mane and some soldiers to Bassora. Thus, on the morning of the 3rd of July we heard a great noise and saw Emir Taa, bound, on a mule, being conducted to the Kiaya or Mutesellim, who sent him to prison and ordered him to be put in chains. In five days they examined him several times and questioned him about his confederates in the rebellion. It was thought that he might be liberated on payment of a sum of money, but Sheikh Annis demanded his death on the part of Ibn Mane. Accordingly, on the 9th of July 1733 the sentence of the Mutesellim was carried out at midday—that he should die by being impaled. So on that day he was led out of prison amidst a crowd of people and soldiers to the street called Seimar, with some young men carrying the stake in front of him. At the place appointed by the executioner he was ordered to lie down on the ground; after which the executioner drove the stake through his person until it came out under his throat. A little while afterwards he died in great disgrace, when the stake was set up and left standing for several days. On the same day the city was set at liberty, and by command of the Mutesellim all gave up the duty of guarding it, since no one any longer felt any alarm, now that Emir Taa had been removed. Accordingly, all began to enjoy a little peace and quietness, and we took some of our utensils out of their hiding place.

On the 16th of July there came sad news from Bandar Abbas, namely, that R. P. John Joseph of St. Antony, a Frenchman who had received his investiture in Persia, had died on the 2nd of April 1733, of malignant fever. I had sent him on the 17th of December 1732 to Bandar Abbas to buy a house and put the mission on a sound footing. But the will of God was carried out.

At that time we remained in suspense, knowing nothing about the siege of Baghdad. Some said that the Turkish army had defeated that of Tamasp Kuli Khan and that Baghdad was set free, but among all the lies that were circulated this was not believed. But it was true that on the 16th of August 1733 a certain Agha arrived from Baghdad with a firman from Hamid pasha of Babylon, who at that time was also governor of Bassora. The firman was read publicly, in which it was stated that Topal Osman Pasha, General of the Turkish army, after a nine hours' bloody conflict had defeated the Persian army under General Tamasp Kuli Khan near Karmashia, and that the Turks had taken a large number of prisoners, guns, and other things. Thus the gates of the city of Babylon were opened and freed from the besieging army of Tamasp Kuli Khan on the 17th of July 1733. There was accordingly great joy in Bassora, which welcomed the news again and again by firing the guns, not only the inhabitants of the city, but all the European ships at anchor in the big river.

On the 18th of August there arrived a new Mutesellim sent by Hamid Pasha to govern Bassora with a second firman confirming the first, and again joy and guns voiced the victory over the Persians.

The sufferings of Baghdad during the siege are incomprehensible. A manna of wheat reached the price of 200 piastres and when it could not be procured, the besieged ate all the mules, camels, asses, and horses (only two of the last being reserved for Hamid pasha), cats and dogs, mice and other unclean creatures; they also ate skins under pressure of hunger, while it was said that even some infants were eaten. Hamid pasha had all the gold and silver in his treasury coined into money and distributed among the soldiers, that they might not resort to the violent measure of opening the gates to the Persians owing to suffering from hunger and distress.

After the victory, corn and other commodities began to be sold at a most reasonable price. The victory having been confirmed, we and all the rest of the inhabitants of Bassora removed with our own hands all that we had hidden. The merchants, European and Oriental, began to remove goods from the ships to their house, to make contracts, now that the journey to and from Baghdad was safe.

On the 23rd of September 1733 a Portuguese ship, flying the French flag, arrived from Mocha with coffee and white sugar. Its captain and merchant was M. Marcell, a Frenchman.

On the 2nd of October Ali Agha, who had been Mutesellim of Bassora during the siege, died; and on the 8th a new Mutesellim arrived from Baghdad, appointed by the pasha, as governor of Bassora.

* * * * * *

My successors know that I have never given any one perpetual licence to eat milk-food on the day of the fourth and sixth feast, neither to strangers nor to those staying at Bassora, but according to each man's need I thought it right to make an exception rather than to refuse, following the dictates of pity rather than justice. Further, I never gave Catholics permission to attend the churches of heretics. Thus I exercised the care of souls and looked after the house to the best of my ability, and he who remains will be able to carry on the work according to his discretion.

On the 23rd of October 1733 R. P. Antoninus of St. Dionisius of France, a Belgian, was appointed by me vicar of this house. I myself set out on the 26th for Bandar Abbas, together with brother Augustine of the Purification, in order to establish a house there for the glory of God and the salvation of our neighbour, and may God deign to grant this! Amen.

NOTES

The reference is to the folios of the Latin text marked [ ] at head of page, not to the *pages* of the volume. The emendations or additions which I have incorporated in the text speak for themselves, and they have as a rule not been repeated here.]

f. a. The date 1733 evidently added later, as shown by the colour of the ink.

Bassorah, *Bussorah*, *Basra*, or *Basrah*: a province on the Euphrates, sixty miles from the sea, capital of vilayet of same name; near the reputed 'Garden of Eden'; Carmelite mission founded there in 1623. (For history see Curzon's *Persia and the Persian Question*, ii. 399 sqq.)

Goa: in the Indies, once the stately capital of the Portuguese possessions. The bones of Francis Xavier buried there.

Ispahan: the ancient capital of Persia.

ff. a–h form a sort of Introduction, and there is no pagination in the MS.

f. b. *Maskatti* (Muscat or Mascat), capital of the Sultanate of Oman, east of Arabia. There is a familiar Arab proverb, 'as big a coward as a Muscati' (Curzon, ii. 445).

Seimar: the market quarter near the city.

f. e. *Cara* in Turkish means 'black'.

Bandar (Persian), *Bander*, or *Bunder Rik* or *Rig* means a port or anchorage.

Mohamed II(!). This Turkish Sultan took Constantinople in 1453. Our text must therefore be incorrect.

Chelebi: Turkish for Arabic *shalabi*, a European or foreign gentleman, refined, polite.

f. g. Agathangelus of St. Teresa. For particulars concerning this interesting personage, a hard worker in the cause he espoused, see the 'Description' which precedes the text in this volume.

Aquitania: ancient province of S. France.

f. 1. *Laudensis*: 'from Lodi': native of Lodi (Piedmont)—the classical Laus Pompeia, medieval form 'Laude' or 'Laudi'.

2. Cf. Psalms cxx. 6–7 with regard to the character given of Severinus.

7. Haissah ben Mariam = Jesus, son of Mary. Name of cemetery. Occurs also as Aissa or Aiissa ebben Mariam, and Issuah eben Mariam (f. 365).

9. *ex secta Sabaeorum*. In the words of Mosheim (*Ecclesiastical History*, London, 1826, iii. 339): 'The Sabaeans near the Persian Gulf have feasts and practices borrowed from the Jewish and Mahommedan systems; but as they believe in the divinity of Christianity, and the redemption and the atonement, they are justly considered as Christians.' Curzon, on the other

hand (ii. 305), speaks of 'the interesting and obscure community, known as the Sabians, frequently miscalled the Christians of St. John. In former days the sectaries of this faith were very numerous in Mesopotamia, and in the 17th century Petis de la Croix refers to 10,000 in Busra alone. The greatest uncertainty and confusion have prevailed as to the religious beliefs of this sect alternately classified as Hebrews and Christians, though widely removed from either. . . . Mistaken for the Sabaeans who were star-worshippers . . . mentioned as such in the Old Testament, the name derived from the Arabic *Saba*, the heavenly host, or Sab, grandson of Enoch, who was a great prophet of that sect, &c.' Cf. Job i. 15. *See* f. 126.

16. *Island of Zante*: one of the Ionian islands.

salarium in MS. must be *solarium*, part of house exposed to the *sun*; terrace or balcony.

17. *shah-bandar* (Persian), sometimes written *sciabandar* and *scabandar*: the royal collector of taxes, a Turkish Consul.

19. *Viaticum*: lit. 'provision for a journey'. The communion or eucharist given to persons in their last moments.

20. The English and Dutch, more especially, whose ships covered the ocean, and sailed to the most distant corners of the globe, and who in this century (17th) had sent colonies to Asia, Africa and America, had abundant opportunities of spreading abroad the knowledge of Christianity. . . . As regards the United Provinces . . . they are said to have converted to the Gospel a prodigious number of *Indians* in the islands of *Ceylon* and *Formosa* on *the coast of Malabar* and in other Asiatic settlements. (Cf. Mosheim, iii. 35–6.)

22. The port of Gombroon, on the mainland, received *c.* 1622 the name of *Bandar Abbas*, and both the English and Dutch were allowed to establish factories there. (*Encycl. Brit.*, p. 638 (Persia).)

22 &c. *Shiraz*, former residence of the Caliphs, and in the 13th and 14th centuries the seat of pomp, science, and poetry. The graves of the Persian poets Saadi and Hafiz are still preserved here.

24. *accerssitus*: so in MS. An erroneous transposition of letters from *arcesso*.

26. *Agathangelus* referred to as author and witness.

29. The sacrifice of a ram regarded as 'superstitious, Jewish, and foreign to the usages of the Catholic Church'.

31. *Cilicia*: ancient division of Asia Minor.

33. [The following sentence was by accident omitted in the Translation and is added here.

'P. F. Agathangelus of S. Teresa landed here from Persia on October the 12th of the same year, 1678; and on the 15th of the same month and year on the festival of our Holy Mother Teresa, the letters patent having been read, he reassumed the charge of this Residence, while P. F. Aurelius departed hence towards the Indies on the 29th day of the same month and year.']

34. The name of the 'Indian Catholic' is omitted.

35. *St. Bonet le Chatel*=St. B. le Chateau, France, dep. of the Loire.

36. River Kobar (Khabur, Chebar) in Mesopotamia, tributary of the Euphrates (cf. Ezek. i. 1, 3 and xliii. 3).

38. *Avignon*: home of the Popes, 1309–76.

40. Five lines in old Portuguese.

43. *Festum Penye*: the five days in June on which the Sabaeans are bound to be baptized. *Penj*, the Turkish for 'five'.

'Hebdelsaid' in MS.

44. *Ganzebra*: a higher minister.

46. Here Louis XIII, later on (f. 51) XIV, the correct form, who was a great patron of the arts and sciences.

Sanson, a missionary from Louis XIV, author of *Present State of Persia*, London, 1695.

frangi (*ifrangi*)=European.

Discalced (or *Discalceated*) *Carmelites*. 'The extravagant multitude of mendicants,' as Gregory X (13th cent.) called them, were reduced to a smaller number, and confined to the four following societies or denominations, viz. the *Dominicans*, the *Franciscans*, the *Carmelites*, and the Hermits of St. *Augustin*. In several ancient records the Dominicans are called *Fratres Majores* and the Franciscans *Fratres Minores* (*Fraticelli* by the Italians). In France, the Dominicans were called *Jacobins*, from the Rue de St. Jacques, where their first convent was erected at Paris. The first monastery of the Dominicans was founded in Oxford, 1221, and soon after another in London. In 1276 they were given by the Mayor and Aldermen of London two whole streets near the Thames, where they erected a very commodious convent, whence that place still bears the name of *Black-Friars*, the name by which the Dominicans were called in England. (Mosheim, iii. 172, 175, 176.) The founder of the order was Dominic (13th cent.), a Spaniard by birth, descendant of the illustrious house of Guzman, regular canon of Osma; he set out for France to combat the sectaries that had multiplied in that kingdom.

In *Monasteries and Religious Houses of Great Britain and Ireland* by Francesca M. Steele, 1903, there is a chapter on *Carmelites* by the Rev. B. Zimmerman. On p. 73 he remarks: 'Cardinal Wiseman reintroduced the Discalced Carmelites into England in 1862, giving them a house in Kensington, where Father Augustine (Hermann Cohen), a converted Jew, at first an artist of repute, afterwards an eloquent preacher and ascetic monk, founded a community. There are at present two houses of D. C. in England, Kensington and Wincanton in Somerset.'

[The author of this volume vividly recalls his visit, as a schoolboy, to Moorfields Chapel, Finsbury Circus (now removed) on the occasion of the lying-in-state of Cardinal Wiseman, and witnessing later on the funeral procession as it passed along to the cemetery.]

The *Franciscans* were founded by St. Francis, son of a merchant of Assisi in the Province of Umbria. He called the brethren of his Order Friars-Minors, or the Little Brethren, and composed a Rule for them, which the Pope approved. They laboured in hospitals, prisons, amongst the lowest of the poor, and everywhere without remuneration. All the four Orders are the only ones which the Church has acknowledged to be *mendicant*: that is, it has no fixed income, and derives its whole subsistence from casual bounty, obtained by personal mendicity. St. Francis did not wish his brethren to have recourse to this, till they had endeavoured to earn a competent subsistence by labour, and found their earnings insufficient. 'With my own hands,' he says in his testament, 'I laboured and wish to labour; and I earnestly wish all my brethren to labour incessantly for a decent livelihood. Let those who have not learnt any laborious employment learn one; not from an improper desire of the profit of labour, but as a good example, and to keep off idleness; and when we do not receive the wages of our labour, let us then approach the table of the Lord, and beg from door to door.' (Cf. *Confessions of Faith*, London, 1816.)

The *Carmelite* order was founded by Albert, Latin Patriarch of Jerusalem in 1209, who founded a community of hermits on Mt. *Carmel*, and pretended that he had seen Elijah in vision, who urged him to continue and develop his old school of the prophets formerly established there. The Carmelites endeavoured to convince themselves and the world that their Order had never ceased since the time of Elijah, and adopted a mantle striped black and white . . . fashioned after the cloak of Elijah, which he cast from him as he ascended into heaven, and gave to Elisha as the habit of his Order . . . the mantle originally white had been scorched by the flaming chariot-wheels, and thus originated these bars (*Lives of the Saints*, by Rev. S. Baring-Gould, pp. 526 sq.). In the sixteenth century St. Theresa, a Spanish lady of an illustrious family, undertook the difficult task of reforming the Carmelite order, which had departed from its primitive sanctity. Her associate in this task was Juan de Santa Cruz (St. John of the Cross), born at Fontibere in Old Castile, 1542 (died 1605). At twenty-one he assumed the Carmelite habit, having met St. Theresa at Medina del Campo. He founded the Institute of Bare-footed Carmelites, approved by Pope Gregory XIII. The Order was divided thereafter into two branches: the more austere or Discalced (bare-footed) *Carmelites*, and those more moderate and ancient, Calceated (shodden). Fosbroke, referring to the Carmelites (p. 78), remarks: 'Rule founded upon that of Basil; but even that is disputed, for Lyndwood and others say, that *all* the religious followed one of the three Orders, Benedictine, Augustinian, or Franciscan.'

50 (91 &c.). *Smyrna*: once the chief seat of trade in the Levant.

The plural *quos* must be an orientalism: cf. 'we' in modern English.

One never feels sure if *Franciscus* is a proper name *Francis* or (2) a *Franciscan*.

57. *Galata*, a suburb of Constantinople.

65. *Pera*, in Turkey, residence of the Ambassadors.

66. *Kenisset*: cf. Hebrew כנסת (*Kenéset*), 'Church Assembly' or 'Congregation'.

The reintroduction of Islam was of no benefit to the Tarim region. In the 14th and 15th centuries Bokhara and Sarmacand became centres of Moslem scholarship, and sent great numbers of their learned doctors to Kashgaria.... All (the travellers) bore witness to great religious tolerance; but this entirely disappeared with the invasion of the Bokharian mollahs. They created in E. Turkestan the power of the *Khojas*, who afterwards fomented the many intestine wars waged between the rival factions of the White and Black Mountaineers. (*Encycl. Brit.*, *sub* 'Turkestan'.)

70. We have sometimes Hussein, Hossein, Ussen, and Hassan.

77. *Lineatio*. Does it refer to the 'drawing up' of the letter or to the 'measurement', 'dimensions' of the church? Cf. similar passage, f. 336.

80. Does 'Sommeri' mean 'a saddler' = *semerji*? On f. 180 spelt 'semmeri'.

81. Ciborium, spelt also 'Siborium'. Symmachus, Gregory of Tours, and others mention the *Siborium*, an arch over the altar supported by four lofty columns, in imitation of the Propitiatory, which covered the ark.... Where there was no *Siborium*, a mere canopy hung over the altar. Curtains were annexed, and drawn round, that the Priest might not be confused by view of the spectators. (Thomas Dudley Fosbroke's *British Monachism*, London, 1843, p. 202.)

85. 'Deus dedit, deus abstulit', &c., Job i. 21.

86. *complexio* must mean 'general health', 'temperament'.

92. The Italian abbreviation *Oss*^{mo}, evidently *Observatissimo*.

94. *domat*: probably means here 'movable property' or 'effects'. It is also applied to 'landed property'.

gapuja, doorkeeper, chamberlain: *Kapiji* (Turkish).

berāt (Turkish), mandate, warrant.

108–109. Re the appearance of two Suns.

[The *Daily Chronicle* of 18 December 1926 had the following paragraph: *Two Suns in the Sky*. While approaching Ostend at the height of 1,000 feet shortly after 4 o'clock yesterday, Capt. H. H. Horsey, flying from Cologne to London, saw two suns in the sky. This rare phenomenon—known as a 'mock sun'—was witnessed also by the flying engineer.]

107. The province of Cecilia (? Sicilia or Sicily).

115. Saintonge, in Aquitania Secunda, one of the ancient divisions of Gaul, district called 'the Flower of France'.

119. *Cafile*: the caravan by which the hajji (pilgrims) travelled.

120. Joseph, son of Shiahin, a young Jew.

125. *Sahad.* Saads, a sect in India, remains of ancient conversion (Mosheim, vi. 339).

126. 'Amram' is 'Hamram' in MS.

129. *Abbassis* (written also *abbazzi*, *abatia*, *abatti*): a Persian coin of varying value. Now equals less than 1½*d.* According to *The Modern Part of an Universal History* (vol. xxxvii, p. 31, London, 1783) an *abassi* = 2 *mahmoudis*, a *mahmoud* = 2 *shais*, a *shai* = 10 single or 5 double *casbeghis*, a *toman*, a certain sum of money = 50 *abassis*. In ff. 404–5 we have the 'tuman' = 100 mamouds.

132. A change in handwriting from the words 'Nunc vero sciendum est', which reflects the break in the narrative. Note the statement, interesting as throwing light on the compilation of the work, as to no record having been kept from 1684 to 1701.

133. The new hand spells *Abbazzi* (or with one *z*).

134, &c. *Bagdad:* formerly the great emporium of the commerce of the East, and the seat of the Caliphate. Among its most celebrated Caliphs is Haroun (Aaron) Alrashid, contemporary with Alfred in English history.

135. I have added [remansit] as the missing verb.

136. *Charek*: ? island in Persian Gulf.

137. Another sidelight on the manner of compilation of chronicle. 'Mahane' occurs later as 'Mane'; 'Tossanus' sometimes 'Tussanus'.

141. Cardamomum = καρδάμωμον, a spice.

This part by the other hand seems to contain many wrong Latin spellings.

Tuman or *toman* (Persian): a piece of money of 10 silver krans, worth about 5*s.* 9*d.* It signifies originally 10,000, and used to mean 10,000 *dinars.* The *dinar* was a gold coin of 52 grains, equal to about 10*s.* Consequently a toman was worth about 5,000*l.* In the sixteenth century the toman ceased to equal 10,000 gold dinars, and under Abbas the Great a *toman* of money was equivalent to 50 *abbassis*, i.e. about £3 7*s.* In Sir John Malcolm's *History of Persia* (1815) the *toman* is put down at £1; in 1891 = about 5*s.* 9*d.* (Curzon, i. 511–12). In our text 'viginti Timones' = 1,000 *abbassis.*

trucum: the MS. is doubtful; a derivative of *truncus* or *trux.*

142. *Julfa* (Giulfa), on river Aras (Araxes), Persia: the people of Merv, Persians, pronounce it 'Kulfar'.

Alcantara, town in Spain: memorable for the decisive victory over Bajazet, the Turkish Sultan, obtained by the Tartar monarch Tamerlane or Timur, 1401.

146. Ancyra (Ankyra), now Angora in Galatia (referred to in Acts xvi. 6).

147. 'Gate called Misrak' (*vide* note on f. 308 'Miserek').

149. *Corna* or *Kurna*, on Tigris above Bassorah.

150. *Surat* (India): the capital of a British collectorate, taken by the British in 1759.

The Imam: name of King of the Arabs of Muscat.

150–1. *Sciraggi* (and twice Seraggi).

160. *Mokam* (Mekam), a port on the bank of the Euphrates.

Cherchuch, ?Tscherkesh, N. of Angora.

162. *Khoja* (Persian), 'a learned man or teacher.' (See 'Description').

164. *Bagnanus*, 'a native of Bagna.'

165. *peccuniis*, *peccuniam*: so in MS.

166. '*Octavam Corporis Christi*': the eighth day after a church festival, the feast day itself and the octave being reckoned.

Sedgguik, the Latin transliteration for 'Sedgwick'.

173. *Caragg*, the Arabic and Turkish *Kharaj*, tribute.

181. Arabic *baboosh* (Turkish *pápoosh*), shoe, slipper: MS. not quite clear.

185. The number '20' has somehow crept into line 13 of MS. before 'vigesima': have naturally deleted same.

187. *Konya* or *Cunia* (Iconia) in Asiatic Turkey, visited by St. Paul in his missionary travels (Acts xiii. 5). The Arabic 'Rum'.

189. Bushire, a port on the Persian Gulf; 'the principal landing-place (I cannot call it port) on the south coast of Persia' (Curzon, ii).

194. 'Sub tuum Praesidium' are the opening words of a prayer to 'Our Lady', very often used before leaving the house or undertaking any matter of importance.

195. St. Gregory, the Illuminator or Enlightener, considered by Armenians the founder of their Church.

195 (240). 'Rachel weeping for her children': cf. Jeremiah xxxi. 15.

197. *Nokadam*, Persian for 'captain'.

201. *Cap.* = Capucinus.

204, 230. *Baradaiia*: (?) Barada, river of Syria, north of Damascus, the Chrysorrhoas (gold-flowing) of the Greeks.

205. '*Procurator*' or 'Prior'. Every monastery of the East had Patres or Abbots, Stewards, Hebdomadaries, Ministers, and *Praepositi Domorum*, or Governors of Houses; because those large abbeys consisted of numerous houses, each containing thirty or forty monks under one of these *Praepositi*; and from these *Praepositi* descended the *Prior* and *Sub-Prior* . . . terms only known from the Pontificate of Celestine the Fifth, 1294. (Fosbroke's *British Monachism*, p. 112).

205–6. *Koggiae* in one place, *Coggiae* in another.

Matlub, Turkish for 'desired'.

207. *Tesbitem*—The Tishbite; Elijah, the prophet, as told in 1 Kings xvii, the reference is to the widow of Zarephath.

moltoties, archaic form.

208. MS. has *inudutum* as last word: might have been intended for *inundatum*.

210. *Tatar* is also used for 'courier, messenger'.

211. *Kadi* here 'Kadzi': f. 218 'Cadzi'. Written also Kahdi, Cadizi, Caddi.

213. *dimidio dessolatae*: so in MS.

224. *D.O.M.* stands for *Deus Optimus Maximus*, written in full f. 299 (i.e. Deus Opt̃: Max̃:)

'As I live, saith the Lord God, I have no pleasure in the death of the wicked; but that the wicked turn from his way and live' (Ezekiel xxxiii. 11)

227. Arziha: Turkish *ariza*, *arzihal*.

236. Object missing after words 'Clementia v. obtinuerit'.

241. 'Patriecidas' for 'Parricidas'.

242. 'loci' supplied before 'incapacitatem'.

Giukadar: in f. 425 spelt Gioccador.

MS. *Ahamed* for Ahmed, occurs also as Haamed, Hamet, Hamed.

246. *Aleman*: Does this mean a 'German' renegade?

Antianus might mean 'old, former', or of 'Antium', the birth-place of Nero.

251. MS. 'adamuscim' for 'ad amussim'.

255. *Suebum*: twenty-four hours from Bassora.

259. Cf. Psalms cxviii. 23–24, 1.

In l. 9, 'ut nunquam' not clear in MS. owing to an erasure.

264. *Nineveh*: its ruins not far from Mosul: capital of the once mighty Assyrian Empire; lay buried for over 2,000 years, until in 1842 remains discovered by Botta and Layard (*see* Genesis x. 11–12, Jonah and Nahum).

272. *Epichirae* for Epichirema (ἐπιχείρημα) as on f. 215.

274. *terrada*: cf. f. 197 'parvula navis vulgo Terrada'.

275. *tam̃ari*: perhaps the wood of the tamarind.

In the absence of more definite knowledge or information, I venture to suggest the following meaning. The Arabic *tamar hindij*='tamarind', a leguminous tree grown in the Indies and in other tropical countries, the trunk of which is lofty and large, and used for building. The form *tam̃ari* is probably an abbreviation.

276. The text has 'sogietti'. I have a strong suspicion it is meant for 'loggiato', a covered gallery or balcony.

286. Verb missing after 'Capitano da Bagdad.'

287. *dispersai*: MS. not clear.

che erano [ ]: one or two words illegible. 'Iddio' and 'Benedetto', conjectural readings.

daftar (Persian): register, account-book; *defterkana* (or *daftarkhana*) (Persian), 'archives'; *daftar-dar* (Persian), accountant, *scil.* Secretarius Kalil Baschia. *Khalil* (Turk.) intimate friend.

290. I venture to read in the text beyond recognition (hole in MS.) some word like 'trovato', meaning 'and they not being found' or as I have rendered [? not being able to find them].

Firmáno in brackets: this is evidently the word almost illegible.

Note the form 'B. Aboscer'.

291. *Wakf.* Property appropriated and dedicated to God's service or charitable purposes. 'Real property in Turkey is held in one of four various ways, either mulk, emiriyé, *vakouf*, or khaliye' (*Ency. Brit.*, xxxiii. 513).

295. *trigesima Maii*, must be the 31st, unless they only gave 30 days to May.

296. l. 5. MS. has 'inhabitatudem' for 'inhabitationem'.

301. *Mutesellim* (written also Muzzellem and Muzellem): governor of a city or province.

305. *Conte Stabil*: the official called in Byzantine times *Comes Stabile* (count of the stable); it is not easy to see the meaning here as a naval term.

308. *Miserek* (147 spelt 'Misrak'), Hebrew מזרח (Misraḥ), East.

313. *viridi*: an abbreviation for 'viriditate'.

gariofali, the Greek *καρυόφυλλον*: a kind of Indian spice.

314. Does 'cinae' stand for 'sinae' (Chinese)?

319. *Dominatio* used as an honorary title.

321. *Descripta*, originally 'planned', 'sketched', and so 'founded'.

The 'Information' is written in double columns; on the right in Oriental characters, on the left the Latin translation (which I have left in the text, as a *specimen* of the writing).

328. 'lateres' must here be 'sides', ordinarily *latera*: *lateres* meaning 'bricks'.

338. Here begins another hand, with an obvious break in the narrative. Note the spellings: Bagdat, Dierbecher, Abdelcherimo.

339. *Anastasiopolis*: probably the modern *Dara*, S.E. of Diarbekr on the Tigris, Mesopotamia.

This whole passage seems very obscure both in grammar and construction.

340. *cauvé*: is this our Cockney pronunciation for 'coffee'?

Amada, residence of the Bishop of Babylon, not far from Mosul.

341. 'oleum defecit in nostra lampade,' apparently meaning 'money for a bribe'.

Catscerif (in f. 425 *Katsiurif*) = Capitulations (Turkish from Ar. *Hat* or *Khat-i-sherif*).

342. Somewhat obscure in parts.

Mufti, Mufiti, a legal officer.

The MS. has *Capa.* Is this an abbreviation of *kafila*, 'caravan,' or the *gapi* (clerk)?

346. *refrigerium*: lit. 'cooling'; in ecclesiastical writings 'consolation, repose'.

347. *Capci* or *Capei* (MS.): is it for *kapiji* or for *kapi* or *gapi* (clerk)?

349. Again change of hand.

351. For MS. 'in septa' read 'incepta'.

354. A rather obscure passage.

Have altered 'sepulcura' (MS.) into 'sepultura'.

356. An interesting item in English interpolated in the text. After this another change of hand.

359–60. A fine compliment paid to Englishmen.

360. *Bombay*: with a very mixed population came into possession of the British in 1664 as the dower of a Portuguese princess.

361. After 'Georgian servant' marks of deletion in MS.

362. *Redeant ad cor:, cor*: evidently an abbreviation for *cordem*, judgement, mind.

365. For 'in quere' (MS.) read 'in opere'.

377, 401 &c. *Bashaw*: Báshá (Ar.), Pasha (Pers.), Pascia. 'The title *Pat-sha* signifies "the disposer of Kingdoms", the highest title known in Asia, and equals that of Emperor in Europe. Every one of the princes, at his accession to the throne, assumes a particular title: one styles himself the Pillar of Faith, another the Virgin's incense, and another the Beloved of God, sprung from the stock of Judah, son of David, the son of Solomon, &c., for they have a tradition that their princes are descended from Solomon and the queen of Sheba. The arms of the Emperor are a lion rampant, holding a cross with the motto, *Vicit Leo de Tribu Judah.*' (*The Modern Part of an Universal History*, xxxvii, 155, London, 1783.)

The meaning of the text 377–8 is not quite clear: translation approximate.

Militatis (MS.) should perhaps be 'militaribus', thus: 'distinguished by military characteristics'.

379. '*rejected stones*', &c.: Cf. Psalms cxviii. 22; Matthew xxi. 42 &c.

383. Juvenal's words are:

Quidquid agunt homines, votum, timor, ira, voluptas;
gaudia, discursus, nostri est farrago libelli. (*Sat.* i, ll. 86–7).

385. *Sicut Populus sic Sacerdos*: Cf. Isaiah xxiv. 2.

386. *Nosocomium*, a hospital (νοσοκομεῖον).

389. *Hamadan*, the Ecbatana of Persia, said to contain the graves of Esther and Mordecai, and a granite block said to be a record of the existence of Darius Xerxes.

390 (end). Both accidence and syntax unintelligible: I have paraphrased.

393. *dogana* (Per.—Ar. *diwân*, a collection of books, council, Turkish council of state, &c.), custom-house: 'in telonio' (τελώνιον), 'vulgo *dugana*'.

Chiausler Kiaysi or *Chawushlar Kiayasi*, apparently chief of the heralds or pursuivants.

400. Father Urban referred to several times.

the son of Mirvis: Mir Wâïz, who murdered his uncle, and assumed the title of sovereign prince.

401. Pope Innocent XIII mentioned under the year 1722, called by Mosheim (vi. 8, 209) 'a respectable Pontiff', who surpassed all other Popes in piety, &c.

401. As for the spelling of Bellesis, it occurs also as Beleysis.

Lanwood: I am not at all sure as to this name. The MS. in the several places where it occurs might be read 'Lawed' = Lord, Lanwood, or Larwood: below, f. 409, 'Lors'.

401–2. Text seems corrupt: something like 'progressurum' is wanted.

403. '*Timor & tremor*' &c.: Cf. Job iv. 14.

404. *Crematum*: If this means some kind of burnt (distilled) drink, it would no doubt be the Mastica, 'a coarse spirit flavoured with Mastic,' of which mention is made by eastern travellers.

408. *Giulfalini*. As far as I can make out (and my surmise is supported by experts), this term can only mean 'hailing from Giulfa (Julfa)'.

409. Here Bellesis, Lors, and Woods.

Afar (or Danakil): territory in N.E. corner of Abyssinia.

410–11. *Caia* = *Kiaya*: *Kiahiá* or *Kihia* itself being a corruption of the Persian or Turkish *Ket-khudá*, steward or manager of an estate.

410 (p. 615, l. 4). Clearly 'Homo' in MS. Is it an error for 'Horne' (*see* previous page)?

Syntax and text obscure.

In MS. 'sertifie' for 'certifie'; or rather the MS. seems to be a cross between an 's' and a 'c'.

'acord' for 'accord': observe form 'Chalendarii'.

413. Different hand from here till the end—a most trying script.

Pondicherry, in Madras, India.

414 (towards end). I read 'Praesidens h. Residentiae': MS. difficult.

417. *Bescallia*: (?)Bisceglia, the *Vigiliae* of the ancients.

Taramchino. Is it a kind of ship?

418 (towards end), word originally written was *Placidum*: it has been altered to *Martinum* in another and a later hand.

421. Might *fader Engham* be 'Fotheringham'?

MS. seems to have 'vissicatorium'.

SS. Cosmas and Damian: 4th cent. Two Arab brothers who practised as physicians gratis, put to the torture as Christians under Diocletian.

422. *Leonessa*, in S. Italy, having a college and several convents.

423. *abatiae*: here it occurs in this form.

The word before 'advocato dicto P.' is almost illegible: I read 'fronte'.

424 (near end). *mercatores miseriarum*: an interesting expression.

425. The proper name as written 'Oms', 'Orno', 'Onor' (ff. 421, 423, and here) is puzzling. Are they all meant for 'Honor'?

427. *pedemstanus*. Is it perhaps *pedumstanus* (*pedum*, a pastoral staff)?

donatus=laymen who voluntarily offered their services and a part of their possessions to the monasteries.

429. *volare* in late Latin may=rob (Fr. *voler*); or it might=take to flight.

430. *Mamnum*: The word in the text can be read *mamnum* for (*mamnarum*) or *mannum* (f. 446, *mamna* or *manna*), clearly meaning 'a weight' (Arabic *mann*): probably connected with the Hebrew *Maneh*, occurring both as weight and money (Ezekiel xlv. 12; 1 Kings x. 17).

433. The governing verb omitted in first paragraph.

434, 5. *Bergantinum*, *Bergantino*, so in MS.

435, 6. *M. de Gardan*, consul. Should this be M. Jourdain as in f. 434?

439. *Karmascia*: ?Kumisheh, *c.* 21 miles from Ispahan.

Kandahar, in Central Afghanistan.

Tomas Colican=Tamasp Kuli Kan, General of Persian army. Sephi II died in 1694, leaving two sons, Hussein and Abas, the former succeeded him. Tamasp, one of Hussein's sons.

440. *Mr. Cuke*, probably 'Cook'.

Percisa in MS. error for Persia.

441. *perditores*, plunderers, or *proditores*, traitors.

Giamson, probably for *Jameson*.

443. . . .*fragat* in MS. The last part of word looks like 'frigate'.

444. Here Sheik 'Annis', not 'Anna'.

447. Here the page is cut clean out beyond the middle of the page and of the line that follows, beginning 'Isto tempore', &c.

448. Here the Chronicle ceases with the half-page cut off, corresponding with the former page 447. Ending with the word 'Amen', it seems to be the last words of the Chronicle itself.

INDEX I

NAMES OF PERSONS

[The numbers refer not to the pages of this volume but to the folios in the original MS., although the spelling is at times that adopted in the English translation.]

INDEX II

NAMES OF PLACES

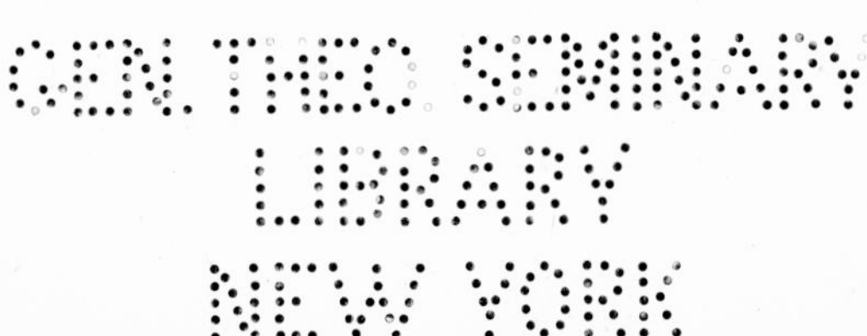

PRINTED IN ENGLAND AT THE
UNIVERSITY PRESS, OXFORD
BY JOHN JOHNSON
PRINTER TO THE UNIVERSITY